KU-332-296

ullstein

Das Buch

Württemberg, 1850: Die junge Hannah Brettschneider ist auf der Suche nach Helmut, dem Mann, der sie im elterlichen Gasthof in Nürnberg geschwängert hat. Als sie Gönningen, ein Dorf am Fuß der Schwäbischen Alb, erreicht, ist Hannah zunächst fasziniert vom bunten Treiben im Heimatort der Samenhändler, die dort mit Tulpenzwiebeln, Blumen- und Gemüsesamen handeln: In ganz Europa verkaufen sie ihre Sämereien, bis nach Russland und Amerika führen ihre Reisen. Hannahs Begeisterung für den ungewöhnlichen Ort findet aber ein jähes Ende, denn Helmut ist mit Seraphine, dem schönsten Mädchen im Dorf, verlobt. Als sich der reiche Händlersohn schließlich doch für Hannah entscheidet, ist Seraphine jedes Mittel recht, um die Widersacherin auszuschalten und Helmut zurückzugewinnen.

»Petra Durst-Benning fasziniert einmal mehr.«

Offenburger Tageblatt

»Mit großer Sensibilität erzählt sie von Sehnsucht und Abschied und von der Liebe, die gepflegt werden muss wie ein Saatkorn.«

Literatur-Report

Die Autorin

Petra Durst-Benning ist Autorin, Übersetzerin und Dolmetscherin. Sie lebt in der Nähe von Stuttgart. Mit ihren historischen Romanen *Die Zuckerbäckerin*, *Die Glasbläserin* und *Die Amerikanerin* ist sie in die erste Reihe deutscher Bestsellerautorinnen aufgestiegen.

Von Petra Durst-Benning sind in unserem Hause bereits erschienen:

Die Glasbläserin
Die Amerikanerin
Das gläserne Paradies
Die Liebe des Kartographen
Die Salzbaronin
Die Silberdistel
Die Zuckerbäckerin
Antonias Wille

PETRA DURST-BENNING

DIE SAMENHÄNDLERIN

Roman

ULLSTEIN

Besuchen Sie uns im Internet:
www.ullstein-taschenbuch.de

Umwelthinweis:
Dieses Buch wurde auf chlor- und säurefreiem Papier gedruckt.

Ungekürzte Ausgabe im Ullstein Taschenbuch
1. Auflage Mai 2006
4. Auflage 2007
© Ullstein Buchverlage GmbH, Berlin 2005/Ullstein Verlag
Umschlaggestaltung: HildenDesign, München
(nach einer Vorlage von Büro Jorge Schmidt, München)
Titelabbildung: »Auf der Terrasse« von Auguste Renoir,
© Hans Hinz/Artothek
Foto Umschlagrückseite: © Michael Heyde
Gesetzt aus der Minion
Satz: LVD GmbH, Berlin
Druck und Bindearbeiten: Ebner & Spiegel, Ulm
Printed in Germany
ISBN 978-3-548-26424-0

»Und die Erde ließ aufgehen Gras und Kraut, das sich besamte, ein jegliches nach seiner Art, und Bäume, die da Frucht trugen und ihren eigenen Samen bei sich selbst hatten, ein jeglicher nach seiner Art. Und Gott sah, dass es gut war.«

1. Mose 1,12

1

Der Mann spürte, wie sich der Schweiß, der ihm in Rinnsalen den Leib hinablief, im Bund seiner Hose sammelte. Das Durchatmen fiel ihm schwer. Er griff an seinen Gürtel, um ihn ein Loch weiter zu schnallen. Als er den Krug an die Lippen setzte, lief ihm etwas Bier das Kinn hinab und befleckte seinen Hemdkragen. Statt es abzuputzen, grinste er vor sich hin. Wenn er von diesem Tisch aufstand, konnte er sich nicht nur *ein* neues Hemd nähen lassen, sondern gleich zwei oder drei oder vier!

So ein gutes Blatt hatte er noch nie in seinem Leben gehabt. So viel Glück ... Und das heute! Ausgerechnet heute ...

Mit Wucht knallte er seine Karten auf den Tisch.

Das war's!

»Ja, verdamm mich doch!«

»Verrecke! Du –«

»Das ... ist das wirklich ...?«

Ungläubige Gesichter starrten ihn an.

»Meine Herren« – er bemühte sich um einen beiläufigen Ton, während sein Puls hart gegen seine Schläfen pochte –, »heute scheint das Glück auf meiner Seite zu sein.« Mit zittriger Hand raffte er sämtliche Geldscheine und Münzen, die auf dem Tisch verteilt waren, zusammen und stopfte alles in seinen Geldsack. Schnell weg damit! Es war besser, diesen Kerlen den Abschied von ihrem Geld so schmerzlos wie möglich zu machen.

Der Wirt war der Erste, der seine Sprache wiederfand. »Warum die Eile? Kann so ein reicher Mann wie du nicht wenigstens noch eine Runde ausgeben?«

Seine Frage wurde vom beifälligen Murmeln der anderen begleitet, aus welchem Friedhelm Schwarz aber auch die Worte »Betrug« und »nicht mit rechten Dingen« herauszuhören glaubte.

Das Wirtshaus war alt und heruntergekommen, die Wände waren geschwärzt vom Rauch. Der Geruch von Arme-Leute-Essen mischte sich mit dem der Verzweiflung, Aggression und Abgestumpftheit. In einer Ecke tropfte etwas Nasses, Muffiges von der Decke.

Angewidert schaute Friedhelm Schwarz sich um. In was für eine Spelunke war er hier geraten? Hatte er sich nicht geschworen, solchen Stätten ein für allemal den Rücken zu kehren? Andererseits: Hätte er dieses Wirtshaus nicht betreten, würde sein Geldsack jetzt nicht prall und schwer bis fast zu seinem Knie hinabhängen … Ha, da wird Else Augen machen!

Sich ein Lachen verkneifend, warf er seinen feuchten Umhang über die Schultern.

»Am besten mache ich mich gleich auf den Weg.« Während er die Bändel am Hals zuschnürte, blickte er durch die winzigen Fenster nach draußen. Es war noch hell – wenn man den Begriff überhaupt auf dieses gottverlassene Tal in den Schweizer Bergen anwenden wollte. Richtig hell wurde es hier eigentlich nie. Die umliegenden Berge fraßen jeden Sonnenstrahl auf, bevor er die Wiesen und Felder erreichen konnte. Landwirtschaft zu betreiben war in diesem Schattendasein ein hartes Brot. Das bisschen, was die Erde erbrachte, war zum Leben zu wenig und zum Sterben zu viel.

Aber es war nicht *sein* hartes Brot, sagte sich Friedhelm. Nicht heute!

Seit Wochen war er in dieser dunklen Ecke der Schweiz nun schon unterwegs und versuchte, mit den Bauern ins Geschäft zu kommen. Gerade einmal die Hälfte seines Gemüsesamens war er losgeworden – und so manches Päckchen hatte er auf Kredit dalassen müssen, auf das Versprechen hin, dass der Käufer im nächsten Jahr, nach der nächsten Ernte wieder genug Geld haben würde, um seine Schulden zu bezahlen. Blumensamen hatte Friedhelm in keinem einzigen Haus verkaufen können, was er den Leuten nicht einmal übel nehmen konnte. Veilchen und Anemonen machten nicht satt. Und mit knurrendem Bauch ging der Blick für die Schönheit eines Blumenbeetes schnell verloren.

Ach, er hatte die Nase so voll von diesen hoch gelegenen Tälern mit den verschlossenen, verbitterten, armen Menschen! Warum erging es ihm nicht wie den anderen Samenhändlern, die ihre Geschäfte in besseren Gegenden tätigen konnten, fragte er sich nicht zum ersten Mal. Warum zählten zu seinen Kunden keine wohlhabenden Bauern, keine Gärtnereien, keine reichen Gartenliebhaber? Warum hatte sein Vater ihm lediglich diesen ärmlichen Samenstrich in der Schweiz vermacht?

Ein Griff an seinen Geldsack half ihm, einen Deckel auf diese Fragen zu legen, bevor Neid und Wut und Hass ungebändigt in ihm aufsteigen konnten. Die anderen sollten sich zum Teufel scheren! Heute war er der König. Heute hatte er sein Geschäft gemacht, jawohl!

Er wollte nach Hause.

Nach Gönningen.

In sein Heimatdorf, am Fuße der Schwäbischen Alb gelegen, hunderte Meilen von diesem elenden Flecken hier entfernt.

Nun hatte er es eilig, schulterte seinen Zwerchsack, in dem neben den Blumensamen auch noch Blumenzwiebeln lagen. Blumenzwiebeln! Warum hatte er die überhaupt hierher mitgeschleppt? Er hob seinen Hut zum Abschiedsgruß.

»Wo willst du denn heute noch hin zu Fuß? Ganz runter ins

9

Tal kommst du bestimmt nimmer.« Einer der Kartenspieler schaute ihn missgelaunt an.

Friedhelm ging die Strecke, die vor ihm lag, im Geiste durch. Der Mann hatte Recht, ins nächste Tal waren es gut und gern zwanzig Meilen, dazwischen lagen zwei oder drei Weiler, mehr nicht. Aber was blieb ihm anderes übrig, als sich so schnell wie möglich auf die Socken zu machen? Eine Nacht in dieser Spelunke war das Letzte, wonach ihm der Sinn stand. Garantiert würde er sich am nächsten Morgen mit eingeschlagenem Schädel wiederfinden oder betäubt und ausgeraubt oder –

»Ich hab's eilig, will an Weihnachten zu Hause sein.«

»Vorhin hattest du es aber ganz und gar nicht eilig«, murmelte einer der Männer feindselig.

»Genau. Da hattest du genügend Zeit, uns bis aufs letzte Hemd auszuziehen«, schnauzte ein anderer.

»Ruhe!«, fuhr der Wirt dazwischen. »Wer spielen kann, muss auch verlieren können, ist's nicht so?« Er nickte Friedhelm zu, der das Nicken erwiderte. Wie gut kannte er dieses dumpfe Grollen in der Bauchgegend, wenn sich erst einmal das Bewusstsein, sich um Kopf und Kragen gespielt zu haben, gesetzt hatte! Wenn die Euphorie des Spiels, die Konzentration nachließ und der Fassungslosigkeit über die eigene Dummheit wich. »Das Glück ist eine Hure, legt sich jedes Mal zu einem anderen« – solche gut gemeinten Sprüche trösteten da nicht, deshalb verkniff sich Friedhelm jetzt auch jede Bemerkung in dieser Richtung.

Der Wirt begleitete ihn zur Tür. Er warf einen kurzen Blick zurück in den Gastraum, dann winkte er Friedhelm näher zu sich heran. Auf seinem Gesicht zeichnete sich ein verschlagenes Grinsen ab.

»Ich wüsste, wie du heute ein gutes Stück weiterkommst: Du könntest mit dem Öschen-Bürli fahren. Der will heute noch hinunter ins Tal. Er schaut vorher bei mir vorbei, um etwas abzuholen. Wenn du willst, rede ich mit ihm. Er nimmt dich bestimmt mit.« In seinem Blick lag etwas Lauerndes.

Friedhelm zögerte. Der Öschen-Bürli war ein besonders versoffener Kerl und reizbar dazu, das wusste er von früheren Kartenabenden. Friedhelm war froh gewesen, den Mann heute nicht am Tisch gehabt zu haben. Bei dem Gedanken an dessen alten Klepper und den Wagen, an dem die Hälfte der Radspeichen gebrochen waren, verspürte Friedhelm nicht gerade große Lust, sich ihm anzuschließen. Andererseits: Besser schlecht gefahren als gut gelaufen!

»Na gut, dann warte ich auf den Bürli!«

Er wollte wieder in die Wirtschaft zurückgehen, als der Wirt ihn grob am Ärmel packte.

»Lass das bleiben«, murmelte er. »Du kennst die Burschen. Da gönnt keiner dem anderen die Butter auf dem Brot, geschweige denn solch einen Haufen Geld, wie du ihn heute kassiert hast. Die bekommen dich besser nicht mehr zu sehen.«

Friedhelm warf einen Blick über die Schulter des Mannes hinweg in den Schankraum. Die Spieler hatten ihre Köpfe zusammengesteckt. Er verspürte keine besondere Lust, nochmals zu ihnen zu stoßen, aber genauso wenig Lust hatte er, den steilen Buckel zum Hof des Öschen-Bürli zu erklimmen. Doch was blieb ihm anderes übrig?

»Dann mach ich mich mal auf den Weg«, sagte er seufzend und wies mit dem Kinn nach oben in die Richtung, wo er den Hof des Mannes vermutete.

Der Wirt schüttelte den Kopf. »Brauchst dich nicht den Berg hoch zu quälen, ich habe eine bessere Idee!«

Eine gute Stunde Fußmarsch später hatte Friedhelm Schwarz den beschriebenen Treffpunkt erreicht. Prüfend schaute er sich ein letztes Mal um: Zu seiner Linken waren die drei Tannen, die der Wirt ihm genannt hatte. »Sie neigen sich einander zu, als tanzten sie einen Reigen.« Friedhelm lächelte in sich hinein – solch eine poetische Beschreibung hätte er dem Raubein gar nicht zugetraut! Zu seiner Rechten war eine Art Schilfwald – dahinter befände sich ein kleiner Weiher, hatte der Wirt gesagt. Friedhelm hatte den Weiher auf seinen früheren Reisen noch nie bewusst wahrgenommen. Wahrscheinlich ein verschlammtes Loch, in dem höchstens ein paar magere Fische mit trüben Augen dümpelten, dachte er grimmig.

Hinter dem Schilfwald gabelte sich der Weg. Ein schmaler, tief gefurchter Feldweg schlängelte sich nach rechts – wahrscheinlich die einzige Zufahrt zu einem einsam gelegenen Gehöft. Ein nicht wesentlich ebenerer Weg führte nach links. Ob der Öschen-Bürli aus einer dieser Richtungen kommen würde? Friedhelm ärgerte sich, dass er den Wirt nicht danach gefragt hatte. Und warum hatte er den Kutscher eigentlich nicht schon am Ortsende treffen können?

Es war inzwischen fast völlig dunkel geworden, nur die dünne Schneedecke spendete noch ein wenig Licht. Gänsehaut breitete sich über Friedhelms Rücken aus. Er kniff die Augen zusammen. Kein Wagen, kein Öschen-Bürli, weder auf dem rechten noch auf dem linken Feldweg. Sehr weit konnte er allerdings nicht sehen.

Er spielte schon mit dem Gedanken, zu Fuß weiterzugehen und den Öschen-Bürli samt seinem verkommenen Gefährt zu vergessen, als er im Gebüsch rechts von sich ein Knacken hörte. Erschrocken fuhr er herum. Nichts. Friedhelm blies seinen angehaltenen Atem aus, der wie eine düstere Wolke über ihm stehen blieb. Stell dich nicht an, sagte er sich. Doch unwillkürlich wanderte seine Hand zu der Tasche mit dem Geld.

Es war nicht das erste Mal, dass er allein und bei Nacht unterwegs war. Gleichzeitig wusste er, dass dies im Grunde mehr als leichtsinnig war. Es gab kaum einen Samenhändler, der allein loszog – die Gefahren waren einfach zu groß. Zu zweit oder gar zu mehreren war man gegen Überfälle besser gewappnet, vier Augen und vier Ohren sahen und hörten nun einmal mehr. Aber wer hätte ihn schon in diese verlassene Gegend begleitet? Die meisten Gönninger Samenhändler zogen durch wohlhabendere Landschaften, hatten begütertere Kunden, größere Umsätze.

Und dennoch: Diese Reise war ein voller Erfolg gewesen! Else würde stolz auf ihn sein, und Seraphine würde große Augen machen. Seine schöne Tochter Seraphine. Der wahre Schatz in seinem Leben. In Bregenz wollte er die edelsten Spitzen für sie kaufen und ein gutes Bündel Seidenstoff noch dazu! Wie ein feiner Herr würde er das Geld dafür auf den Ladentisch legen und keine Miene dabei verziehen.

Er hörte weder das Knacken zwischen den Schilfwedeln und auch nicht die herannahenden Schritte, noch signalisierte ihm sein Körper in anderer Art die Gefahr, in der er sich befand. Zu abgelenkt war er durch seine Gedanken, zu konzentriert auf seine Rückkehr nach Gönningen.

Wie ein König würde er heimkommen –

2

Gönningen, im Dezember 1849

»Allmächt, wo bin ich hier nur hingeraten …«

Hannah kniff die Augen zusammen und starrte krampfhaft die Straße entlang.

Das Ende von Nirgendwo …

Nach zehn Minuten Fußmarsch würde sie Gönningen erreichen, hatte der Bauer gesagt, der sie von Reutlingen bis zu dieser Kreuzung mitgenommen hatte. Wenn sie sich anstrengte, konnte sie durch die Nebelschwaden, die von den umliegenden Berghängen herabsanken, die Umrisse einiger Häuser erkennen. Das Einzige, was Hannah deutlich sah, waren nackte Obstbäume. Der Geruch nach gegorenem Fallobst und faulendem Laub hing in der Luft und kitzelte sie in der Nase. Hunderte von Obstbäumen links und rechts neben ihr, hinter ihr, vor ihr – im Frühjahr, wenn die Bäume in Blüte standen, war dies bestimmt ein hübscher Anblick …

Hannah ließ ihren Koffer sinken und drückte eine Hand in ihren Rücken, der steif wie der einer hölzernen Puppe war. Gleichzeitig schaute sie sich um. Keine Hecke, nichts. Wenn sie nicht bald irgendwo Wasser lassen konnte, würde ihre Blase platzen – bestimmt! Sie spielte kurz mit dem Gedanken, sich einfach auf die Straße zu hocken und … Doch im nächsten Moment verwarf sie die Idee, da eine Kutsche um die Ecke bog. Der Fahrer nickte ihr kurz zu, ohne anzuhalten oder ihr anzubieten, sie ein Stück mitzunehmen.

Dann eben nicht! Hannah bückte sich, um den Koffer wieder aufzunehmen. In der kurzen Zeit hatte der Schneematsch, der zusammen mit Pferdeäpfeln die Straße bedeckte, den Boden und die Seitenwände aus Pappe durchdrungen. Auch Hannahs Rock war bis zu den Knöcheln nass. Wütend trat sie in einen besonders widerlichen Schnee-Misthaufen, woraufhin sich der Druck auf ihre Blase noch verstärkte. Mit verkrampften Schritten marschierte sie los. Bald, bald würde sicher ein Schuppen auftauchen, hinter dem sie sich verstecken konnte. Dann würde sie ihren Rock heben, ihre Unterhose aufschnüren und … Nur nicht weiter daran denken.

Die feuchte Kälte war so durchdringend, dass Hannah das Gefühl hatte, völlig nackt zu sein. Dabei trug sie fast alles an Kleidern, was sie bei sich hatte, am Leib. Sie zog ihren Umhang enger um Kopf und Schultern. Der klamme Stoff juckte an ihren Wangen, doch mit aller Macht widerstand Hannah dem Impuls, sich zu kratzen. Wenn sie damit anfing, würde sie nicht mehr aufhören können. Sieben Tage und sieben Nächte in denselben Kleidern, und zwischendurch gerade einmal eine Katzenwäsche ... Hannah schauderte.

Ein heißes Bad – dafür würde sie alles geben! Seit sie am Mittag neben dem stinkenden Bauern auf den Kutschbock geklettert war, konnte sie an nichts anderes mehr denken als daran, sich in eine Wanne mit warmem Wasser sinken zu lassen. Daran, wie ihre schmerzenden Knochen schwerelos wurden, wie sich jede Pore ihrer Haut öffnete. Die Haare würde sie sich waschen, zwei Mal sogar, und wenn dabei ein halbes Stück Seife draufging! Ein wohliger Seufzer erstickte im feuchten Stoff ihres Umhangs. Den schwarzen Rand an der Wanne, den ihr Bad mit Sicherheit hinterlassen würde, blendete sie aus ihren Schwelgereien aus. Noch nie in ihrem Leben war sie so schmutzig gewesen.

Den ganzen Tag über war es nicht richtig hell geworden, und nun fraß der Nebel auch noch den letzten Rest Tageslicht auf. Hannah hätte nicht sagen können, ob es drei oder vier oder schon fünf Uhr nachmittags war. Sie schleppte sich weiter.

Eine Kirche konnte das Dorf wenigstens vorweisen, ging es ihr durch den Kopf, als wenige Minuten später immer klarer die Umrisse eines Kirchturms zu sehen waren. Dann *musste* es irgendwo auch Fremdenzimmer geben, mit oder ohne Badegelegenheit. Zur Not würde eine Schüssel mit heißem Wasser genügen.

Wie auch immer – wenn sie eine Bleibe für die Nacht finden wollte, musste sie sich sputen!

Hannah war derart darauf konzentriert, ihre Blase zu kontrollieren und gleichzeitig schneller zu laufen, dass sie das Fuhrwerk, das sich von hinten näherte, erst im letzten Moment hörte. Ohne die Geschwindigkeit zu verringern, brauste es vorbei, sie konnte gerade noch einen Sprung zur Seite machen. Schneematsch platschte gegen ihren Rock.

»Rüpel!«, schrie sie dem Kutscher nach. Hätte der Kerl nicht anhalten und sie fragen können, ob sie mitfahren wolle? Sie hätte immer noch Nein sagen können.

»Pass auf dich auf, Mädle!«, hatte der Bauer, der aus einem der Nachbarorte kam, ihr zum Abschied gesagt. »Die Gönninger sind Lumpen. Die können in einer Nacht ihre ganze Habe versaufen, die elenden Hungerleider!«

Hannah runzelte die Stirn und sprang kurz darauf über eine besonders tiefe Pfütze.

»Dummer Kerl …«, murmelte sie vor sich hin.

Natürlich hatte er wissen wollen, was sie hierher, an den Rand der Schwäbischen Alb geführt hatte.

»Familienangelegenheiten«, antwortete sie knapp, woraufhin er sie mit einem schrägen Blick bedachte.

»Familienangelegenheiten«, hatte sie auch dem Nürnberger Beamten als Grund dafür genannt, dass sie einen Reisepass benötigte. Keine drei Wochen war das her, doch Hannah kam es wie eine Ewigkeit vor.

Seit einer Woche war sie nun unterwegs. Nie hätte sie gedacht, dass sich die Reise so lange hinziehen würde! Mutter glaubte bestimmt, sie wäre schon längst an ihrem Ziel angelangt. Wahrscheinlich rannte sie jeden Morgen den Postboten halb über den Haufen, weil sie auf eine Karte oder einen Brief von ihrer Tochter hoffte.

Sieben Tage, in denen Hannah immer wieder um eine Mitfahrgelegenheit hatte bangen müssen. Von Nürnberg aus fuhren zwar viele Züge – nach Augsburg, nach München, nach Leipzig, ja sogar bis nach Hamburg oder Danzig hätte sie reisen können, aber kein Einziger fuhr nach Stuttgart. Gönningen, das ungefähr fünfzig Meilen südlich von Stuttgart lag, hatte der Schalterbeamte erst gar nicht auf seiner Karte gefunden. Aber ausgerechnet in diesen südlichen Zipfel Württembergs, der von der Welt wie abgeschnitten war, musste sie reisen! Postkutschen, Fuhrleute, Bauern – unzählige Male hatte sie das Gefährt gewechselt. Hatte sich die engen Holzbänke mit fremden Menschen teilen müssen, deren Sprache – je weiter nach Süden die Reise ging – immer seltsamer wurde, so dass Hannah meist nur die Hälfte von dem, was gesprochen wurde, mitbekam! Anfangs hatte sie noch darauf geachtet, bei der Fahrt ein Dach über dem Kopf zu haben, doch ab Stuttgart hatte sie sich das nicht mehr leisten können. Von da an war sie froh gewesen, überhaupt mitgenommen zu werden.

Und nun war sie angekommen. In Nirgendwo. Am Fuße der Schwäbischen Alb.

Zehn Minuten später hatte Hannah ihren Drang, Wasser lassen zu müssen, fast vergessen. Stattdessen kam sie aus dem Staunen nicht mehr heraus.

Seit sie die ersten Häuser von Gönningen passiert hatte, war sie bei drei Schuhmachern, vier Metzgerläden, einem Friseur und mindestens fünf Kaufmannsläden vorbeigekommen. Auch ein Gasthof namens »Schwanen« war dabei gewesen, doch innen war nirgendwo Licht zu sehen, so dass Hannah annahm, er wäre geschlossen. Aber bei so vielen Läden würde es doch bestimmt auch ein zweites Gasthaus geben! Was für ein ungewöhnliches Dorf … Die meisten Geschäfte waren in stattlichen Häusern untergebracht, von denen einige aus einem cremefarbenen, fremdartigen Stein erbaut waren. Vor oder neben vielen Häusern befanden sich kleine Gärten, deren Eingangstore schmiedeeisern und so reichhaltig verziert waren, als würden sie zu städtischen Villen gehören. Die Gassen waren durch den Schein vieler Laternen gut beleuchtet und ausgesprochen sauber. Obwohl sich immer wieder Fuhrwerke und Kutschen aneinander vorbeidrängten, lagen nirgendwo Pferdeäpfel herum. Ob die wohl jemand wegkehrte? Auch herrschte ein solch reges Treiben, dass Gönningen den Vergleich mit dem Nürnberger Viertel, in dem Hannahs Eltern ihren Gasthof hatten, nicht scheuen musste. Frauen gingen eilig in Richtung der Kirche – gut gekleidete Frauen, wie sie mit einem Blick erkannte, woraufhin sie sich in ihren verschmutzten Sachen umso schäbiger vorkam. Männer, die einen Arm um die Schulter eines Kameraden gelegt hatten, waren vermutlich auf dem Weg ins nächste Wirtshaus. »Die Gönninger können in einer Nacht ihre ganze Habe versaufen« – unwillkürlich musste Hannah an die Worte des Bauern denken. Und dann sah sie trotz des schlechten Wetters überall Kinder: kleine Kinder, die miteinander spielten, größere, die miteinander stritten, und kichernde halbwüchsige Kinder. Als Hannah einen Blick in eine der Seitengassen wagte, sprang ihr eine Horde kleiner Wegelagerer vor die Füße, die kichernd und feixend Wegepfand von ihr forderten.

»Weg mit euch!« Mit Hilfe ihres Koffers versuchte sie, die Bande davonzujagen. Doch die Kinder lachten nur und tanzten weiter um sie herum – wie ungezogen! Hastig verließ Hannah die enge Gasse und kam sogleich auf einen Marktplatz. Mitten auf dem Kopfsteinpflaster blieb sie stehen.

»Allmächt …« Das »Lamm«, die »Krone«, der »Fuchsen«, die »Sonne« – an jeder Ecke gab es ein Gasthaus!

Die Frage, wo sie übernachten sollte, war nun zu einem wirklichen Problem geworden, wenn auch völlig anderer Art, als Hannah es erwartet hatte.

»Eins ist so gut wie das andere«, murmelte sie vor sich hin, wohl wissend, dass dem nicht so war. Warum suchten viele Reisende in Nürnberg immer wieder ausgerechnet den »Goldenen Anker« ihrer Eltern auf, obwohl er nicht einmal sonderlich zentral lag? Weil eben nicht jedes Wirtshaus so gut wie das andere war! Weil die Reisenden wussten, dass das Essen, die

Bedienung und die Schlafmöglichkeiten im »Goldenen Anker« gleichermaßen solide und bezahlbar waren.

Hannah blinzelte. Daheim waren die ersten Gäste bestimmt schon eingetroffen, und Mutter hatte alle Hände voll zu tun, in der Küche und im Gastraum … Heimweh sprang Hannah an wie eine Zecke. Bevor es das letzte bisschen Kraft aus ihr saugen konnte, steuerte sie auf eines der kleineren Häuser zu, dessen Schild von einer hübschen Sonne verziert war.

»Sie haben Glück, ein Zimmer ist noch frei«, antwortete die Wirtin nach einem ausgiebigen Blick in ihr Gästebuch. »Für wie lange werden Sie die Kammer benötigen?«

»Das weiß ich noch nicht«, murmelte Hannah. Ihr Blick fiel durch die angrenzende Tür. Ob sie mit der »Sonne« die richtige Wahl getroffen hatte? Die Wirtsstube war voller Männer, die irgendetwas zu feiern hatten. Jedenfalls ging es dementsprechend laut zu. In dem kleinen Flur, in dem sich Hannah und die Wirtin befanden, standen reihenweise Säcke an der Wand, so dass ein Durchkommen nur mit eingezogenem Bauch und angewinkelten Armen möglich war. Warum nur war hier so viel Betrieb?

Die Frau folgte Hannahs Blick und sagte: »Heute sind die Ulmer Gärtner angekommen, die Säcke da, das ist alles deren Gelumpe! Die Ulmer kommen jedes Jahr um diese Zeit. Wollen sich sozusagen noch ein letztes Geld im alten Jahr verdienen.« Sie lachte.

»Die Ulmer Gärtner – aha!« Hannah nickte wissend, als wäre damit alles klar. Sie neigte sich über den Tresen und flüsterte der Wirtin ins Ohr: »Entschuldigen Sie, können Sie mir sagen, wo der … Abort ist?«

»Der Abort? Oh, Sie meinen das Häuschen!« Die Frau lachte verständnisvoll. »Gehen Sie einfach durch diese Tür nach hinten hinaus, dann sehen Sie es schon. Ihr Gepäck können Sie gern hier lassen, meine Tochter bringt es derweil auf Ihr Zimmer.« Sie nickte in Richtung einer jungen Frau, die mit einem Stapel schmutziger Teller aus dem Gastraum kam. Sie zog ihr rechtes Bein ein wenig nach, wodurch ein seltsames Schlurfgeräusch entstand.

»Da wäre noch etwas …« Hannah holte tief Luft. Wenn sie jetzt nicht fragte, würde sie vor Anspannung platzen. »Wo kann ich Helmut Kerner finden? Den Samenhändler?«

»Den Helmut?« Die Wirtin runzelte die Stirn. »So viel ich weiß, ist der gestern von der Reise zurückgekommen. Sein Bruder auch. Bestimmt schauen die heute Abend hier noch vorbei. Da haben Sie Glück – normalerweise gehören die beiden zu denen, die erst an Ostern heimkehren, aber dieses Jahr …« Sie zwinkerte vertraulich. »Wo doch bald die Hochzeitsglocken klingen werden …«

»Die Hochzeitsgl …« Mehr brachte Hannah nicht heraus. Ihr war von einem Moment zum anderen so schwindlig, dass sie sich am Tresen festhalten musste.

Die Wirtin verzog das Gesicht. »Ja, ja, es hat viele überrascht, dass da endlich Nägel mit Köpfen gemacht werden. Andererseits: Ein Wunder ist's nicht, schließlich ist der Helmut auch schon fünfundzwanzig.«

Fluchtartig rannte Hannah durch die Tür.

3

Seraphine kniff die Augen zusammen. Schon drei Mal hatte sie versucht, den Faden durch das winzige Nadelöhr zu bekommen – vergeblich. Wütend warf sie einen Blick auf die Ölfunzel, deren Schein ihren Arbeitsplatz nur spärlich ausleuchtete. Nicht einmal genügend Licht gab es in dieser elenden Hütte!

Ihre zittrigen Finger ignorierend, startete Seraphine einen weiteren Versuch. Endlich! Mit einem Seufzer begann sie, in dem riesigen Stoffberg vor sich zu wühlen.

»Du fängst doch nicht etwa schon wieder mit deiner Näherei an?«, kam es vom Herd. »In ein paar Minuten ist die Suppe warm, dann wird gegessen. Und wenn du schon nähen musst, dann bedien dich bitte da drüben. Du hast doch gehört, was die Müllerin gesagt hat. Sie will die Sachen übermorgen wiederhaben.«

Seraphine warf erst ihrer Mutter, dann dem Stapel Flickwäsche, der heute Mittag bei ihnen abgegeben worden war, einen Blick zu.

»Die Müllerin soll sich nicht so anstellen. Ich habe mir vorgenommen, heute Abend den Rocksaum mit Spitze zu besetzen.«

Sie breitete den Stoffberg auf dem Tisch vor sich aus und wollte gerade mit ihrer Arbeit beginnen, als der penetrante Kohlgeruch, der vom Herd aufstieg, sie in der Nase kitzelte. Sie verzog ihr Gesicht zu einer Grimasse und deckte hastig die Näharbeit mit einem alten Tuch ab. Am Ende würde ihr Kleid noch nach Kohl stinken! Doch schon im nächsten Moment glättete sich Seraphines Miene wieder, wie immer, wenn sie das Kleid in die Hände nahm.

Ihr Hochzeitskleid.

Wie viele Stunden Arbeit darin steckten! Das ganze Oberteil war mit kleinen, silbrig glänzenden Perlen bestickt, die der Vater ihr von seiner letzten Reise mitgebracht hatte. Die Ärmel waren mit vier Schichten feinster Spitze verziert, zwei verschieden breite Spitzen zierten auch den Ausschnitt. Den Rock hatte Seraphine in Dutzende von Falten gelegt, allerfeinste Falten, eine haargenau so breit wie die andere und jede exakt mit dem Bügeleisen geplättet. Allein an dem Rock hatte sie den ganzen Sommer und Herbst über gearbeitet.

Ein warmer Schauer durchfuhr Seraphine. Wie eine Königin würde sie darin aussehen. Oder wie eine Prinzessin. Die Mondprinzessin. Verstohlen holte sie ihren Zopf über die Schulter nach vorn und hielt ihn gegen den Stoff. Der seidige schwarze Taft ließ ihr Haar noch heller wirken. Wie gesponnenes Silber ... Sie würde sich keine roten Apfelbäckchen malen, so wie die Tochter des Apothekers es bei ihrer Hochzeit getan hatte. Sie würde ihre Blässe tragen wie die vornehmen Damen. Apfelbäckchen – das war etwas für Bauerntrampel. Und sie war kein Bauerntrampel.

Sie war Seraphine. Das schönste Mädchen im Dorf, so sagte jeder. Doch Seraphine hätte auch ohne die bewundernden Blicke der Männer, ohne die neidvollen Blicke der Weiber gewusst, dass ihre Schönheit ungewöhnlich war. Schließlich hatte sie Augen im Kopf. Keine besaß so glattes, seidiges silberblondes Haar wie sie. Keine hatte Augen in der Farbe von polierten Granitsteinen. Andere Frauen waren schmallippig oder hatten wulstige Lippen, die ordinär wirkten – Seraphines Mund aber strahlte eine Sinnlichkeit aus, die die Männer seufzen ließ. Und ihre Statur erinnerte an die eines edlen Pferdes – langbeinig, feingliedrig, mit perfekten Proportionen.

Seraphine wusste, dass manche im Dorf sie hinter vorgehaltener Hand als eitles Ding bezeichneten. Aber Eitelkeit war verwerflich, das predigte der Herr Pfarrer. Seraphine wusste nur, dass ihre Schönheit etwas Besonderes war – und zudem das Einzige, was sie auf dieser Welt besaß. Darauf sollte sie sich etwas einbilden?

Versonnen fuhr Seraphine mit dem Zeigefinger der rechten Hand die Konturen ihrer Lippen nach. Sofort begann die weiche Haut zu prickeln. Bald, bald würde sie wie eine schlafende Prinzessin wachgeküsst werden. Von ihrem Prinzen. Von Helmut. Dessen Familie zu den reichsten in Gönningen gehörte. Den sie liebte, seit sie denken konnte.

Seraphine ließ Nadel und Faden sinken. Ein tiefer Seufzer erfüllte den Raum. Wenn es nur schon so weit wäre …

Jahre hatte sie gewartet, manchmal mehr, manchmal weniger geduldig, aber stets wissend, dass irgendwann einmal *der Tag* kommen würde. Der Tag, an dem der Irrtum rückgängig gemacht werden würde, durch den sie bei ihrer Geburt in dieser elenden Hütte gelandet war. Für Seraphine stand fest, dass es sich um eine Art »Verwechslung« handelte. Sogar ihr Vater hatte einmal eine entsprechende Bemerkung gemacht.

»Man sagt, wenn die Feen den Menschen einen Wechselbalg in die Wiege legen, sind das ganz hässliche Geschöpfe. Bei uns hat die Fee bestimmt einen Fehler gemacht. Sie haben das hässliche Entlein mitgenommen und dich hineingelegt!« Und dann hatte er gelacht, so laut gelacht, als habe *er* dem Schicksal ein Schnippchen geschlagen!

So hatte Seraphine von Kindesbeinen an geglaubt, eine Fee habe sie gebracht. Doch im Laufe der Zeit war sie zu einer weiteren Überzeugung gekommen: Die Fee musste einen schicksalhaften Fehler begangen haben! Vielleicht war die Sternenfee durch einen besonders grell funkelnden Stern geblendet worden, als sie die Säuglinge verteilte. Deshalb hatte sie nicht erkennen können, in welch armseliges Gemäuer sie ihre ganz besondere Tochter gelegt hatte. So musste es gewesen sein, davon war Seraphine überzeugt. Ihr Aussehen, der ungewöhnliche Name, den ihr Vater von einer Reise mitgebracht hatte – zum Ärger der Patentante Gertrud, die ihren Namen hatte vererben wollen –, die glockenklare Stimme, mit der Seraphine ihre Lieder sang … Bedurfte es weiterer Hinweise, dass sie für etwas anderes, etwas Besseres bestimmt war? Diese Sicherheit hatte sie bisher alles ertragen lassen.

Doch nun, wo *der Tag* keine drei Wochen mehr entfernt lag, war ihre Geduld erschöpft. Sie konnte es nicht mehr erwarten, endlich in Helmuts Armen zu liegen. Ihr Prinz, ihr Retter. Der sie herausholen würde aus der Armut, der sie auf Händen tragen würde. Helmut und sie, vereint als Mann und Frau.

Leidenschaft wallte in ihr auf. Warm und unberührt. Seraphine spielte kurz mit dem Gedanken, auf einen Sprung hinüber zum Haus der Kerners zu gehen, doch dann fiel ihr ein, dass Helmut erwähnt hatte, heute Abend finde das Treffen der Gönninger Samenhändler mit den Ulmer Gärtnern statt. Bestimmt waren er und Valentin und der alte Herr bereits in der »Sonne«.

Es war schon seltsam. Das ganze Jahr über machten die Gönninger aus ihren Einkaufsquellen ein großes Geheimnis. Jeder wollte die zuverlässigsten Samenzüchter und Gärtner für sich behalten. Doch wenn die Ulmer kamen, saßen alle einträchtig an einem Tisch. Sie musste Helmut einmal fragen, warum das so war.

Im nächsten Moment fiel Seraphines Blick wieder auf das Kleid. Vergessen waren die Ulmer Gärtner und das seltsame Geschäftsgebaren der Gönninger Händler. Sie hatte heute gar keine Zeit, Helmut zu sehen!

Resolut nahm sie die Spitze in die Hand und erschrak, als sich das dünne Bündel auseinander faltete. Nur noch so wenig? Das würde nie und nimmer für drei Bahnen rund um den Rocksaum reichen!

»Hoffentlich denkt Vater an die Spitze, die er mir mitbringen soll«, sagte sie.

»Dazu muss er erst einmal heimkommen«, brummte Else Schwarz. »Fast alle Männer sind schon zurück, nur Friedhelm lässt auf sich warten. Wieder einmal! Ich möchte nicht wissen, was ihn heuer aufgehalten hat.« Mit verkniffenen Augen starrte sie aus dem Fenster, als erwarte sie, ihren Mann im nächsten Moment zu sehen.

Ein ungutes Gefühl machte sich in Seraphines Bauchgegend breit. Sosehr sie sich die Rückkehr ihres Vaters wünschte, sosehr fürchtete sie zugleich den Moment.

»Glaubst du, er …« Sie brach ab. Vater wusste doch, dass ihre Hochzeit bevorstand! Er wusste es doch!

»Ich weiß es nicht, Kind«, antwortete ihre Mutter tonlos.

Seraphine biss sich auf die Lippen.

Was, wenn Vater sein Versprechen gebrochen hatte? Wieder einmal. »Tot umfallen will ich, wenn ich mich noch einmal von irgendwelchen Lumpen überreden lasse!« Noch heute tönten ihr seine Worte in den Ohren. Kein Würfelspiel mehr, keine Karten, und wetten wolle er auch nie wieder. Das sei vorbei, ein für allemal, hatte er Mutter bei seiner Abreise geschworen.

Und wenn er doch wieder mit leeren Taschen heimkam? So wie nach dem Jakobihandel im Spätsommer?

Seraphine schauerte. Es war so peinlich gewesen, so schrecklich peinlich, zu Helmut zu gehen und ihm von der misslichen Lage zu erzählen, in der ihr Vater steckte. Dass nämlich von dem Geld, das er durch den Verkauf der gedörrten Apfel- und Birnenschnitze eingenommen hatte, gerade noch so viel übrig war, um Kartoffeln, Kraut und Rüben für den Winter einzulagern. Für neue Ware war kein einziger Heller übrig geblieben. Helmut hatte nicht viel Aufhebens gemacht und gemeint, Friedhelm Schwarz sei nicht der Einzige, der Samen bei der Familie Kerner auf Pump kaufen würde. Noch am selben Abend hatte er mit seinem Vater gesprochen, und Gottlieb Kerner war am nächsten Tag vorbeigekommen und hatte eine Auswahl Gemüse- und Blumensamen mitgebracht. Seraphine wäre am liebsten im Erdboden versunken, als ihr Vater den Schuldschein für die Ware unterschrieb. Ihm schien das Ganze wenig auszumachen. So etwas könne jedem einmal passieren, hatte er schräg grinsend gesagt. Eine Dummheit, gewiss: die Freude über die guten Geschäfte, das angenehme Gefühl, wenn die Münzen im Sack klimperten, ein paar Bierchen über den Durst und dazu die ausgelassene Stimmung in manchen Wirtshäusern, Gottlieb wisse ja, wie so etwas sei …

Seraphine hatte genau gesehen, wie ihr zukünftiger Schwiegervater die Nase rümpfte. Sie wusste, was ihm durch den Kopf gegangen war.

Die zahlreichen Streuobstwiesen rund um Gönningen brachten den Dorfbewohnern alljährlich eine reiche Obsternte, und auch die Familie Schwarz besaß einige Wiesen. Aus den Äpfeln und Birnen, die im Schutz der Schwäbischen Alb im Überfluss wuchsen, wurde Dörrobst hergestellt, das man während des Jakobihandels Ende Juli an den Mann brachte – eine gute Einnahmequelle vor allem für jene Gönninger, die nicht viel Geld für Blumen- und Gemüsesamen investieren konnten. Für Leute wie Friedhelm Schwarz. Doch statt sich dieser Tatsache bewusst zu sein, hatte ihr Vater seine Einkünfte leichtfertig verspielt und war schließlich wie ein Bettler dahergekommen.

O Sternenfee, wie konntest du nur … Seraphine presste die Hand vor den Mund, um einen Schrei zu ersticken.

Ein weiterer schrecklicher Gedanke überfiel sie: Es mochte ja sein, dass die Kerners an viele im Dorf Ware auf Pump verkauften, aber was, wenn Friedhelm Schwarz der Einzige war, der nicht zurückzahlte?

Das würde sie ihm nie verzeihen! Niemals, nicht in diesem und nicht im nächsten Leben.

Als Seraphine sah, mit welch versteinertem Gesicht ihre Mutter aus dem Fenster guckte, wallte dieselbe ohnmächtige Verzweiflung in ihr auf, die sie schon so oft verspürt hatte.

Warum konnte Mutter nicht mehr Zuversicht zeigen? Und warum begleitete sie den Vater nicht auf seinen Reisen, so, wie das andere Frauen auch taten? So, wie sie es früher getan hatte? Das linke Bein wollte nicht mehr. Aber sie hatte doch zwei Beine! Seraphine war sich nicht sicher, ob die Mutter ihr Leiden nur vortäuschte. Ob sie sich nicht hinter der Flickwäsche versteckte, die sie für die Frauen im Dorf erledigte. Für Frauen, die dafür keine Zeit hatten, weil sie auf der Reise waren. Dass sie selbst anstelle ihrer Mutter den Vater hätte begleiten können – auf diesen Gedanken kam Seraphine nicht.

Als könne sie Gedanken lesen, wandte Else Schwarz den Blick vom Fenster ab und richtete ihn auf ihre Tochter.

»Selbst wenn ich mitgegangen wäre, hätte ich für nichts garantieren können. Du hast noch nicht erlebt, wie es ist, wenn dein Vater seinen glasigen Blick bekommt. Er muss nur in die Nähe von Würfeln oder Karten gelangen, und kein vernünftiges Wort ist mehr mit ihm zu reden. Was hab ich früher gebettelt, er solle vom Tisch aufstehen, bevor es zu spät ist! Wie Luft hat er mich da behandelt, und die anderen Männer haben gelacht und ihn gefragt, wer bei uns die Hosen anhat. Daraufhin hat dein lieber Vater noch mehr Münzen auf den Tisch geworfen, als ob er diesen Männern etwas beweisen musste. So ist es gewesen!«

Seraphine schluckte. »Aber jetzt, wo wir die Schulden haben, da wird er doch nicht …«

Else Schwarz lachte verächtlich. »Vielleicht – vielleicht auch nicht. Was deinen Vater angeht, habe ich keine Illusionen mehr. Aber gräm dich nicht! Es wird schon alles gut werden. Und im schlimmsten Fall haben wir immer noch das Geld, das ich von meinen Näharbeiten zur Seite gelegt habe.«

Ihre Mutter – eine Lumpenstopferin. *O Sternenfee, wie konntest du nur …*

Seraphine faltete ihr Kleid zusammen, um Platz für die zwei Teller zu machen, die ihre Mutter zum Tisch trug. Sie würde nach dem Essen daran weiterarbeiten. An ihrem Hochzeitskleid. An ihrem Schlüssel zum Glück.

4

Hannah rutschte so tief in die Wanne, bis ihr Kinn mit der Wasseroberfläche abschloss. Als die Knie, die nun in die Luft ragten, kalt wurden, änderte sie ihre Position wieder. Doch ganz gleich, wie sie sich bettete und welcher Teil ihres Körpers unter Wasser war, sie fröstelte. Und das lag nicht nur daran, dass es in ihrer Kammer unangenehm kalt war.

»Eigentlich ist Samstag bei uns Badetag«, hatte Emma Steiner stirnrunzelnd gesagt, als Hannah ihren Wunsch vortrug. Doch schon im nächsten Moment tätschelte sie Hannah die Hand. »Aber ich weiß, wie das ist auf der Reise – wie oft wäre ich froh gewesen, wenn ich ein Bad hätte nehmen können.« Sie fügte hinzu, einem Bad stünde nichts im Wege, wenn sich Hannah das Wasser in der Küche selbst auf dem Ofen erwärmen und aufs Zimmer tragen würde. Sie, Frau Steiner, könne lediglich helfen, die Wanne in Hannahs Zimmer zu schleppen, mehr Zeit habe sie heute nicht.

Spontan hatte Hannah die Frau umarmt. So viel Freundlichkeit war ihr auf der ganzen Reise nicht widerfahren.

Zum wiederholten Male tauchte Hannah den Lappen ins Wasser und fuhr sich damit über Arme und Nacken. Krampfhaft wartete sie auf das ersehnte Wohlgefühl, doch es wollte sich nicht einstellen.

Nicht mehr lange, dann würde sie Helmut sehen. Helmut, der in drei Wochen heiraten wollte … Verflixt! Hannahs Hand schlug aufs Wasser, so dass es nach allen Seiten nur so spritzte. Nun hatte sie endgültig die Lust am Bad verloren. Sie kletterte aus der Wanne und begann sich abzutrocknen. Mitten in der Bewegung hielt sie inne.

Was sollte sie nur tun?

Helmut war einer anderen versprochen. Würde schon in drei Wochen heiraten! Die Bemerkung der Wirtin, so lässig dahergesagt, drückte und quälte Hannah wie ein Splitter, der durch eine ruckartige Bewegung tief in die Haut getrieben wurde.

Was sollte jetzt aus ihr werden?

Sie hatte diese Reise ohne Illusionen unternommen. Zumindest fast ohne Illusionen, verbesserte sie sich im Stillen. Helmut war ein fescher Bursche, der ihr außerordentlich gut gefiel. Er war fröhlich, konnte gut erzählen, hielt aber nicht pausenlos große Reden, so wie andere Männer das taten. Und wie er sich um seinen Bruder gesorgt hatte! Ja, Helmut war einfach nett. Die Traurigkeit, die Hannah bei seiner Abreise verspürte, war neu für sie gewesen. An ihn hätte sie ihr Herz für immer verlieren können. Aber so war das nun einmal mit den Gästen im »Goldenen Anker«: Heute hier, morgen schon wieder fort. Damit hatte sie sich abgefunden.

Nur äußerst vage hatte Helmut angedeutet, dass seine Reise ihn im nächsten Jahr wieder nach Nürnberg führen könne. Kein Liebesschwur, kein Wort von ewiger Treue. Darauf hätte Hannah auch nichts gegeben, so gut kannte sie die Männer schon.

Dass sie Helmut derart schnell wiedersehen würde – wer hätte das geahnt?

Je weiter sie in Richtung Süden gekommen war, desto öfter hatte sie festgestellt, wie sehr sie sich auf ein Wiedersehen mit ihm freute. Gleichzeitig wusste sie natürlich genau, dass er kein Prinz war, der auf seinem Schimmel dahergeritten kam, um sie aus ihrer misslichen Lage zu retten.

Missliche Lage! Sie schnaubte höhnisch auf. Warum war sie nur so dumm gewesen? So unvorsichtig? So … schlecht? Warum hatte sie nicht auf ihre Mutter hören können?

»Musst du ständig irgendeinem Kerl schöne Augen machen? Die Leute reden schon über dich! Wehe, wenn das deinem

Vater zu Ohren kommt! Das wird noch ein böses Ende nehmen, lass es dir gesagt sein. Irgendwann wird dich mal einer
mit dickem Bauch hier sitzen lassen. Und was dann?«

Das hatte sich Hannah auch gefragt, vier Wochen nach Helmuts Besuch in Nürnberg. Als ihre monatliche Blutung ausblieb. Anfang November war das gewesen. Zuerst hatte sie gar
nicht glauben wollen, was mit ihr los war.

Verflixt und zugenäht! Warum mussten ihre Eltern ausgerechnet einen Gasthof führen? Wären sie Besitzer einer Wä-
scherei gewesen oder einer Frisierstube … Glücklich konnten
sich zum Beispiel Wäscherinnen schätzen! Die waren nicht täglich diesen Versuchungen ausgesetzt – durch blauäugige junge
Burschen, die noch nicht ganz trocken hinter den Ohren waren und Hannah anstarrten, als wäre sie die Königin von Saba;
durch Handelsreisende, deren Gelächter durch den ganzen
Wirtsraum tönte. Wenn so einer ihr nachschaute, hatte er stets
ein Funkeln in den Augen, so ein unanständiges Zwinkern …
Hannah wurde es allein bei dem Gedanken an eine solche Situation warm. Und dann die Komplimente! Es hieß, sie habe
Pfeffer im Hintern … Da konnte es einer Frau schon anders
werden. Einer, er kam aus der Walachei und handelte mit
Senfkörnern, hatte sogar zu ihr gesagt, sie wäre in der Lage, aus
jedem schlaffen Nürnberger Würstchen einen Mann zu machen. Hannah grinste, doch schon im nächsten Moment
wurde ihr Grinsen zu einer jämmerlichen Grimasse. Warum
war sie nur solch eine dumme, einfältige Gans? Dabei hatte sie
immer wieder gute Vorsätze gefasst: ein bisschen miteinander
fröhlich sein, vielleicht ein Küsschen, und dann würde sie in
ihre Kammer gehen und der Gast in seine. Etwas anderes gehörte sich nicht, dessen war sie sich wohl bewusst. Meistens
war es ja auch so gekommen. Aber hin und wieder – da hatte
sie ihre guten Vorsätze über Bord geworfen und sich dem
Abenteuer des Moments hingegeben. Das schlechte Gewissen

war jedes Mal erst am nächsten Morgen erwacht. Und abermals hatte sie sich dann geschworen: Nie wieder! Aber ach, warum mussten sich Männerhände so gut anfühlen?

Sanft fuhr sie mit den Fingerspitzen über ihren Bauch, dann über ihre Brust. Kein Prickeln, kein Erschauern, nur eine Gänsehaut war die Folge.

Das Handtuch fest um den Leib gewickelt, stakste Hannah auf Zehenspitzen über den eiskalten Fußboden. Vorsichtig holte sie aus ihrer Tasche die Bluse der ungarischen Tracht, die sie anziehen wollte. Zu Hause war sie mit dieser Wahl recht zufrieden gewesen: Die roten Bänder an der weißen Bluse standen in einem hübschen Kontrast zu Hannahs fast schwarzem Haar. Ihr breites Gesicht mit den ausgeprägten Wangenknochen wirkte durch den hochgestellten Kragen schmaler und feiner. Doch nachdem sie die Gönninger Frauen in ihren gepflegten Kleidern gesehen hatte, zweifelte Hannah an ihrer Wahl. Was, wenn ihr Aussehen hier im Dorf als zu auffällig empfunden wurde? Oder gar als … hinterwäldlerisch?

Nun, daran ließ sich jetzt auch nichts mehr ändern. Resolut knöpfte Hannah die Bluse zu. Himmel, da vertrödelte sie ihre Zeit mit unnützen Gedanken! Womöglich saß Helmut schon unten in der Wirtsstube.

Während der ganzen Reise war sie damit beschäftigt gewesen, Mitfahrgelegenheiten und einigermaßen sichere Schlafunterkünfte zu finden und etliche Unwägbarkeiten zu meistern. So hatte sie kaum Zeit und Muße gehabt, darüber nachzudenken, was werden würde, wenn sie ihr Ziel erst einmal erreicht hatte. Wozu auch? Das Wichtigste war, Helmut zu finden, dann würde schon alles in Ordnung kommen. Edler Prinz hin oder her – was blieb ihm anderes übrig, als sie zu heiraten? Eine andere Lösung kam für Hannah nicht in Frage.

Sie wusste natürlich, dass es in Nürnberg gewisse Häuser gab, in denen irgendwelche Ärzte oder so genannte Engelmacherinnen Frauen aus ihrer misslichen Lage halfen. Doch sie selbst wäre nie auf den Gedanken gekommen, eines dieser Häuser aufzusuchen. Sie mochte verderbt sein, aber so verderbt gewiss nicht! Eine solche Sünde wollte sie nicht auch noch auf sich laden. Und so hatte sie sich mit dem Mut der Verzweiflung auf den Weg gemacht. »Bitte, lieber Gott, mach, dass ich Helmut finde, dann werde ich all meine Sünden wieder gutmachen. Ich werde ihm die beste, die allerbeste Ehefrau, die er sich wünschen kann!« Jede Nacht hatte sie so gebetet. Und Gott hatte sie erhört. Sie hatte Helmut gefunden.

Dass er längst einer anderen – Seraphine – versprochen war, dass sogar schon ein Hochzeitstermin feststand, damit hatte Hannah nicht im Geringsten gerechnet – sonst hätte sie ihre Gebete doch anders formuliert!

Seraphine. Welches Weib trug schon solch einen Namen?

Hannah ergriff den Rock und begann mit der flachen Hand so heftig darauf zu klopfen, als wolle sie nicht nur den Staub ausklopfen, sondern jeden Angst machenden Gedanken gleich mit dazu.

»Wenn du ihn nicht findest, weil der Bursche eine falsche Adresse angegeben hat, oder wenn er kein Ehrgefühl im Ranzen hat, oder wenn sonst irgendetwas schief geht, kommst du wieder nach Hause! Dann wird es auch so gehen. Es sind schon ganz andere Mädchen in Schande gefallen«, hatte ihre Mutter zum Abschied geflüstert. Immer wieder hatte sie dabei nach hinten in die Küche gelinst, damit der Vater auch nur ja nichts mitbekam. Tapfere Mama! Er glaubte, seine Tochter wolle ihre Kusine Elfriede im Badischen besuchen, und hatte erst nach langem Sträuben seine Zustimmung dazu gegeben. Ein junges Mädchen allein auf Reisen? Und dann so kurz vor Weihnachten? Ob da der Verwandtschaft ein Besuch überhaupt gelegen kam? Mutter und Tochter mussten wie um ihr Leben reden, doch schließlich war der Vater einverstanden gewesen.

Hannah ließ den Rock, an dessen Saum noch immer der Schmutz der Straße hing, sinken. Die Schmach, als ledige Mutter nach Nürnberg zurückzukehren, wollte sie ihren Eltern nicht antun. Was für eine Zukunft hätte sie dort? Die Leute würden mit dem Finger auf sie zeigen, gleichgültig, ob sie auf dem Markt Einkäufe tätigte oder mit der Mutter einen ihrer seltenen Kaffeehausbesuche machte. Die Möglichkeit, einen Mann zu finden, der sie mit dem Bastard nahm, war äußerst gering, darüber machte sich Hannah keine Illusionen. Sie hatte nur eine einzige Chance, und zwar hier, in Gönningen.

Eilig zog sie sich fertig an, kämmte vor dem winzigen Spiegel an der Wand ihre feuchten Haare und flocht einen Zopf, den sie als Kranz um ihren Kopf steckte. Als sie sich anschließend im Spiegel betrachtete, war sie mit dem Ergebnis zufrieden: Die Frisur war nicht alltäglich, wirkte vielleicht sogar etwas verwegen, aber war es nicht genau das, was die Männer an ihr mochten?

Hoffen wir, dass sich Helmut daran erinnert, dachte sie düster, während sie sich auf den Weg nach unten in die Wirtsstube machte.

Allmächt, worauf hatte sie sich da nur eingelassen?

5

Die Faust landete polternd auf dem Tisch. »Bei meinem hohen Bedarf erwarte ich für den ›Ulmer Riesen‹ ein besseres Preisangebot, das sag ich dir hier und jetzt, so dass es j ... j ... jeder hören kann!« Bei den letzten Worten begann die Stimme des Mannes zu schwanken. Eilig hob er seinen Bierkrug und setzte ihn an.

Sein Sitznachbar legte ihm beruhigend einen Arm um die

Schulter. Dann sagte er: »Wir hören dich sehr gut, Schorsch, aber was du zum Betreiben deines Geschäftes brauchst, das kannst du bei mir daheim unterm Tisch zusammenkehren! *Wenn* hier einer gute Preise zu bekommen hat, dann bin das *ich*! Und nicht nur für den ›Ulmer Riesen‹.«

Daraufhin begann der Mann dröhnend zu lachen, als habe er einen besonders guten Witz gemacht. Auch die anderen am Tisch schüttelten sich vor Lachen. Der erste Mann, der Schorsch genannt wurde, entzog sich beleidigt der Umarmung.

»Elender Hurensohn!«, murmelte er abfällig. Er wollte schon vom Tisch aufstehen, als sein Gegenüber ihn wieder nach unten drückte.

»Jetzt mal langsam mit den jungen Pferden. Bei mir hat noch jeder einen guten und gerechten Preis bekommen!« Der Mann warf ein joviales Lächeln in die Runde.

»Das will ich sehen …« Die Augen des Betrunkenen funkelten streitlustig.

Hannah hielt die Luft an. Jetzt reichte ein Funke, und ein Riesenkrach würde sich entzünden, so viel war gewiss! Sie schaute sich nach der Wirtin um, doch die war nirgendwo zu sehen. Ihr Vater wäre längst zur Stelle gewesen, um den Streit zu schlichten und darauf zu achten, dass nicht eine handfeste Auseinandersetzung daraus wurde! Hannah seufzte. Nun, ihre Sorge sollte das heute Abend nicht sein. Zum wiederholten Male linste sie in Richtung Tür. Von ihrem Platz hinter einem hölzernen Pfeiler aus hatte sie den Eingang im Blick, ohne selbst sofort gesehen zu werden.

Helmut war noch nicht da, aber die Wirtin hatte ihr versichert, dass dies nicht ungewöhnlich war. Im Gegensatz zu den anderen Männern aßen die Kerners meist zu Hause und kamen erst später her, um ihre Geschäfte abzuwickeln.

Hannah hob ihren Teller an und löffelte den letzten Rest Suppe aus. Als Emma Steiner ihr den Teller ungefragt hingestellt hatte, hatte sie geglaubt, vor Aufregung keinen Bissen hinunterzukriegen. Doch schon beim ersten Löffel hatte sie gemerkt, wie ausgehungert sie war. Außerdem schmeckte die Suppe gut, es war sogar mehr Fleisch drin als daheim. Hannah atmete tief durch und sah sich um.

Das Aneinanderschlagen von Bierkrügen, der Essensdunst, Käthe Steiner, die vor Anstrengung rote Backen hatte – all das erinnerte Hannah sosehr an den »Goldenen Anker«! Nur mit Mühe widerstand sie dem Impuls, hinter die Theke zu rennen, ein paar Bierkrüge zu schnappen und diese an die Tische zu bringen. Dabei hatten die »Sonne« und ihre Gäste mit einem normalen Wirtshausbetrieb gar nichts zu tun! Wenn sie sich so umschaute –

»Möchten Sie noch einen Teller Suppe?«

Hannah schrak zusammen. Sie hatte Käthe nicht kommen hören, sosehr war sie in ihre Beobachtungen vertieft gewesen. Sie schüttelte den Kopf, dann winkte sie die Wirtstochter näher zu sich heran.

»Darf ich Sie etwas fragen?«, flüsterte sie.

»Fragen kostet nichts«, antwortete die junge Frau schulterzuckend. Gleichzeitig schaute sie unruhig zur Theke hinüber, wo schon wieder ein Schwung Bierkrüge darauf wartete, serviert zu werden.

Hannah wies mit dem Kinn in die Mitte des Raumes, wo mehrere Tische zu einer langen Tafel zusammengestellt waren. Dort saßen die beiden Streithammel mit einem guten Dutzend anderer Männer zusammen. Über den ganzen Tisch verteilt standen viele kleine Schalen und Gläser, in denen sich etwas Undefinierbares, Pulverartiges befand. Immer wieder nahm jemand eines dieser Gläser in die Hand, schüttelte das Pulver darin auf oder ließ ein wenig davon in seine Hand rieseln. Andere nahmen einen der kleinen Löffel, die ebenfalls auf dem Tisch lagen, und holten damit etwas aus den Gläsern, um es näher zu betrachten. An dem Pulver wurde gerochen, es wurde gewogen, von allen Seiten betrachtet, kleine Mengen davon wurden in Papiertütchen abgepackt ... Seltsame Begriffe wie »Ulmer Riesen«, »Gelbe Wiener« oder »Deutscher Unvergleichlicher« flogen dabei wie ein Schwarm Fliegen über den Tisch.

Kopfschüttelnd betrachtete Hannah das Treiben. »Um was geht es da drüben eigentlich?«

»Um was es da ... geht?« Käthe Steiner schien die Frage nicht zu verstehen.

»Na, ich meine, was machen die Männer da? Und was ist in den Gläsern?«

Die Miene der Wirtstochter hellte sich auf. »Ja, wissen Sie das denn nicht? Es sind Gemüsesamen, alle möglichen Sorten! Und etwas Blumensamen werden die Ulmer sicher auch mitgebracht haben. Bevor die Gönninger kaufen, wollen sie die Ware wenigstens in Augenschein nehmen. Ob ein Samen keimfähig ist, sieht man ihm natürlich nicht an – diese Prüfung kann man erst zu Hause durchführen. Aber ob er gut oder eher schimmlig riecht, das merkt man schon. Und dann geht's natürlich auch um das übliche Feilschen.« Käthe hob verschwörerisch die Brauen.

»Ja, aber ... Dann sind die Männer da ... Sind das etwa auch Samenhändler? Ich dachte, nur Helmut und sein Bruder ...«

Käthe schaute noch verständnisloser drein als zuvor. Im nächsten Moment brach sie in schallendes Gelächter aus. Sofort drehten sich einige Köpfe zu ihnen um.

»Sie dachten allen Ernstes, die Kerners wären die ... *Einzigen*?« Schon prustete sie wieder los. Unter Tränen sagte sie: »Wir alle, wir alle hier sind doch Samenhändler!«

Wir alle? Was meinte sie nur damit? Hannah runzelte die Stirn.

Die Wirtstochter sah Hannah nachdenklich an. Gleichzeitig

versuchte sie ihre Mutter, die wild gestikulierend hinter der Theke stand, mit einem Winken zu besänftigen. Seufzend ließ sie sich dann Hannah gegenüber nieder.

»Eigentlich habe ich ja keine Zeit, aber ich glaube, jemand sollte Sie dringend über Gönningen aufklären ...«

... bevor Sie sich weiterhin lächerlich machen, glaubte Hannah unausgesprochen zu hören.

»Also ...«

»Helmut, warte einen Moment!«

Helmut hatte die Tür zum Wirtshaus noch nicht geschlossen, als Emma Steiner ihn schon am Ärmel packte und zur Seite zog.

Ungeduldig schaute er seinem Vater und Valentin nach, die auf die Mitte des Raumes zusteuerten. Ihn dürstete nach einem ordentlichen Krug Bier, nach den anderen Männern und ihren Erzählungen, nach einem derben Witz oder auch zweien.

Er war erst gestern wieder nach Hause gekommen. Fast vier Monate waren er und sein Bruder Valentin unterwegs gewesen. Und sosehr er sich auf Gönningen gefreut hatte, so schwer fiel ihm die Umstellung vom Reisealltag auf das Leben im Dorf. Er hatte sogar das Gefühl, als fiele ihm das Eingewöhnen nach jeder Reise schwerer. Als er am Morgen aufgewacht war, hatte er zuerst nicht einmal gewusst, wo er war. In einem Gasthof? Aber in welchem? Und wo? Als ihm schließlich klar wurde, dass er in seinem eigenen Bett lag, war er seltsam enttäuscht. Warum, hätte er nicht sagen können.

»Was gibt's, Emma?«

»Da hinten sitzt eine junge Frau. Brettschneider heißt sie. Sie hat nach dir gefragt ...«

Helmut folgte Emma Steiners Blick, doch außer dem Rücken von Käthe, ihrer Tochter, konnte er hinter dem Pfeiler niemanden erkennen. Natürlich musste Käthe ihre Nase wieder ganz vorn haben! Kein Mann interessierte sich für sie – doch umso mehr interessierte sie sich für das, was andere Leute anging! Unwillkürlich zog Helmut eine Grimasse.

»Brettschneider – der Name sagt mir nichts. Was will sie denn?«

Die Wirtin verzog den Mund. »Das wird sie gerade mir auf die Nase binden! Jedenfalls dachte ich, du solltest gewarnt sein.« Schulterzuckend ging sie um die Theke herum.

»Jetzt warte doch! Irgendetwas muss sie doch gesagt haben!«

Emma Steiner verschränkte die Arme. »Tja, ich weiß nicht, ob ich dir das sagen soll. Schließlich ist sie Gast meines Hauses ...«

»Emma«, brummte Helmut drohend.

Die Wirtin runzelte die Stirn. »Aus Nürnberg ist sie. Und sie hat vor, ›auf unbestimmte Zeit‹ zu bleiben ...«, fügte sie mit bedeutungsvollem Blick hinzu.

Nürnberg ... Da war etwas ... Angestrengt versuchte Helmut, aus den vielen Eindrücken seiner letzten Reise den richtigen hervorzukramen. Ein seltsames Gefühl meldete sich in seiner Bauchgegend. Nürnberg. Von dort aus waren sie in Richtung Böhmen losgezogen. Valentin war krank gewesen, und er –

»Helmut, kommst du jetzt endlich oder willst du da vorn Wurzeln schlagen?«, ertönte die Stimme seines Vaters.

Im selben Moment schoss hinter dem Pfeiler ein Kopf hervor. »Helmut!«

Stuhlbeine kratzten über den Boden, rote Bänder blitzten auf weißem Stoff, ein breites, kantiges Gesicht kam zum Vorschein.

Helmut blinzelte. Das – war – doch ... Konnte das ... konnte das sein?

Käthe Steiner sprang von ihrem Stuhl auf, hastete an ihm vorbei, unverhohlene Neugier und noch etwas anderes in ihren Augen.

Verwunderte, neugierige, aber auch neidische Blicke folgten Helmut, als er steifen Schrittes in Richtung des Tisches ging. Wer war die schöne Fremde? Und was wollte sie ausgerechnet vom ältesten Kerner-Sohn?

»Hannah?« Helmuts Tonfall war ein einziges Fragezeichen. Wenigstens war ihm ihr Name eingefallen.

»Was machst du denn hier?«

Er hatte einen Kloß im Hals und musste jedes Wort hinauswürgen. Zögerlich reichte er ihr die Hand. Ohne dass er etwas dagegen tun konnte, wurde sein Blick von ihrem Blusenausschnitt angezogen. Die Erinnerung an die Zeit in Nürnberg durchdrang unvermittelt sein Bewusstsein. Ihm wurde heiß.

Diesen Tag hatte er gefürchtet wie der Teufel das Weihwasser: den Tag, an dem eine seiner Liebschaften ihn bis hierher verfolgen würde. Verflixt, warum hatte er sich ausgerechnet mit einer Wirtstochter einlassen müssen? Die nur im Gästebuch nachzulesen brauchte, um seine in steifen Lettern geschriebene Adresse herauszubekommen?

»Ich habe dich gesucht«, antwortete Hannah mit bebenden Lippen. Ihre Wangen waren gerötet, ihr linkes Lid zuckte. Sie schien sehr aufgeregt zu sein. Krampfhaft umklammerte sie Helmuts Hand. »Ach, ich freue mich so, dich wiederzusehen!« Hannah strahlte und schien ihre Worte ernst zu meinen.

Helmut konnte ihre Freude über das Wiedersehen schwerlich teilen. Sein Körper versteifte sich, und er presste die Lippen zusammen. Ihm war die lange Berührung vor so vielen Leuten unangenehm. Da stand er mit einer wildfremden Frau und hielt ihre Hand – das würde ein Gerede geben! Bestimmt würde Seraphine gleich morgen früh davon wissen. Und die befürchtete doch schon bei jedem harmlosen Gruß, den er einem Weib auf der Straße zurief, dass er diesem schöne Augen machte.

Ohne große Hoffnung wartete er auf irgendeine belanglose

Bemerkung der Wirtshaustochter. »Ich bin auf der Durchreise ...« Doch ein Mädchen wie Hannah war nicht auf der Durchreise, und selbst wenn, dann landete es dabei ganz gewiss nicht am Fuße der Schwäbischen Alb.

»Was machst du denn hier?«, fragte er leise zum zweiten Mal. Wenigstens gelang es ihm, seine Hand aus ihrer Umklammerung zu befreien. Er trat einen Schritt zurück und verschränkte beide Arme vor der Brust.

Das Strahlen auf Hannahs Gesicht erlosch und wich einem Ausdruck von Entschlossenheit.

»Wir müssen miteinander reden.«

6

»Sag mal, kenne ich die nicht irgendwoher?«, raunte Valentin seinem Bruder zu, als sich dieser endlich mit versteinertem Gesicht neben ihn setzte.

Mehr als einmal hatte sein Vater Valentin einen Stoß in die Rippen versetzt und ihn aufgefordert, nach Helmut zu schauen. »Was haben die beiden so lange zu bereden?«, hatte Gottlieb Kerner ihm zugezischt. »Das schickt sich nicht, sag das deinem Bruder!«

Doch jedes Mal hatte Valentin so getan, als höre er ihn nicht. Dabei hatte er die ganze Zeit ein Auge auf Helmut und die Frau gehabt, die sich angeregt, wenn nicht gar aufgeregt zu unterhalten schienen.

»Wo ist die denn jetzt hin?«

»Später«, murmelte Helmut und nickte seinem Vater beschwichtigend zu, die anderen Blicke und Sticheleien am Tisch ignorierend. Wenn jemand eine spannende Geschichte erwartet hatte, wurde er enttäuscht – Helmut ging mit keinem Wort auf seine Begegnung mit der schönen Unbekannten ein. Stattdessen hob er seinen Krug mit dem inzwischen schal gewordenen Bier und leerte ihn auf einen Zug. Die anderen Männer grinsten. Gespräche mit Frauen konnten ganz schön durstig machen.

Die Geschäfte mit den Ulmer Gärtnern waren inzwischen fast abgewickelt. Wie immer hatte Gottlieb Kerner die größte Bestellung in Auftrag gegeben. Valentin hatte Dutzende von Samensorten notiert, welche die Ulmer fürs nächste Jahr liefern sollten. Und ebenfalls wie immer hatte es zwischen Vater und Sohn Diskussionen über die Auswahl und die Mengen gegeben. Gottlieb Kerner bestand auf den üblichen Sorten, Valentin war dafür, auch ein paar der Neuzüchtungen ins Programm aufzunehmen. Die Kunden wollten Abwechslung, argumentierte er, während sein Vater dagegenhielt, mit den altbekannten Sorten auf der sicheren Seite zu sein. Die Gärtner hoben die Qualität auch der neuen Sorten hervor, ganz gleich, ob es sich um die Gurke »Unikum« oder die Mohrrübe »Guérande« handelte. Da nur er, Valentin, sich mit seinem Vater einig werden musste, weil Helmut offensichtlich anderweitig beschäftigt war, hatte die Angelegenheit ein relativ zügiges Ende gefunden. Natürlich wurde dabei trotzdem gefeilscht auf Teufel komm raus. Sie würden bis aufs letzte Hemd ausgezogen, hatten die Ulmer gejammert, am Ende aber fast allen Forderungen nachgegeben. Gottlieb Kerner war zufrieden. »Im Einkauf liegt der Verdienst« – das war seine Devise, und nach der handelte er.

Auch die anderen Samenhändler am Tisch schienen mit ihren Einkäufen zufrieden zu sein und steuerten nun dem wichtigsten Teil des Geschäftes entgegen: dem zünftigen Begießen des abgeschlossenen Handels. Käthe Steiner konnte die Krüge Bier nicht schnell genug nachfüllen. So flink wie möglich humpelte sie zwischen Theke und Wirtsraum hin und her.

Schon bald bestellten die Männer zwei Flaschen Kirschwasser und schenkten sich dieses in kleine Becher selbst ein.

Als die Stimmung ihren Höhepunkt erreicht hatte, stand Helmut abrupt auf und bedeutete seinem Bruder, ihm nach draußen zu folgen.

Die kalte Luft traf Valentin wie ein Fausthieb.

»O verdammt, ich habe zu viel getrunken«, stöhnte er und musste sich am Treppengeländer festhalten. Doch ein Blick ins Gesicht seines Bruders reichte, um zumindest einen Teil des Rausches zu vertreiben. Valentin hakte sich unter und hoffte, sein Bruder hielte diese Geste für kameradschaftlich. Dass er nicht viel Alkohol vertrug, war immer wieder Gegenstand von Helmuts Lästereien.

Beide Brüder humpelten, was jedoch nicht nur von Bier und Schnaps herrührte, sondern auch von halb erfrorenen Zehen, die sie von ihrer letzten Reise mitgebracht hatten. Besonders Valentins kleiner Zeh sah Besorgnis erregend aus. Erst heute Mittag hatte der Arzt gesagt, es wäre vielleicht besser, ihn abzunehmen, doch davon wollte Valentin nichts hören. Ein paar Tage ohne lange Märsche, dazu Wärme und andere Schuhe, und es würde schon wieder werden.

»Jetzt erzähl! Was war da vorhin eigentlich los?« Valentin war in der Zwischenzeit eingefallen, woher er die Frau kannte: Es war die Wirtstochter aus dem »Goldenen Anker« in Nürnberg.

»Ich … werde … Vater«, antwortete Helmut tonlos.

»Waaas?«

»Das hat sie gesagt.« Helmut klang verwundert. »›Du wirst Vater‹, nicht etwa: ›Ich bin schwanger‹ oder ›Ich bekomme ein Kind von dir.‹« Er lachte hilflos. »Dazu gehört doch was, oder?«

Valentin nickte benommen, unfähig zu antworten.

Die Brüder gingen schweigend weiter. Obwohl es bald Mitternacht war, brannte in den meisten Häusern noch Licht. Der

Nachtwächter war nirgendwo zu sehen – wahrscheinlich hatte er sich erst gar nicht auf seinen obligatorischen Rundgang gemacht. Jetzt, wo der Großteil der Gönninger Samenhändler zurück im Dorf und in Feierlaune war, würde ohnehin keiner die Sperrstunde beachten.

»Und jetzt?«, fragte Valentin schließlich und kam sich dumm dabei vor. Er verfluchte den Alkohol, der ihm den Kopf vernebelte. Tausend Fragen brannten ihm auf den Lippen, er wusste nicht, welche er zuerst stellen sollte. Seraphine … Sein Herz begann wie wild zu pochen. Was, wenn Seraphine von der schönen Unbekannten erfuhr? Die Hochzeit sollte doch am siebten Januar stattfinden!

Helmut seufzte. »Ich weiß auch nicht.« Jedes Wort blieb als kleine Wolke in der eisigen Winterluft stehen.

»Ja aber … ich meine, du musst doch irgendetwas zu ihr gesagt haben! Kann es denn sein? Ich meine … Ach verdammt!«

Natürlich konnte es sein! Valentin kannte seinen Bruder gut genug, um das zu wissen. Dann kam ihm ein Gedanke.

»Warte mal, in Nürnberg, da hatte ich doch diesen elenden Durchfall, an dem ich fast verreckt bin. Der Arzt ist die ganze Nacht bei mir geblieben …«

Er war zu schwach gewesen, aus dem Bett zu steigen, um die Pfanne zu benutzen. Der Arzt hatte ihm helfen müssen. Die Erinnerung an die schrecklichste Nacht seines Lebens ließ Valentin noch im Nachhinein erschauern. Schlagartig wurde er nüchtern.

»Ich lieg fast im Sterben, und dir fällt nichts anderes ein, als mit einem Mädel ins Heu zu hüpfen?«

»Was hätte ich denn machen sollen?«, rief Helmut. »Ich war außer mir vor Sorge um dich, aber der Arzt versicherte mir, dass es nichts, rein gar nichts gab, was ich für dich hätte tun können. Und Hannah hat gesagt, der Arzt sei gut, kein Rossdoktor wie so viele, sondern einer, der sein Handwerk versteht.

Und dass ich mir keine Sorgen mehr machen solle. Dann haben wir etwas getrunken. Irgendwie musste ich mir die Zeit ja vertreiben, oder? Und dann« – er machte eine hilflose Handbewegung – »kam eins zum anderen. Es war nicht sehr viel Überredung meinerseits nötig, glaube mir.«

Valentin schnaubte. »Da drängt sich mir doch gleich eine Frage auf: Woher willst du wissen, dass du der Einzige warst, der bei Fräulein Hannah wenig Überredungskünste benötigte?«

Helmuts Miene hellte sich einen Moment lang auf, verdunkelte sich im nächsten jedoch schon wieder. »Das hab ich sie natürlich auch gefragt. Fast ins Gesicht ist sie mir gesprungen! ›Glaubst du, ich hätte mich auf die weite Reise hierher begeben, wenn dem nicht so wäre?‹, hat sie gesagt. Und wofür ich sie eigentlich halten würde. Was sollte ich darauf antworten?«

Nach einem langen Schweigen stöhnte Helmut auf.

»Alle haben Hannah und mich gesehen! Bestimmt weiß morgen das ganze Dorf, dass ich mich lang und breit mit einer fremden Frau unterhalten habe, allein! Ha, das wird den Klatschbasen ordentlich Futter liefern! Wie um alles in der Welt soll ich das Seraphine erklären?«

Warum hast du deine zukünftige Braut auch immer und immer wieder betrügen müssen, lag es Valentin auf der Zunge zu sagen. Doch er schluckte die Worte hinunter wie ein zähes Stück Fleisch.

Ausgerechnet Seraphine, die so rein und edel war. »Noch bin ich nicht verheiratet«, hatte Helmut jedes Mal geantwortet, wenn Valentin ihn auf sein lotterhaftes Verhalten ansprach. Und: »Es ist doch besser, ich stoße mir jetzt die Hörner ab als später, oder? Solange du die Klappe hältst, wird Seraphine nichts erfahren.« Wie schlecht, wie unendlich schlecht sich Valentin dabei fühlte, Helmuts Liebschaften zu decken, davon hatte sein Bruder nichts wissen wollen!

Valentin zwang sich, in einem gelassenen Ton weiterzu-
sprechen.

»Irgendetwas musst du doch für diese Hannah übrig haben?
Ich meine, sie ist eine sehr hübsche Frau, und du hast ihr ein
Kind gemacht!«

Helmut stöhnte. »Natürlich ist sie nett. Und fröhlich. Damals ... in dieser Nacht, da war ich wirklich außer mir vor
Sorge, verstehst du? Sie war da, hat mich auf andere Gedanken
gebracht, wahrhaftig! Sie ist ... irgendwie so gar nicht schwermütig.«

Valentin nickte. Jeder andere hätte sich über Helmuts Wortwahl gewundert, er jedoch wusste, worauf sein Bruder an-
spielte. Andererseits hätte er Helmuts zukünftige Braut nicht
so bezeichnet: schwermütig. Seraphine war vielleicht anders als
die übrigen Mädchen in ihrem Alter. Ernster und irgendwie auch verträumter. Rätselhaft hätte Valentin es genannt. Ja,
rätselhaft und geheimnisvoll. Helmut dagegen hatte sich schon
des Öfteren über ihre Ernsthaftigkeit beschwert. Darüber, dass
sie so wenig lachte. Oft verloren vor sich hin starrte, ohne ein
Wort zu sagen. Sie träumte sich häufig weit weg, na und? War
das denn ein Wunder? Ständig gab es Streit zwischen Friedhelm und Else Schwarz, dazu die Geldsorgen, die düstere
Hütte mit den feuchten Mauern – wem wäre da noch zum Lachen zumute? Wäre Helmut nicht solch ein grober Klotz gewesen, hätte er dies längst selbst erkannt, statt immer wieder
über Seraphines »Schwermut« zu klagen.

»Hannah hat so ein Lachen, das mag ich gern ... Sie ist einfach geradeheraus, und wenn's was zu tun gibt, packt sie eben
an. Du hättest mal sehen sollen, in welcher Windeseile sie ihren Mantel geschnappt und sich auf die Suche nach deinem
Arzt gemacht hat! Der muss man nichts zwei Mal sagen, nein,
sie –« Als hätte er sich selbst beim Schwadronieren ertappt, änderte sich Helmuts Ton schlagartig. »Ach verdammt, was soll

denn das? Ich habe gedacht, du hilfst mir! Stattdessen stellst du mir eine dumme Frage nach der anderen.«

»Nun, es ist unbestritten, dass du dich in einer ziemlich üblen Lage befindest.« Stille Schadenfreude machte sich in Valentin breit, für die er sich im selben Moment schämte. »Weiß Fräulein Hannah denn, dass du *eigentlich*« – so, wie er das Wort betonte, bekam es einen rein rhetorischen Charakter – »in drei Wochen eine andere heiraten willst?«

Helmut schüttelte trübselig den Kopf. »Ich habe ihr gesagt, dass ich über alles nachdenken muss. Dass sich sicherlich eine Lösung finden lässt. Dass ich dazu aber Zeit brauche«, erwiderte er tonlos. Er trat gegen einen verharschten Haufen Schnee. »Das Ganze trifft mich wie ein Schlag aus dem Hinterhalt! Ich meine, wer hat denn mit so etwas gerechnet? Am liebsten würde ich mein Bündel packen und auf und davon gehen!« Er blieb stehen und packte Valentin an den Schultern. »Eigentlich will ich gar nicht heiraten, verstehst du? Nicht die eine und nicht die andere! Wenn Mutter mir wegen Seraphine nicht ständig in den Ohren gelegen hätte … Das musst du doch verstehen, oder? Ich meine, wir haben doch beide schon genug gesehen …«

Valentin wusste sehr wohl, was sein Bruder damit meinte, doch er tat ihm nicht den Gefallen, dies zuzugeben. Sollte er ruhig ein wenig im eigenen Saft schmoren!

Ja, auf ihren Fahrten bekamen sie zu viel zu sehen. Vor allem auf den Reisen in abgelegene Gegenden war ihnen das Elend immer wieder in all seiner Brutalität begegnet. In den einsamen Bergdörfern oder den engen Tälern, in denen der einzige Broterwerb der Menschen im Ackerbau bestand. Der harte Alltag, der ewige Hunger, die ständige Übermüdung der Frauen – da war es kein Wunder, dass in den Familien Streit und Hader herrschten. Die verhärmten Gesichter der Weiber, ihr ewiges Gekeife, der säuerliche Gestank nach Unrat und schmutzigen

Leibern – Valentin und Helmut waren stets froh, wenn sie solch ein Haus wieder verlassen konnten. Die Ehemänner aber, die mussten bleiben. Häufig genug vertranken sie das wenige Geld, das hereinkam. Und dann war nichts mehr da, um Samen fürs nächste Frühjahr zu kaufen. Oft war die Not so groß, dass die Brüder versucht waren, das nötigste Saatgut auf Pump dazulassen. Und manchmal taten sie dies auch – wohl wissend, dass es mit dem Zurückzahlen wahrscheinlich nichts werden würde.

Valentin seufzte. Ja, da konnte einem die Lust aufs Heiraten wirklich vergehen! Von wegen »in guten wie in schlechten Zeiten« …

Und man musste gar nicht so weit schauen: Auch in Gönningen war das Elend in manchen Häusern ein ständiger Gast. Auch hier gab es Menschen, die Samen auf Pump bekamen und bei denen es mehr als zweifelhaft war, ob sie ihre Schulden würden zurückzahlen können.

Dabei hatten ihre Urgroßväter und Großväter alle dieselben Voraussetzungen gehabt: ein paar Samen zum Weiterverkauf. Große Unterschiede hatte es in früheren Zeiten zwischen den Familien im Dorf kaum gegeben, so berichteten zumindest die Älteren. Wer heute in Gönningen arm war, hatte sein Unglück meist selbst verschuldet, indem er seine Gewinne aus dem Samenhandel nicht erneut ins Geschäft investiert, sondern verschleudert hatte. Und natürlich waren auch Krankheit und Todesfälle oder andere Schicksalsschläge am schlimmen Los des einen oder anderen schuld.

Aber zu diesen armen Schluckern zählten sie nicht, weiß Gott nicht! Sie gehörten zu den erfolgreichsten, den wohlhabendsten Händlern im ganzen Dorf. Wenn es sich einer leisten konnte, eine Familie zu gründen und zu ernähren, dann waren sie es.

Helmuts Bemerkungen waren daher nichts als Ausflüchte.

Er wusste gar nicht, wie glücklich er sich mit Seraphine schätzen konnte!

Aber das sah ja nun ganz anders aus. Bei diesem Gedanken geriet Valentins Herz ein wenig ins Stolpern. Wenn Helmut wirklich diese Hannah ... Dann würde das ja bedeuten, Seraphine wäre wieder frei!

»Ist eigentlich Seraphines Vater schon zurück?«, fragte er unvermittelt.

Helmut schüttelte den Kopf. »Heute Nachmittag war er es jedenfalls nicht, vielleicht ist er danach noch angekommen. Wenn ich daran denke, dass ich ...« Er stöhnte. »Mensch, Valentin, was soll ich nur machen?«

7

Es war der Heilige Abend. Hannah saß auf dem Bett und zählte ihr Geld, das zu einem kläglichen Sümmchen zusammengeschmolzen war. Wenn sich nicht bald etwas tat, würde sie ihrer Mutter schreiben und um Geld bitten müssen.

Vier Nächte hatte sie nun schon bei Emma Steiner verbracht, und Kost und Logis waren in der »Sonne« nicht gerade billig. Vielleicht hätte sie sich nach der ersten Nacht doch ein anderes Domizil suchen sollen, statt einfach bei Emma zu bleiben. Aber die Wirtin war freundlich und fragte nicht viel. Allein schon aus dem letzten Grund fühlte sich Hannah bestens bei ihr aufgehoben. Neugierige Fragen, spitze Bemerkungen, den Grund ihres Besuches betreffend, womöglich Feindseligkeiten – das hätte ihr gerade noch gefehlt.

Ihr Blick fiel aus dem Fenster. Schon seit Tagen hüllte Bodennebel das Dorf wie eine Daunendecke ein. Nur der Kirchturm und die Dächer der höchsten Häuser ragten gespenstisch hervor. Auf den umliegenden Bergen lag Schnee, im Dorf war der letzte Matsch jedoch weggeschmolzen und floss in schlammigen Moränen durch die Seitengassen. Hannah zog das Tuch, das sie um die Schultern gelegt hatte, enger um sich.

Wie lange noch?

Wie lange noch würde sie hier sitzen und warten müssen?

Seit die Ulmer Gärtner abgereist waren, war sie der einzige Übernachtungsgast in der »Sonne«. Hannah hatte das Gefühl, der einzige Gast in ganz Gönningen zu sein. Emma Steiner gab ihr zwar das Gefühl, willkommen zu sein, aber Hannah vermutete, dass die Wirtin lieber mit ihrer Tochter allein gewesen wäre. Nicht, dass Hannah ihnen besondere Umstände bereitete! Das Frühstück nahm sie mit den beiden Frauen in der Küche ein, danach ging sie Emma ungefragt bei allen anfallenden Arbeiten zur Hand. Das Nichtstun zermürbte sie nämlich mehr als Wäsche waschen, Treppen und Böden wienern oder Tischtücher flicken. Anfangs wehrte die Wirtin sich dagegen, sagte, so etwas schicke sich für einen Gast nicht, und wehe, wenn sich das herumspräche! Doch dann ließ sie Hannah gewähren und bestand nur darauf, dass dafür die Kost frei sei. Hannah war das nur recht – wieder ein paar Heller gespart. Mittags gab es eine Kanne Tee und Butterbrot und am späteren Nachmittag ein Abendessen, bevor der Wirtshausbetrieb losging.

Es war höchstens ein Dutzend Männer, das allabendlich in die »Sonne« kam: der Bürgermeister, der Dorfschullehrer, hin und wieder der Herr Pfarrer, ein paar Geschäftsleute – es waren die so genannten »besseren« Leute, hatte Emma ihr erklärt. Wer nur trinken wollte, ging in eines der anderen Wirtshäuser. Auch Helmuts Vater war natürlich ein häufiger Gast in der »Sonne«. Hier wurden Geschäfte abgewickelt und das Wohl von Gönningen besprochen.

Gönningen.

Hannah ließ ihren Geldbeutel auf die Bettdecke sinken, stand auf und ging ans Fenster. Gedankenverloren zupfte sie eine tote Fliege aus dem Spitzenvorhang.

In was für ein wundersames Dorf war sie da nur geraten …

Seit mehr als hundert Jahren verdiente der Großteil der Gönninger Bürger seinen Lebensunterhalt mit dem Handel mit Blumen- und Gemüsesamen. Das hatte Käthe Hannah an ihrem ersten, denkwürdigen Abend in der »Sonne« erklärt. »Wir *alle* sind Samenhändler!« – damit hatte Käthe nicht übertrieben. Von den ungefähr 2500 Einwohnern gingen 1200 dem Handel mit Samen nach, das hatte die letzte Zählung ergeben. Der Schuhmacher, der Kaufmann, Emma und Käthe, ja sogar der Metzger mischten zeitweise kräftig in diesem Geschäft mit.

»Frauen auch?«, hatte Hannah ungläubig nachgefragt.

»Frauen auch!«, bestätigte Käthe lächelnd und erzählte, es gäbe Familien, in denen sowohl der Mann als auch die Frau »auf die Reise« gingen – getrennter Wege, versteht sich! Nicht nur mit Blumen- und Gemüsesamen wurde gehandelt, sondern auch mit Honig, Käse, Dörrobst – manche Händler seien die reinsten wandelnden Gemischtwarenläden.

»Wenn eine Frau was vom Geschäft versteht, kann sie ebenso gut verkaufen wie ein Mann!«, fügte sie nicht ohne Stolz hinzu.

Der Handel war streng an die Jahreszeiten gebunden, erfuhr Hannah. Es gab Zeiten, in denen das Dorf wie ausgestorben dalag, weil die Hälfte aller Bewohner unterwegs war. Vor allem im Herbst, wenn die Arbeiten auf den umliegenden Feldern erledigt waren, machten sich die Samenhändler auf den Weg.

»Aber dann ist doch der Winter nicht mehr fern«, lautete Hannahs Einwand, die an ihre eigene anstrengende Reise dachte.

»Sicher, das Reisen ist beschwerlich, aber was will man machen?« Käthe zuckte mit den Schultern. »In der Winterzeit ist es viel einfacher, die Leute zu Hause anzutreffen. Im Sommer sind die meisten auf dem Acker, auf dem Markt oder sonst wo – da muss man ein Haus mehrere Male besuchen, um die Bewohner zu sprechen, das kostet viel Zeit. Und Zeit ist nun einmal Geld.« Deshalb seien sie und ihre Mutter nur im Winter und nicht wie viele andere Gönninger auch im Sommer zum Jakobihandel unterwegs, fügte Käthe hinzu.

Jakobihandel? Hannah hätte gern nachgefragt, doch da hatte Käthe ihren Faden schon wieder aufgenommen.

Diejenigen, die weite Reisen in fremde Länder unternahmen, blieben bis Ostern weg. Andere, deren Samenstrich nicht ganz so weit entfernt lag, unterbrachen ihre Reise, um Weihnachten zu Hause zu feiern.

Der Samenstrich – was für ein seltsames Wort! Vor Hannahs innerem Auge tauchten Kinder auf, die aus Kreide einen Strich aufs Kopfsteinpflaster malten. Auf diesem Strich balancierten nun die Gönninger Samenhändler, ihren Zwerchsack, gefüllt mit Sämereien aller Art, auf dem Rücken. Bei dieser Vorstellung musste sie lachen. Käthe hatte sie sogleich mit tadelndem Blick belehrt. Der Samenstrich war das Gebiet, in dem ein Händler seine Kundschaft hatte. Die meisten kannten ihre Kunden seit vielen Jahren, seit Jahrzehnten sogar! Für die Leute war es selbstverständlich, jedes Jahr aufs Neue bei »ihrem« Samenhändler einzukaufen. Die Händler respektierten in der Regel den Samenstrich eines anderen, auch wenn es in dieser Hinsicht manchmal zu unschönen Ausnahmen kam.

Mancher Samenstrich läge in so fernen Ländern wie Russland oder sogar Amerika, hatte Käthe erzählt, und in ihrer Stimme klang Bewunderung für diese Fernhändler mit.

Auch Helmut und sein Bruder Valentin gehörten zu diesen Fernhändlern – sie bereisten Böhmen –, während der alte Herr Kerner im Elsass auf die Reise ging und die Mutter gar nicht mehr.

Hannah hatte alle Informationen wie ein Schwamm aufgesogen. Was für ein aufregendes Leben! Aber was war mit den Kindern, wenn deren Mütter wochenlang von zu Hause wegblieben? Wer führte den Haushalt? Und wie kam es, dass alle so viel vom Gemüse- und Blumenanbau verstanden? Sie hätte noch so viele Fragen gehabt, doch dann war Helmut erschienen, und alle Samenhändler dieser Welt – bis auf den einen – waren unwichtig geworden.

Hannah seufzte laut und tief. Ihr Seufzer war das einzige Geräusch weit und breit. Kein Türenschlagen, kein Töpfeklappern war von unten zu hören – wahrscheinlich richteten sich Emma und Käthe für den Kirchgang her. Sie hatten sie eingeladen mitzukommen, doch Hannah hatte abgelehnt. Die neugierigen Blicke bei ihren wenigen Spaziergängen durch Gönningen hatten ihr gereicht! Mehr als einmal hatte Emma sie ermutigt, sich das Dorf anzuschauen. Es gäbe viel zu sehen in Gönningen. Die stattlichen Häuser aus Tuffstein – so hieß der seltsam gelbliche Stein, der Hannah schon bei ihrer Ankunft aufgefallen war –, das hübsche Bächlein, und dann die Geschäfte! Doch wenn Hannah an ihren mageren Geldbeutel dachte, waren Einkäufe das Letzte, was sie sich leisten konnte. Nach Besichtigungen war ihr auch nicht zumute, einzig um Helmuts Elternhaus war sie herumgeschlichen, hatte sich das schmucke Haus von vorn und von hinten angeschaut. Ganze drei Stockwerke – damit zählte es zu den größten Häusern im Dorf. Auf der rechten Seite ein Garten, nicht so groß, wie man es vielleicht bei einem Samenhändler erwartet hätte. Eine Stufe, die zur Eingangstür hinaufführte, links und rechts davon Säulen, dem Aussehen nach ebenfalls aus Tuffstein. Hannah fand die Säulen albern. Gleichzeitig faszinierte sie das große Anwesen. Hier würde sie wohnen, wenn Helmut ein Ehrenmann war und sie zur Frau nahm. Hinter welchem der vielen Fenster würde sich dann wohl ihr Schlafzimmer befinden? Wie würde sich das Leben in solch einem Haus anfühlen?

Gleichzeitig war das Kernersche Anwesen schuld daran, dass in regelmäßigen Abständen Panik in ihr ausbrach: Da sollte der älteste Sohn des reichsten Samenhändlers im Dorf ausgerechnet sie, eine Dahergelaufene, heiraten? Angesichts dessen wäre es ihr lieber gewesen, Helmut hätte in einem der armseligen Häuslein am Dorfrand gelebt.

Obwohl sie keine Pläne für den Abend hatte, nirgendwo eingeladen war, hatte Hannah ihre hübsche ungarische Tracht an. Das gehörte sich für den Heiligen Abend, auch wenn man ihn mutterseelenallein in einer winzigen, kalten Kammer auf dem Bett sitzend verbrachte.

Hannah legte eine Hand auf ihren Bauch, dorthin, wo sie das Kind vermutete. Sie und ihr Kind, vergessen von der Welt. Sollte diese Einsamkeit fortan ihr ständiger Begleiter werden? Ach, wenn wenigstens Helmut heute vorbeikommen würde!

Er war fast jeden Tag da gewesen. Jedes Mal hatte er andere Ausreden dafür gehabt, dass er nur kurze Zeit bleiben konnte.

Das erste Mal hatte sich schwierig gestaltet. »Kein Herrenbesuch auf dem Zimmer!«, hatte Emma Steiner streng zu ihr gesagt und an Helmut gewandt hinzugefügt: »Weiß Seraphine eigentlich, dass du dich hier mit meinem Gast triffst?« Auf Helmuts Verneinung hin schüttelte sie zwar missbilligend den Kopf, brachte ihnen wenig später jedoch einen Teller mit trockenem Hefekranz in die Wirtsstube und verschwand dann wortlos in der Küche. Am frühen Nachmittag gab es außer ihnen noch keine anderen Gäste. Ihr Schweigen hatte so dick über dem Tisch gehangen wie zu späterer Stunde der Qualm von Tabak. Er ist ein Fremder! Ich habe ihm nichts zu sagen! Die Erkenntnis hatte Hannah fast den Boden unter den Füßen weggezogen. Gemeinsam hatten sie den Hefekranz gegessen. Krümel für Krümel würgte Hannah hinunter. Helmut fragte sie nach ihrer Reise, sie antwortete einsilbig wie ein Trottel. Schnell wurde ihr klar, dass sie so nichts zustande brachten.

»Komm heute Abend wieder hierher!«, hatte sie ihm am Ende zugeflüstert. »Wenn das Wirtshaus voll ist, kann ich dich unbemerkt in meine Kammer lassen.« Helmut hatte genickt.

Und er war gekommen. So spät, dass Hannah schon nicht mehr mit ihm gerechnet hatte. Er hätte nicht früher wegge-konnt, der Vater habe noch eine wichtige Abrechnung mit ihm durchgehen wollen, erklärte er.

Hannah umarmte ihn und beteuerte, dass dies alles unwich-tig wäre, jetzt, wo sie zusammen waren. Das stundenlange Warten, die ewig bangen Gedanken, was aus ihr werden sollte – sie war so verzweifelt gewesen! Tränen liefen ihr übers Gesicht. Dann spürte sie Helmuts Arme, so warm, so beschützend. Hannah hätte im Nachhinein nicht mehr sagen können, wie sie sich ihres Kleides entledigt hatte und wie Helmut aus sei-ner Hose gekommen war. Sein Murmeln, das wäre nicht rech-tens, hatte sie mit ihren Küssen erstickt. Plötzlich hatten sie im Bett gelegen. Die Vertrautheit war wieder da und mit ihr der Boden unter Hannahs Füßen. So fremd, wie sie es am Nach-mittag gedacht hatte, war ihr dieser Mann gar nicht, ganz im Gegenteil. Kein Wunder, dass sie sich damals in Nürnberg gleich in ihn verguckt hatte. Ihr Lachen war zurückgekehrt und auch die Zuversicht, dass alles gut werden würde.

Nachdem sie ihre Lust gestillt hatten, begann Helmut zu re-den. Er erzählte von Seraphine – offen und ehrlich. Davon, dass es schon seit Jahren eine ausgemachte Sache war, dass er und sie eines Tages heiraten würden. Schon seit Jahren sei seine Mutter deswegen hinter ihm her, sein Vater hätte ihn eher an der langen Leine gelassen.

Hannah tat das Zuhören weh. Sie wagte es nicht, ihn über diese Frau auszufragen. Liebst du sie? Hör zu, ich trage ein

Kind von dir unter dem Herzen! Wie kannst du mir da von einer anderen erzählen?

Natürlich mochte er Seraphine Schwarz, sie kannten sich schon von Kindesbeinen an, und irgendwann musste schließlich jeder einmal dran glauben. Aber im Grunde sei es eher eine Art geplante Vernunftehe, hatte Helmut Hannah erklärt.

Das hörte sich für Hannahs Ohren alles andere als verliebt an.

Jetzt läge die Sache natürlich ganz anders, sagte Helmut dann. Er müsse mit seinem Vater sprechen. Mit seiner Mutter natürlich auch. Dafür wäre jedoch der richtige Zeitpunkt entscheidend, das würde sie doch verstehen?

Natürlich. Hannah verstand.

Er würde auch mit Seraphine sprechen müssen, das schwierigste Unterfangen von allen. Auch dafür bedurfte es des richtigen Zeitpunktes, immerhin nähte Seraphine schon an ihrem Hochzeitskleid. Und es bedurfte der richtigen Worte. Die müsse er sich noch zurechtlegen.

Natürlich.

Hannah verstand alles und verteilte winzige Küsse auf Helmuts Gesicht.

Wenn wenigstens Seraphines Vater wieder von seiner Reise zurück wäre! Seit Tagen wurde seine Heimkunft erwartet, aber er kam und kam nicht! Mit ihm und Else Schwarz, der Mutter, galt es ebenfalls zu reden. Wie Helmut ihnen die ganze Angelegenheit erklären sollte, wusste er noch nicht, aber bestimmt würde ihm etwas einfallen.

Natürlich.

Bei seinem nächsten Besuch hatte Helmut sie aufs Neue vertröstet, hatte etwas vom richtigen Zeitpunkt gemurmelt.

Aber wann war der richtige Zeitpunkt? Wann würde er die richtigen Worte finden?

Arme Seraphine … Die Vorstellung, dass ein paar Häuser

weiter ein junges Mädchen an seinem Brautkleid nähte, nicht wissend, dass hier eine Frau saß, die ein Kind von dem Bräutigam erwartete, weckte kurz Mitleid in Hannah. Doch es verflog wie Rauch durch einen zugigen Kamin.

Und heute war schon Heiligabend! Die Hochzeit war für den siebten Januar vorgesehen, Hannah hatte den Zettel mit dem Aufgebot im Glaskasten vor der Kirche hängen sehen. Wann wollte Helmut seiner »Braut« mitteilen, dass es nichts wurde mit dem Ja-Wort? In der Kirche etwa?

Eine Verlobung konnte doch nicht so mir nichts, dir nichts aufgelöst werden, oder? Diese Schmach – Hannah mochte sich gar nicht vorstellen, wie man sich als verschmähte Braut fühlte. Musste diese Seraphine nicht auf irgendeine Weise für ihre verlorene Ehre entschädigt werden? Womöglich mussten dafür sogar hochoffizielle Papiere unterschrieben werden, in denen die Höhe des Kranzgeldes festgelegt wurde. Von all diesen Sachen hatte Helmut bisher kein Sterbenswörtchen gesagt!

Abrupt stand Hannah vom Bett auf und trat erneut ans Fenster. Mit dem Zeigefinger malte sie an die beschlagenen Scheiben ein Guckloch. Trotz der dunstigen Nacht waren fast alle Fenster der umliegenden Häuser hell erleuchtet. Frauen trafen dort sicherlich ihre letzten Vorbereitungen für das Essen nach dem Kirchgang. Kinder hüpften aufgeregt umher, der Gang in die Kirche war für sie nur eine lästige Pflicht, wo zu Hause doch reichlich Essen und vielleicht sogar kleine Geschenke auf sie warteten.

Was Helmut wohl gerade tat? War er womöglich bei dieser Seraphine? Während sie hier saß, einsam und traurig und …

Wie ein Opferlamm.

Der Gedanke gefiel Hannah nicht. Nein, er gefiel ihr ganz und gar nicht. Sie war vielleicht eine dumme Gans gewesen, damals, in Nürnberg, als sie Helmut erlaubte, mit ihr … Aber ein Opferlamm war sie nicht! Sonst hätte sie gleich zu Hause bleiben können.

Sie ergriff ihren Mantel, den sie nach ihrem letzten Spaziergang zum Trocknen über dem Tisch ausgebreitet hatte.

Schon viel zu lange hatte sie sich hier versteckt. Vor den neugierigen Blicken der Gönninger. Vor ihren Fragen nach dem Grund ihres Besuchs. Vor Helmuts Familie. Vor einer Begegnung mit dieser Seraphine.

Damit war nun Schluss!

Ihre Geduld war zu Ende.

Polternd rannte sie die Treppe hinunter. Hoffentlich waren Emma und Käthe noch da. Und wenn nicht, dann würde sie den Weg in die Kirche auch allein finden.

Schon beim Gedanken daran begannen ihre Knie zu schlottern wie zwei Espen im Wind.

8

Die Kirche war bis auf den letzten Platz besetzt. Während sich Emma und Käthe bis zur Mitte durchzwängten, wo irgendjemand Plätze für sie freigehalten hatte, blieb Hannah ein wenig hinter einem Pfeiler verborgen neben der letzten Reihe stehen und nickte ein paar Frauen zu, die sich neugierig zu ihr umdrehten. War eine davon etwa Seraphine?

Es roch nach Seife, gegorenen Äpfeln und Mottenkugeln – eine seltsame Mischung, die Hannah fremd war und die doch hierher, in diese Kirche gehörte. Noch nie hatte sie sich so einsam gefühlt wie in diesem Moment. Wenn wenigstens ihre Mutter bei ihr gewesen wäre! Tränen brannten unter ihren Lidern, und sie blinzelte heftig – hier vor allen loszuheulen war das Letzte, was sie wollte. Ach, wäre sie doch bloß in ihrer

Kammer geblieben! Aber auch da hatte sich die Einsamkeit wie Frost auf ihre Haut gelegt …

»Kopf hoch, auch wenn der Hals dreckig ist«, hörte sie plötzlich die Stimme ihres Vaters. Geräuschvoll zog Hannah die Nase hoch, was ihr gleich wieder ein paar schräge Blicke von links und rechts einbrachte. Sie schluckte. Vater hatte Recht! Vom Heulen hatte sich noch nie etwas zum Besseren gewandelt. Sie richtete ihren Blick auf den Altar.

Es war eine evangelische Kirche – das erstaunte Hannah und freute sie zugleich. Sie selbst war auch evangelisch. In Nürnberg war dies nicht ungewöhnlich, aber auf ihrer Reise durch Württemberg war sie durch etliche katholische Gegenden gekommen. Gönningen sei nicht das einzige evangelische Dorf in der Gegend, hatte Emma ihr erklärt, kurz bevor sie die Kirche betraten. Seit der Reformation gäbe es viele evangelische Städte und Gemeinden.

Vom Gottesdienst bekam Hannah kaum etwas mit. Normalerweise ließ sie sich von der feierlichen Stimmung schnell anstecken, lauschte der Weihnachtsgeschichte jedes Jahr, als höre sie sie zum ersten Mal, doch heute war sie viel zu abgelenkt, um sich auf die Worte des Pfarrers konzentrieren zu können. Unter niedergeschlagenen Lidern wanderte ihr Blick durch die Reihen, bis sie endlich ganz vorn Helmuts wuscheligen Schopf entdeckte. Neben ihm saß Valentin, daneben ein älterer Herr, bestimmt der Vater.

Der Gottesdienst dauerte nicht lange, nach einer guten Stunde war alles vorbei. Trotzdem kam es Hannah wie eine Ewigkeit vor. Doch als sich die Ersten von ihren Plätzen erhoben, als Mäntel angezogen und Gesangbücher in Handtaschen verstaut wurden, wünschte sie sich beklommen, der Pfarrer würde noch ein weiteres Lied anstimmen.

Hannah drängte sich vor allen anderen durch die Tür nach draußen und wartete gleich rechts auf der Treppe. Sie zwang sich, jedem, der an ihr vorbeiging, freundlich zuzunicken. Das Getuschel hinter ihrem Rücken, die neugierigen Blicke versuchte sie zu ignorieren. Sollten sie sich Helmut Kerners zukünftige Frau ruhig genau anschauen! Auf den Zehenspitzen auf und ab wippend, spähte sie durch die Tür nach drinnen. Lange konnte es nicht mehr dauern …

Da! Der alte Herr Kerner. Und dahinter …

»Ja Mädle, was stehst du hier in der Kälte herum? Warum bist nicht schon nach Hause gelaufen? Ich hab dir doch extra den Hausschlüssel gegeben«, hörte sie Emma Steiner auf einmal neben sich.

Jemand zupfte an ihrem Ärmel und sagte: »Komm schnell heim, es gibt etwas Feines zu essen!«

Hannah schüttelte Käthe wie eine lästige Fliege ab, zwang sich jedoch zu einem Lächeln. »Ich komme gleich nach!« Es hätte nicht viel gefehlt, und sie hätte die beiden mit den Händen weggetrieben. Gerade hatte sie Helmut erspäht, gleich würde er bei ihr sein.

Ein letztes Mal durchatmen, dann machte sie einen Satz mitten auf den Weg.

»Helmut! Wie schön, dich zu sehen!« Ihre Stimme zitterte nur ein wenig. Sie lächelte erst Helmut, dann seinen Bruder, dann die Eltern an, die etwas verwirrt zurücknickten. Hinter ihnen tauchte ein Mädchen mit blondem Zopf auf. Sie war so überirdisch schön, dass es Hannah für einen Moment den Atem verschlug. Seraphine!

Helmut schaute sich um, als wäre der Leibhaftige hinter ihm her. Ein Krächzen war das Einzige, was über seine Lippen kam. Er stieß Valentin mit dem Ellenbogen an, doch auch dieser tat nichts anderes, als Hannah fassungslos anzustarren.

Hannahs Lächeln gefror. Er hatte also noch immer nicht mit seiner Familie, geschweige denn mit seiner Verlobten gesprochen!

»Helmut«, hob Hannah erneut an, »willst du mich nicht deiner Familie vorstellen?«

»Das halte ich für eine gute Idee!«, bemerkte der alte Kerner stirnrunzelnd. Ungeduldig trat er von einem Bein aufs andere. Ihm war nicht entgangen, dass sich im weiteren Umfeld eine Traube von Menschen gebildet hatte. Scheinbar war es plötzlich nicht mehr so wichtig, rasch zum Festtagsbraten nach Hause zu kommen. Viel interessanter war das Schauspiel um die Kerners und die schöne Unbekannte, die sich schon seit Tagen im Dorf aufhielt.

»Ja, äh, das ist Hannah, äh, Brettschneider. Sie –« Hilfesuchend blickte sich Helmut zu Valentin um.

»Sie kommt aus Nürnberg und ist auf Besuch in Gönningen«, beendete Valentin den Satz seines Bruders. Dann packte er sowohl Helmut als auch seinen Vater am Arm und zog sie weg. »Und jetzt sollten wir alle schauen, dass wir nach Hause kommen. Sonst fällt mir mein Zeh, der eh schon halb erfroren ist, doch noch ab.«

Fassungslos starrte Hannah der Familie nach, die eilig durch die Dunkelheit davonging.

»Wer ist die Frau und was wollte sie? Ich frag dich jetzt zum letzten Mal!« Gottlieb Kerner zeigte mit seiner Gabel auf Helmut. Bratensoße tropfte auf das Tischtuch, was seine Frau Wilhelmine zu einem ärgerlichen Zischlaut veranlasste.

Helmut schaute in die Runde. Seine Eltern, Marianne, seine Schwester, die zum Fest zusammen mit Ehemann und Sohn aus Reutlingen gekommen war, Valentin – sie alle starrten ihn an. Noch nie in seinem Leben hatte er sich so in die Enge getrieben gefühlt. Verflixt, warum hatte Hannah ausgerechnet heute ihren großen Auftritt veranstalten müssen? Wenigstens saß nicht auch noch Seraphine mit ihrer Mutter hier am Tisch. Sie wollten zu Hause sein, für den Fall, dass Friedhelm heimkehrte. Andererseits, wenn sie hier wären, hätte er das Schlimmste mit einem Aufwasch hinter sich … Er stöhnte.

»Helmut! Wenn du jetzt nicht den Mund aufmachst –«, drohte nun auch Wilhelmine Kerner. Ärgerlich starrte sie auf die Weihnachtsgans, die niemand am Tisch so recht würdigte.

»Jetzt zier dich doch nicht so. Damals in Nürnberg hast du dich schließlich auch nicht geziert!«

Entsetzt fuhr Helmut zu seinem Bruder herum. Valentin war wirklich wieder einmal eine große Hilfe! Fast flehentlich richtete er seinen Blick nach oben. Gleich würde es mit der stillen, heiligen Nacht vorüber sein.

»Die Sache ist ein wenig kompliziert …«

Appetitlos piekste Hannah ein Stück Karpfen auf. Sie hatte Karpfen noch nie gemocht, zu Hause gab es am Heiligen Abend stets eine große Schüssel Würstel und dazu einen Berg Kartoffelsalat. Zu mehr reichte die Zeit nicht, der Weg in die Kirche war weit, und vor dem Gottesdienst musste stets noch das ganze Wirtshaus geschrubbt werden.

Karpfen! Andererseits wäre ihr heute wahrscheinlich auch die beste Nürnberger Bratwurst im Halse stecken geblieben. Resigniert schaute sie sich in der verwaisten Wirtschaft um. Zur Feier des Tages hatte Emma den Stammtisch eingedeckt. Hannah kam es so vor, als würden die drei Frauenstimmen in dem großen leeren Raum regelrecht hallen. Warum hatten sie nicht in der Küche essen können, wo es warm und gemütlich war? Ein bisschen wie zu Hause.

Ach Mutter, du fehlst mir so!

Um sich ein wenig abzulenken, fragte Hannah das Erstbeste, was ihr in den Sinn kam: »Warum gibt es in Gönningen eigentlich so viele Wirtschaften? Hat das auch mit dem Samenhandel zu tun?«

Emma und Käthe Steiner schauten sich an.

»Ja und nein«, sagte Emma mit vollem Mund. Ihre Wangen waren gerötet von dem Glas Wein, das sie sich an diesem Abend genehmigt hatte. »Natürlich hat es damit zu tun, dass Samenhändler gern einmal ins Wirtshaus gehen. Vor allem im Frühjahr, wenn das Geld locker sitzt.«

»Die Frauen auch!«, warf Käthe lachend ein.

Emma nickte. »Aber es kommen ja nicht nur die Gönninger zu uns, sondern auch viele Reisende, die auf die Schwäbische Alb wollen. Gönningen ist schließlich eines der letzten Dörfer im Tal, bevor es hinaufgeht.«

Hannah bemühte sich um eine interessierte Miene. Dabei schweiften ihre Gedanken immer wieder ab.

Wie verängstigt Helmut geguckt hatte! Ob es ein Fehler gewesen war, ihn vor allen Leuten anzusprechen?

»Und dann hatte Gönningen einstmals vier Mühlen, das heißt, dass viele Bauern aus der umliegenden Gegend zu uns kamen. Nachdem sie ihr Getreide abgeliefert hatten, war ein Krug Bier immer willkommen. Aber das war einmal …«

Und dann dieses schöne Weib! Wahrscheinlich saß diese Seraphine jetzt bei Helmuts Familie am Tisch -

»Aber die Marktleute kommen noch!«, ergänzte Käthe.

Emma winkte ab. »Die zählen nicht. Deren Besuche zwei Mal im Jahr machen den Kohl nicht fett.«

Käthe zuckte mit den Schultern. »Andere Dörfer wären froh, wenn sie das Marktrecht hätten.«

Gegen diese Seraphine bin ich nur plump und hässlich! Angewidert schaute Hannah auf ihre weißen Arme. Wie das Fleisch aus den gerafften Ärmeln herausquoll!

»Andere Dörfer wären froh, wenn sie *einiges* von Gönningen hätten!«, sagte Emma prustend.

»Deshalb bleiben die Gönninger auch meistens unter sich.«

Käthe hielt Hannah die Platte mit dem Karpfen hin. »Willst du noch?«

Hannah schüttelte den Kopf. Alles, bloß nicht noch mehr von dem schwammigen Fisch! Sie nahm einen Schluck Wein, um gegen die aufkommende Übelkeit anzukämpfen. Sollte sie den beiden Frauen von der wüsten Beschimpfung durch den Bauern aus einem Nachbardorf erzählen, der die Gönninger allesamt für Trunkenbolde hielt? Besser nicht …

»Was heißt das, die Gönninger bleiben unter sich? Ich dachte, sie seien ständig auf Reisen?« Hannah runzelte die Stirn.

Wenn Helmut und ich Mann und Frau wären – würde er dann auch allein verreisen? Oder müsste ich mitkommen?

»Das schon, aber wenn's ums Heiraten geht, schaut sich ein Gönninger lieber in seinem eigenen Dorf um. Und die Frauen halten es ebenso …« Emma blickte ihre Tochter an, die daraufhin emsig auf ihrem Teller zu rühren begann.

Hannahs Herz sank ein Stockwerk tiefer. Da hatte sie sich das scheinbar unverfänglichste Thema von allen ausgesucht, um sich von ihrer eigenen Misere abzulenken, und nun das: Die Gönninger suchten sich ihre Frauen unter ihresgleichen …

»Ich glaube, Gönningen ist ein ganz besonderes Dorf«, murmelte sie und wunderte sich über den sehnsuchtsvollen Klang ihrer Stimme. Sie hatte mit ihrer Bemerkung nur höflich sein, der Wirtin eine Freude machen wollen. Stattdessen erkannte sie, dass dieses Dorf sie tatsächlich zu faszinieren begann.

»Da hast du wohl Recht. Gönningen ist vom Glück beschienen«, sinnierte Emma Steiner. »Allein die Tausende von Obstbäumen auf unseren Wiesen, was für ein Reichtum! Es ist wirklich kein Wunder, dass andere Dörfer neidisch auf uns schauen. Wenn ich darüber nachdenke, wie elendig schlecht es den meisten im Land in den letzten Jahren ging, da hat Gönningen immer noch gut lachen.«

Obstbäume? Was haben die denn mit Reichtum zu tun?, wollte Hannah gerade fragen, als es laut und nachhaltig an der vorderen Tür klopfte.

»Ich wollte mir nur einmal das Weib ansehen, das behauptet, mein Sohn hätte es in Schande gebracht.« Gottlieb Kerners Miene war versteinert. Mit seiner rechten Hand bedeutete er Emma ungeduldig, sich zurückzuziehen. Sie hatte hinter der Theke Zuflucht genommen, kaum dass der alte Kerner und Helmut durch die Tür traten. Erst als er Emma durch die Küchentür verschwinden sah, wandte er sich wieder der Fremden zu.

Langsam stand Hannah vom Tisch auf, ging ein paar Schritte in die Mitte des Raumes und drehte sich dort um die eigene Achse. »Ist's so recht?«

Wollte das Weib ihn auf den Arm nehmen? Kerner schaute sich zu Helmut um, auf dessen Gesicht sich ein verstohlenes Grinsen abzeichnete. Dem Burschen würde das Lachen noch vergehen, und wenn er ihm dazu eigenhändig eine Ohrfeige verpassen musste!

»Emma, bring was zu trinken. Und räum bitte die Essensreste weg!«, rief er in Richtung der angelehnten Küchentür. Wahrscheinlich drückten sich beide Weiber dahinter die Ohren platt, um nur ja kein Wort zu verpassen.

Es war nicht seine Art, bei anderen Menschen am Heiligen Abend einfach so hereinzuplatzen. Aber außergewöhnliche Situationen erforderten außergewöhnliche Maßnahmen, das hatte sich in seinem Leben immer wieder bestätigt. Und dass es sich hier um eine außergewöhnliche Situation handelte, stand für Gottlieb Kerner fest. Die Sache musste vom Tisch, je eher, desto besser! Dummes Gerede im Dorf konnte und wollte er nicht dulden.

Was Emma und ihre Tochter anging, würde er sich etwas einfallen lassen müssen. Er schnaubte, als ihm bewusst wurde, in welch unangenehme Situation Helmut ihn gebracht hatte: Zum einen war er der Wirtin etwas für den Überfall schuldig, zum anderen musste er dafür sorgen, dass sie den Mund hielt. Wahrscheinlich würde spätestens morgen nach der Kirche das halbe Dorf Bescheid wissen …

Er nickte in Richtung eines Tisches. »Setzt euch!« Ihm entging nicht, dass Helmut und die Frau zwei Stühle nebeneinander wählten. Aha, zwei Missetäter unter sich! Sehr zerknirscht sahen die beiden allerdings nicht gerade aus, ganz im Gegenteil: Helmut, der sich zu Hause gewunden hatte wie ein Aal, schien sich hier ausgesprochen wohl zu fühlen. Nun zwinkerte er dieser Hannah auch noch zu. Das reichte! Ohne Umschweife kam Kerner zur Sache.

»Was wollen Sie, junge Frau?«

Sollte sie doch ihren Preis nennen! Wenn er sich in einem realistischen Rahmen bewegte, war er zu jedem Zugeständnis bereit. Musste es sein. Wieder warf er Helmut einen wütenden Blick zu. Verstreute seinen Samen im ganzen Land, der Hallodri!

»Ich bekomme ein Kind von Ihrem Sohn. Von einem Samenhändler. Und ich möchte, dass mein Kind auch ein Samenhändler wird! Ich möchte, dass mein Kind den Namen seines Vaters trägt. Es ist doch ein ehrbarer Name, oder?«

Gottlieb Kerner glaubte nicht richtig zu hören. Das war ja … unverfroren!

»Selbstverständlich ist unsere Familie ehrbar! Da kannst du jeden fragen! Und wir gehören zu den erfolgreichsten Händlern im ganzen Dorf, nicht wahr, Vater?«

Mit voller Wucht trat Gottlieb unter dem Tisch zu, erwischte jedoch ein Stuhlbein anstelle von Helmuts Fuß. War der Junge verrückt? Jetzt fehlte nur noch, dass er die Kernerschen Reichtümer aufzählte!

»Mir geht es nicht um Geld«, erwiderte Hannah, als könne sie Gedanken lesen.

Wenn sie das Wackeln des Tisches bemerkt hatte, ließ sie

sich nichts anmerken. Gottlieb Kerner kam sich erneut vorgeführt vor. Von einer Frau noch dazu!

»Natürlich ist Geld nicht unwichtig, man will ja schließlich nicht hungern. Aber ich habe gelernt, dass es einem nicht umsonst zufliegt. Fleiß, Ehrlichkeit und Ehrbarkeit sind dafür nötig, das haben meine Eltern mir von klein auf beigebracht. Das ist mir wichtig!«

Gottlieb Kerner nahm einen Schluck Bier. Das Gespräch lief ganz und gar nicht so, wie er es geplant hatte. Der Geldsack, den er mitgebracht hatte, hing schwer und nutzlos an seinem Hosenbein herab. Innerhalb weniger Minuten waren ihm die Fäden aus der Hand geglitten. Stattdessen war es diese Hannah, die nun den Ton angab.

Um Zeit zu gewinnen, holte er seine Pfeife aus der Tasche und begann umständlich, sie zu stopfen. Sie wollte also kein Geld, soso. Das machte die Sache nicht leichter. Musste er sich also eine neue Strategie überlegen, eine, die zu der Fremden passte. Unauffällig schaute er zu ihr hinüber.

Die Schönste war sie nicht gerade, kein Vergleich zu Seraphine, aber als hässlich konnte man sie auch nicht bezeichnen. Ein wenig … grobschlächtig vielleicht. Andererseits war an dem Weib wenigstens etwas dran, es war nicht so ein Stängel, den der erstbeste Windhauch umhauen konnte. Und wie ihre Augen funkelten! Mumm hatte sie, das war unbestritten. Kein Wort der Entschuldigung dafür, dass sie sich mit Helmut eingelassen hatte. Sie hatte nichts, aber auch gar nichts von einem gefallenen Mädchen an sich, ihr Blick war offen und ohne jede Scham.

»Ich kann arbeiten, gut arbeiten. Das bin ich gewohnt. Und ich bin eine robuste Natur!« Hannah lachte. »Ich kann mich nicht daran erinnern, wann ich das letzte Mal krank gewesen bin. Selbst als im vergangenen Frühjahr bei uns im Viertel die Ruhr umging, blieb ich verschont.«

Gottlieb Kerner winkte ab. »Du brauchst dich nicht wie eine Kuh auf dem Markt anzupreisen«, sagte er betont barsch.

Hannah zuckte kurz zusammen. »Ich dachte nur, es wäre wichtig für Sie, zu wissen, was für eine Schwiegertochter Sie bekommen.«

Schwiegertochter?

Bevor Gottlieb Kerner etwas sagen konnte, fuhr sie fort: »Ich werde Ihrem Sohn eine gute Frau sein.« Sie nahm Helmuts Hand, der dies verdutzt geschehen ließ. »In guten wie in schlechten Zeiten, so heißt es doch, oder? Damals, als es deinem Bruder so schlecht ging und du außer dir vor Sorge warst, war ich für dich da. Ich werde immer für dich da sein. Und ich werde alles lernen, was nötig ist, um eine gute Samenhändlerfrau zu werden.«

Inzwischen vollkommen sprachlos, schaute Gottlieb von einem zum anderen. War das sein Sohn, der so dümmlich lachte? Wo waren Helmuts große Sprüche geblieben? Sein Sohn, das Großmaul! Er schnaubte. Wer in dieser Ehe die Hosen anhaben würde, war jetzt schon klar! Er erschrak, als er sich der Tragweite dieses Gedankens bewusst wurde. Verflixt nochmal, es gab doch schon eine zukünftige Schwiegertochter! Was sollte er mit zweien?

Einen Moment lang spielte er mit dem Gedanken, nach Hause zu gehen und die ganze Angelegenheit mit Wilhelmine zu besprechen. Aber die war ihm vorhin auch keine große Hilfe gewesen: Mit großen Augen, fassungslos, hatte sie Helmuts Beichte gelauscht, war dann aufgesprungen und hatte das Gebetbuch geholt, das sie nach dem Gottesdienst auf der Anrichte abgelegt hatte. Darin hatte sie wie wild geblättert, als stünde die Lösung auf einer bestimmten Seite. Zudem wartete zu Hause auch noch sein Schwiegersohn, der Herr Apotheker aus Reutlingen, der sowieso immer alles besser wusste. Wie entsetzt er und Marianne sich angeschaut hatten! Rechtschaffen entsetzt über die liederlichen Verhältnisse, die in Gönningen zu herrschen schienen … Ja, waren die beiden denn nie jung gewesen?

Gottlieb Kerner zog an seiner Pfeife, als könne er damit nicht nur Tabak, sondern auch Weisheit inhalieren. Es gab Momente im Leben, wo der liebe Gott und die eigene Ehefrau wenig hilfreich waren … Und ein Apotheker erst recht nicht.

Schweigen breitete sich um den Tisch aus. Während Helmut unruhig auf seinem Stuhl hin- und herrutschte, saß Hannah zumindest rein äußerlich gelassen da, trank einen Schluck Bier, lächelte Helmut an, als wäre dies ein alltägliches Zusammentreffen unter guten Freunden.

Diese Frau schien nichts aus der Ruhe zu bringen. Gottlieb Kerner staunte. Und dass er staunte, erstaunte ihn ebenfalls.

Er war 52 Jahre alt. War seit 36 Jahren auf der Reise. Es gäbe nichts, was er noch nicht gesehen hätte, behauptete er gern. Sein Rat war bei seinen Kunden sehr gefragt, nicht nur, wenn es um die Fruchtfolge von Möhren, Kohlrabi und Bohnen ging. »Wie gut, dass Sie kommen!«, bekam er unterwegs immer wieder zu hören. »Wir haben ein Problem, aber wir dachten, wir warten, bis der Samenhändler kommt.« Damit war für die Leute das Problem schon zur Hälfte gelöst. Ein trunksüchtiger Ehemann, Streit mit dem Nachbarn oder den Verwandten – ein Mann, so weltgewandt, so weit gereist, der musste doch auch für die Fragen des Alltags eine Antwort wissen. Und meistens hatte Gottlieb Kerner tatsächlich eine Lösung parat.

Und nun saß er hier und war ratlos.

Er seufzte. Dann wandte er sich Helmut zu: »Und du wärst gewillt, diese Frau zu heiraten?«

Wie sich das anhörte! Als ob er der Herr Pfarrer höchstpersönlich wäre! Eilig nuckelte Gottlieb an seiner Pfeife.

»Ja schon, aber …« Helmut machte eine hilflose Handbewegung.

»Aber da gibt es noch diese andere Sache«, ergänzte Gottlieb für seinen Sohn.

Diese andere Sache – statt sich für seine Wortwahl zu schämen, schöpfte er daraus neuen Mut. Besser, es wurden nun Nägel mit Köpfen gemacht, als die Angelegenheit weiter auf die lange Bank zu schieben. Diese Frau trug das Kind seines Sohnes unter ihrem Herzen. Ein Unglück gewiss, aber es veränderte die Sachlage nun einmal völlig. Helmut *konnte* Seraphine Schwarz jetzt nicht mehr heiraten. Richtig begeistert war er von der Wahl seines Sohnes ohnehin nie gewesen. Sicher, Seraphine war eine Schönheit, aber wenn er an ihren Vater dachte … Und das Schaffen hatte sie auch nicht erfunden, sonst wäre sie doch längst selbst auf die Reise gegangen, statt dies allein ihrem Tunichtgut von Vater zu überlassen. Wilhelmine war es, die Seraphine ins Herz geschlossen hatte. »Seraphine ist das schönste Mädle im Dorf, so zart und fein noch dazu – sie wird dir eine brave Frau abgeben.« Ständig hatte sie so auf Helmut eingeredet. Und zu ihm, Gottlieb, hatte sie immer wieder gesagt: »Sie wäre wie eine zweite Tochter für mich.«

Tochter hin oder her, Wilhelmine war im Begriff, erneut Großmutter zu werden. Himmel noch mal, dann wurde er ja wieder Großvater! Gottlieb verschluckte sich so an seinem Pfeifenrauch, dass er prusten musste. Sofort sprang Hannah auf und klopfte ihm den Rücken. Er warf ihr einen nicht unfreundlichen Blick zu.

So gesehen blieb Helmut gar keine andere Wahl. Diese Hannah war keine Frau, die sich mit ein paar Gulden auszahlen ließ, so viel stand fest! Die Verlobung mit Seraphine würde aufgelöst werden müssen. Wie ging so etwas eigentlich vonstatten? Gottlieb konnte sich an keinen ähnlichen Fall im Dorf erinnern. O weh, das würde ein Geschwätz geben! Da würde er sich noch etwas einfallen lassen müssen. Natürlich musste man Seraphine für die Schmach entschädigen. Und die Eltern gleich dazu. Am besten vereinbarte er in den nächsten Tagen einen Termin beim Advokaten in Reutlingen. Rechtsbeistand in solch einer heiklen Angelegenheit konnte nicht schaden, schließlich wollte sich seine Familie nicht nachsagen lassen, sie würden wie Lumpen handeln! Nein, nein, alles musste hoch offiziell und rechtens vonstatten gehen. Dass die Sache teuer wurde, schwante Gottlieb bereits. Aber was blieb ihm anderes übrig, als zu zahlen? Der Junge hatte einen Fehler gemacht, nun musste er wie ein Mann dazu stehen. Dazu hatte *er* seinen Sohn schließlich erzogen.

Zufrieden mit sich und seiner Weisheit lächelte Gottlieb Kerner in die Runde.

Eine halbe Stunde später umarmte er seine zukünftige Schwiegertochter, Helmut seine zukünftige Frau, und gemeinsam mit Emma und Käthe, die beide ein paar Tränen vergossen, stießen sie auf das freudige Ereignis an.

10

»Und das geschah alles am Heiligen Abend?«

Emma Steiner nickte.

»Du meine Güte, was für ein Drama!« Elsbeth Wagner, die Frau des Apothekers, schüttelte den Kopf. »Und ich dachte schon, bei uns wäre ordentlich was los gewesen. Dabei hat doch nur der Opa einen Zahn verloren. Ausgerechnet am Heiligen Abend! Und ausgerechnet in den Suppentopf ist er gefallen ...«

Die Frauen kicherten.

Die Arme über dem Busen verschränkt, die Lippen vorwurfsvoll geschürzt, schaute Almuth Maurer von einer zur anderen. Ein kleines Schwätzchen in Ehren, aber dachten die

Weiber überhaupt daran, dass sie nicht zum Spaß hier in der eisigen Kälte ihres Ladens stand? Am ersten Tag nach den Feiertagen war der Umsatz eigentlich immer recht stattlich – irgendetwas ging in jedem Haushalt aus und musste dringend ersetzt werden. Heute jedoch schien den Frauen nichts so wichtig zu sein wie die Neuigkeiten, mit denen Emma Steiner und Käthe auftrumpften.

»Willst du jetzt noch ein Stück Käse oder bleibt's bei dem einen?«, wandte sie sich an die Apothekerin, die beinahe ungehalten abwinkte.

»Und wo ist diese … Hannah jetzt?«, wollte sie stattdessen von Emma wissen.

»In ihrem Zimmer«, antwortete Käthe an Emmas Stelle. »Die Arme scheint von früh bis spät zu schlafen. Wahrscheinlich hat sie in den Nächten vor der *Klärung*« – hier machte sie ein bedeutungsvolles Gesicht – »kein Auge zugetan.«

Marianne, eine Nachbarin von Emma, holte so tief Luft, dass sich ihr Busen deutlich hob. »Also, wenn ich mir vorstelle, so ein Fräulein Hannah käme daher und behauptete, mein Eugen hätte ihr ein Kind gemacht!« Sie rollte dramatisch mit den Augen. »Ich sag immer: Was ich nicht weiß, macht mich nicht heiß, aber …«

Die anderen nickten. Keine wollte sich genauer vorstellen, was ihre Männer während der langen Reisemonate so trieben.

»Solche Luder sitzen doch in jeder Stadt, jedem Dorf! Machen unseren Männern schöne Augen! Da ist's den Burschen fast nicht zu verdenken, wenn sie schwach werden, oder?« Beifall heischend schaute die Apothekerin in die Runde.

Emma Steiner prustete. »Und wie sieht es umgekehrt aus? Ist es nicht auch schon vorgekommen, dass ein Weib mit einem Kind unter dem Herzen von der Reise heimkam?« Ein bedeutungsvoller Blick wanderte zu Marianne, die diesem verlegen auswich. Dass mindestens eins von Mariannes fünf Bälgern nicht von deren Mann stammen konnte, wusste jeder im Dorf. Schließlich konnte man rechnen!

Annchen, die jüngste der anwesenden Frauen, errötete. »Was, du meinst –«

»Also, hier geht es ja wohl um etwas ganz anderes«, fiel Elsbeth, die Apothekergattin, der Jüngeren ins Wort. »Willst du etwa die Partei dieses Luders ergreifen?« Wütend funkelte sie Emma an.

»Was heißt hier Luder? Das Mädel ist schon in Ordnung, lass dir das gesagt sein!« Emma plusterte sich auf wie eine Glucke. Immerhin stand Hannah sozusagen unter ihrem persönlichen Schutz, lebte zurzeit unter ihrem Dach. Da konnte sie doch schlecht zulassen, dass die Weiber derart über sie herfielen, oder?

»Die arme Seraphine«, seufzte Annchen. »Wie sie es wohl aufgenommen hat?«

Alle Augen richteten sich erneut auf Emma, die schmollend überlegte, ob sie überhaupt noch etwas zu diesem Thema sagen sollte.

An ihrer Stelle antwortete schließlich Elsbeth: »Bestimmt nicht sonderlich gut. Ich meine, es stand doch wirklich seit Ewigkeiten fest, dass sie und Helmut … Und jetzt heiratet er in ein paar Tagen eine andere!«

Diese Aussage erntete ein kollektives Seufzen, dem sich sogar Emma anschließen konnte.

»Hannah sagt, Gottlieb Kerner und Helmut seien gestern beim Pfarrer gewesen, um die Sache mit der Hochzeit zu klären. Die wollen doch tatsächlich den alten Termin beibehalten!«, fügte Käthe atemlos hinzu. »Also, das finde ich ungehörig. Ich frage mich, ob es überhaupt rechtmäßig ist! Wozu muss man denn schließlich ein Aufgebot bestellen? Hätten die nicht wenigstens einen der nächsten Sonntage wählen können? Dass sich der Herr Pfarrer auf diesen Handel einlässt …«

»Das hat sich der alte Kerner bestimmt einiges kosten lassen!«

»Die *ganze* Sache ist ungehörig, wenn du mich fragst!«, empörte sich Annchen. »Weil …« Sie verstummte errötend, als sie Emmas strengen Blick auf sich spürte.

»Diese Hannah ist ganz in Ordnung, ich sag's gern noch einmal! Und was im Herbst in Nürnberg geschah …« Die Wirtin zuckte mit den Schultern. »Ihr kennt den Helmut. Ich kann mir schon vorstellen, wie er ihr schöne Augen gemacht hat. Sie hat nicht gewusst, dass er einer anderen versprochen ist, das hat sie mir selbst erzählt. Natürlich ziemt es sich nicht, aber …« Sie machte eine Handbewegung, die wohl »So ist halt das Leben« ausdrücken sollte.

»Aber was wird denn jetzt aus Seraphine werden? Das arme Ding …« Mit einem abwesenden Blick ließ Marianne, Emmas Nachbarin, Zucker aus einem in der Nähe stehenden Sack durch ihre Finger rieseln.

Almuth Maurer runzelte die Stirn. Das ging nun wirklich zu weit. Marianne nahm es mit der Sauberkeit nicht allzu genau, das wusste jeder – ein Blick auf ihren schmuddeligen Rock reichte. Und da stand sie hier und fuhrwerkte in ihrem feinen Zucker herum?

Resolut deckte sie den Zuckersack mit einer umgestülpten Blechschüssel ab.

»Seraphine ist jung und schön. Die wird sich bestimmt bald einen anderen angeln. Der gnädige Herr Kerner ist schließlich nicht der einzige Junggeselle weit und breit. So, wenn ich jetzt einer von euch helfen kann?« Bedeutungsvoll nickte sie in Richtung ihrer vollen Regale.

»Schönheit!«, stieß Marianne verächtlich aus. »Da sieht man mal wieder, wie weit Schönheit einen im Leben bringt. Ha, wie sie immer durchs Dorf stolziert ist! Die Nase hoch oben und den Blick in die Ferne gerichtet, als ob wir anderen alle nichts taugten. Aber heißt es nicht: Hochmut kommt vor dem Fall?

Fortan wird unsere feine Seraphine ihre Nase nicht mehr so hoch in der Luft tragen. Und außerdem –«

Das Klingeln der Türglocke ließ sie verstummen, und im nächsten Moment stieß sie einen gedämpften Schrei aus.

»Heilige Maria und Josef! Wenn man den Teufel nennt, kommt er gerennt!«, murmelte Almuth.

»Und dann noch ein Pfund Butter für mich!«

»Ich brauche noch Grieß, denn stell dir vor, an meinen sind die Mäuse gegangen. Und der Kater schaut seelenruhig zu!«

»Ich hätte gern eine Flasche Zuckersirup. Für die Enkel –«

»Grüß dich, Seraphine!«, sagte Almuth in bemüht gleichgültigem Ton. »Was kann ich für dich tun?«

Seraphine, die an der Tür stehen geblieben war, schaute auf. »Ich bin doch noch gar nicht an der Reihe. Eine nach der anderen, bitte schön!«, sagte sie lachend.

»Nein, nein, es ist schon recht.« Mit einem beflissenen Lächeln zog Annchen Seraphine nach vorn.

»Wenn wir dir helfen können ...«, sagte nun auch die Apothekerin und machte einen Schritt zur Seite.

Marianne nickte heftig. »Es ist eh so wenig, was man tun kann. Aber in solch einer Situation, ich meine, da ist es doch selbstverständlich, dass wir alle ... Aua!« Verdrossen schaute sie sich zu Annchen um, von der sie einen Stoß in die Rippen kassiert hatte.

»Ich habe frische Pfefferminzbonbons hereinbekommen – gerade eben erst ausgepackt. Da!« Als hätte sie ein Kind vor sich, drückte Almuth Maurer Seraphine ein Bonbon in die Hand. »Die isst du doch so gern.«

Verwirrt blickte Seraphine auf das rot-weiße Bonbon in ihrer Hand. »Danke!«

»Dümmer geht's nimmer«, murmelte Emma Steiner. Sie machte einen Schritt auf Seraphine zu. »Kümmere dich nicht um diese dummen Hennen! Was die mit ihrem Gegacker eigentlich nur sagen möchten, ist: Wir fühlen mit dir!« Sie legte einen Arm um Seraphines Schulter, drückte sie sanft an sich. »Es ist bestimmt nicht leicht für dich und –«

Mit einem heftigen Ruck befreite sich Seraphine aus Emmas Umklammerung. Eine kleine steile Falte zeigte sich auf ihrer Stirn.

»Was habt ihr denn alle?« Sie lachte hilflos. »Es ist doch nicht das erste Mal, dass der Vater später heimkehrt als erwartet. Gut, zu Weihnachten hätte er schon hier sein können, aber so ist er halt! Helmut meint auch, wir sollen uns keine unnötigen Sorgen machen. Er ist bestimmt rechtzeitig zur Hochzeit zurück …«

Ihre letzten Worte verloren sich im fassungslosen Schweigen der anderen. Seraphine schüttelte den Kopf.

»Jetzt hab ich doch glatt vergessen, warum die Mutter mich hergeschickt hat!« Sie biss sich auf die Unterlippe. »Macht nichts, komm ich halt später nochmal wieder!« Sie nickte kurz in die Runde, dann war sie weg.

Die Frauen schauten sich verdutzt an.

»Die … weiß noch gar nichts!«

11

»Grüß Gott, Helmut, du kommst aber früh! Das Essen ist noch gar nicht fertig …«

Als sie die Stimme ihrer Mutter hörte, fuhr Seraphine auf. Helmut war schon da? Und sie stand mit dem Besen im winzigen Lager und träumte vor sich hin! Hektisch versuchte sie, die Wollmäuse, die im ganzen Raum herumwuselten, in eine Ecke zu kehren. Danach musste es ihr nur noch gelingen, unbemerkt in den Hof hinauszukommen, um sich die Hände zu waschen und die Haare, die sich aus ihrem Zopf gelöst hatten, aus dem Gesicht zu streichen. So schlampig sollte Helmut sie auf keinen Fall sehen!

»Ist Friedhelm immer noch nicht zurück?«, hörte sie Helmut fragen.

Drüben in der Küche schüttelte Else Schwarz den Kopf. »Die Leute reden schon drüber. Seraphine sagt, als sie vorhin bei Almuth im Laden war, hätten sich ein paar Frauen aufgeführt, als wäre der Vater schon tot! Ich wusste gar nicht, wie viele Sorgen sich die Leute um uns machen.« Die letzten Worte klangen mehr als ironisch.

Den Besen in der Hand, blieb Seraphine hinter der Tür stehen.

Else Schwarz seufzte. »Langsam befürchte ich allerdings auch, dass was passiert ist. Seit drei Wochen keine Nachricht mehr von ihm! Und jetzt sind's nur noch wenige Tage bis zur Hochzeit! Am Ende heiratet das Mädle, und der eigene Vater ist nicht dabei.«

»Die Hochzeit, ja …« Helmut räusperte sich, was in einen Hustenanfall ausartete.

»Na na«, hörte Seraphine ihre Mutter sagen, gefolgt von einem lauten Klopfgeräusch. »Das hört sich aber nicht gut an. Wahrscheinlich habt ihr es am ersten Feiertag wieder zu arg getrieben!« Sie lachte. »Und wenn ich genauer hinschaue, siehst du aus, als hättest du in den letzten Nächten kein Auge zugetan!«

Seraphine verzog den Mund. Was gingen Mutter Helmuts Trinkgewohnheiten an? Am ersten Weihnachtsfeiertag war es nun einmal in Gönningen Brauch, dass Väter zusammen mit ihren Söhnen von Wirtshaus zu Wirtshaus gingen.

»So schlimm war es dieses Jahr gar nicht«, hörte sie Helmut mit kratziger Stimme antworten.

»Wer's glaubt, wird selig.« Else Schwarz lachte.

Seraphine leckte über die Fingerspitzen ihrer rechten Hand und fuhr sich dann über Stirn und Haar. Das reichte! Sie musste Helmut retten, bevor Mutter ihm weiter das Leben schwer machte. Sie zog rasch den Vorhang auf, der den winzigen Lagerraum von der Küche trennte.

»Seraphine …«

»Helmut!«

Engelsgleich schwebte sie auf ihn zu. Sie nahm seine Hände, so rau und hart vom schweren Tragen des Zwerchsackes. Eine heiße Welle der Liebe überkam sie. »Ich habe von dir geträumt, heute Nacht. Ein schöner Traum, soll ich ihn dir erzählen?«, flüsterte sie und hoffte inständig, ihre Mutter würde den Anstand besitzen, sie allein zu lassen. Was für schöne Augen Helmut hatte! Augen nur für sie. Ein leichter Schwindel überfiel Seraphine, die Welle breitete sich aus, ließ ihre Haut prickeln.

»… und dafür lass uns am besten in die gute Stube gehen.«

Was? Was hatte er gesagt? Wie jedes Mal, wenn sie Helmuts Hände spürte, seine Umarmung oder gar einen Kuss, fiel Seraphine das Denken schwer.

»Was ist da drinnen los? Nicht einmal den Boden hast du sauber gemacht! Das kommt vom ewigen Tagträumen!«, hörte sie ihre Mutter sagen, die sich an ihr vorbeigedrängt hatte. Mit Schwung zog Else den Vorhang zum Lagerraum zur Seite.

»Bevor ihr Turteltäubchen es euch in der guten Stube bequem macht, wird mein Fräulein Tochter ihre Arbeit zu Ende bringen. Ein bisschen Staub wischen und kehren ist doch weiß Gott nicht zu viel verlangt, oder?«

Helmut ließ Seraphines Hände fallen und stampfte mit dem rechten Fuß auf. »Mein Gott, das ist doch jetzt alles Nebensache!«, schrie er. »Ich muss sofort mit Seraphine reden, alles andere kann warten!«

Verdutzt schaute Else Schwarz zu, wie ihr zukünftiger Schwiegersohn ihre Tochter ins Nebenzimmer schleifte.

»Aber ...«

Die Tür schlug zu.

»Hörst du mir überhaupt zu? Seraphine!« Helmut rüttelte an ihrem Arm.

Wie betäubt saß Seraphine mit Helmut in der so genannten guten Stube – einem winzigen Zimmer, in dem gerade einmal ein altes Sofa, ein Sessel und ein wackliger Tisch Platz hatten. Der Raum wurde selten genutzt. Mehr als einmal hatte Seraphine schon darum gebeten, ihn als Schlafkammer zu bekommen, um ihrem kalten Loch im hinteren Teil des Hauses entfliehen zu können. Aber Else bestand darauf, das Zimmer als gute Stube zu behalten, sie gehörte zu einem ordentlichen Haus nun einmal dazu.

Die Fingernägel ihrer rechten Hand hatten sich im löchrigen Polsterstoff verhakt. Seraphine hob die losen Fäden vom Stoff, bohrte sich weiter darunter, hob neue Fäden an, kratzte weiter ...

Natürlich hatte sie Helmut gehört, sie war ja nicht taub.

Mit einem abwesenden Lächeln schaute sie schließlich auf. Als sie sein zu einer Grimasse verzerrtes Gesicht sah, die Augen verzweifelt weit aufgerissen, die Lippen bebend, kam die warme Welle wieder. In ihren Ohren summte es, das Herz schlug schnell. Ihr Helmut! Wie sehr er sich quälte! Da stotterte er wie ein verstörter Schulbub, stöhnte, fing Sätze an und brach sie wieder ab. So viel Mühe, und dabei redete er nur dummes Zeug. Seine Reise nach Nürnberg, ein Mädchen namens Hannah, Valentins Krankheit – was ging sie das alles an? Was ging sie beide das an? Am liebsten hätte sie ihre Arme um ihn geschlungen, ihre Brüste an ihn gedrückt, sich an ihm gerieben wie eine Katze. Stattdessen hob sie ihre rechte

Hand, strich sanft über seine Wange. Die schwarzen Bartstoppeln kratzten wie zuvor der abgewetzte Polsterstoff. Ach Helmut …

»Seraphine, jetzt sag doch endlich was!« Er rückte von ihr ab, ihre Hand fiel ins Leere. Die Stille wurde bedrohlich, sein schweres Atmen mit bebenden Nasenflügeln …

Nürnberg, Hannah, Nürnberg.

Das Zimmer schwankte, das Sofa schwankte, Konturen verwischten, zitterten, Schwindel hob sie wie eine Sturmböe nach oben. Seraphine musste sich mit beiden Händen am Sofa festhalten. Aber als sie Helmut anschaute, saß der ganz ruhig da. Konnte es sein, dass dieses Beben nur in ihr stattfand? Unwillkürlich schüttelte sie sich. Weg mit den Worten, die sie nichts angingen.

»Ich wollte dir doch von meinem Traum erzählen. Wir beide waren auf einer Reise. Keine normale Reise, sondern in einer Kutsche, die ganz silbern aussah. Und die beiden Rösser, ebenfalls ganz silbern …«

Seraphine schloss die Augen. Dieser Glanz! Als hätte die Sternenfee alles mit silbernem Staub besprenkelt.

»Wir saßen ganz eng beieinander, die Kutsche fuhr von selbst, niemand saß auf dem Bock, ist das nicht seltsam?«

Helmut sprang auf, lief wie ein eingesperrter Löwe zwischen Tür, Fenster und Sofa hin und her. »Mein Gott, Seraphine, komm zu dir!«

Die Kutsche löste sich auf, ihr Traum wurde zu einem schrillen Schrei. Seraphine hielt sich am Sofa fest, vielleicht kam das Beben wieder. Aber – nichts.

»Wie kannst du jetzt etwas von Träumen daherfaseln, das hier ist bittere Realität! Mach's mir doch nicht so schwer. Schrei mich an! Beschimpfe mich als den Schuft, der ich bin! Hau mir eine runter, ganz egal!« Ein wütender Schluchzer entwich seinem Mund.

»Warum sollte ich das tun?« Seraphine schaute verwundert auf. »Ich liebe dich doch!«

»Aber ich bin deiner Liebe nicht wert, verdammt!« Helmut setzte sich wieder. Schaute sie an, seltsam, nicht wie sonst. Fast … brutal. Seraphine spürte, wie ein großes Unbehagen in ihr hochkroch.

»Seraphine, wir können nicht heiraten, hast du das verstanden? Die Hochzeit ist abgesagt. Ich muss eine andere Frau heiraten. Ich *muss*, verstehst du? Mein Vater geht diese Woche noch nach Reutlingen zu seinem Advokaten, um herauszufinden, welche Entschädigung dir zusteht. Wir … ich werde alles tun, um diese Sache wieder gutzumachen, das kannst du mir glauben.«

Entschädigen, wieder gutmachen … Seraphine lächelte und verschloss die Ohren. Lächeln tat weh, ihre Wangenknochen schmerzten davon. Doch dann war die Stille vorbei, das Summen wurde stärker, lauter, wie ein Bienenschwarm breitete es sich bis in ihren Kopf aus. Gedanken lösten sich auf, Gefühle galoppierten davon, so schnell, dass niemand sie hätte einfangen können. Die Sternenfee vielleicht. Ja. Aber die war nicht da. Nicht in dieser Hütte. Nicht jetzt. Seraphine seufzte.

»Natürlich verstehe ich …« Ihr Blick suchte erneut Helmuts Gesicht, seine schönen Augen, saugte sich an ihm fest. »Aber wir lieben uns doch! Wir zwei, wir gehören zusammen, daran hat sich doch nichts geändert, oder?«

»Doch … nein!« Gequält schüttelte er den Kopf. »Natürlich liebe ich dich, aber …«

Natürlich. Er liebte sie. Alles war gut. Seraphine atmete tief durch. Die anderen Worte waren unwichtig.

»… nicht dem Ruf des Herzens folgen, verstehst du? Das Herz muss hintanstehen. Wir müssen beide stark sein.«

»Ja«, hauchte sie und nickte vertrauensvoll. »Wir gehören zusammen. Für immer und ewig, alles andere ist unwichtig.«

Sie lächelte. Tapfer. Stark. Weg mit den unwichtigen Worten. Alles war gut. Er liebte sie.

»Mein Gott, bin ich froh, dass du das so siehst!« Er warf einen verstohlenen Blick zur Tür, dann nahm er Seraphine in den Arm. Drückte ihr einen Kuss auf die Wange. »Du glaubst ja nicht, mit welch mulmigem Gefühl im Bauch ich hierher kam!« Helmut sprang auf, hatte es auf einmal eilig. »Sag deiner Mutter, dass ich nicht zum Essen bleiben kann. Ich komme aber wieder und spreche mit ihr und deinem Vater, wenn er zurück ist. Mein Vater wird auch kommen, er wird alles Weitere regeln, dir soll ja schließlich kein Schaden entstehen! Ich … Ach verdammt, Seraphine, es tut mir Leid. Entschuldigung …«

Helmut rannte aus dem Raum und wäre beinahe mit Else Schwarz zusammengestoßen.

Seraphine schaute ihm nach. Sie wollte ihn rufen, aber jedes Wort wurde vom Summen des Bienenschwarms verschluckt. Warum bat er um Entschuldigung? Das tat man, wenn man jemandem auf den Fuß getreten hatte. Oder wenn man ihm versehentlich in die Rippen geboxt hatte. Aber nicht, wenn … die ganze Welt einstürzte. Weg, weg mit den Worten, die nicht hierher gehörten!

»Kind! Sera! Ich …« Die Stimme ihrer Mutter, erstickt, mehr ein Gurgeln, im nächsten Moment Arme um sie, der Geruch von Schweiß und Sauerkraut, ein Druck, so fest, so fest, gegen die Innenwände ihrer Brust, der das Atmen fast unmöglich machte.

»Wie kann er …« Wieder dieses Gurgeln, voller Rotz, voller Spucke. »… Herz brechen …« Tränen, die ihr Kleid tränkten, feucht und heiß. »Deine verlorene Ehre … die Leute im Dorf … das Gerede … Wer wird dich jetzt noch nehmen …«

»Mutter! Hör auf!« Wimmernd befreite sich Seraphine aus der Umklammerung. Sie wischte die feuchten Hände an ihrem

Rock ab, kleine Flusen vom Sofapolster blieben dennoch kleben.

»Es gibt keinen Grund zu heulen!« War das ihre Stimme? So blechern und hohl?

»Aber Kind, er hat dir gerade …« Ihre Mutter, hilflos wie immer. Wie sie schaute, verwirrt, ängstlich, ohne jeden Glanz im Auge. Beinahe angewidert wandte Seraphine den Blick ab, legte ein Kissen auf die löchrige Stelle im Sofapolster. Stand auf. Sie hatte Hunger, ganz urplötzlich, war das nicht seltsam?

»Helmut redet dummes Zeug. Das tun Männer manchmal, das müsstest du doch am besten wissen. Helmut und ich, wir gehören zusammen, daran wird sich nichts ändern, gar nichts! Wir sind wie die Sonne und der Mond, unsere Leben sind untrennbar miteinander verwoben. Kein Grund, sich Sorgen zu machen. Alles wird gut, du wirst schon sehen.«

Sie würde für die Liebe brennen, und wenn es sein musste, auch für die Liebe sterben. Was machten da ein paar dumme Bemerkungen aus? Brennen für die Liebe … Leidenschaftlich, ohne Rotz an der Nase und ohne verheulte Augen. Das hatte die Sternenfee ihr versprochen, aber davon wusste Mutter natürlich nichts.

12

Die nächsten Tage verliefen so turbulent, dass Hannah bald nicht mehr wusste, wo ihr der Kopf stand.

Gottlieb Kerner lud sie hochoffiziell nach Hause ein, damit Wilhelmine ihre zukünftige Schwiegertochter kennen lernen konnte. Helmuts Schwester Marianne war mit ihrem Mann ob des drohenden Skandals vorzeitig nach Reutlingen abgereist, so dass bei Hannahs Antrittsbesuch außer den alten Kerners,

Helmut und Valentin nur noch Helmuts Tante Finchen, die Schwester von Wilhelmine, anwesend war. Die Stimmung war gedrückt, alle Anwesenden fühlten sich unwohl, keiner wusste so recht, was er sagen sollte. Zum Glück gab es genügend Dinge, die besprochen werden wollten – Hannah wusste ja noch nicht einmal, wo die Hochzeitsfeier stattfinden sollte, geschweige denn, wer alles eingeladen war! Dass die ursprüngliche Gästeliste dieselbe blieb, mutete sie seltsam an, aber das war gewiss nicht die einzige Seltsamkeit in dieser ganzen Angelegenheit, sagte sie sich. Natürlich schrieb sie ihren Eltern – in einem separaten Schreiben bat sie ihre Mutter, dem Vater die ganze Sache zu erklären – und lud sie ebenfalls ein. Ohne große Hoffnung allerdings. Sie vermochte sich nicht vorzustellen, dass die Eltern den »Goldenen Anker« so kurzfristig für ein paar Tage schließen konnten. Daher bat Hannah ihre Mutter im selben Schreiben, sie möge ihre Sachen nach Gönningen schicken. Viel besaß sie nicht: ein paar Kleider, eine kleine Aussteuer, Krimskrams, an dem sie besonders hing. Für Helmut und sie würde ein Zimmer geräumt werden, hatte Wilhelmine ihr mit eisiger Miene erklärt. Hannah hatte vor, die Kammer so gemütlich wie möglich zu gestalten.

Nach ihrem Antrittsbesuch im Hause Kerner folgten viele weitere: Helmut schleppte sie förmlich von Haustür zu Haustür. So viele Gesichter! So viele Namen! Viele Familien trugen denselben Namen, ja, in manchen Familien lauteten sogar Vor- und Nachnamen genauso wie beim Nachbarn. Doch jedes Mal, wenn Hannah ansetzte, Helmut nach dem Grund für diese Namensgleichheit zu fragen, waren sie schon an der nächsten Haustür angelangt, und es galt, sich neue Namen und Gesichter zu merken. In jedem Haus wurde Hannah so neugierig beäugt wie eine Mondkuh. Mal fiel die Begrüßung herzlich aus, mal reservierter. Alles in allem war Hannah damit zufrieden. Wer konnte den Leuten verübeln, dass sie ihr nicht freudestrahlend um den Hals fielen, wo sie doch einer der ihren – Seraphine – so viel Leid gebracht hatte? Um ein Haus machten sie allerdings einen großen Bogen: um das der Familie Schwarz. Doch als sie eines der Nachbarhäuser besuchten, sahen sie Valentin, der sich drüben gerade von Seraphine verabschiedete. Beide starrten recht feindselig zu ihnen herüber. Was hatte ihr zukünftiger Schwager wohl bei Seraphine gemacht?, fragte sich Hannah. Hetzte Valentin womöglich hinter ihrem Rücken gegen sie? Oder war es reine Menschenfreundlichkeit, die ihn zu der verschmähten Braut hatte gehen lassen? Hannah glaubte eher an Letzteres. Valentin war ein liebenswerter Kerl, dem sie eigentlich nichts Böses zutraute.

Natürlich musste auch der Pfarrer besucht werden – mehrmals. Auch er war von der Entwicklung der Dinge nicht sonderlich angetan. Hannah glaubte genau zu spüren, was der Mann von ihr hielt: Für ihn war sie eine dahergelaufene Schlampe. Wie er ihren Bauch anstarrte – als ob er den Bastard darin förmlich sehen konnte! Sie hatte die Zähne zusammengebissen und Helmut das Reden überlassen. Mit welchen Argumenten er oder sein Vater dem Pfarrer Helmuts plötzlichen Wankelmut erklärt hatte, oder ob sie ihm womöglich reinen Wein eingeschenkt hatten – Hannah wollte es gar nicht wissen.

Dann musste mit dem Wirt des ausrichtenden Gasthauses die Speisenfolge besprochen werden. Hannah hatte darauf bestanden, ihren Gästen wenigstens eine fränkische Spezialität – Kartoffelklöße und Schweinsbraten – anzubieten. Weder der Wirt, der noch nie in seinem Leben Kartoffelklöße zubereitet hatte, noch Wilhelmine, die die Speisen schon Wochen zuvor mit Seraphine festgelegt hatte, waren von der Änderung angetan. Doch in diesem Punkt blieb Hannah störrisch. Wenigstens irgendetwas an dem Fest wollte sie mitbestimmen. Schließlich war es ihre Hochzeit! Und so stand sie einen Tag später in der Wirtshausküche und zeigte dem Wirt, wie man Knödel machte.

Am selben Tag fuhren Helmut und sein Vater nach Reutlingen, um sich beim Advokaten über die rechtliche Seite der aufgelösten Verlobung kundig zu machen. Beide kamen verstimmt von diesem Ausflug zurück, und erst nach einigen Gläsern Wein in der »Sonne« erlangte Helmut seinen alten Frohsinn wieder. Hannah atmete auf.

Als es am Hochzeitsmorgen an Hannahs Tür klopfte, lag sie noch im Bett. »Egal, was es ist, es hat auch später noch Zeit«, knurrte sie unwillig in Richtung Tür und vergrub ihr Gesicht wieder in dem Kissen. Von Tag zu Tag kam sie schwerer aus den Federn, sie war eine regelrechte Langschläferin geworden, und das, obwohl sie zu Hause jeden Morgen um fünf hatte auf den Beinen sein müssen.

»Was ich vorhabe, kann nicht warten!« Zusammen mit Helmut kam ein Schwall kalte Winterluft ins Zimmer. Mit einem Ruck lag die Bettdecke auf dem Boden. Hannah schrie auf. Was wollte er hier? Darauf bedacht, ihre Beine nicht noch weiter zu entblößen, hangelte sie nach der Decke.

»Wer weiß, wann das Wetter wieder einmal so gut ist! Das müssen wir einfach ausnutzen. Los, zieh dir was über, ich warte so lange unten bei Emma. Stiefel, Jacke, ein Schal für den Kopf – zieh am besten alles an, was du dahast. Dort, wo ich dich hinführen werde, ist's ordentlich frisch.«

Wie er lachte! So fröhlich und frei! Wie ein verliebter Bursche und nicht wie einer, der gerade zum Heiraten gezwungen wurde. So groß kann die Liebe zu dieser Seraphine nicht gewesen sein, ging es Hannah zum wiederholten Male durch den Kopf. »Sie hat es gefasst aufgenommen«, war Helmuts einziger Kommentar gewesen, als sie ihn nach dem Gespräch zwischen ihm und Seraphine befragt hatte. Gefasst – nun ja. Wie die andere so viel Verständnis zeigen konnte, war Hannah unerklärlich. Ein paar Tage vor der Hochzeit zu erfahren, dass der

Bräutigam ein treuloser Kerl war, der … Allein der Gedanke ließ Hannah fast aus der Haut fahren! Es konnte nur so sein, dass auch bei Seraphine die Liebe nicht sonderlich groß gewesen war. Umso besser! Ohne eine eifersüchtige Widersacherin würde ihr das Leben in Gönningen bestimmt leichter fallen.

Hannah rappelte sich in eine halbwegs aufrechte Position hoch.

»Helmut, wir heiraten heute! Glaubst du nicht, eine Frau will sich für diesen Anlass ein wenig zurechtmachen?« Konsterniert schaute Hannah zu, wie Helmut in ihrem Zimmer auf und ab schritt und dabei ihre Kleider auf einen Stapel packte. Sie wusste zwar nicht, was *er* vorhatte, aber *ihre* Pläne standen fest: Emma hatte ihr ein Bad versprochen, sie und Käthe würden das Wasser heiß machen und sogar aufs Zimmer schleppen. Danach wollte sich Käthe an Hannahs Haaren versuchen – Hannah schwebte eine komplizierte Hochsteckfrisur vor, von der sie nicht wusste, ob Käthes Fingerfertigkeit dafür ausreichte. Emma sollte sich in dieser Zeit Hannahs ungarischer Tracht annehmen, die roten Bänder abtrennen – »Rot ziemt sich nicht für eine Braut«, hatte sie naserümpfend gesagt – und an deren Stelle schwarze Seidenbänder annähen. Und nun kam Helmut daher und schlug einen Ausflug vor?

Eine gute Stunde später stand Hannah auf dem höchsten Berg, den sie jemals erklommen hatte. Rossberg heiße er, hatte Helmut gesagt.

»Schau mal, das da hinten ist Stuttgart. Und direkt vor uns, das ist Tübingen! So nah wie selten! Und dann … dreh dich mal zu mir um, dort muss irgendwo die Zugspitze sein! Einen solchen Blick hat man normalerweise nur an sehr klaren Herbsttagen. Meist ist schon die Aussicht über die Schwäbische Alb verhangen, so dass man froh sein kann, das Dorf zu sehen. Aber heute – als ob der da oben gewusst hat, dass wir herkommen!« Lachend faltete Helmut seine Hände wie zum Gebet.

Verkrampft hielt sich Hannah an dem hölzernen Geländer des Vermessungsturmes fest, die harsche Eiskruste, die sich in ihre Finger fraß, ignorierend. Die ganze Konstruktion des Gerüsts erschien ihr ziemlich wacklig, und sie wagte kaum, einen Schritt zu machen. Ganz im Gegensatz zu Helmut, der wie ein Feldherr auf der Plattform auf und ab schritt.

»Und da, ein Stückchen weiter rechts, das sind die Schweizer Alpen!« Seine Wangen glühten, und seine Augen strahlten mit dem Wintertag um die Wette. Die Luft war rein wie Kristall.

»Es ist wunderschön«, hauchte Hannah, benommen von den vielen Eindrücken. Ihr Aussichtspunkt lag tatsächlich höher als alles andere! Höher als jedes Bauwerk weit und breit, höher als die Bäume um sie herum, höher als die meisten anderen Berge und Hügel der Schwäbischen Alb. Sie musste der Versuchung widerstehen, ihre Hand nach oben zu strecken, um ein Zipfelchen Himmel zu schnappen – er schien zum Greifen nah.

»Mir ist ganz … feierlich zumute.«

Helmut nickte anerkennend. »Das hab ich auch schon Studenten aus Tübingen sagen hören. Die kommen den ganzen weiten Weg hierher, vor allem im Sommer, um die Sonnenaufgänge zu beobachten. Meist mit einer Flasche Wein unterm Arm. Dann sitzen sie hier oben und singen oder schreiben gefühlvolle Gedichte. Nun ja, wenn man dafür Zeit hat.«

Ungläubig schüttelte Hannah den Kopf. Tübinger Studenten, die des Sonnenaufgangs wegen nach Gönningen kamen – dieses Dorf hielt wirklich allerhand Überraschungen parat!

Helmut legte ihr einen Arm um die Schulter. »Hier bin ich schon als kleiner Bub gern gewesen. Immer wenn es mir im Dorf zu eng wurde, musste ich hinauf auf den Rossberg. Dann habe ich mir vorgestellt, wie es wohl sein würde, wenn ich eines

Tages auch all die fernen, wundervollen Landschaften bereisen würde. Ich konnte es nicht erwarten, endlich erwachsen zu werden, den Zwerchsack auf den Rücken zu nehmen und loszuziehen! Mit eigenen Augen die Alpen sehen, auf eigenen Beinen durch den Schwarzwald marschieren … Weitere Reisen konnte ich mir damals nicht vorstellen.« Er lachte. »Und heute, da sind tausend Meilen und mehr die Regel bei Valentin und mir.«

Tausend Meilen – allein die Zahl machte Hannah Angst. »Und dieses Jahr? Werdet ihr da auch wieder so weit reisen?«

Helmut nickte. »Sogar noch weiter. Valentin und ich haben große Pläne.«

Hannah wartete darauf, dass Helmut seine Bemerkung weiter ausführte, stattdessen nahm er ihre Hände in die seinen. Er schaute sie an, und sein Lächeln verflog.

»Du heiratest einen Wandervogel, Hannah. Das muss dir klar sein. Das Leben als Frau eines Samenhändlers wird nicht immer ganz leicht sein.«

Sie nickte. Hauptsache, ich heirate überhaupt, lag es ihr auf der Zunge zu sagen. Doch stattdessen erwiderte sie: »Dieses Umherziehen, morgens nicht wissen, was der Tag bringt, abends nicht wissen, wo man sich betten soll – also, für mich wäre das nichts! Mir hat meine Reise von Nürnberg bis hierher gereicht. Und gefährlich ist's obendrein. Gleich am ersten Tag, kurz nachdem wir Nürnberg verlassen hatten, erlitt unsere Kutsche einen Achsenbruch, und wir wären um ein Haar im Graben gelandet!« Der Gedanke, dass eines Tages auch sie mit einem Sack Sämereien über der Schulter von Haus zu Haus würde ziehen müssen, überfiel sie wie ein unerwarteter Gewitterregen. Sie, die gerade einmal eine Tulpe von einer Rose unterscheiden konnte! Sie, die noch mit Schrecken an ihre Reise von Nürnberg hierher dachte! Mit angehaltenem Atem wartete Hannah auf Helmuts Reaktion.

Helmut lachte. »Ein Achsenbruch kann dir auch mitten im

Dorf passieren. Sicher, solche Zwischenfälle sind lästig, aber all die schönen Momente, die man auf der Reise erleben darf, wiegen solche Lappalien dutzendfach wieder auf. Frei zu sein, denken zu können, was man will – allein dafür lohnt es sich, es mit jeder Gefahr aufzunehmen.«

Sein Blick verlor sich in der Weite der Landschaft. Als er weitersprach, lag in seiner Stimme ein seltsamer Nachdruck.

»Manchmal, wenn ich zu Hause bin, habe ich das Gefühl, mein Gehirn friert ein und ich kann nicht mehr richtig denken. Sogar das Atmen fällt mir dann schwer! Als ob da etwas ist, was mir die Luft zum Leben raubt.« Er schüttelte verwundert den Kopf. »Die da unten im Dorf sind ein ganz besonderer Schlag Menschen, musst du wissen. Bei uns wird nicht so viel gelacht wie anderswo, dafür umso mehr gejammert. Dabei gibt es hier viel weniger Grund zum Jammern als anderswo! Gewiss, auch bei uns gibt es arme Leute, aber die findest du andernorts auch, mehr als bei uns, und trotzdem erlebst du in anderen Städten und Dörfern eine gewisse Fröhlichkeit. Ha, wenn ich allein ans Badische denke, wo die Katholiken ihre Fasnacht feiern – so etwas wäre bei uns undenkbar! Sich verkleiden, närrisch sein – wie gotteslästerlich! Wundere dich nicht, wenn heute Abend der Tanzboden nicht voll wird, viele Gönninger haben nämlich nie gelernt, das Tanzbein zu schwingen!«

»Wie meinst du das?«, fragte Hannah stirnrunzelnd. Tanzen konnte doch jeder Mensch! Zu Hause in Nürnberg musste nur ein Gast seine Mundharmonika auspacken, und schon wurden Tische und Bänke zur Seite geschoben, und dann wurde gehüpft und getanzt!

»Na ja, wir Jungen sind dem Tanzen gegenüber nicht abgeneigt, aber die Alten tun sich schwer damit, sich einfach treiben zu lassen. Das wäre ja offen zur Schau gestellte Fröhlichkeit! Dass es vielleicht die eine oder andere Möglichkeit gibt, das Leben etwas lebenswerter zu gestalten, wollen viele nicht glauben, dafür linsen sie viel zu sehr nach dem Himmelreich, das sie für alle Entbehrungen auf dieser Welt entschädigen wird.«

»Aber diese Entbehrungen – sind die nicht selbst auferlegt? Ich meine, der Handel bringt doch ordentlich was ein.« Die Skepsis in Hannahs Stimme war nicht zu überhören. Das, was Helmut gerade erzählte, passte so gar nicht zu dem Bild, das sie sich von dem Dorf gemacht hatte. Die schönen Häuser, die gut gekleideten Menschen …

»Natürlich bringt der Handel was ein, doch statt sich die eine oder andere Freude zu leisten, investieren die Leute lieber wieder ins Geschäft. Ich behaupte nicht, dass dies nicht sinnvoll wäre. Aber was ist mit denen, die nicht erst aufs Himmelreich warten wollen? Die schon im Hier und Jetzt ein besseres Leben führen wollen? Die statt zu Fuß zu gehen sich ein edles Ross kaufen wollen? Die einen Mantel nur fünf und keine zehn Jahre auftragen wollen?«

»Ich glaube, du siehst das alles ein bisschen schwarz. Hier ist es doch schön«, sagte Hannah betreten.

Er lachte. »Was kennst du schon von der Welt, um einen Vergleich ziehen zu können? Warte nur ab, in ein, zwei Jahren bist du vielleicht auch schon mit der Reisekrankheit infiziert, dann wirst du mich verstehen.«

Nachdenklich schaute Hannah ihren zukünftigen Mann an. Diese Begeisterung! Die Poesie in seinen Worten, wenn es um das Reisen ging! Das hatte nichts mit dem gemein, was Emma ihr von den harten und entbehrungsreichen Reisen der Samenhändler erzählt hatte. Von den lebensbedrohenden Krankheiten, die einen in der Fremde befallen konnten, von Männern, die mehr tot als lebendig nach Gönningen zurückkehrten, gescheitert, gebrochen. Zugegeben, auch Emmas Augen hatten geblitzt, als sie von ihren eigenen Reisen sprach, aber alles in allem war sie doch viel zurückhaltender in ihrer Begeisterung gewesen.

Wie wenig ich Helmut noch kenne, durchfuhr es Hannah plötzlich, wie wenig ich weiß, was in ihm vorgeht! Der Gedanke machte ihr Angst. Sie war versucht, die Feierlichkeit des Augenblicks mit einer sorglosen, albernen Bemerkung wie »Mit der Freiheit ist's ab heute ja erst einmal aus und vorbei!« wegzuwischen. Gleichzeitig spürte sie jedoch, dass dieser Moment die Grundlage für alles sein konnte, was ihr zukünftiges Leben ausmachte. Sie fühlte sich unsicher, als würde der Boden der Plattform tatsächlich schwanken. Aus Angst, die Bedeutsamkeit dieses Moments zu zerstören, sagte sie lediglich: »Erzähl mehr.«

Helmut zuckte kurz zusammen, als habe er ihre Anwesenheit fast vergessen. Nach kurzem Schweigen fuhr er fort: »Dort draußen, in der großen weiten Welt, in Ländern wie Ungarn, Russland oder Amerika, dort denken die Menschen anders. Sie führen ein Leben, das wir uns nicht vorstellen können, von dem wir nicht einmal etwas erahnen. Die träumen nicht nur von besseren Zeiten, sie schaffen sie!«

Nun, da er sich warm geredet hatte, tanzten rote Flecken auf seinen Wangen. Er erzählte von Möglichkeiten, die man nutzen konnte, wenn man ihnen mit wachem Auge und mutigem Herzen entgegentrat.

Ungarn, Russland, Amerika – wo liegen diese Länder überhaupt?, fragte sich Hannah stumm, als sie sich kurze Zeit später auf den Heimweg machten, und kam sich sehr dumm dabei vor.

Warum hatte er ihr das alles erzählt? Was bedeutete das für sie, für ihr zukünftiges Leben? Diese Freiheit, all diese Möglichkeiten, von denen er sprach – ob die auch für sie gelten würden? Sie wollte doch nur, dass ihr Kind nicht in Schande aufwuchs, sie wollte versorgt und eine gute Ehefrau sein – an mehr hatte sie nicht gedacht, als sie sich von Nürnberg aus auf den Weg machte.

Freiheit, Chancen nutzen, nicht auf ein besseres Leben warten, sondern dieses erschaffen – mit jedem Schritt in Richtung Gönningen überfiel Hannah stärker ein Gefühl der Unwirklichkeit. Helmuts Worte waren wie ein Stein, der ins Wasser fällt und weite Kreise wirft – sie zogen immer neue, fremde, bedrohliche, aber auch verheißungsvolle Gedanken nach sich.

Bisher hatte Hannah ihr Leben einfach gelebt. Hatte getan, was die Eltern ihr aufgetragen hatten. Dies in Frage zu stellen wäre ihr nie in den Sinn gekommen. Als Ausgleich hatte sie heimlich ihren Spaß gehabt mit dem einen oder anderen Mann, ohne an die Konsequenzen zu denken. Die waren ihr erst klar geworden, als wenige Wochen nach Helmuts Besuch ihre Blutung ausblieb. Dass für sie ein anderes Leben als das einer Magd im elterlichen Gasthaus möglich war – auch so etwas hätte sie sich nicht träumen lassen.

Doch hatte sie dann nicht selbst den ersten Schritt zu einem anderen, besseren Leben getan, indem sie sich auf die Suche nach Helmut machte? Vielleicht waren sie sich gar nicht so unähnlich! Steckte womöglich schon ein Samenkorn Gönninger Unternehmerlust in ihr?

Kameradschaftlich hakte sie sich bei ihrem zukünftigen Mann unter. Eines stand fest: Langweilig würde ihr neues Leben nicht werden.

13

Die Hochzeit wurde eine feuchtfröhliche Angelegenheit. Die gesamte Festgesellschaft, mehr als hundert Gäste, traf sich gegen Abend im »Adler«, dem größten Wirtshaus von Gönningen. Kaum hatten sich die Leute an den langen Tischreihen auf ihren Plätzen eingerichtet, wurden Schüsseln mit dampfenden Kartoffelknödeln, eiergelben Spätzle, Schweinsbraten in einer tiefbraunen dicken Soße und vieles mehr aufgetragen. Bierkrüge wurden so schnell geleert, dass der Wirt und seine Helfer mit dem Zapfen kaum hinterherkamen. Wilhelmine Kerner und einige der anderen Frauen nippten vornehm an einem süßen Wein, den Hannah allerdings nach den ersten Schlucken zugunsten eines Bieres stehen ließ.

Ob es nun daran lag, dass Emma bei den Dorffrauen in den letzten Tagen keine Gelegenheit zur Fürsprache für ihren Schützling ausgelassen hatte, oder daran, dass Hannah mit ihrer Natürlichkeit und ihrem strahlenden Gesicht die Herzen der Gönninger eroberte: Alle schienen sich mit Helmuts Brautwahl abgefunden zu haben. Und das trotz des Skandals um Seraphine und die geplatzte Hochzeit. Und trotz der Tatsache, dass Hannah eine »Reing'schmeckte« war. Wildfremde Leute trösteten die Braut, die ein oder zwei Tränen vergießen musste, weil ihre Eltern nicht hatten anreisen können. Geschäftliche Verpflichtungen? Ein Wirtshaus, das man nicht einfach schließen konnte? Ja, so etwas kannten sie auch! Hannah bekam die Geschichte der schwierigen Geburt von Klein-Michael zu hören, wo außer dem alten Großvater niemand der Gebärenden hatte helfen können, weil alle auf der Reise waren, sogar die Hebamme! Und die Geschichte von Otto, der gestorben war und dessen Frau nicht zur Beerdigung kommen konnte, weil sie in einem Schneesturm im Schwarzwald festsaß. Die eigene Frau – man stelle sich vor!

»Ganz so schön wie Seraphine ist sie nicht, dafür aber fleißig, wie Emma mir berichtet hat«, hatte man Gottlieb nach dem Gottesdienst gegenüber dem Apotheker sagen hören, und dank dessen Frau Elsbeth, die mit gespitzten Ohren daneben stand, hatte dieser Satz nach kürzester Zeit die Runde gemacht. Fleiß –

damit konnten die Gönninger etwas anfangen! Schönheit – nun ja …

Nach dem Essen kam Bewegung in die Festgemeinde: Stühle wurden gerückt, damit man mit Leuten an anderen Tischen ein paar Worte wechseln konnte, von den Jüngeren begannen tatsächlich ein paar Mutige, das Tanzbein zu schwingen, und die Älteren schauten Pfeife rauchend dabei zu.

Die Männer gratulierten Helmut zu seiner Wahl und klopften ihm anerkennend auf die Schulter, als wäre der Bräutigam nach jahrelanger Brautschau mit Hannah nach Hause gekommen. Dass die Verheiratung sozusagen gezwungenermaßen stattfand, erwähnte niemand, nicht einmal hinter vorgehaltener Hand. Die Frauen waren weniger euphorisch – Wilhelmine Kerner am allerwenigsten. Aber auch sie bemühten sich, Hannah in ihrer Runde willkommen zu heißen. Es wäre unklug gewesen, es sich mit der wohlhabendsten Familie am Ort zu verscherzen. Wer wusste schon, ob diese Hannah nicht eines Tages mal ein gutes Wort für den einen oder anderen einlegen würde …

Ein bisschen war es, als würden sich die Gönninger an diesem Abend selbst feiern. Zufrieden mit sich und ihrer weltoffenen Art, die sie auch ungewöhnliche Situationen souverän meistern ließ, ließen sich bald alle im Festtrubel treiben, tanzten, sangen und aßen, was Küche und Keller zu bieten hatten. Wenn überhaupt jemand einen Gedanken an das unglückliche Mädchen, das am anderen Ende des Dorfes in seiner Hütte saß, verschwendete, dann war dieser flüchtig und wurde schon nach wenigen Takten von der Musik übertönt.

Der Abend war bereits fortgeschritten, als Gottlieb Kerner die Musiker anwies, einen Tusch zu spielen. Leicht schwankend stand er von seinem Platz auf und musste sich an Wilhelmines Stuhllehne festhalten, was von ihr mit einem missbilligenden

Stirnrunzeln quittiert wurde. Es dauerte einen Moment, bis sein Fuchteln mit den Händen die erwünschte Wirkung zeigte und die Gäste verstummten. Die Gemüter waren erhitzt, die Köpfe rot, die Zungen warm geredet – jetzt der Ansprache des Bräutigamvaters zuzuhören war nur eine lästige Pflicht. Natürlich hieß er zuerst Hannah in der Familie willkommen. Natürlich wünschte er dem Brautpaar alles erdenklich Gute, griff natürlich auch zu einem Vergleich mit sich und seiner Wilhelmine, als sie damals, vor mehr als fünfundzwanzig Jahren … All das kannte man, solche Sätze wurden auf jeder Hochzeit gesprochen, mal mit mehr, mal mit weniger Feuer in der Stimme.

»… ist die Zeit für eine grundlegende Veränderung gekommen.«

Die Leute horchten auf.

»Nachdem du, lieber Helmut, heute den Grundstein für eine eigene Familie gelegt hast, möchte ich einen weiteren Grundstein dazulegen. Schließlich soll euer ›Haus der Ehe‹ auf einem soliden Boden gebaut werden!« Beifallheischend ob seiner Wortgewandtheit schaute er in die Runde. Erst nach dem anerkennenden Murmeln und Nicken der Gäste sprach er weiter.

»Ihr alle wisst, dass der Samenhandel den Männern der Familie Kerner in die Wiege gelegt worden ist. Schon mein Ururgroßvater …« Das Interesse der Zuhörer schwand wieder, auch diese Geschichten kannte man, sie ähnelten sich in allen Familien. Verstohlen wischte man sich den Schweiß von der Stirn, nippte am Bier oder steckte sich eine Pfeife an.

»… ist es für mich nun an der Zeit, dem Handel Lebewohl zu sagen. Ich kann nicht behaupten, dass mir diese Entscheidung leicht fällt, aber …«

Was? Wie? Hatten sie richtig gehört? War der Alte etwa krank? Die nächsten Sätze der Rede gingen im allgemeinen Gemurmel unter.

Gottlieb räusperte sich.

»Du, lieber Helmut, sollst meinen Samenstrich im Elsass erben. Ich bin mir sicher, dass meine verehrten Kunden in dir ein ehrliches Gegenüber finden, und ich bin froh zu wissen, dass du es bist, der meine Nachfolge antritt.«

Er warf einen Blick auf Valentin, der in lässiger Haltung an einem hölzernen Pfeiler lehnte.

»Davon wirst auch du, Valentin, profitieren. Denn ich würde es sehr schätzen, wenn meine Söhne weiterhin gemeinsam auf die Reise gingen. Eine gute Partnerschaft reißt man nicht ohne Not auseinander, ist es nicht so?«

Helmut stellte umständlich seinen Bierkrug ab.

»Aber Vater, wenn du nicht mehr auf die Reise gehst, was um alles in der Welt willst du dann tun? Ich meine …« Er verstummte und schaute zu Valentin hinüber, der jedoch nur mit den Schultern zuckte.

»Was dein Sohn sagen will: Du gehörst doch noch längst nicht zum alten Eisen!«, rief jemand aus den hinteren Reihen, begleitet von Gelächter.

Gottlieb Kerner grinste wohlgefällig. »Das stimmt! Ich verspüre heute noch mehr Saft und Kraft in meinen Knochen als mancher junge Kerl! Deshalb sage ich auch nicht Nein, wenn ich von höherer Stelle gerufen werde.« Nach einer Kunstpause fuhr er fort: »Ich werde noch in diesem Jahr als Gemeinderat kandidieren. Bei uns in Gönningen herrschen besondere Verhältnisse, auch wenn sich das noch nicht bis nach Tübingen herumgesprochen zu haben scheint. Es bedarf viel persönlichen Einsatzes, um die Gönninger Interessen stärker und besser beim Oberamt zu vertreten. Unser sehr verehrter Herr Bürgermeister« – hier machte er eine Kopfbewegung in dessen Richtung – »kann mit meiner vollen Unterstützung rechnen. Für keinen Botengang, für keinen Bettelgang werde ich mir zu schade sein, wenn's dem Wohle Gönningens dient.«

Gottlieb Kerners Eröffnung, nach Ostern für das Amt eines Gemeinderates zu kandidieren, war für den Rest des Tages Gesprächsthema Nummer eins. Seine Chancen standen sehr gut, lautete die nahezu einhellige Meinung, schließlich war der Schultheiß stets darauf bedacht, die besten Männer in seinen Gemeinderat zu holen. Aber welche Funktion würde Gottlieb Kerner dann innehaben? Würde er beim Eintreiben der Steuern helfen? Würde er die unseligen Frondienste zu mindern wissen, oder würde er den Gönningern womöglich damit das Leben noch schwerer machen? Schnee schaufeln, neue Wege anlegen oder alte ausbessern – sie waren ja alle bereit, das ihre zum Wohle Gönningens beizutragen. Aber warum mussten solche Aufgaben befohlen werden, kaum dass sie von der Reise zurück waren? Durfte sich ein braver Mann nicht wenigstens von den Strapazen erholen? Schikane, nichts als Schikane war das!

Valentin seufzte, als er seinen Bruder auf sich zukommen sah. Den ganzen Tag über war er Helmut aus dem Weg gegangen, warum, hätte er nicht einmal sagen können. Eigentlich war doch alles gut so, wie es war.

Wie hatte er sich in den letzten Monaten vor dem Tag von Helmuts Hochzeit gefürchtet! Regelrecht gegraust hatte es ihn bei dem Gedanken, wie Helmut und Seraphine Seite an Seite … Doch nun, wo alles ganz anders gekommen war, blieb die erwartete Erleichterung aus, und Valentin fühlte sich irgendwie fehl am Platz. Überflüssig. Was mach ich hier eigentlich?, fragte er sich.

Bevor er sich diese Frage beantworten konnte, packte Helmut ihn am Arm und zog ihn in einen Nebenraum.

»Sag mal, hast du etwas von Vaters Plänen gewusst?«, fragte er, kaum dass sie allein waren.

Valentin schüttelte den Kopf. Gleichzeitig wunderte es ihn nicht, dass sein Vater die Hochzeit für seine Zwecke nutzte –

er war schon immer für eine Überraschung gut gewesen und außerdem ein Mann der großen Gesten.

»Das Elsass, nicht schlecht, da darf man dir wohl gratulieren!«, sagte er trocken.

»Hör nur auf!«, zischte Helmut. »Du weißt so gut wie ich, dass mir am Elsass nichts liegt. Verflixt, ich frage mich, was jetzt aus unseren Plänen für die Russlandreise werden soll!«

Dasselbe fragte sich Valentin auch. Auf ihrer letzten Reise durch Böhmen hatten sie sich wochenlang über nichts anderes unterhalten als darüber, wie aufregend es wohl sein mochte, endlich auch einmal die weite Reise nach Russland anzutreten. Bisher hatte sich gerade einmal eine Hand voll Gönninger nach Russland gewagt, und diese waren mit unglaublichen Geschichten zurückgekehrt. Das Geld für ein solches Unterfangen war vorhanden, das wussten die Brüder sehr wohl, die Frage war nur, ob sich der Vater bereit erklärte, solch ein Abenteuer zu finanzieren. Auch einen Kontakt in Russland gab es bereits: Leonard, ein entfernter Cousin des Vaters, der vor mehr als dreißig Jahren während der großen Hungersnot nach Russland ausgewandert war, fragte in jedem seiner Briefe an, wann ihn wohl endlich einmal jemand aus der Familie besuchen käme. Er war ein gemachter Mann, ihm gehörte ein großes Handelsunternehmen, seine Frau Eleonore unterhielt sogar beste Kontakte zum Zarenhof, hieß es. Dort würde sich Geld verdienen lassen, war die einhellige Meinung der Brüder. Jeder wusste doch, wie wichtig es die russischen Zaren mit ihren groß angelegten Gärten und Parks nahmen. Nach Russland wollten sie folglich nur Blumensamen mitnehmen, ganz ausgefallene Sorten. Dazu die besten Blumenzwiebeln, sackweise, so viel stand schon fest. Das war doch etwas völlig anderes, als Jahr für Jahr dieselben Bauern und Hausfrauen in Böhmen oder im Elsass zu besuchen und hier ein paar Kohlrabi-, da ein paar Möhrensamen unter die Leute zu bringen!

Wenn Valentin die Wahl gehabt hätte, so hätte er Amerika einer Russlandreise vorgezogen – die Geschichten, die man aus Amerika hörte, waren *noch* bunter, *noch* abenteuerlicher. Aber davon wollte Helmut nichts wissen. Amerika? Mit einem Schiff wochenlang übers Meer fahren? Das war ihm dann doch eine Spur zu aufregend. Valentins Argument, dass er, um nach Russland zu kommen, ebenfalls ein Schiff würde besteigen müssen, ließ Helmut nicht gelten: Eine harmlose Fahrt die Donau hinab war schließlich mit einer Ozeanüberquerung nicht zu vergleichen.

»Wenn sich Vater auf seine Wahl vorbereitet, wird er erwarten, dass wir schon im Frühjahr seine Kunden übernehmen. Dann können wir den Plan, nach Russland zu reisen, erst einmal vergessen.« Valentin zuckte mit den Schultern. Es erstaunte ihn, wie wenig ihn dieser Gedanke berührte. Russland – was ging ihn Russland an, wo Seraphine allein zu Hause saß und sich wahrscheinlich die Augen ausheulte!

»Das Elsass, das ist doch was für alte Leute und Weiber.« Helmut zog ein verächtliches Gesicht. »Nein, nein, so schnell gebe ich nicht auf! Gleich morgen werde ich mit Vater reden. Wenn er sich querstellt, müssen wir eben eine Alternative finden. Es gibt schließlich noch andere Geldgeber.«

»Du würdest tatsächlich bei Fremden Geld leihen?« Valentin runzelte die Stirn.

»Wenn's nicht anders geht«, bestätigte Helmut. »Vater wird dumm dreinschauen, wenn ich ihm damit drohe, so viel steht fest!«

Valentin nickte. Gottlieb Kerner war einer der größten Geldgeber im Dorf, es war gang und gäbe, dass Händler zu ihm kamen, um sich eine Reise finanzieren zu lassen. Wenn nun ausgerechnet seine Söhne zu einem anderen, womöglich noch zu einem der Tübinger Halsabschneider gingen …

»Und was ist mit deiner Frau? Ihr bekommt ein Kind«, hörte

Valentin sich sagen, obwohl ein Blick in Helmuts Miene ausreichte, um ihn davon zu überzeugen, wie ernst der es mit seinen Plänen meinte.

»Was hat das mit Russland zu tun?«, erwiderte Helmut, ehrlich verdutzt. »Das Kind wird auch ohne mich auf die Welt kommen.«

Valentin spürte, wie ihn ein Hauch der Erleichterung überkam. Hochzeit oder nicht, verheiratet hin oder her – was ihre »geschäftliche« Beziehung anging, schien sich zumindest von Helmuts Seite aus nichts verändert zu haben.

Im nächsten Moment spürte er Helmuts Arm um seine Schulter.

»Lass uns wieder rübergehen, wir sind schließlich zum Feiern hier! Stattdessen hast du den ganzen Abend mutterseelenallein herumgestanden und griesgrämig vor dich hin gestarrt! Glaub nicht, das wäre mir nicht aufgefallen. Kann es sein, dass du noch kein einziges Mal mit meiner Frau getanzt hast? Das solltest du schleunigst nachholen! Und ich darf nun mit Käthe über die Tanzfläche humpeln …« Helmut seufzte theatralisch. »Meine Hannah möchte unbedingt, dass ich das Mauerblümchen einmal auffordere, also bringe ich es am besten rasch hinter mich.« Er sprang davon.

Meine Hannah … Valentin sah seinem Bruder ungläubig nach. War das derselbe Mann, der noch vor wenigen Tagen wegen des schweren Loses, das ihn ereilt hatte, fast in Tränen ausgebrochen war? Der sich nicht getraut hatte, seiner Jugendliebe Seraphine die Wahrheit zu sagen, der das klärende Gespräch Tag für Tag hinausgeschoben hatte?

Und nun tanzte er so ausgelassen, dass die anderen Paare lachend von der Tanzfläche flüchteten, um sich vor Helmuts Ellenbogen und Hacken in Sicherheit zu bringen.

Helmut ist froh, Seraphine los zu sein, schoss es Valentin durch den Kopf. Ihm fiel eine Bemerkung ein, die Helmut während der letzten Reise gemacht hatte. Es war ein weinseliger Abend gewesen, am Vorabend ihrer Ankunft in Gönningen. Valentin wusste nicht mehr genau, wie viele Flaschen Wein sie geleert hatten, doch die Zeche hatte ein empfindliches Loch in ihre Börse gerissen.

»Weißt du, mit Seraphine ist es ziemlich anstrengend, sie ... ach, ich kann es kaum erklären. In ihrer Gegenwart komme ich mir manchmal so ... einfältig vor. Als erwarte sie etwas von mir, was ich ahnen sollte, wovon ich aber nicht den blassesten Schimmer habe, verstehst du?« Es kam selten vor, dass Helmut in dieser Art sprach. Meist gab es in seinem Leben keinerlei Probleme, und wenn, dann tat er alles, um sie zu ignorieren. An diesem Abend jedoch war er geradezu verzagt gewesen.

Valentin hatte stumm genickt. Doch jedes Wort war wie ein Messerhieb, er hatte seinen Bruder gehasst wie jedes Mal, wenn er über Seraphine sprach. Sie ist einfach zu fein und zu gut für dich!, hätte er am liebsten entgegnet. Gleichzeitig verabscheute er sich ob seiner Eifersucht und seiner Missgunst.

Aber diese Zeiten waren nun vorbei.

Es gab keinen Grund mehr, Helmut zu hassen. Den eigenen Bruder ...

Valentin atmete tief durch. Spürte, dass sein Herz flatterte wie ein Vogel, der erste Flugübungen machte.

Seraphine war frei.

Es war an der Zeit, zu tun, was er tun musste.

14

Sie war weder in der Küche bei ihrer Mutter noch in der winzigen Kammer hinten im Haus, wo ihr Bett und ein kleines Tischchen standen.

»Ich weiß nicht, wo sie ist. Sie hat … das Kleid … weg …«
Else Schwarz schluchzte unablässig.

Valentin verstand kein Wort. Auch nach nochmaligem Nachfragen brachte er nicht mehr aus der Frau heraus. Elses Kummer füllte die kleine Hütte so vollständig aus, dass kein Platz für klare Gedanken blieb.

Er legte ihr eine Hand auf die Schulter, drückte sie sanft und ging dann wieder nach draußen.

Es war eine mondhelle Nacht, die Sterne hingen so tief, dass man fast Angst hatte, einer von ihnen könne herabfallen und auf der Eisschicht, die das Land wie ein Leintuch überzog, erlöschen.

Wo sollte er suchen? Wohin mochte sich Seraphine geflüchtet haben? War sie weggelaufen, für immer? Hatte sie sich etwas angetan? Der Frost legte sich auf Valentins Haut, ließ seinen Verstand gefrieren, und eine Zeit lang war er zu keinem klaren Gedanken fähig. Er verfluchte sich und seine Trägheit, die ihn bis jetzt untätig bei der Hochzeitsfeier hatte verweilen lassen. Wenn Seraphine tatsächlich … Das würde er sich nie verzeihen!

In Panik rannte er hinters Haus, stapfte durch den winzigen Gemüsegarten, ohne Rücksicht auf schlafende Beete, Rosenkohl und Beerensträucher. Nichts! Valentin versuchte, Ordnung in seinen Kopf zu bringen. Seit er den »Adler« verlassen hatte, war ihm furchtbar schwindlig. Warum hatte er so viel trinken müssen?

Der »Adler« … Womöglich war sie zum »Adler« gegangen, starrte durch das Fenster, während ihr das Herz blutete vor lauter Einsamkeit? So etwas sähe Seraphine ähnlich … Valentin konnte sich vorstellen, wie sehr sie litt, auch wenn Helmut etwas von einem »recht vernünftigen Gespräch« mit ihr gefaselt hatte.

In Riesenschritten rannte er durch die Gassen, rutschte auf

dem eisigen Kopfsteinpflaster mehr als einmal aus. Doch auch beim »Adler« war weit und breit nichts von Seraphine zu sehen.

Ich muss hinein, Hilfe holen, eine Suchaktion starten, schoss es ihm durch den Kopf, während sein Herz heftig pochte. Aber wen sollte er um Hilfe bitten? Alle waren in Feierlaune. Und was, wenn Seraphine lediglich bei einer Freundin war? Dann würde er mit seiner Hysterie nicht nur sich, sondern auch sie lächerlich machen. Doch genau genommen hatte Seraphine keine Freundinnen. Sie hatte … eigentlich niemanden.

Valentin beschloss, zum Haus der Schwarz' zurückzugehen und Else notfalls so lange zu schütteln, bis sie ihm klar und deutlich Rede und Antwort stand. Wie war es nur möglich, dass eine Mutter ihrer Tochter an einem solch schwarzen Tag nicht beistand, fragte er sich wütend. Und wo warst *du* an diesem Tag?, flüsterte eine Stimme ihm giftig zu.

Im nächsten Moment blieb er abrupt stehen. Hatte er da hinten, an der Wiesaz, nicht ein Glitzern wahrgenommen? Valentin kniff die Augen zusammen, um besser sehen zu können. Der Bach machte an dieser Stelle einen Knick, zwei Trauerweiden standen am gegenüberliegenden Ufer. Dazwischen befand sich eine Bank, ihre Sitzfläche war nach vielen Jahren silbrig verwittert. Hier traf sich an warmen Sommerabenden gern die Dorfjugend, vor allem zu den Zeiten, wenn die Eltern auf der Reise waren und das Leben für die Jungen unbeschwerter und freier war als sonst. Valentin wusste nicht, ob dieser Platz auch ein Treffpunkt von Helmut und Seraphine gewesen war. Sollte Seraphine aus Sentimentalität … Aber es war eisig kalt! Unmöglich, dass sie sich ausgerechnet dorthin verkrochen hatte. Dennoch suchten seine Augen die Umrisse der Bank ab, doch außer einem schwarzen Schatten war da nichts. Er ging ein Stück die Straße entlang, seinen Blick weiter auf das gegenüberliegende Bachufer gerichtet. Da! Eine Bewegung, fast unmerklich.

Und im nächsten Moment ertönte eine Frauenstimme. Leise, sanft und unverwechselbar.

Seraphine!

Er rannte los.

Sie saß tatsächlich auf der Bank. Ihr Kleid, über und über mit Spitze, Perlen und Bändern bestickt, hatte sie sorgsam über die Sitzfläche der Bank ausgebreitet. Das Mondlicht ließ den Stoff silbrig schimmern. In Seraphines Haar glitzerte es. Alles zusammen war von so überirdischer Schönheit, dass Valentin erschrocken zurückwich. Was war er für ein Tölpel! Wie konnte er sich auch nur für einen Moment einbilden, dass sich solch ein Mädchen irgendwann für ihn interessieren könnte! Obwohl er sich mit Frauenkleidern nicht besonders gut auskannte, ahnte er, wie viele Stunden Seraphine an diesem Kleid – ihrem Brautkleid – genäht haben musste. Stunden, in denen sie nichts anderes getan hatte, als an Helmut zu denken, sich nach einem anderen, einem besseren Leben zu sehnen. Und nun saß sie hier, einsam, aller Träume beraubt, und das Symbol für ewiges Glück war nicht mehr als ein zu dünner Fetzen Stoff.

Als sie aufschaute und ihn am anderen Ufer stehen sah, lag kein Erschrecken in ihrem Blick, nicht einmal ein Erstaunen.

»Heute ist mein Hochzeitstag, weißt du das?«, fragte sie mit fremder Stimme. Dann summte sie weiter, eine Weise, die Valentin nicht kannte.

»Seraphine, um Himmels willen, was machst du hier? Willst du dir den Tod holen?« Mit einem Satz über den Bach war er bei ihr, schob ihr aufgebauschtes Kleid zur Seite, nahm sie in den Arm.

»Du bist ja eiskalt, völlig durchgefroren! Sera, komm, lass uns gehen!« Er wollte sie hochziehen, doch sie wehrte sich und blieb sitzen. Ihr Blick hatte sich auf dem Wasser verfangen, wo das Spiegelbild des Mondes ein milchiges Oval darstellte. Sie lächelte.

»Schau, wie wunderschön ... Kennst du das? Wann immer etwas besonders schön ist, tut es im Herzen weh.«

So ergeht es mir, wenn ich dich ansehe, war Valentin versucht zu sagen, aber er schwieg. Was sollte er nur tun? Wie sich verhalten? Seraphine war so seltsam ... Nicht, dass er ihr dies zum Vorwurf machte, Gott bewahre, aber ...

»Bei ihr komme ich mir manchmal so einfältig vor« – die Worte seines Bruders fielen ihm ein. Während er auf eine Eingebung wartete, begann er zu verstehen, was Helmut damit meinte.

»Der Mond, die Sterne – so viel Schönheit ausgerechnet in dieser Nacht, ist das nicht ein Geschenk?« Sie schaute Valentin an.

»*Du* bist die Schönheit«, platzte er heraus. »Nicht dieser dumme Mond da! Schau, er ist nicht einmal mehr ganz rund!«

Ihr Blick wanderte langsam in Richtung Himmel, es schien, als ziehe sie sich völlig in sich zurück, doch im nächsten Moment entspannte sich ihre Miene wieder.

»Die Sonne und der Mond – das sind Helmut und ich. Wir gehören zusammen.«

Valentin blieb nichts anderes übrig, als zu nicken. Einfältig.

»So, wie die Sonne ohne den Mond nicht existieren kann, so, wie es ohne den Tag keine Nacht geben würde, so gehören wir zusammen. Für immer und ewig. Daran wird sich nichts ändern.« Ihr Kopf ging auf und ab wie bei einer alten Frau. Die kleinen Perlen, die sie in ihre Haare geflochten hatte, nickten im Takt mit.

Verflucht, Helmut will dich nicht, er tanzt trunken vor Glückseligkeit mit Hannah durch den Saal – *sie* ist seine Sonne, nicht du!, schrie alles in ihm. Mit Mühe presste er die Lippen zusammen.

»Du wirst auch ohne Helmut immer wie eine Sonne strahlen«, sagte er schließlich leise.

»Ich bin nicht die Sonne!«, antwortete Seraphine entsetzt. »Helmut – er ist die Sonne. Er bringt mich zum Lachen, und wenn er in meiner Nähe ist, habe ich das Gefühl … zu leben! Allein bin ich nur der Mond. Ewig im Schatten, umhüllt von Dunkelheit …«

Valentin schluckte. Hatte Seraphine den Verstand verloren?

»Jeder Mensch hat eine dunkle Seite«, antwortete er heftig. »Daran ist nichts Besonderes. Uns kann doch nicht immer zum Lachen zumute sein!« Helmut die Sonne, ha! Eher eine Sternschnuppe, genauso flüchtig und wankelmütig! Doch so kam er bei Seraphine nicht weiter, sie reagierte nicht einmal auf seine Worte. Er machte einen neuen Versuch: »Wenn der Mond erfriert, kann das die Sonne nicht freuen, oder? Und du bist kurz davor zu erfrieren. Komm, lass uns gehen!«

Diesmal ließ sie sich von ihm aufhelfen. Mit kleinen Schritten stolperte sie steif neben ihm her, sein Arm um ihre Schulter, seine freie Hand stützend an ihre Hüfte gelegt. Seraphine summte vor sich hin, als könne keine Sorge dieser Welt sie belasten.

Und nun – wohin?

Nicht ins Haus Schwarz, so viel stand fest. Bei dem Gedanken an Else und ihr tränenverhangenes Gesicht schauderte Valentin. Außerdem wollte er Seraphine nicht allein lassen, so seltsam, wie sie sich benahm. Aber er konnte sie schlecht mit zu sich nehmen – was, wenn jemand von der Hochzeitsgesellschaft früher nach Hause kam und Seraphine und ihn in der Küche sitzen sah?

Kurz vor der Brücke, die sie mitten ins Dorf führen würde, kam ihm endlich eine Eingebung: das Gartenhaus! Es lag zwar ein gutes Stück entfernt, zwischen zwei Kernerschen Äckern, und warm war es dort bestimmt auch nicht, aber angenehmer als in der Eiseskälte draußen allemal. Und dort würde sie bestimmt niemand suchen. Valentin atmete erleichtert durch.

Seraphine schien nicht zu merken, dass ihr Weg sie nach draußen auf die Felder führte. Am Gartenhaus angekommen, rüttelte Valentin am Riegel der Tür, ohne ihre Hand loszulassen, aus Angst, dass sie ihm doch noch davonlief. Endlich ging die Tür mit einem Knarzen auf. Er schnupperte hinein. Es roch nach Erde und nach den Äpfeln, die dort gelagert wurden.

»Hier bin ich schon einmal gewesen. Mit Helmut!«, rief Seraphine und folgte Valentin hinein.

Mit Helmut, natürlich, dachte er brummig, während er sich abmühte, die alte Ölfunzel, die von der Decke hing, mit halbfeuchten Streichhölzern zu entzünden. Hastig schob er dann alle möglichen Gartengeräte zur Seite und durchwühlte den alten Schrank, der neben der Tür stand. Irgendwo mussten ein paar Decken sein. Die wurden im Sommer, wenn während der Feldarbeit Brotzeit gemacht wurde, immer auf dem Boden ausgebreitet. Im untersten Fach wurde er fündig. Rasch breitete er die Decken aus, ließ sich nieder und klopfte auf den Platz neben sich. Seraphines Knie knackten, als sie zu ihm auf den Boden sank.

»Dir ist die Kälte ganz schön in die Knochen gekrochen«, sagte er, »komm, ich wärme dich ein bisschen.« Er breitete seine Arme aus und erschrak, als sie sich bereitwillig an ihn kuschelte. Er erschrak ein zweites Mal, als er ihre spitzen Schulterknochen an seiner Seite spürte. Sie bestand ja nur aus Haut und Knochen! War das Geld im Hause Schwarz so knapp? Oder hatte der Kummer ihr den Appetit genommen?

Eine Zeit lang schwiegen beide. Der Mond war inzwischen weitergewandert und warf sein Licht als blasse Streifen in den Raum.

Da sitzen wir nun, und ich habe sie im Arm, schoss es Valentin durch den Kopf. Wie oft hatte er von diesem Augenblick geträumt! Sich immer wieder vorgestellt, wie sich Seraphine anfühlen würde. Weich, warm, so weiblich und zugleich geheimnisvoll.

Und nun zitterte sie wie ein verhungerndes Küken, das zu früh aus dem Nest gefallen war! Valentins Herz wollte überlaufen vor Liebe.

Im nächsten Moment riss sich Seraphine los und sprang auf. »Was bin ich für eine dumme Kuh!« Sie schlug mit ihrer Faust so heftig gegen die hölzerne Hüttenwand, dass diese erbebte.

Valentin zuckte zusammen, auf einen solchen Gefühlsausbruch nicht vorbereitet. Bevor er etwas sagen konnte, machte sie eine ungeduldige Handbewegung.

»Überall werfen sich die Weiber den Samenhändlern an den Hals. Säuseln süße Worte und lupfen ihren Rock. Und ich?« Sie lachte hysterisch auf. »›Ein Fleck auf dem weißen Tuch der Jungfernschaft ist wie ein Rotweinfleck auf einer Tischdecke‹, hat Vater zu mir gesagt. ›Beides geht nicht mehr weg.‹« Ihr Gesicht war jetzt wie eine weiß gekalkte Fratze. »Und was hab ich nun von meiner unbefleckten Jungfernschaft?« Sie blitzte Valentin herausfordernd an.

»Seraphine …« Er griff nach ihrem Arm, wollte sie wieder zu sich auf die Decken ziehen, doch sie entzog sich seiner Berührung.

»Dumm war ich, dumm, dumm, dumm! Da hüte ich meine Jungfräulichkeit wie einen Schatz, und was ist sie nun noch wert? Keinen Heller!« Sie spuckte die letzten Worte aus.

Valentin hielt die Luft an. Er war sich nicht sicher, in welcher Verfassung Seraphine ihm lieber war: so melancholisch und verwirrt wie zuvor am Ufer der Wiesaz oder so wütend wie jetzt. Doch sie sollte ruhig wütend auf Helmut sein! Endlich erkannte sie, was für ein Strolch sein Bruder im Grunde war.

Seraphine schaute auf Valentin hinab. »Du bist doch auch

einer dieser Nachtschwärmer hier im Dorf. Wie oft habe ich dich und die anderen in den Sommernächten durch die Gassen rumoren hören! Ich weiß sehr wohl, dass immer ein paar Mädchen dabei sind, auch wenn sie am nächsten Morgen so scheinheilig tun, als könnten sie kein Wässerchen trüben. Die eine oder andere kann es halt doch nicht lassen, mit ihren ›Eroberungen‹ zu prahlen …« Seraphine kniff die Augen zusammen und schaute Valentin kritisch an. »Hast du mich jemals bei euren Unternehmungen gesehen?«

Er schüttelte den Kopf. Wie oft hatte er sich gewünscht, sie wäre dabei, wenn sie in einer warmen Sommernacht draußen vor dem Dorf auf einem der Felder ein Feuer entfacht, gesungen und getanzt hatten! Auch Helmut hatte sich mehrmals beschwert, dass Seraphine nie mit von der Partie sei, doch auf der anderen Seite nutzte er ihre Abwesenheit dazu, mit den anderen Mädchen zu schäkern. Valentin schnaubte verächtlich. Seraphine war also doch nicht so unwissend, wie Helmut immer angenommen hatte.

»Siehst du!«, fuhr sie triumphierend auf. »Wie soll ich es Helmut da übel nehmen, dass er auf irgendein Luder hereingefallen ist? Mit meiner Zurückhaltung habe ich ihn doch geradezu in ihre Arme getrieben! Ich bin schuld daran, dass er heute zu einem Weib Ja sagen musste, das er gar nicht mag …« Ihre Wut entwich wie Luft aus einem Blasebalg, mit einem Schluchzer sank sie auf den Boden. »Wie soll ich nur mit dieser Schuld leben? Was habe ich ihm nur angetan …«

Valentin glaubte, nicht richtig zu hören. Schuld – *sie*?

»Was faselst du für einen Unsinn?«, rief er. Es hätte nicht viel gefehlt, und er hätte sie an den Schultern gepackt und geschüttelt. Doch ein Blick in ihr unglückliches Gesicht hielt ihn zurück.

»Ach, Seraphine«, sagte er traurig.

Sie warf ihre Arme um ihn, überschwänglich, vertrauensvoll wie ein Kind, das einen Alptraum hat. »Halte mich! Halte mich, so fest du kannst«, schluchzte sie. »Heute ist meine Hochzeitsnacht, eigentlich sollte ich … Stattdessen … hier …« Die folgenden Worte wurden von der Verzweiflung verschluckt.

Valentin wiegte sie sanft, mit geschlossenen Augen. Hoffnung züngelte in ihm auf. Ihre Wange an seiner Brust, ihr bebendes Herz so nah bei ihm, Duft, der aus ihren Haaren in seine Nase stieg. Irgendwann würde sie erkennen, dass er sie liebte, wahrhaftig und aufrichtig. Doch er würde geduldig sein, er war es schon so lange …

Einen Moment später spürte er ihre knochigen Ellenbogen in seiner Seite. Hastige Bewegungen, das Rascheln von Stoff, unruhige Beine, ihr Leib, so nah an seinem, näher, näher, seine Hand auf … ihrer Brust?

Er riss die Augen auf und blinzelte heftig, wie aus einem verwirrenden Traum erwachend. Als habe er sich verbrannt, zog er seine Hand von ihrem nackten Fleisch zurück.

Mit einer letzten, ungeduldigen Bewegung befreite sich Seraphine auch vom Unterteil ihres Kleides. Nachlässig, als handele es sich um eine alte Schürze, knüllte sie es zusammen und warf es neben sich.

Und dann lag sie zitternd in ihrer Nacktheit vor ihm, die Beine leicht geöffnet.

»Liebe mich!« Keine Frage, keine hingehauchte Bitte.

Ihr Blick war auf ihn gerichtet, bestimmt, fordernd.

Erschrocken starrte Valentin sie an, griff nach ihrem Kleid, um sie damit zu bedecken, doch mit einer verächtlichen Geste warf sie es wieder fort.

»Sera …« Ein Schlucken, seine Kehle war so eng. Sein Glied stieß hart und aufdringlich gegen den Hosenlatz. Verschämt rutschte er aus dem Lichtstrahl des hereinfallenden Mondlichts in den Schatten.

Was war geschehen? Wohin hatte sich die Zärtlichkeit geflüchtet? Sein Blick raste durch den Raum, um sich im nächsten Moment doch wieder an Seraphine festzusaugen. Plötzlich wusste er nicht mehr, wohin mit seinen Händen, jede Berührung hatte ihre eigene Sprache angenommen, eine Sprache, die ihm in Verbindung mit Seraphine fremd war. So, wie sie ihm selbst fremd war. Diese Gier in ihren Augen, mit der sie sich ihm anbot – fremd.

Natürlich hatte er sich oft vorgestellt, wie es wäre, mit ihr … Aber doch nicht heute, nicht hier und jetzt! Nicht, während Seraphine in größter seelischer Not war. Nur ein Schuft würde ihre Lage ausnutzen. Ihr Retter – das wollte er für sie sein. Vergeblich suchte er nach Worten, die seine Gefühle hätten ausdrücken können.

Ich bin kein Schuft, kein Schuft, kein Schuft – unfähig, seinen Blick von ihrer Nacktheit abzuwenden, sagte er sich die Worte im Stillen immer wieder vor, doch mit jeder Wiederholung verloren sie mehr an Bedeutung.

»Was ist? Bin ich nicht begehrenswert für dich? Bin ich zu wenig *Weib*?«, schrie sie ihn an.

Er schüttelte mechanisch den Kopf. Ihre kleinen Brüste, die rosa-braunen Monde, so perfekt, als hätte ein Bildhauer oder Maler sich besonders viel Mühe damit gegeben. Ihre langen Beine, das silberne Dreieck, allerfeinste Löckchen, die sich bei jeder noch so kleinen Bewegung vorwitzig kräuselten.

Er spürte, wie sein Atem schneller wurde, öffnete den Mund, holte tief Luft. Mit dem Zeigefinger seiner rechten Hand berührte er die silberne Verheißung, vorsichtig, als berühre er eine Figurine aus Porzellan.

Was tue ich da? Was tue ich … Was …

Mit einem heiseren Lachen packte Seraphine seine Hand, drängte seine Finger tiefer. Ihr Saft, so süß wie der einer reifen Frucht, an seinen Fingern.

Im nächsten Moment begann sie, an seinem Hosenbund zu nesteln.

»So lang schon bin ich bereit für diese Nacht ...« Worte, so schwankend, bebend wie ihre Schenkel, die sich um ihn schlangen.

Ihre Hand auf seinem Geschlecht, so bestimmt, so sicher.

Sie ist eine Jungfrau, ein Mädchen, ein Kind noch. Was tut sie da?

Stöhnend schob er sie zur Seite, schnürte selbst seine Hose auf.

Alles geht zu schnell, zu schnell.

Ungelenk suchte sein Mund ihre Lippen, sie drehte ihren Kopf zur Seite, sein Kuss verfing sich in ihrem Haar. Im nächsten Moment zog sie ihn auf sich. Seine Ellenbogen pressten sich an den rauen Holzboden, aus lauter Angst, Seraphine mit seinem Gewicht zu erdrücken.

Sie schrie auf, unbefriedigt, ungeduldig, ihre rechte Hand dirigierte ihn zwischen ihre Beine.

Er schaute sie ein letztes Mal an. Ihre Augen weit aufgerissen, voller Gier, kein verschämtes Blinzeln unter niedergeschlagenen Lidern.

Sie will mich, mein Gott, sie will mich!

Ihr Körper drängte sich dem seinen entgegen, er wollte, konnte sie nicht länger warten lassen, stieß zu.

Schreie, die sich vereinten.

Und durchs Fenster schaute ein müder Mond.

15

Als es am nächsten Morgen an der Tür klopfte, saßen Else und Seraphine stumm beim Morgenmahl. Mehrmals hatte Else wissen wollen, wo Seraphine gewesen und warum sie erst mitten in der Nacht zurückgekommen war. Doch Seraphine schwieg und rührte in ihrem Haferbrei.

»Wer kann das sein? Friedhelm?« Stirnrunzelnd schaute Else ihre Tochter an. »Aber warum klopft er?« Mit einem Satz war sie an der Tür, öffnete.

Vor ihr stand Adolf Rausch, der Dorfbüttel. Seine Miene war noch düsterer als sonst. »Darf ich hereinkommen?«

»Wir müssen in die Schweiz. Selbst Nachforschungen anstellen.« Mit tränennassen Augen schaute Else von ihrer Schüssel auf. Der Brei war längst kalt, hatte eine trockene Kruste bekommen. »Vielleicht … ist das alles nur ein großer Irrtum.«

Seraphine holte tief Luft. »Das da ist kein Irrtum«, sagte sie und wies auf den Zwerchsack ihres Vaters, den der Büttel vorhin gebracht hatte. Eine Hand voll Samentütchen, Blumenzwiebeln und das Musterbuch, das Seraphine ihrem Vater vor Jahren gemalt hatte – mehr war nicht drin gewesen. Kein Reisepass, kein Geld, nichts, was ansonsten auf Friedhelm Schwarz' Identität hingewiesen hätte. Ohne Seraphines Musterbuch, auf dessen erste Seite sie in großen Lettern den Namen ihres Vaters gepinselt hatte, hätte der Zwerchsack auch jedem anderen gehören können.

»Das sind Vaters Sachen, daran besteht kein Zweifel.« Während sie sprach, wartete sie auf die Tränen, die sie hinter ihren Lidern spürte.

Ihr Vater war tot. Oder zumindest verschollen.

»Meine Schweizer Kollegen gehen nach ihren Untersuchungen davon aus, dass Friedhelm einem Verbrechen zum Opfer gefallen ist. Er wurde nirgendwo mehr gesehen, seine Spur hat sich von einem Tag auf den anderen verloren«, hatte Adolf mit getragener Stimme gesagt. »In der Gegend um« – er hatte einen Zettel zu Hilfe genommen und den Namen eines Dorfes abgelesen, mit dem weder Seraphine noch ihre Mutter etwas anfangen konnten – »kommt es scheinbar immer wieder zu Überfällen. Die Schweizer Gendarmerie schreibt, es sei nicht angeraten, dort allein zu reisen. Der Wirt, in dessen Haus Friedhelm kurz vor seinem … Verschwinden Gast gewesen war, hat ausgesagt, er habe Friedhelm noch ausdrücklich davor gewarnt, ohne Begleitung weiterzureisen.« Hier hatte Adolf Else und Seraphine einen vorwurfsvollen Blick zugeworfen.

»Mein Vater war ein armer Mann, er bereiste einen der ärmsten Samenstriche überhaupt – wer hätte ihn begleiten sollen?«, hatte Seraphine den wichtigtuerischen Mann anschreien wollen, doch stattdessen fragte sie mit unsicherer Stimme: »Der … Leichnam ist nicht gefunden worden?«

Adolf schüttelte vehement den Kopf. »Wie gesagt, es handelt sich um eine sehr unwirtliche Gegend. Friedhelm könnte überall … Natürlich besteht immer noch die Möglichkeit, dass er gestürzt ist und dabei den Tod gefunden hat. Aber in diesem Fall wäre die Leiche nicht spurlos verschwunden, oder? Ich meine, der Zwerchsack lag ja unmittelbar am Straßenrand, und die Gendarmen haben die ganze Gegend abgesucht.« Ein weiteres wichtigtuerisches Kopfschütteln war gefolgt – schließlich kamen Mord und Totschlag in Gönningen nicht jeden Tag vor. »Friedhelm hatte durch seine Verkäufe sicherlich Geld bei sich – auch davon keine Spur. Dies alles weist auf ein Verbrechen hin. Ach, es ist eine Schande!«

»Wie konnte er? Wie konnte er nur?« Else schlug mit der flachen Hand auf den Tisch. Die Löffel in den Breischüsseln schlugen klirrend an das Steinzeug.

»Ich wette mit dir, er hat wieder gespielt!« Mit zittrigen Händen räumte sie den Tisch ab und trug das Geschirr zum Spülstein. »Statt auf dem schnellsten Wege heimzukommen, setzt er sich in irgendein Wirtshaus und spielt Karten!«

»Und wenn schon – was macht das jetzt noch aus? Vater ist

tot! Und du sitzt hier und machst ihm Vorwürfe!«, schrie Seraphine.

Vater ... nie wieder sollte sie ihn sehen? Der Gedanke hatte etwas Unwirkliches an sich. Seraphine verscheuchte ihn, so schnell sie konnte.

»Verstehst du denn nicht?«, schrie Else zurück. »Es waren bestimmt irgendwelche Ganoven, mit denen er am Tisch gesessen hat! Würfeln, Karten spielen – wenn's ums Geld geht, verstehen solche Kerle keinen Spaß. Oh, wie oft habe ich das früher miterleben müssen.« Ihre Unterlippe begann zu zittern. »Und jetzt ist ... ihm ... die verdammte Spielerei ... zum Verhängnis geworden.«

Seraphine schaute zu ihrer Mutter, die, sich mit beiden Händen auf den Spülstein stützend, von einem Weinkrampf geschüttelt wurde. Sie hätte zu ihr gehen und sie in den Arm nehmen sollen. Es ist nicht wahr, summte es in ihrem Kopf. Alles ist nicht wahr. Erst Helmut, nun ihr Vater ... Wo war die Sternenfee? Bestimmt würde sie gleich kommen und Seraphine aus diesem Alptraum befreien.

Else fuhr herum und trat näher. Mit dem Zeigefinger tippte sie Seraphine an die Brust. »Dir wird dein Hochmut noch vergehen! Sitzt da, als ginge dich das alles nichts an. Wovon sollen wir die Miete zahlen? Jetzt, wo Helmut mit einer anderen verheiratet ist, wird sein Vater keine Skrupel haben, uns hinauszuwerfen. Und dann die Schulden, die Friedhelm bei den Kerners gemacht hat! Wie sollen wir die je zurückzahlen? Am Ende bleibt uns nur noch das Armenhaus. Wir –« Die nächsten Worte gingen in Schluchzen unter.

Geld, Geld, Geld – an etwas anderes dachte Mutter nicht. Geld und ihr eigenes Unglück. Kein einziges Mal fragt sie, wie es mir geht, schoss es Seraphine durch den Kopf. Da klopfte es erneut.

Beide Köpfe fuhren herum.

Zaghaft trat Valentin ein. Seine Augen stachen groß aus seinem leichenblassen Gesicht hervor.

»Ich bin gekommen, so schnell ich konnte. Adolf … er war gerade bei uns zu Hause. Mein Vater lässt euch ausrichten, dass ihr mit jeder Unterstützung rechnen könnt. Ihr sollt euch keine Sorgen machen, sagt er. Ich … ach, was ich sagen will, Seraphine, es tut mir so Leid!« Er rutschte neben Seraphine auf die Bank und legte ihr einen Arm um die Schulter, was sie widerstandslos geschehen ließ.

Else schaute auf. »Das ist sehr nett, Valentin«, sagte sie langsam. Seit Valentins Ankunft hatten ihre Wangen wieder ein wenig Farbe angenommen, und unter dem Tränenglanz ihrer Augen schien ihr Blick wieder klarer zu werden. »Richte deinem Vater aus, dass wir seine Hilfe sehr zu schätzen wissen. In dieser Stunde des … Verlusts ist man dankbar für jede Freundlichkeit.«

Valentin räusperte sich. »Es ist jetzt vielleicht nicht der richtige Augenblick – oder vielleicht ist er es auch gerade, aber ich … also, ich hätte etwas mit Seraphine zu besprechen.«

Else nickte ihm auffordernd zu.

»Ich meine, mit ihr allein zu besprechen«, fügte Valentin hinzu und zog Seraphine hinter sich her ins Nebenzimmer.

Verwirrt schaute Else den beiden nach. Hatte sie dieselbe Situation nicht erst kürzlich erlebt? Als Helmut mit Seraphine in der guten Stube verschwunden war und –

Auf Zehenspitzen schlich sie durch den Raum und postierte sich hinter der Tür, um besser hören zu können, was der jüngere Kerner-Sohn mit ihrer Tochter zu besprechen hatte.

»Und du sitzt da und faselst etwas von einer Bedenkzeit! Warum hast du nicht gleich Ja gesagt?« Else stellte eine Teetasse so heftig vor Seraphine ab, dass die heiße Flüssigkeit über den Rand schwappte.

»Du hast gelauscht«, sagte Seraphine.

»Natürlich habe ich gelauscht! Hier geht es schließlich um unser Überleben! Und um deine Zukunft. Jetzt, wo Friedhelm nicht mehr …, wo er …, da muss ich doch für deine Zukunft Sorge tragen.«

»Meine Zukunft!« Seraphine spuckte die Worte geradezu aus. Der Duft nach Pfefferminze, der aus ihrer Tasse emporstieg, bereitete ihr Übelkeit.

»Ja, deine Zukunft! Jetzt, wo nicht nur Helmut, sondern auch dein Vater dich im Stich gelassen haben, da –«

»Vater hat mich nicht im Stich gelassen«, fuhr Seraphine auf. »Er hat mich geliebt. Und Helmut liebt mich auch«, fügte sie leise hinzu.

»Liebe!« Else Schwarz lachte verächtlich auf. »Manche Männer lieben nur sich selbst!«

Seraphine wandte sich ab.

»Ich liebe dich mehr als das Leben«, hatte Valentin zu ihr gesagt. »Ich liebe dich, seit ich denken kann. Aber … ich durfte ja nicht. Wegen Helmut. Nun aber, nach der letzten Nacht …« Er war verstummt und hatte ihr einen unbeholfenen Kuss auf die Wange gedrückt.

Was hätte sie ihm darauf antworten sollen? Dass die letzte Nacht für sie eine völlig andere Bedeutung hatte als für ihn? Dass sie versucht hatte, ihre Liebe zu Helmut zu begraben? Wie eine Wölfin, die ein Loch in den Waldboden scharrt und darin ihre Nachgeburt begräbt.

Für immer und ewig.

Seraphines Gesichtsmuskeln spannten sich an. Wenn ihr dies nur gelungen wäre! Stattdessen hatte sie nur noch deutlicher empfunden, wie tief, wie allumfassend ihre Liebe zu Helmut war. Nichts und niemand würde an seine Stelle treten können.

»Er liebt dich, er ist ein feiner Mann, was willst du mehr?«, fragte Else verständnislos. »Valentins Antrag ist ein Geschenk des Himmels! Ausgerechnet heute, an diesem schrecklichen Tag.«

»Er ist nicht Helmut«, sagte Seraphine dumpf. »Helmut und ich …« Sie brach ab. Es war sinnlos.

Valentin liebte sie? Hatte sie schon immer geliebt? Das war seltsam …

»Helmut, Helmut – du hörst dich an wie ein Leierkastenmann, der ewig die gleiche Melodie spielt! Wo ist denn dein feiner Helmut jetzt? Liegt wahrscheinlich mit seiner Braut im Bett und weiß noch nicht einmal etwas von unserem Leid. Valentin hingegen …«

Er war sehr bestimmt gewesen, fast ein bisschen wie Helmut. Seltsam, da hatte sie die ganzen Jahre über keine fünf Sätze mit Valentin gewechselt, hatte ihn eigentlich nie richtig wahrgenommen, und nun kam er daher und sprach mit ihr, als wären sie die engsten Vertrauten!

»Ich weiß, dass ich für dich nur die zweite Wahl sein kann. Aber als meiner Frau soll es dir an nichts fehlen. Natürlich liebst du mich jetzt noch nicht. Aber kannst du dir nicht vorstellen, mich eines Tages lieben zu lernen? So wie … gestern Nacht?« Wie er sie angeschaut hatte! Seraphine hatte es gegraust. Was tust du da?, wollte sie ihn anschreien. Du hast kein Recht, mich so anzusehen.

Nein, das kann ich mir nicht vorstellen, hätte sie antworten sollen. Stattdessen hatte sie Valentin um eine Bedenkzeit gebeten. Er hatte sehr verständnisvoll reagiert. Die Nachricht vom Tod ihres Vaters, jetzt sein Antrag – natürlich sei das sehr viel auf einmal. Er hatte sich verabschiedet und angekündigt, morgen wiederzukommen.

Seraphine schnaubte. Als ob sich morgen etwas geändert haben würde!

»Was gibt es denn da zu schnaufen?«, fuhr Else auf. »Valentin würde dich auf Händen tragen, das hat er gesagt, ich hab's mit eigenen Ohren gehört. Kind, verstehst du denn nicht, was das bedeuten würde? Du wärst versorgt, müsstest dir um nichts mehr Sorgen machen. Und für mich wäre sicher auch irgendwo ein Plätzchen frei.«

Auf Händen getragen zu werden – wie hatte sie sich danach gesehnt, diese Worte zu hören. Aber aus dem Mund des falschen Mannes klangen sie hohl, so blechern wie der Topf, in dem das Wasser auf dem Herd köchelte.

»Du erwartest also von mir, dass ich aus Berechnung heirate. Um versorgt zu sein. Mehr habe ich deiner Ansicht nach nicht verdient?« Fassungslos starrte Seraphine ihre Mutter an.

»Aus Berechnung – o Gott, Kind! Verlange ich denn, dass du ein Ungeheuer heiratest? Valentin ist ein umgänglicher Junge, und seinen Bruder hättest du doch auch mit Kusshand genommen. Aber nein, du bleibst stur, träumst lieber weiter! Ha, ich habe aus Liebe geheiratet, und schau, wohin es mich gebracht hat!« Elses Stimme war schrill geworden. Erschrocken über ihre eigene Heftigkeit nahm sie einen Schluck Tee. Nachdem sie sich etwas beruhigt hatte, fuhr sie leiser fort: »Meine Eltern haben mich gewarnt. Immer und immer wieder haben sie mich vor Friedhelm gewarnt. Er sei ein Tunichtgut, haben sie gesagt. Einer, der nicht mit Geld umgehen kann, und dass das in der ganzen Familie Schwarz läge. Aber ich wollte ja nicht hören.« Sie ergriff Seraphines Hände. »Glaube mir, ich weiß, wovon ich rede. Kannst du es deiner Mutter verdenken, dass sie sich für ihr einziges Kind etwas Besseres wünscht? Valentin Kerners Antrag ist ein Geschenk des Himmels!« Als Seraphine nicht gleich antwortete, fuhr sie fort: »Hast du einen einzigen Vorwurf von mir gehört, was letzte Nacht betrifft? Ich habe genug gehört, um mir das Richtige zu denken … Glaubst du, jede Mutter wäre so verständnisvoll? Das muss dir doch zeigen, wie gut ich es mit dir meine.«

Seraphine lachte auf. Ihre Mutter, die Lauscherin! Mit einem Ruck stand sie auf.

»Die Antwort lautet trotzdem Nein. Ich kann keinen Mann heiraten, den ich nicht liebe. Eher würde ich sterben.«

Den Rest des Tages stand die Tür im Haus Schwarz nicht mehr still. Immer wieder kamen Gönninger, um ihr Beileid auszusprechen, ihre Neugier zu befriedigen und mit dem guten Gefühl nach Hause zu gehen, dass das Schicksal ihnen wohler gesonnen war als Else und Seraphine. Zwischen den beiden Frauen herrschte vorwurfsvolle Stille. Doch wenn die Besucher die seltsame Stimmung bemerkten, dann schoben sie sie auf die traurigen Umstände.

Als Seraphine an diesem Abend zu Bett ging, war sie so erschöpft wie noch nie in ihrem Leben. Sie hatte das Gefühl, ein Erdbeben hätte ihr Haus erschüttert und sie läge hilflos unter den Trümmern verborgen: zu schwach, um sich zu bewegen, unfähig, nach Hilfe zu rufen, zu machtlos, um sich aus eigener Kraft von all den Gedanken, die sie begruben, zu befreien. Helmut und Hannah, ihr Vater, Valentin, ihre Mutter, die sie mit vorwurfsvollen Blicken auf Schritt und Tritt verfolgte … alles zu viel.

Helmut. Er war als Einziger nicht gekommen. Wahrscheinlich hatte seine Frau es ihm verboten! Wahrscheinlich war diese Hannah eine, die ihn mit Haut und Haaren auffraß, wie eine Spinne, die ihr Opfer in ihrem Netz gefangen hatte.

Unruhig warf sich Seraphine auf die andere Seite und zog die Decke halb übers Gesicht, als brauche sie dann der Wahrheit nicht mehr ins Auge zu sehen.

Sie hatte Helmut in diese andere Ehe getrieben. Mit ihrer übertriebenen Sittsamkeit hatte sie nicht nur ihr eigenes Leben zerstört, sondern seines noch dazu. »Fräulein-rühr-mich-nicht-an«, hatte er sie immer neckend genannt, wenn sie seine stürmischen Umarmungen abwehrte. Dabei hätte sie ihn am liebsten noch enger an sich herangezogen! Hätte seine Hände in ihren Schoß gelegt, ihm ihre Brüste entgegengestreckt. Wie oft hatte sie sich vorgestellt, wie es wohl wäre, wenn er sie zur Frau machen würde. Immer wieder hatte sie von ihrer Hochzeitsnacht geträumt. Zu Hause, in ihrem engen Bett, hatte sie mit den Händen ihren Körper erforscht und sich vorgestellt, es wären seine Hände. Hatte die Lippen auf ihren Unterarm gedrückt und sich vorgestellt, es wären seine Lippen. Ganz heiß war ihr dabei geworden. Die Sternenfee hatte ihr dabei zugeflüstert: Bald, bald ist es so weit.

Doch diese Hannah hatte sich nicht mit Träumen zufrieden gegeben – und war schwanger geworden. Von Helmut.

»Helmut ist zu nichts gezwungen worden«, hatte Valentin heute Mittag erzählt. »Er und Hannah – beide hatten ihren Spaß! Er hätte doch genauso gut auch Nein sagen können, oder?«

Hätte, hätte, hätte – was wusste Valentin schon! Wahrscheinlich war er nur eifersüchtig, dass Helmut bei den Frauen so begehrt war. Nein, nein, das Weib hatte es darauf *angelegt*, Helmut zu ködern, so viel stand fest. Und es war ihr gelungen, weil sie, Seraphine, sich in vornehmer Zurückhaltung geübt hatte.

Und da kam Valentin daher und wollte sie heiraten! Ha, dann erginge es ihr ja nicht anders als Helmut! Sie schnaubte so heftig, dass sich ihr Kopfkissen aufplusterte.

Aber … wäre das nicht ausgleichende Gerechtigkeit?

Ruckartig setzte sich Seraphine auf und starrte nach draußen.

Warum sollte es ihr besser gehen als Helmut? Er musste für seinen Fehler geradestehen, und sie musste für den Fehler ihres Vaters einstehen, dessen Tod sie in große Not gestürzt hatte. Das Armenhaus drohte, hatte Mutter gesagt. War dies nicht ein mindestens ebenso guter Grund zu heiraten? War ihre Not nicht mindestens so groß wie die von Helmut?

Sie und Valentin – die Worte schmeckten bitter wie zu starker Tee.

Andererseits war er Helmuts Bruder. In manchen Dingen waren sich die beiden gar nicht so unähnlich. Gestern Nacht, in seinen Armen, hatte sie sich zeitweise sogar vorstellen können, er wäre Helmut. Wenn sie Valentin heiratete, würde das bedeuten, dass sie in Helmuts Nähe war. Hätte die schreckliche Hannah im Blick. Würde dafür sorgen können, dass sie ihm das Leben nicht noch schwerer machte. Helmut würde mit seinen Sorgen zu ihr kommen können, nie mehr wollte sie ihn so im Stich lassen, wie sie es in der Vergangenheit getan hatte.

Ein ganz neuer Gedanke schoss Seraphine durch den Kopf: Wilhelmine Kerner wäre dann trotzdem ihre Schwiegermutter, so, wie sie es sich immer gewünscht hatte. Wilhelmine, die ihr übers Haar strich und »Bist ein feines Mädle« sagte. Die sie bestimmt lieber mochte als eine Dahergelaufene.

Valentin und sie … Ein Lächeln glitt über Seraphines Gesicht. Ein Geschenk des Himmels?

Ja.

Für Helmut und sie.

Und sie war fast zu dumm gewesen, dieses Geschenk anzunehmen.

Danke, Sternenfee.

Eine Woche später gaben Seraphine Schwarz und Valentin Kerner ihre Verlobung bekannt.

Die Hochzeit wurde auf den zweiten Sonntag nach dem Osterfest festgelegt. Am ersten Sonntag nach Ostern sollte nämlich die Wahl des neuen Gemeinderates stattfinden.

Von einer Russlandreise der beiden Brüder war keine Rede mehr – niemand hatte die Zeit, sich solch aufwändigen Planungen zu widmen.

16

Gönningen, 18. Januar 1850

Liebe Mutter, lieber Vater,

verzeiht mir, dass ich erst heute dazu komme, euch einen ausführlichen Brief zu schreiben, aber bisher hatte ich kaum eine freie Minute für mich! Natürlich will ich zuerst von der Hochzeit berichten. Es war solch ein schönes Fest – mir blutet noch immer das Herz, weil ihr nicht dabei sein konntet. Alle haben nach euch gefragt und lassen euch herzliche Grüße ausrichten. Ach Mutter, wenn du die schönen Geschenke sehen könntest, die Helmut und ich bekamen! Sogar ein Samowar ist darunter – aus Russland, stell dir vor! Ich wusste zuerst gar nicht, wozu das Gerät gut sein soll, bis Helmut mir erklärte, dass man damit ständig frischen Tee aufbrühen kann. Schönes Geschirr haben wir auch bekommen, obwohl ich mich frage, was ich damit anfangen soll. Wir kochen und essen alle gemeinsam, da kann ich doch nicht für Helmut und mich besonderes Porzellan auftischen!

Am Ende ihres Federkiels kauend, hielt Hannah inne. Von dem Nähzeug, das sie geschenkt bekommen hatte, und dem Lederetui mit allerfeinsten Rosshaarpinseln würde sie ihrer Mutter nichts schreiben. Sie, die noch nicht einmal einen Knopf annähen konnte, und Nähzeug! Was solche Feinarbeiten anging, hatte sie einfach zwei linke Hände. Im Gegensatz zu Seraphine, über deren Nähkünste und Zeichentalent sich Mutter Wilhelmine lang und breit ausgelassen hatte. Diese speziellen Geschenke waren von den Hochzeitsgästen bestimmt für »die andere Braut« ausgesucht worden und nun eher zufällig in ihren Besitz gelangt. Nein, davon wollte sie ihrer Mutter nichts schreiben, sonst hätte sie die ganze Geschichte von Helmuts aufgelöster Verlobung aufrollen müssen.

Schwungvoll tauchte Hannah die Feder in die Tinte und setzte neu an.

Die Gönninger haben sich nicht lumpen lassen, und dabei bin ich doch eine Auswärtige! Mit offenen Armen wurde ich empfangen, bestimmt werde ich mit der einen oder anderen jungen Frau Freundschaft schließen. Und dann sind da ja auch noch Emma, die Wirtin, bei der ich anfangs wohnte, und Käthe, ihre Tochter. Ihnen habe ich viel zu verdanken. Sie sind so herzensgut, und umso mehr schmerzt es mich, dass kein Bursche etwas von Käthe wissen will! Sie zieht ihr Bein hinterher, aber müssen die Männer sie deshalb gleich völlig ablehnen? Natürlich hat sie auf meiner Hochzeit einige Tränen vergossen, und ich glaube, es waren nicht nur Tränen der Rührung und der Freude wegen mir dabei, sondern auch Tränen des eigenen Bedauerns.

Auch Helmuts Eltern sind sehr nett, vor allem sein Vater. Er will Gemeinderat werden, stellt euch vor!

Die Feder sank erneut hinab und hinterließ einen kleinen Tintenfleck auf dem Papier. Sollte sie schreiben, dass sich Helmuts Mutter ihr gegenüber sehr reserviert verhielt, oder würde sie ihrer Mutter damit nur Sorgen bereiten? Vielleicht wusste sie andererseits einen Rat, wie sie, Hannah, mit der unnahbaren Wilhelmine umgehen sollte? Nein, damit musste sie allein fertig werden. *Ich müsste nur öfter die Bibel in die Hand nehmen und so tun, als würde ich darin lesen,* schoss es ihr spöttisch durch den Kopf. *Dann würde Mutter Wilhelmine auch einmal ein lobendes Wort für mich finden!*

Insgesamt ist das Leben hier doch völlig anders. Alles dreht sich ums Geschäft! Von früh bis spät ist die ganze Familie in der Packstube versammelt, manchmal nehmen wir sogar unser Mittagessen dort ein. Dass dies aufgrund des Zeitmangels nicht sonderlich aufwändig ausfällt, könnt ihr euch ja vorstellen. Meist gibt es Brot und Suppe, und beides wird hastig verdrückt, um nur ja keine Zeit zu verlieren. Ich habe keine Ahnung, was ich eigentlich verpacke – irgendjemand drückt mir ein Löffelchen in die Hand, zeigt auf einen Sack mit Samen, und ich messe die geforderten Mengen ab und packe sie in kleine Tütchen. Ob das nun Möhren-, Kohlrabi- oder Blumensamen sind – ich weiß es nicht. Zeit für Erklärungen bleibt nicht – Helmut und Valentin brechen übermorgen zu ihren Kunden auf, und da müssen die Samen natürlich fertig verpackt sein. Aber ich habe mir fest vorgenommen, in den nächsten Monaten mehr über die wundersamen Samen zu lernen, so dass ich

»Hannah, kommst du? Die anderen sind schon in der Packstube.« Helmut steckte seinen Kopf durch die Tür.

Seufzend legte Hannah die Feder zur Seite. Da hatte sie sich endlich zum Schreiben durchgerungen, und schon wurde es wieder nichts! Hatte Mutter Wilhelmine nicht gesagt, sie würden sich erst mittags ans Einpacken machen?

Erst jetzt bemerkte sie, dass Helmut ausgehfertig vor ihr stand. Stirnrunzelnd deutete sie auf seine grüngrundige Pelzkappe. Diese und das weite Gewand, das er trug, waren doch eigentlich erst für die Reise bestimmt!

»Und was macht der feine Herr, während wir anderen schuften?«

Helmut grinste. »Der feine Herr bereitet sich auf seine nächste Reise vor. Ich muss dringend meine neuen Stiefel abholen, ich hätte sie schon längst ein, zwei Wochen einlaufen sollen. Dieses Versäumnis werde ich mit blutigen Blasen büßen müssen … Und dann will ich noch bei Heinz vorbeischauen. Er und sein Bruder brechen am selben Tag auf wie Valentin und ich, vielleicht können wir ein gutes Stück Weg auf ihrem Karren mitfahren.«

Hannah schluckte. Dass Helmut in zwei Tagen abreisen würde, hatte sie bisher tapfer verdrängt. Sie stand auf und trat auf ihn zu.

»Musst du wirklich fort? Ich meine, kann nicht Valentin einmal allein …« Noch während sie sprach, ärgerte sie sich, dass sie überhaupt davon angefangen hatte. Sie war nun eine Samenhändlerfrau – also benahm sie sich lieber so schnell wie möglich wie eine!

Ein Schatten huschte über Helmuts Gesicht. »Du weißt doch ganz genau, dass das nicht geht. Allein reisen ist viel zu gefährlich, denk nur an Seraphines Vater.«

Seraphine … nun war es Hannahs Miene, die sich verfinsterte. In wenigen Monaten würde sie das Mädchen als Schwägerin hier im Haus haben – und sie wusste noch nicht, was sie von ihr halten sollte. Bei der kleinen Verlobungsfeier wenige Tage zuvor hatte sie sie kennen gelernt. Wie ein berechnendes Weib kam sie eigentlich nicht daher – genau dies hatte Hannah ihr unterstellt, nachdem Seraphine ihre Gunst so plötzlich von einem Bruder auf den anderen übertragen hatte. Verschlossen war sie, hatte wenig gesprochen und noch weniger gelacht – weiß Gott nicht gerade das Bild, das man sich von einer glücklichen Braut machte! Wenn allerdings Helmut einen Scherz machte oder sich mit einer Frage an sie wendete, war sie regelrecht aufgeblüht. Mit ihr, Hannah, hatte sie kein Wort gewechselt, was Hannah nicht weiter wunderte. Für Seraphine war sie der böse Eindringling, der ihr den versprochenen Mann genommen hatte, das konnte man schließlich verstehen.

Hannah seufzte. Freundinnen würden Seraphine und sie bestimmt nie werden!

Helmut zog eine Grimasse. »Liebe Hannah, jetzt guck doch nicht so traurig, damit machst du mir die Sache auch nicht leichter!« Er setzte sich aufs Bett und klopfte neben sich auf die Matratze. »Komm mal zu mir.«

Widerstrebend ließ sich Hannah neben ihm nieder. Auf belehrende Sprüche wie »Stell dich nicht so an! Gewöhn dich lieber gleich ans Alleinsein!« konnte sie im Augenblick verzichten! Umso erstaunter war sie, als Helmut den Arm um sie legte und sie an sich zog.

»Weißt du, dass es mir noch nie so schwer gefallen ist, mein Bündel zu packen?« Nun war er es, der tief aufseufzte. »Natürlich freue ich mich aufs Reisen, es wäre gelogen, wenn ich sagen würde, dass dem nicht so wäre! Aber … du wirst mir sehr fehlen!«

»Hmmm«, murmelte sie und bemühte sich, unbeteiligt zu klingen. Instinktiv hielt sie jedoch die Luft an, um nur ja kein Wort zu verpassen.

»Dass wir uns so gut verstehen, hätte ich nie gedacht! Ich meine … du hast mir schon damals in Nürnberg gut gefallen. Sonst hätte ich ja nicht – du weißt schon …«

»Hmmm«, murmelte sie erneut und lächelte dabei in sich hinein. Sollte er sich ruhig ein wenig mit den richtigen Worten abplagen. Das war das Mindeste, was sie verdient hatte. Sie schmiegte sich noch enger an ihn und streichelte dabei seinen Nacken, so wie er es gern hatte.

Helmut holte tief Luft. »Jedenfalls, was ich dir damit sagen will, ist, dass ich froh bin, dass alles so gekommen ist! Ich hätte nie gedacht, dass die Ehe so … eine feine Sache ist.« Er lachte leise auf. »Ist schon dumm, was man als junger Kerl denkt: Bist du erst einmal verheiratet, ist's aus mit dem schönen Leben! Aber das stimmt nicht, das weiß ich jetzt. Ganz im Gegenteil, du hast mein Leben noch viel schöner gemacht. Dein Lachen gibt jedem grauen Tag ein wenig Farbe, sogar der Vater hat erst gestern zu mir gesagt, dass deine fröhliche Art sehr erfrischend sei. So ein Lob aus seinem Mund …« Helmut klang verwundert.

Schmunzelnd drückte Hannah ihm einen Kuss auf die

Wange. »Nicht geschimpft ist auch schon gelobt – das sagt man euch Schwaben nicht umsonst nach.« Sie wollte sich wieder an seine Schulter kuscheln, um weiter diesen schönen – und seltenen – Worten zu lauschen, als Helmut ihren Kopf zu sich heranzog. Seine Lippen waren warm und schmeckten nach Apfel, und mit einem leisen Stöhnen gab sie sich seinen Liebkosungen hin. Im nächsten Moment lagen sie beide eng umschlungen da. Helmuts Pelzkappe fiel zu Boden. Hannah spürte, wie sich ihre Brustwarzen aufrichteten, eine Gänsehaut überzog ihren Körper, und ihre Haut prickelte vor Lust. Die anderen befanden sich in der Packstube, hier, im oberen Stockwerk, waren sie beide allein …

Hastig begann Hannah, ihre Bluse aufzuknöpfen.

Helmut stieß einen leisen Fluch aus, begann sich jedoch sanft aus ihrer Umklammerung zu lösen. Hannah stöhnte unwillig.

»Ach Hannah, du bringst mich noch um den Verstand! Nicht, dass ich etwas dagegen hätte. Was gäbe ich darum, jetzt hier mit dir …«, murmelte er mit ehrlichem Bedauern in der Stimme. »Aber leider ist dafür jetzt keine Zeit.«

Abrupt schwang er seine Beine auf den Boden, schnappte sich die Kappe, wischte den Staub ab und setzte sie wieder auf.

»Ich muss wirklich gehen.« Mit einer liebevollen Handbewegung hob Helmut Hannahs Kinn und gab ihr noch einen stürmischen Kuss. »Ich bring dir auch eine Überraschung mit. Und jetzt beeil dich, die andern fragen sich sicher schon längst, wo wir bleiben!«

Enttäuscht schaute Hannah ihm nach. Eine Überraschung vom Schuster? Oder von der nächsten Reise?

Versonnen blieb sie noch für ein Weilchen liegen, kuschelte sich in die warme Kuhle, die Helmuts Körper hinterlassen hatte. Ihr Mann.

So schön hatte er noch nie mit ihr gesprochen. So … innig!

Ach, wie würde sie ihn vermissen! Wie kalt würden die Nächte werden ohne seine Wärme. Wie leer würde ihr dieser Raum vorkommen.

Nachdenklich schaute sie sich in ihrem Schlafzimmer um.

Vor Helmuts Hochzeit hatte Tante Finchen hier gelebt. Sie wohnte nun in einem wesentlich kleineren Raum im unteren Stockwerk, was ihr scheinbar sehr gelegen kam. »Endlich muss ich nicht mehr die vielen Treppen steigen«, hatte sie gesagt.

Ein Ehebett, ein Schrank, ein Tischchen am Fenster, dazu zwei Stühle – mehr Möbel gab es nicht. Und auch sonst war alles ausgesprochen nüchtern: kein Bild, kein bunter Flickenteppich, keine verspielten Gardinen, sondern schwere Leinenvorhänge. Der Raum strahlte eine Kälte aus, die Hannah frösteln ließ. Die anderen Zimmer im Haus sahen ähnlich aus: Praktische, langlebige Möbel ohne jeglichen Zierrat bestimmten das Bild. Lediglich die gute Stube und Gottliebs Büro waren aufwändiger eingerichtet, Räume also, in denen die Familie Gäste empfing. Hier wie dort beeindruckten Wanduhren, Porzellanfiguren, silberne Brieföffner und schwere Brokatvorhänge die Besucher. Für sich selbst schienen die Kerners nicht viel zu benötigen. Dabei war doch genügend Geld vorhanden!

Während Helmut auf der Reise ist, werde ich unser Zimmer ein wenig hübscher machen, beschloss sie. Gleich nachher würde sie Wilhelmine fragen, wie sie an ein paar bunte Stoffe kam. Der Gedanke brachte ihre gute Laune zurück, und froheren Mutes rappelte sie sich auf.

Beim Verlassen des Zimmers fiel ihr Blick auf den angefangenen Brief, das offene Tintenfass, die eingetrocknete Feder. Mit schlechtem Gewissen räumte Hannah alles weg. Heute war auch dafür keine Zeit mehr, aber sobald Helmut unterwegs war, würde sie ihrer Mutter jede Woche schreiben!

Bis zum Abendessen war Helmut noch immer nicht zurück. Hannah vermutete, dass er und Valentin ihre »Besorgungen« in einem der Wirtshäuser fortsetzten. Also hätte er mich auch mitnehmen können, ärgerte sie sich stumm. Immerhin war es einer ihrer letzten gemeinsamen Abende! Spontan griff sie sich ihren Mantel.

»Ich bin auf einen Sprung bei Emma und Käthe!«, rief sie in Richtung Küche, wo Wilhelmine Brot aufschnitt. Bevor ihre Schwiegermutter etwas einzuwenden vermochte, war sie aus dem Haus. So konnte sie, Hannah, sich wenigstens von der Wirtin und ihrer Tochter verabschieden, die ebenfalls morgen abreisen wollten.

»Die Unterwäsche ganz zuunterst! Wie oft soll ich dir das noch sagen? Wenn du unterwegs die Tasche öffnest, muss doch nicht jeder sofort deine Unterhosen sehen, oder?« Kopfschüttelnd wandte sich Emma Steiner wieder ihrem eigenen Gepäck zu.

Käthe tat, wie ihr geheißen, schnitt aber im selben Moment eine Grimasse.

Hannah zwinkerte ihr zu. »Die paar Sachen sollen für sechs Wochen reichen?« Sie nickte in Richtung der beiden Leinentaschen, die auf dem Tisch standen. Ein paar Leibchen und Unterhosen, ein Nachtkleid, Seife und einen Kamm – mehr hatten die beiden Steiner-Frauen bisher nicht eingepackt.

Emma lachte auf. »Gegen ein, zwei Kleider zum Wechseln hätte ich auch nichts einzuwenden. Aber wir haben sowieso schon genug zu tragen, da muss die Eitelkeit zurückstehen.« Sie zeigte auf die beiden prall mit Samentüten gefüllten Zwerchsäcke, die an der Wand lehnten.

»Auf der Reise muss man auf so manches verzichten«, ergänzte Käthe mit vor Aufregung geröteten Wangen. »Ach, ich kann's kaum erwarten, dass es endlich losgeht!«

»Und wo geht die Reise hin?«, fragte Hannah gespannt. Käthes Vorfreude war regelrecht ansteckend. Irgendetwas Besonderes musste dem Samenhandel innewohnen – erst Helmuts feurige Worte über neue Welten und Möglichkeiten, und nun Emma und Käthe, die vor Reisefieber regelrecht glühten! Und ich muss hier bleiben, dachte Hannah geradezu trübselig. Dabei hatte sie vor wenigen Tagen Helmut gegenüber noch beteuert, wie froh sie war, ihre Reiseerfahrungen hinter sich gelassen zu haben.

»Ins Hohenlohische«, erwiderte Käthe mit Stolz in der Stimme. »Das ist ein guter Samenstrich, schon mein Vater – Gott hab ihn selig – hat dort früher gute Geschäfte gemacht.« Käthe rollte ein Schultertuch zu einer Wurst, mit der sie eine Seite ihrer Tasche auspolsterte. »Schwäbisch Hall ist eine wohlhabende Stadt. Das Salz, das ›weiße Gold‹, wie es auch genannt wird, hat die Menschen reich gemacht. Und davon profitieren wir. In der Gegend gibt es viele schöne Anwesen, große Häuser, in denen sich die feinen Herrschaften jeden Handgriff von ihren Bediensteten abnehmen lassen. Dort verkaufen wir! Und meist nicht nur ein, zwei Päckchen Samen, sondern gleich größere Mengen.«

Was fangen so reiche Haushalte mit Samen aus Gönningen an?, wollte Hannah fragen, doch Käthe sprach schon weiter:

»Am meisten freue ich mich auf den Besuch bei der Salzbaronin.« Sie seufzte tief auf.

Emma nickte zustimmend. »Dorothea von Graauw ist eine tolle Frau! Im Gegensatz zu anderen reichen Leuten lässt sie es sich nicht nehmen, jedes Mal persönlich mit uns zu verhandeln. Auch ihre Familie ist durch das Salz reich geworden. Die Graauws bauen das Salz bergmännisch ab, nach einer Methode, die Dorothea wohl als junge Frau eingeführt hat. Was bestimmt nicht leicht war, denn die Männer in Schwäbisch Hall haben sicher genauso gern das Sagen wie die Männer anderswo. Aber die Salzbaronin hat sich nie um Konventionen geschert, ist einfach ihren Weg gegangen, und mag er noch so steinig gewesen sein«, erzählte sie Hannah. »Und wenn du erst ihren Garten sehen würdest, ach was sage ich Garten, ein richtiger Park ist das!«

Hannah bemühte sich um eine euphorische Miene.

»Stell dir vor, die haben einen Teich angelegt, in dem Schwäne zu Hause sind. Und dann haben sie einen Rosengarten, in dem zwischen all der Blütenpracht riesige Statuen stehen. Halbnackte Frauenfiguren in wallenden Gewändern.« Käthe kicherte, bis ihre Mutter ihr einen Schubs versetzte.

»Halbnackte Frauen – lass das nicht Dorothea von Graauw hören! Das sind römische oder griechische Göttinnen, hat sie mir einmal erklärt.«

Hannah rutschte auf ihrem Stuhl hin und her. Einerseits faszinierten sie Emmas und Käthes Erzählungen. Ein Landhaus mit einem prächtigen Park, reiche Salzstädte, eine Salzbaronin – das alles konnte sie sich gar nicht vorstellen. Andererseits versetzte es ihr einen Stich, von diesen Dingen nur zu hören und sie nicht selbst zu Gesicht zu bekommen.

»Und wozu braucht jetzt eine reiche Frau wie diese Salzbaronin euren Gemüsesamen?« Jemand, der sich Marmorstatuen in den Garten stellte, hatte doch bestimmt genügend Geld, um sich sein Gemüse vom Bauern anliefern zu lassen, oder?

»Gemüsesamen – Gott behüte!« Emma und Käthe schüttelten den Kopf. »Damit haben wir nichts am Hut. Wir verkaufen nur Blumensamen. Stiefmütterchen mit hübschen Gesichtern, goldgelbe Sonnenblumen, Lobelien, die Hunderte von Blüten tragen – das ist unser Angebot. Ein Allerweltssortiment haben wir jedenfalls nicht!«

»Und wir verkaufen nicht nur, wir beraten auch«, fügte Käthe stolz hinzu. »Gerade in einem Rosengarten muss man die Blumen sorgfältig aussuchen. Stell dir nur vor, du hast eine

kräftig rote Rose und pflanzt zu ihren Füßen gelbe Studenten-
blumen – brrr! Das sähe einfach schrecklich aus!«

Hannah nickte, obwohl sie nicht erkennen konnte, was an
der Kombination Rot und Gelb so schrecklich sein sollte.

»Manche Rosen blühen nur wenige Wochen im Jahr, andere
den ganzen Sommer über. Im ersten Fall raten wir unseren
Kunden dazu, einjährige Blühpflanzen daneben zu setzen,
zarte Wicken oder Sonnenblumen zum Beispiel, so erfreut sich
das Auge den ganzen Sommer über an der Blütenpracht.«

»Ich sehe schon, ihr seid wahrhafte Kenner eures Fachs«,
seufzte Hannah mit leicht spöttischem Unterton. Du meine
Güte, das hörte sich ja nach einer halben Wissenschaft an!

»Eigentlich seid ihr Gönninger Frauen vom selben Schlag
wie diese Salzbaronin«, bemerkte sie mehr zu sich selbst.

Als sie die fragenden Blicke der beiden Frauen sah, führte sie
ihren Gedanken weiter aus.

»Ich meine, es ist doch ungewöhnlich, dass Frauen allein auf
die Reise gehen – nur in Gönningen nicht. Ihr geht also auch
euren Weg, und das kann man sogar wörtlich nehmen.«

Käthe schmunzelte. »Vielen Dank für das Kompliment, aber
eigentlich haben wir es gar nicht verdient. Kennst du den Spruch
›Besser fingerlang gehandelt als armlang geschafft‹?«

Hannah schüttelte den Kopf.

»Nun, das bedeutet, dass der Samenhandel für uns eine be-
quemere Möglichkeit ist, Geld zu verdienen, als das ganze Jahr
über im Stall und auf dem Acker zu schuften, so wie es die
Frauen in den umliegenden Dörfern tun. Und außerdem erlebt man als Samenhändlerin einfach mehr, als wenn man täglich nur Kühe melken und Käse machen würde. Jeden Tag
triffst du neue Leute, hörst Interessantes, kommst in Gegenden,
die ganz anders aussehen als unsere Schwäbische Alb.« Bei den
letzten Worten hatte Käthes Stimme wieder einen sehnsüch-
tigen Ton angenommen.

»Und da ist noch etwas«, fügte Emma hinzu. »Eine Frau, die ihr eigenes Geld verdient, kann sich aussuchen, wen sie heiratet. Sie muss nicht den Erstbesten nehmen, um versorgt zu sein.«

Aber was ist Schlechtes daran, versorgt zu sein?, wollte Hannah fragen. Stattdessen sagte sie: »Wie kommt es dann, dass manche Frauen – zum Beispiel Seraphine – nicht auf die Reise gehen?«

»Nun, man muss schon das Zeug dazu haben«, sagte Emma mit einer Spur von Hochmut. »Wer auf die Reise geht, muss aus einem besonderen Holz geschnitzt sein – ganz gleich, ob Mann oder Frau. Für Tagträumereien ist da weiß Gott kein Platz!«

Hannah nickte. Seraphine, die Tagträumerin. Diesen Eindruck hatte das Mädchen auf sie auch gemacht.

»Ich muss jetzt gehen!« Sie hob ihr Tuch vom Stuhl und begann, es sich um den Kopf zu wickeln. Sie umarmte zuerst Käthe, dann Emma und wünschte beiden eine sichere Reise. Schon halb im Türrahmen hielt sie nochmals inne.

»Eine Frage habe ich noch: Wieso reist ihr erst jetzt los? Ich meine, den Herbst über seid ihr doch in Gönningen gewesen. Helmut und Valentin hingegen haben im Herbst ihre Kunden besucht, Bestellungen aufgenommen und liefern diese nun aus.«

Emma und Käthe schauten sich an.

»Wir zwei halten das anders, aber damit sind wir die Einzigen in ganz Gönningen«, sagte Emma nach kurzer Pause. »Wir reisen nicht so viel in der Welt herum. Wir schreiben unsere Kunden im Herbst an, fragen nach ihren Wünschen und bitten um deren schriftliche Bestellung. Und die liefern wir nun aus. Schließlich wollen wir den persönlichen Kontakt wahren. Zudem haben wir auch immer etwas mehr dabei als das, was auf den Bestellzetteln steht. Beim Bestellen sind die Leute manchmal etwas … sparsam.«

»Und es kommt noch etwas anderes hinzu: Wenn du als Gönninger einmal auf der Reise warst, kannst du gar nicht mehr anders, als im nächsten Jahr abermals loszuziehen«, ergänzte Käthe.

»Bestellungen schriftlich annehmen – das ist ja ein toller Plan«, platzte Hannah heraus. »So erspart ihr euch eine ganze langwierige Reise! Ich frage mich, warum die Kerners das nicht auch so halten.«

»Die Kerners? Die wären die Letzten, die ihre alten Wege verlassen würden! Das wirst du auch noch merken …« Emma tätschelte ihr ein letztes Mal die Wange. »»Das haben wir schon immer so gemacht!«, sagte sie in einem nachäffenden Ton. »Diesen Satz wirst du zukünftig noch oft hören …«

17

Ein paar Tage später war Gönningen verwaist. Ein Geisterdorf!, dachte Hannah bei sich, während sie nach ihren Einkäufen bei Almuth auf das Kernersche Haus zuschlenderte. Schnee hing wie Rauch in der Luft, und sie fragte sich, wie es wohl Helmut und Valentin auf der Reise erging. Ob die beiden nachts auch immer ein ordentliches Dach über dem Kopf hatten?

Almuths Laden war einer der wenigen, die noch geöffnet hatten. Von dem guten Dutzend Wirtschaften waren bis auf zwei alle geschlossen – manche hatten sogar ihre Fenster verrammelt, aus Angst, der Nachtwächter könnte einen Einbrecher übersehen. Auch an den meisten verlassenen Wohnhäusern waren die Fensterläden Tag und Nacht geschlossen. Der Schuster, bei dem Helmut vor wenigen Tagen noch seine Stiefel abgeholt hatte, hatte ebenso zu wie zwei der Bäcker – alle waren auf der Reise. Nun herrschte kein geschäftiges Treiben mehr auf den Straßen und in den Gassen, einzig alte Leute und Schulkinder waren unterwegs. Nun, da die Eltern weg waren, hatten sie alle Zeit der Welt, die Schule zu erreichen. Wie viel schöner war es, Schneebälle zu werfen, mit den Stiefeln im Schneematsch zu panschen, sich gegenseitig zu ärgern oder bei Almuth im Laden Süßigkeiten zu erbetteln! Einmal war Hannah dabei, als Almuth sich tatsächlich erbarmte und jedem Racker ein Zuckerle in die Hand gab.

»Sie tun mir halt ein bisschen Leid«, hatte sie danach in fast entschuldigendem Ton zu Hannah und Wilhelmine gesagt. »Es ist nicht leicht, die Eltern immer wieder ziehen zu sehen und nicht zu wissen, ob sie je wiederkommen.«

»Papperlapapp!«, antwortete Wilhelmine unwirsch. »Widerspenstige, ungezogene Bengel sind das, allesamt! Und du belohnst sie noch dafür!«

Hannah, der es nicht passte, dass Almuth für ihre Großzügigkeit Schelte einstecken musste, sagte: »Es ist doch kein Wunder, dass die Kinder ungezogen sind. Um die Kleinen kümmert sich kein Mensch!«

Schon ganz kleine Kinder von zwei, drei Jahren stolperten auf ihren kurzen Beinchen durch die Gassen, nachlässig beaufsichtigt von älteren Geschwistern, manchmal auch von niemandem. Die Wasser der nahen Wiesaz, ein Sturz in einen der Brunnen, ein vorbeipreschendes Gefährt – wie konnte eine Mutter ihr Kleines all diesen Gefahren preisgeben?, fragte sich Hannah. Sogar Säuglinge wurden von ihren Müttern bei älteren Verwandten in Pflege gegeben, manche waren gerade einmal ein halbes Jahr alt! Käthe hatte Hannah erzählt, dass es durchaus üblich war, die Kinder vor dem Abreisetermin im Januar oder im Oktober abzustillen, um sie in die Obhut Fremder geben zu können. Darauf würde sie sich nie einlassen!, schwor sich Hannah.

Nach Hannahs kritischer Bemerkung war es zum ersten richtigen Streit zwischen ihrer Schwiegermutter und ihr gekommen. Ausgerechnet in Almuths Laden, so dass binnen weniger

Stunden alle Daheimgebliebenen davon wissen würden! Natürlich würde man sich um die Kinder kümmern!, fuhr Wilhelmine die Schwiegertochter an. Wenn die Eltern nicht da waren, gab es immer noch die Großeltern oder andere ältere Verwandte. Ob Hannah etwa behaupten wolle, deren Fürsorge tauge nichts?

Hannah hatte sich eine Antwort verkniffen. Den Heimweg legten die beiden Frauen in eisigem Schweigen zurück.

Kinder liefen in Gönningen einfach mit, um sie wurde nicht viel Federlesens gemacht, das hatte Hannah tatsächlich schon bald erkannt. Andererseits hatte Helmut ihr erzählt, dass in der Gönninger Schule sogar Englisch und Französisch unterrichtet wurde und dass die Lehrer allgemein großen Wert auf Bildung legten – wie passte das zusammen?

Helmut hatte Hannah zwar vorgewarnt, aber nie hätte sie sich Gönningens Wandel von einem lebhaften Dorf zu diesem Geisterort vorstellen können!

Auch im Hause Kerner war es still geworden: Mutter Wilhelmine, Tante Finchen und Hannah waren die einzigen Bewohner des großen Hauses. Kein brüderliches Gezeter am Abendbrottisch, auch Gottliebs »Predigten«, wie Hannah die stets wortgewaltigen und mit viel Nachdruck geführten Reden ihres Schwiegervaters heimlich nannte, fehlten. Entgegen seiner Ankündigung bei Helmuts Hochzeit war Gottlieb Kerner nämlich doch in Richtung Elsass aufgebrochen, um seine Bestellungen auszuliefern. »Bei wem soll ich für meine Kandidatur als Gemeinderat werben?«, hatte er gesagt. »Die meisten Männer sind doch unterwegs. Und was das Organisatorische angeht, ist längst alles geregelt!«

Hannah vermisste Helmut zu jeder Stunde: seine frechen Neckereien, wenn andere um sie herum waren, seine Zärtlichkeiten, wenn sie allein waren, seinen warmen Rücken im Bett –

sie wunderte sich selbst, wie sehr er ihr fehlte. Abends drückte sie ihr Gesicht in sein Kissen, in dem sein Geruch von Tag zu Tag schwächer wurde. Alle zwei, drei Wochen kam ein Brief von ihm, doch meistens schrieb Helmut Geschäftliches, nannte Namen von Kunden, mit denen Hannah nichts anfangen konnte, erzählte von Ortschaften, von denen sie nicht einmal wusste, wo sie lagen.

Wenn wenigstens Emma und Käthe da gewesen wären! Oder Annchen, die nette junge Frau, die sie auf ihrer Hochzeit kennen gelernt hatte. Ein Besuch am Nachmittag hätte Hannahs Alltag ein wenig aufgelockert. Doch Annchen reiste zum ersten Mal mit ihrem Mann und war deswegen noch aufgeregter gewesen als Emma und Käthe zusammen.

So blieben nur Wilhelmine und Tante Finchen als Gesellschaft. Und das ungeborene Kind.

Um nicht vor Langeweile zu sterben, tat Hannah, was sie ihr Leben lang getan hatte: Sie arbeitete. Ohne dass Wilhelmine sie hätte fragen müssen, bot Hannah an, die Wäsche zu übernehmen. Einmal pro Woche schleppte sie die schmutzigen Kleidungsstücke, Geschirrtücher und Laken in eines der fünf Waschhäuser und machte sich ans Werk. Gleichgesinnte traf sie dabei nur wenig – die meisten jungen Frauen waren unterwegs. Es waren vor allem alte Frauen, die ächzend und mit buckligem Kreuz die schwere Arbeit verrichteten. Hannah konnte sich nur schlecht mit ihnen unterhalten – noch immer verstand sie den schwäbischen Dialekt kaum. Trotzdem mochte Hannah den Waschtag, denn zwischen Wurzelbürste und Waschbrett vergingen die Stunden schneller als anderswo.

Gleich in der ersten Woche nach Helmuts Abreise nahm sie sich auch die Packstube vor: Sie kochte Seifenwasser und begann, alles von oben bis unten zu schrubben. Wilhelmine, der der Arbeitseifer ihrer Schwiegertochter ein wenig unheimlich war, gab ein paar lobende Worte von sich, bot aber nicht ihre

Mithilfe an. Was Hausarbeit anging, wurde bei den Kerners zwar das Nötigste erledigt, aber keiner schien besonderen Wert auf blank gewienerte Böden und staubfreie Oberflächen zu legen. Viel wichtiger war doch, dass stets genügend Sämereien auf Lager waren und dass in der Packstube allgemein Ordnung herrschte. Ob man dort gleichzeitig vom Fußboden essen konnte – danach fragte niemand. Ganz im Gegensatz zu Hannahs Mutter, die jeden Morgen die Wirtsstube von vorn bis hinten geschrubbt hatte. Also machte sich Hannah allein ans Werk.

Zuerst nahm sie sich den riesigen Schrank vor, der die ganze Längsseite des Raumes einnahm. Sein unterer Teil bestand aus unzähligen Schubladen, von denen jede einzelne mit einem Griff aus Messing zu öffnen war. Hier lagerten die verschiedenen Samensorten und in einem besonders großen Fach auch die kleinen Papiertüten, in die das Saatgut für die Kunden abgefüllt wurde. Der Vorrat war nach der letzten Packerei ziemlich zusammengeschmolzen, stellte Hannah fest. Wenn sie es vor Langeweile gar nicht mehr aushielt, würde sie sich daran machen können, Papiertüten zu falten …

Der obere Teil des Schrankes bestand aus offenen Regalen, in denen Karteikästen standen – Namen und Adressen von Kunden, Bestellungen und Rechnungen der Samenlieferanten. Fein säuberlich auf einer hölzernen Leiste aufgereiht, hingen hier auch die unterschiedlich großen Löffel, mit denen die einzelnen Samensorten abgefüllt wurden. Auch zwei seltsam anmutende Waagen gab es – deren Benutzung war Hannah immer noch schleierhaft. An der Wand war eine zweite Leiste angebracht, in der verschiedene Stempel hingen. Damit wurden Bezeichnungen wie »Frühlingszwiebeln, Aussaat Juli-August«, oder »Kohlrabi« auf die einzelnen Papiertüten gedruckt, eine Arbeit, die Hannah besonders viel Spaß machte.

In einer speziellen Schublade, die verschlossen war, lagerte laut Helmut das »Heiligtum« des Betriebs: ein kleines Büchlein mit Namen und Adressen von geschätzten, zuverlässigen Samenlieferanten. Es sei von größter Wichtigkeit, gute Samenzüchter als Partner zu haben, hatte er ihr erklärt. »Wir sind zwar nicht gerade arm, aber wir sind nicht reich genug, um billig einkaufen zu können«, fügte er noch hinzu und erklärte einer verwunderten Hannah, dass sie es sich nicht leisten konnten, ihre Kunden mit minderem Samen zu verärgern. So würde man Kundschaft schnell verlieren! Eine Hausfrau, die hinter dem Haus einen Acker zu bestellen hatte, vermochte die Qualität des ihr angebotenen Samens nicht zu überprüfen. Sie konnte nur entscheiden, ob der Samenhändler ihr vertrauenswürdig vorkam oder nicht. Die Kerners waren vertrauenswürdig, ihre Samen besonders keimfähig. Allerdings wurden auch fast alle Sorten vor dem Verkauf auf ihre Keimfähigkeit geprüft, erfuhr Hannah. Dazu wurde eine bestimmte Anzahl Samen in feuchte Glasschalen gesetzt, und nach einer gewissen Zeit konnte man dann erkennen, wie viele der Samen tatsächlich zu keimen begonnen hatten. Dank dieser Kontrollen käme es nur sehr selten einmal zu einer Beschwerde, hatte Helmut mit stolzgeschwellter Brust berichtet. Außer den Ulmer Gärtnern waren in dem Büchlein auch Samenlieferanten aus Frankreich, Mitteldeutschland, Dänemark und Italien verzeichnet. Manche Namen wie »Sementi Sgaravatti« oder »Carmine Faraone Menella« waren so abenteuerlich, dass Hannah Mühe hatte, sie zu lesen. Auch holländische Adressen hatte Hannah gefunden, als sie in Helmuts Anwesenheit einen Blick ins »Heiligtum« hatte werfen dürfen. Von den Holländern bezogen sie die Blumenzwiebeln, hatte Helmut ihr erklärt.

Holland, Blumenzwiebeln … wie fremd, wie aufregend! Hannah atmete so tief ein, dass sie niesen musste. Der Geruch der Gemüsesamen – erdig, ein wenig bitter, wie nach wilden Kräutern – kitzelte in ihrer Nase.

Nachdem Schrank und Boden vor Sauberkeit strotzten,

gönnte sie sich eine Pause. Wenn doch Wilhelmine mit einer Tasse Tee kommen würde, dachte sie und warf einen ärgerlichen Blick in Richtung Tür. Dann ergriff sie den Samenkatalog, der neben den Stempeln lag, und machte es sich am langen Packtisch bequem.

Eine Zeit lang blätterte sie nur hin und her. Das war doch verrückt! Da hatte sie Jahre in der elterlichen Küche mit dem Putzen und Schnipseln von gelben Rüben verbracht, ohne zu wissen, wie viele Arten es davon gab. »Möhren lang rot«, »Möhren halblang hellrot«, »Möhren rot, stumpf, ohne Herz« – ohne *Herz*? Wie konnten die Kunden diese vielen verschiedenen Möhrensorten nur auseinander halten? Und wie gelang das Helmut und Valentin?

Hannah blätterte weiter. Auf die Möhren folgten Petersilie, Sellerie, rote Rüben und Kopfsalat, von dem es wieder unzählige Sorten gab. Dann Kohlrabi, Erbsen und vieles andere für den Kochtopf. Nach Stiefmütterchen mit lieblichen Gesichtern, wie Emma sie beschrieben hatte, suchte Hannah in dem Katalog vergeblich. Ob das Kernersche Angebot ein »Allerweltssortiment« war, von dem Emma so abfällig gesprochen hatte?

Eigentlich hatte Hannah sich vorgenommen, bis zu Helmuts Heimkehr zumindest einen Teil der angebotenen Samensorten auswendig zu lernen. Aber wie sollte sie allein die Möhren auseinander halten? Wo es noch nicht einmal Abbildungen dazu gab! Wenn sie wenigstens ansprechende Namen hätten, Namen, die man sich merken konnte – aber »Möhre lang« und »Möhre mittellang«?

Mutlos klappte Hannah den Katalog wieder zu und nahm Lappen und Putzeimer auf.

Ich muss noch viel lernen, dachte sie, während sie mit kräftigen Bewegungen die Oberfläche des Packtisches bearbeitete. Aber dafür ist ja auch genügend Zeit …

18

Die nächsten Wochen vergingen in einem eintönigen Gleichklang. Nach dem Morgenmahl setzte sich Wilhelmine mit ihrer Bibel oder einer Strickarbeit ans Küchenfenster. Dort verbrachte sie die Zeit bis zum Mittagessen aber vor allem damit, auf die Straße zu schauen und zu jedem, der vorüberging, einen Kommentar abzugeben. Nach wenigen Tagen kannte Hannah, die sich meist ebenfalls in der Küche aufhielt, weil dies der wärmste Ort des Hauses war, die Gewohnheiten der zu Hause gebliebenen Gönninger in- und auswendig: Die dicke Marianne von nebenan tat nur so, als würde sie die Straße kehren, in Wirklichkeit nutzte sie jede Gelegenheit zu einem Schwätzchen. Die Apothekersgattin ging drei Mal am Tag zu Almuth in den Laden – jedes Mal, wenn sie am Kernerschen Haus vorüberging, fragte sich Wilhelmine laut, was die Frau wohl bei Almuth wollte. Um die Mittagszeit, wenn die Schule zu Ende war, wurde es kurzzeitig laut in den Gassen. Dann verschwand Wilhelmine von ihrem Aussichtsplatz, mürrisch vor sich hin murmelnd. Hannah fragte sich jedes Mal, ob sie einem weiteren Streit über die Kinder aus dem Weg gehen wollte. Dabei wäre ihr selbst durchaus ein wenig nach Streiten zumute gewesen! Es hätte zumindest vorübergehend die Langeweile vertrieben … Andererseits wollte sie es sich natürlich nicht mit der Schwiegermutter verscherzen.

Weil das Putzen und Waschen allein sie nicht auslastete, übernahm Hannah auch noch das Kochen: herzhafte, einfache Speisen, wie ihre Mutter sie in der Wirtsstube servierte. Manchmal, wenn Hannah in zwei oder drei Töpfen gleichzeitig rührte, konnte sie sich für einen seligen Moment vorstellen, wieder in Nürnberg zu sein. Bei der Mutter, die bei allen Arbeiten stets vor sich hin sang. Sie vermisste ihre Mutter mindestens so sehr, wie sie Helmut vermisste. »Da bin ich nun eine

Ehefrau und habe doch keinen Mann um mich«, schrieb sie in einem ihrer zahlreichen Briefe.

Nachmittags verließ Wilhelmine mit ihrer Bibel das Haus, um an einem der Bibelkreise teilzunehmen. Aus lauter Langeweile hatte Hannah sie einmal begleitet. Es war das erste und das letzte Mal, schwor sie sich. Nachdem man gemeinsam eine nicht enden wollende Passage gelesen hatte, wurde gesungen – vom Alter brüchig gewordene Frauenstimmen, jede bemüht, nicht allzu laut zu werden, ohne jegliche Höhen und Tiefen. Manchmal besuchte Wilhelmine auch alte Leute, die bettlägerig waren oder so schlecht zu Fuß, dass sie nicht mehr aus dem Haus kamen. »Ich sitze heute bei der Paula«, sagte sie dann. Das »Sitzen« war wörtlich zu nehmen, hatte Hannah festgestellt: Wilhelmine leistete Gesellschaft – geredet wurde dabei nicht viel. Scheinbar reichte den Alten die Anwesenheit eines Menschen, um die Eintönigkeit ihres Alltags zu unterbrechen.

An manchen Nachmittagen schlich sich auch Tante Finchen davon, aber erst, nachdem Wilhelmine fort war. Im Gegensatz zu Wilhelmine fragte sie Hannah nicht, ob sie mitkommen wolle. Hannah hätte auch stets dankend abgewinkt. Aber eines Tages war sie stutzig geworden: Warum kam Finchen abends mit geröteten Wangen, bester Laune und einer leichten Alkoholfahne zurück? Und warum sah Wilhelmine ihre Schwester nach jedem dieser Ausflüge so missmutig an? Eine Bibelstunde musste sie doch gutheißen.

»Weißt du was, Tante Finchen, heute komme ich mit!«, hatte Hannah deshalb eines Tages gesagt und die alte Frau untergehakt, bevor diese etwas hätte einwenden können. Sie waren im »Storchen« gelandet, einem der zwei Gasthäuser, die geöffnet hatten. Dort war Hannah auf eine recht illustre Runde gestoßen: Die Frau des Apothekers, die Frau des Bürgermeisters und eine Hand voll alter Damen saßen bei Likör und Branntwein an dem Tisch, der zu anderen Jahreszeiten der Stammtisch der

Männer war! Bedient wurden sie von der Frau des Wirts – er selbst war ebenfalls auf der Reise. Es wurde getratscht und gekichert, und Hannah fand schnell Gefallen an dieser Runde, auch wenn die anderen Frauen erheblich älter waren als sie. Frauen, die ins Wirtshaus gingen, das hatte es in Nürnberg nicht gegeben! Und auch auf ihrer Reise nach Gönningen war sie in den Übernachtungsquartieren meist die einzige Frau in einem Wirtshaus gewesen.

»Wilhelmine glaubt, ich mache Krankenbesuche«, hatte Finchen Hannah kichernd gebeichtet. Und Hannah versprach dichtzuhalten, obwohl sie sich ziemlich sicher war, dass ihre Schwiegermutter die Sache längst durchschaute.

Seraphine ließ sich nur selten blicken. Hannah hatte angenommen, dass sie nach ihrer Verlobung mit Valentin ständiger Gast im Hause Kerner sein würde – immerhin musste eine weitere Hochzeit sowie ihr Einzug ins Haus geplant werden! Doch ihre Besuche blieben sporadisch. Wenn sie kam, unterbrach Wilhelmine sofort ihre jeweiligen Tätigkeiten, tischte Kaffee und manchmal sogar Kuchen auf und verzog sich mit ihrer zukünftigen Schwiegertochter in die gute Stube. Mit gezücktem Stift und Block erörterte sie dann mit Seraphine so wichtige Fragen wie die nach dem Blumenschmuck in der Kirche. Hannah wurde zu diesen Kaffeekränzchen nicht ausdrücklich eingeladen, setzte sich dennoch dazu, obwohl sie sich in Seraphines Gegenwart immer noch unwohl fühlte. Es wäre falsch, der zukünftigen Schwägerin aus dem Weg zu gehen, sagte sie sich. Je eher sie beide den unseligen Beginn ihrer Bekanntschaft vergaßen, desto besser war es. Doch die Treffen gestalteten sich zäh. Seraphine war schweigsam und zeigte wenig Interesse an Wilhelmines Hochzeitsvorbereitungen. Wenn Hannah es wagte, eine Idee vorzubringen oder auch nur eine von Wilhelmines Ideen zu kommentieren, bekam sie von Seraphine feindselige Blicke zugeworfen. Von Seraphine selbst kam nichts.

»Ich weiß nicht, was mit dem Mädchen los ist«, sagte Wilhelmine eines Tages irritiert. »Da versuche ich, alles so schön wie möglich zu gestalten, und sie zieht eine Miene wie sieben Tage Regenwetter! Ein bisschen undankbar ist das schon …«

Ob Seraphines Interesselosigkeit mit dem Bräutigam zusammenhing?, fragte sich Hannah argwöhnisch. War sie doch noch in Helmut verliebt? Den Gedanken schob sie so schnell wie möglich von sich – viel lieber wollte sie glauben, dass Seraphine eine schüchterne junge Frau war, die einfach nur Mühe hatte, sich in der neuen Situation zurechtzufinden. Einerseits drängte es Hannah, Seraphine dabei zu helfen – schließlich fühlte sie sich ihr gegenüber irgendwie schuldig. Andererseits spürte sie, dass Seraphine ihre Hilfe ablehnen würde. So unterließ sie alle weiteren Annäherungsversuche, obwohl sie sich sehr nach einer Freundin, einer Vertrauten sehnte. Aber ob Seraphine diese Rolle jemals würde einnehmen können, bezweifelte Hannah.

Mit jeder eintönigen Woche, die verging, freute sich Hannah mehr auf ihr Kind. Wenn der Junge – sie war überzeugt davon, dass sie einen Jungen zur Welt bringen würde – erst einmal da war, hatte sie bestimmt keine Langeweile mehr!

Mit jeder Woche, die verging, verzog sich auch der Winter ein Stückchen mehr. Hannah, die in ihrem engen Nürnberger Viertel vom Wechsel der Jahreszeiten nie viel mitbekommen hatte, kam aus dem Staunen nicht mehr heraus: Mitte Februar war das Land noch unter einer dicken Schneedecke begraben gewesen, das Auge ermüdet durch den ewig gleichen Kontrast zwischen Schwarz und Weiß. Doch Anfang März, nach wenigen warmen Tagen, sah das Land schon aus wie eine löchrig gewordene Decke: Hie und da lugte mattes Gras hervor, die Schneeflecken schmolzen zu immer kleineren Flächen zusammen. Trotz aller Mühe, die die Sonne noch dabei hatte, in die

Höhe zu klettern, wärmte sie doch schon die Luft und verlieh ihr einen Hauch Verheißung. Wie von Zauberhand zeigten sich auf den Obstbaumwiesen Abertausende von winzigen blauen Blümchen. Noch trieben die Apfel- und Birnbäume nicht aus, aber wenn man sie sich genauer anschaute, glaubte man den frischen Saft zu spüren, der durch ihre Adern floss. Hie und da zeigten sich die ersten Krokusse, und auch ein paar vorwitzige Osterglocken und Tulpen lugten schon zwischen dem alten, verfilzten Gras hervor. Jede Blüte erschien Hannah in diesem Frühjahr wie ein Wunder. Wie konnte es möglich sein, dass aus den verschrumpelten Zwiebeln, die sie in der Kernerschen Packstube gesehen hatte, solche Schönheiten wuchsen?

Morgens wurde Hannah nun vom werbenden Gesang der Drosseln, Meisen und Finken geweckt. Und schließlich feierte sich der Frühling selbst: Die Forsythien blühten und verwandelten ganze Gärten in ein gelbes Feuer, die Luft roch süß nach jungem Gras und wilden Blumen. Hannah wurde immer unruhiger. Endlich, endlich war es so weit: Ostern war nicht mehr fern, und Helmut würde nach Hause kommen.

Am Karfreitag klopfte es an der Tür.

Hannah, die jede Stunde mit Helmuts Rückkehr rechnete, sprang so hastig von ihrem Platz auf der Küchenbank auf, dass ihr schwindlig wurde.

In der Tür stieß sie fast mit Adolf Rausch zusammen.

Hannah stieß einen kleinen Schrei aus. Was …

Der Dorfbüttel starrte auf ihren Bauch, nahm dann verlegen die Kappe vom Kopf.

»Ist Valentin noch nicht zurück?«

Hannah schüttelte den Kopf. Ihr war, als würde die Angst ihr die Luft nehmen, und sie konnte keinen klaren Gedanken fassen.

»Ist … etwas … passiert?«

»Ja, nein, das heißt –«

Hannah packte den Büttel an den Schultern. »Guter Mann, so rede doch!«

Ärgerlich entwand sich Adolf ihrer Umklammerung. »Noch ein hysterisches Weib, das hat mir gerade gefehlt!« Er schnipste sich einen unsichtbaren Fussel von der Uniform, dann sagte er: »Ich muss zur Familie Schwarz. Friedhelm … seine Leiche wurde gefunden. Und das letzte Mal … die Else, nun ja, mit ihrem Geheule macht sie die Sache nur noch schlimmer. Also, ich dachte, es wäre vielleicht besser, wenn Valentin dabei wäre. Als Seraphines Verlobter und als männliche Stütze sozusagen. Aber nun muss es auch so gehen.« Er wandte sich ab. Hannah bekam ihn gerade noch am Ärmel zu fassen.

»Seraphines Vater ist gefunden worden? Wo denn und von wem?«

Adolf Rausch schüttelte den Kopf. »Eine verrückte Geschichte, gewiss!« Er trat einen Schritt näher, als wolle er sichergehen, dass seine Neuigkeiten nicht in falsche Ohren gerieten. Dabei war ihm anzusehen, dass er vor Mitteilungsdrang fast platzte.

»Er lag nur ein paar Meilen von dem Dorf entfernt, in dem er zuletzt gesehen wurde, in der Erde verbuddelt wie ein toter Hund!«

Hannah verzog das Gesicht. Hoffentlich wählte der Büttel andere Worte, wenn er der Witwe und der Tochter des Toten die Nachricht überbrachte …

»Nur einen Steinwurf von der Straße weg. Und just an dieser Stelle – also, man glaubt es kaum – wuchsen dieses Jahr zum ersten Mal Osterglocken.« Adolf Rausch warf Hannah einen Beifall heischenden Blick zu.

»Osterglocken«, wiederholte sie stirnrunzelnd. Wovon sprach der Mann?

»Ja, Osterglocken! Das hat meine Schweizer Kollegen, die

zufällig dort vorüberkamen, auch stutzig gemacht. Wie kommen die Osterglocken hierher?, haben sie sich gefragt.«

»Ja, und wie kamen sie dorthin?«, zischte Hannah. Der Mann hätte mit seinem schauspielerischen Talent auf eine Bühne gehört!

Adolf Rausch winkte Hannah noch näher zu sich heran. Dann flüsterte er: »Friedhelm hatte die Blumenzwiebeln in seiner Hosentasche. Gott weiß, warum.«

»In seiner …« Das bedeutete, dass die Blumen direkt von der Leiche … Hannah schlug eine Hand vor den Mund. »Das ist ja furchtbar!«

Rausch nickte wohlwollend – endlich schien das Weib die Tragik der Angelegenheit zu erfassen.

Einen Moment lang schwiegen beide, in Gedanken in der Schweiz, wo eine Hand voll Blumenzwiebeln zur Aufklärung eines Verbrechens beigetragen hatte. Dann holte Hannah tief Luft.

»Ich komme mit!«

Sie nahm ihren Schal vom Garderobenhaken und legte ihn sich um.

»Seraphine braucht jetzt jemanden, der ihr beisteht.«

Verstohlen lauschte Hannah dem Läuten der Kirchenglocken. Schon so spät! Eigentlich sollte sie längst zu Hause sein, um Wilhelmine und Tante Finchen beim Herrichten des Abendbrots zur Hand zu gehen. Was mache ich hier eigentlich?, fragte sie sich stumm und ärgerte sich gleichzeitig über ihre Zögerlichkeit. Längst hätte sie aufstehen und gehen sollen!

Seit ihrer Ankunft hatte Seraphine kein Wort gesprochen. Stumm, ohne jegliche Regung hatte sie Adolf Rauschs Eröffnung gelauscht. Ganz im Gegensatz zu ihrer Mutter, die weinend zusammengebrochen war. Es war Hannah gewesen, die der Frau eine Tasse Tee gekocht und sie anschließend ins Bett gebracht hatte. Gelegentlich drang nun aus dem angrenzenden Raum ein Schluchzen zu ihnen herüber, an dem sich Seraphine nicht zu stören schien.

Endlich schaute Seraphine auf. »Mein Vater hat mich geliebt.« Zwei silberne Tränen glitzerten in ihren Augenwinkeln. Sie warf den Kopf nach hinten, und die Tränen hinterließen eine feuchte Spur auf ihren Wangen. Die Haare, nur lose zu einem Zopf geflochten, umspielten Seraphines feine Gesichtszüge.

Wie schön sie ist, fuhr es Hannah durch den Kopf. Unwillkürlich wanderte ihr Blick hinab zu ihren eigenen rauen Händen, zu ihrem Bauch, ihrer schmucklosen Kittelschürze. Neben Seraphine fühlte sie sich wie ein hässlicher Trampel!

Warum bin ich überhaupt hergekommen?, fragte sie sich abermals. Wie konnte ich mir einbilden, Seraphine in ihrer Not helfen zu können? Wollte ich nicht nur mein eigenes schlechtes Gewissen beruhigen, indem ich ihr etwas Gutes tue?

Seraphine begann ihren Zopf zu lösen. Sorgfältig kämmte sie Strähne für Strähne mit ihren Fingern durch. »Weißt du, dass die Feen kleine Kinder stehlen?«

Hannah zuckte zusammen. Unbewusst legte sie eine Hand auf die Wölbung ihres Bauches. Wollte Seraphine ihr Angst machen?

Seraphine nickte wissend. »Doch, das tun sie. Mein Vater hat deshalb viele Jahre eine Schere über meinem Bettchen hängen lassen – ein altes Abwehrmittel gegen die Feen.« Sie seufzte. »Er hatte Angst, dass sie mich wieder abholen. Dabei wäre es mir recht gewesen, wenn sie mich geraubt hätten. Ich bin nämlich nur durch einen Irrtum hier, weißt du?«

Hannah runzelte die Stirn. Ein leichter Schauer lief über ihren Rücken. Das Mädchen war verrückt! Anders konnte man ihr Verhalten doch wohl nicht erklären. Wie hatte Helmut jemals etwas mit einem so sonderbaren Ding anfangen können? Seraphine schien wie ein Schmetterling in einen Kokon gesponnen zu sein – merkte sie überhaupt, dass Hannah anwesend war?

Versonnen fuhr Seraphine fort: »Die Sternenfee hat mich hierher gebracht. Aber sie hat nicht genau hingeschaut, als sie mich in diese Hütte legte. Ich gehöre hier nicht hin. Ich gehöre …«

Ich, ich, ich – etwas anderes bekam man von Seraphine nicht zu hören! Unruhig rutschte Hannah auf ihrem glatten Stuhl nach vorn. Sie hatte genug von diesen Feengeschichten. Irgendwie machte Seraphine ihr Angst.

»Warum bist du eigentlich nicht mit deinem Vater auf die Reise gegangen?«, fragte sie in einem aggressiven Tonfall. Womöglich wäre Friedhelm Schwarz dann noch am Leben, schob sie stumm und mit bedeutungsvollem Blick hinterher … Das würde der Jungen ihr Geschwätz von Elfen und Feen schon austreiben!

Seraphine schaute sie entsetzt an. »Auf die Reise? Ich? Ich musste doch mein Brautkleid nähen …«

Hannah zuckte resigniert die Schultern. Die Welt schien sich wirklich nur um Seraphine zu drehen!

Inzwischen war Seraphine aufgesprungen. »Mein Hochzeitskleid – willst du es sehen?«

Um Himmels willen, alles, nur das nicht! Hannah stand so hastig auf, dass ihr Stuhl einen Satz nach hinten machte.

»Ich muss los. Bestimmt macht sich Wilhelmine schon Sorgen. Sie weiß nicht, dass ich hier bin …«

Seraphine lachte auf. Dünn, humorlos. »Du hast Angst, du armes, dickes Schäfchen.« Sie ging zur Tür, verstellte Hannah den Weg.

»Eines sollst du noch wissen: Helmut und ich – wir gehören zusammen. Du trägst sein Kind, du trägst seinen Namen, aber das besagt gar nichts. Unsere Liebe … sie ist etwas Einmaliges. Selbst wenn ich wollte, könnte ich sie dir nicht erklären. Helmut geht es ebenso. Deine Angst ist also unbegründet. Du kannst Helmut nicht verlieren, weil du ihn gar nicht besitzt. Ihn niemals besitzen wirst, verstehst du?« Sie lächelte sanft.

Ohne ein weiteres Wort floh Hannah aus dem Haus.

19

Für Mitte April war es erstaunlich warm. Sowohl Helmut als auch Valentin hatten ihre Jacken ausgezogen und nutzten diese als Unterlage für ihre Rast. Auf Grasstängeln kauend, schauten sie in den strahlend blauen Himmel. Auf dem Weiher, an dessen Ufer sie rasteten, zogen Entenfamilien ihre Kreise, hin und wieder sprang ein Fisch in die Höhe und schnappte nach einem Insekt.

Sie waren in der Nähe von Ulm, und in zwei Tagen würden sie zu Hause sein. Der Gedanke an die nahe Heimkehr ließ beide schweigsam werden. Eine Zeit lang war nur das mahlende Geräusch der beiden Pferde zu hören, die neben ihnen auf der Wiese grasten. Hin und wieder warf einer der Brüder einen Blick auf die Tiere, die wie sie geduldig darauf warteten, dass ihr Besitzer zurückkam.

Helmut drehte sich zur Seite. »Möchte mal wissen, wie lange der Heinz noch braucht.« Er schnaubte missbilligend. »In jedem Dorf eine sitzen zu haben … Ein Wunder, dass der Mann überhaupt noch Zeit für seine Geschäfte hat!«

Valentin runzelte die Stirn. Das sagte gerade der Richtige! Doch er verkniff sich eine solche Bemerkung und erklärte stattdessen: »Eher ein Wunder, dass Heinz nicht die Übersicht verliert! Warte nur ab, wenn der nach Hause kommt, nennt er seine Ilse plötzlich Karla. Oder Ingrid.«

»Oder Lucia!«, ergänzte Helmut lachend.

Seit sie in Regensburg wieder mit Heinz zusammengetroffen waren – sein Bruder hatte sich noch zu einem Abstecher nach Landshut aufgemacht –, hatte es kaum einen Tag gegeben, an dem sich Heinz nicht wegen einer »dringenden Verabredung« verabschiedet hatte. Sogar hier, in der Wildnis, war dies nicht anders. Wenn sie wenigstens in einem Wirtshaus hätten warten können …

Valentin nickte in Richtung des einsamen Gehöftes, in dem Heinz verschwunden war.

»Was er wohl macht, wenn der Bauer früher nach Hause kommt?«

Helmut zog eine Grimasse. »Die Beine unter den Arm nehmen und rennen, was das Zeug hält, nehme ich an. Jedenfalls möchte ich dann nicht in seiner Haut stecken.«

»Tust du ja auch nicht«, gab Valentin zurück. »Ganz im Gegenteil: Du hast dich diesmal äußerst tugendhaft verhalten.« Er konnte nicht verhindern, dass seine Stimme einen spöttischen Ton bekam.

Helmut runzelte die Stirn. »Willst du mich auf den Arm nehmen? Früher hast du gemeckert, wenn ich meinen Spaß hatte, und heute –«

»Ist schon gut«, versetzte Valentin. »War doch nur ein Scherz!«

Helmut starrte ihn wütend an, doch im nächsten Moment verzog sich seine Miene zu einem breiten Grinsen.

»Weißt du, wenn man erst einmal etwas so Hübsches zu Hause sitzen hat wie ich, sieht die Welt ganz anders aus. Vorfreude ist die schönste Freude, sagt man doch. Meine Hannah wird's auch kaum erwarten können.«

Mit der Hand fegte er eine aufdringliche Fliege davon. Sie machte sich umgehend auf den Weg zu den Pferden.

»Der Braune lässt sich ziemlich leicht aus der Ruhe bringen«, sagte Valentin nach einem kurzen Blick auf die Tiere und gab ein paar beschwichtigende Töne von sich. Auf den Schubs, den Helmut ihm im nächsten Moment verpasste, war er nicht gefasst.

»Aber Ehefreuden stehen dir ja bald auch ins Haus! Dass du und Seraphine ...« Helmut schüttelte den Kopf.

Valentin schwieg. Es war das erste Mal, dass die Sprache auf Seraphine kam. Die ganze Reise über hatte er darauf gewartet, dass Helmut sich zu seinen plötzlichen Heiratsplänen äußern würde, doch vergeblich. Er selbst hatte das Thema ebenfalls vermieden. Er wusste nicht, warum, aber tief drinnen hatte er ein schlechtes Gewissen. Gerade so, als habe er Helmut die Frau ausgespannt, was natürlich Unsinn war.

»Doch, die Sache mit euch beiden finde ich in Ordnung«, sagte Helmut leichthin. »Ich meine, so kommt das Mädchen doch noch in die Familie, nicht wahr?«

Valentins Gesichtsmuskeln spannten sich schmerzhaft an. Es hätte nicht viel gefehlt, und er wäre mit den Fäusten auf Helmut losgegangen. Wie konnte er so von Seraphine sprechen? Als handele es sich um einen Gegenstand, den man vererbte! Fehlte nur noch, dass er das bezahlte Kranzgeld ansprach, das nun ebenfalls wieder zurück in die Familie kam ...

Valentin sprang auf und zog die Pferde samt Karren in Richtung des Weihers. Sie hatten sich nicht die Mühe gemacht, die Tiere auszuspannen – Heinz hatte versprochen, sich nicht allzu lange aufzuhalten.

»Am besten tränken wir die Viecher schon jetzt. Dann verlieren wir damit keine Zeit mehr, wenn Heinz zurückkommt«, sagte er.

Helmut nickte abwesend. »Ich meine, es kam schon ziemlich überraschend, immerhin war Seraphine ja *meine* Verlobte gewesen. Wäre Hannah nicht aufgetaucht – aber lass uns davon nicht anfangen! Ich finde, du hast dich äußerst ehrenhaft verhalten. So für mich in die Bresche zu springen ... Jetzt ist auch noch der letzte Hauch von schlechtem Gewissen, den ich Sera gegenüber empfand, verflogen«, fügte er hinzu. »Das würde nicht jeder für seinen Bruder tun!«

Valentin ließ die Führleine los, ging auf Helmut zu. Der Ausdruck in dessen Augen war ihm nicht fremd: Dieses Glitzern unter halb niedergeschlagenen Lidern war immer dann zu sehen, wenn Helmut auf Ärger aus war.

»Was willst du damit sagen? Du glaubst doch nicht allen Ernstes, dass ich Seraphine nur heirate, um dir dein schlechtes Gewissen abzunehmen?«, sagte er. »Ich liebe Seraphine!«

»Ach so?«, kam es wie aus der Pistole geschossen zurück. »Dann frage ich mich, wie lange du sie schon *liebst*. Und was ihr hinter meinem Rücken alles getrieben habt …«

»Du … Das lass ich mir nicht nachsagen!« Mit einem Satz warf sich Valentin auf seinen Bruder, woraufhin beide mit einem harten Plumps im Gras landeten. Ohne hinzuschauen, versetzte Valentin Helmut einen Fausthieb. Fing selbst einen ein. Schlug wieder zu, wehrte ab. Bald waren sie ein Knäuel aus Armen und Beinen.

Keiner der beiden Brüder merkte, dass sie in ihrem Gerangel den Pferden gefährlich nahe kamen, die sich nach ihrem Trunk aus dem Weiher nun das feuchte Gras am Ufer schmecken ließen. Als Helmut mit seinem Rücken das Hinterbein des Braunen berührte, fuhr dieser wie von der Tarantel gestochen in die Höhe und machte dann einen Satz nach vorn, wobei er seinen wiehernden Kameraden mitriss. Im nächsten Moment standen beide Pferde bis zum Bauch im Wasser, schnaubend, die Augen verdreht. Der Karren, auf dem nicht nur ihr ganzes Gepäck, sondern auch ihre Zwerchsäcke mit den Einnahmen lagen, rutschte die glitschige Böschung hinab. Hätte sich das Vorderrad nicht im schilfigen Wirrwarr verfangen …

»Helmut!« Schnaufend befreite sich Valentin aus Helmuts Würgegriff, sprang auf, versuchte, seitlich an den Pferden vorbei ins Wasser zu kommen. Der Zügel! Es musste ihm gelingen, einen der Zügel zu erwischen, um die Viecher wieder zurück –

Im nächsten Moment spürte er, wie er den Boden unter den Füßen verlor. Mit den Armen wild um sich schlagend, versuchte er, sich über Wasser zu halten.

Valentin konnte nicht schwimmen. Keiner der beiden Brüder konnte schwimmen.

Helmut zerrte hinten am Karren und verlor immer wieder auf dem rutschigen Boden den Halt, fiel auf die Knie, rappelte sich wieder auf …

Die Pferde traten auf der Stelle und sanken so immer tiefer in den morastigen Boden ein, Panik in den Augen.

In seiner Verzweiflung klammerte sich Valentin an dem Braunen fest, mit den Füßen paddelnd, versuchte er, sein Gewicht gegen die Brust des Pferdes zu stemmen. Wie durch ein Wunder reagierte das Tier und machte einen Schritt nach hinten.

»Zieh! Zieh!«, rief Valentin seinem Bruder gurgelnd zu, den Mund voller morastiger Brühe. Sich mit einer Hand am Zügel haltend, trommelte er mit der anderen gegen die Brust des zweiten Pferdes, das noch immer wie von Sinnen auf der Stelle trat. »Geh zurück, du Sauvieh!«

»Wir schaffen es!«, brüllte Helmut von hinten. »Los, noch ein kleines Stück zurück!«

Völlig erschöpft und bis auf die Knochen durchnässt, lagen die Brüder im Gras. Die Pferde samt Karren hatten sie in sicherer Entfernung an einer Birke festgebunden.

»Das war knapp.« Valentin atmete schwer. Seine Brust schmerzte, als läge ein zentnerschweres Fass auf seinen Rippen.

»Aber es hat gereicht«, sagte Helmut prustend und ebenfalls völlig außer Atem. Er nieste, zog geräuschvoll Wasser und Rotz nach oben.

»Weiber! Machen einem nichts als Ärger!«

»Wieso …« Mit letzter Kraft rollte sich Valentin zu Helmut hin. »Die beiden sind doch Wallache, oder?«

Helmut seufzte theatralisch. »Haben wir uns denn etwa wegen der Viecher da gestritten?«

Zwischen seiner Nase und seinem Mund klebten ein paar Algen und gaben einen seltsamen Schnurrbart ab. Dieser Anblick war so komisch, dass Valentin trotz seiner Erschöpfung lachen musste. Kameradschaftlich knuffte er seinem Bruder in die Seite, woraufhin dieser sofort vor Schmerz aufstöhnte.

»Recht hast du! Weiber!«

Am Ostersamstag kam endlich Gottlieb Kerner aus dem Elsass zurück. Noch im Türrahmen fiel ihm Wilhelmine um den Hals, küsste und herzte ihn. Hannah, die mit den Armen bis zu den Ellenbogen in einer Schüssel mit Hefeteig steckte, beobachtete die beiden lächelnd durch die Küchentür. Solch eine Gefühlswallung hätte sie ihrer strengen Schwiegermutter gar nicht zugetraut! Und auch Gottlieb, der ansonsten öfter einmal an seinem Weib herummäkelte, war offensichtlich froh, Wilhelmine in seinen Armen zu halten.

Wenn nur Helmut schon zurück wäre! Hannah seufzte abgrundtief auf. Ihre Vorfreude, vermischt mit der Sorge um seine sichere Heimkehr, bereitete ihr fast schon körperliche Schmerzen. Gleichzeitig war es ein Gefühl, das sie seltsamerweise auch genoss. Es verband sie mit Wilhelmine und allen anderen Frauen, die in Gönningen geblieben waren und die genauso sehnsüchtig die Heimkehr ihrer Männer herbeiwünschten. Sie hob den Hefeteig aus der Schüssel und begann ihn mit resoluten Bewegungen auf dem Holzbrett durchzuwalken. Wenn Helmut heimkam, sollten die feinsten Kuchen und die besten Speisen auf ihn warten!

Am Sonntag, kurz vor dem Gottesdienst, war es endlich so weit: Helmuts und Valentins Ankunft wurde durch das Freudengeschrei der Kinder angekündigt, die in den letzten Tagen stundenlang in den Gassen auf die Gönninger Heimkehrer gewartet hatten. Sie wurden nicht enttäuscht: Lachend verteilten die Kerner-Brüder Karamellen und allerlei Süßkram. Anschließend zogen die Kinder glücklich ab, um vor einem der Nachbarhäuser Wache zu schieben, wo ebenfalls noch ein später Heimkehrer erwartet wurde.

Hannah, die gerade ihre Haare kämmte, raste die Treppe hinunter, stürzte sich schluchzend in Helmuts Arme und begann, den Kamm noch in der Hand haltend, einen langen Monolog über ihre einsamen Wochen in Gönningen. Seit ihrem Besuch bei Seraphine hatte sie nicht mehr gut geschlafen, tagsüber hatte sie sich mit immer mehr Hausarbeit abgelenkt, und nun wurde sie von Erschöpfung und Erleichterung übermannt. Die Tränen rannen nur so über ihr Gesicht, sie zog und zupfte an Helmuts Ärmel und wollte ihn nie mehr loslassen. Erst als Wilhelmine sie etwas grob zur Seite stieß, um auch ihren Sohn zu begrüßen, beruhigte sich Hannah ein wenig.

Helmut, überwältigt von diesem Empfang, stürzte kurz darauf ins Wirtshaus, wo er zusammen mit anderen Heimgereisten die gesunde Rückkehr begoss. Valentin begleitete ihn nicht. Er hatte sich gleich nach der Begrüßung zu Seraphine begeben.

Im Nachhinein ärgerte sich Hannah über ihre Weinerlichkeit. Normalerweise war sie gar nicht so, und außerdem war sie jetzt eine Samenhändlerfrau – konnte man von einer solchen nicht etwas mehr Selbstbeherrschung verlangen? Wenigstens hatte sie Helmut nichts von ihrem Zusammentreffen mit Seraphine erzählt. Und trotzdem blieb ihr Herz schwer.

Auch bei Emma konnte sich Hannah nicht richtig aussprechen: Im Gegensatz zu anderen Samenhändlern, die nach der Reise das Nichtstun genossen, ging für die Wirtin und ihre Tochter die Arbeit gleich wieder richtig los. Es galt, das Wirtshaus herzurichten für den erwarteten Ansturm von Gästen, denen um diese Zeit des Jahres das Geld besonders locker saß. Trotzdem brachte Hannah bei der nächsten sich bietenden Gelegenheit das Gespräch auf Seraphine und fragte die ältere Frau, ob das Mädchen auch früher schon wunderlich gewesen sei.

»Wunderlich?«, gab Emma zurück, ohne dabei den Besen aus der Hand zu legen. »Als wunderlich würde ich Seraphine nicht bezeichnen. Das Mädel trägt halt die Nase ein wenig hoch in der Luft. Manchmal so hoch, dass die Füße den Boden nicht mehr berühren ...«

Damit musste sich Hannah begnügen. Bald kam sie zu der Überzeugung, dass sie die ganze Sache einfach nur falsch einschätzte. Der Karfreitag, dazu die gruselige Geschichte mit den Osterglocken, die einem vergrabenen Toten aus der Hosentasche wuchsen, der Besuch bei Seraphine in der düsteren Hütte – wahrscheinlich hatte all dies ihr Urteilsvermögen ein wenig getrübt, so dass sie beiläufigen Worten unnötige Wichtigkeit zugemessen hatte. »*Du kannst Helmut nicht verlieren, weil du ihn gar nicht besitzt.*« Im Nachhinein war sich Hannah nicht einmal mehr sicher, ob das Seraphines genaue Worte gewesen waren.

Doch ganz löste sich die dunkle Wolke, die Hannah seit Karfreitag begleitete, nicht auf. Seraphine *war* wunderlich – zu diesem Schluss gelangte sie spätestens an dem Tag, an dem Wilhelmine die zukünftige Schwiegertochter einlud, die letzten Einzelheiten wegen der Hochzeit zu besprechen.

Wie teilnahmslos Seraphine dasaß! Als Wilhelmine sie fragte, ob man für die Kirchenbänke Blumengirlanden binden solle, zuckte sie lediglich mit den Schultern. Dabei gab es inzwischen Blumen in Hülle und Fülle! Wann immer Hannah die Zeit erübrigen konnte, spazierte sie über die Wiesen rund um Gönningen und kam mit einem dicken Blumenstrauß zurück. Wie sehr hätte sie sich ein bisschen Farbe für ihre eigene Hochzeit

gewünscht, doch im Winter war außer ein paar Buchsbaum-
kränzen nichts aufzutreiben gewesen.

Auch die Gästeliste interessierte Seraphine nicht. Am Ende
nahm Wilhelmine die Sache selbst in die Hand und schrieb die
entsprechenden Namen auf.

Hannah, die immer unruhiger auf ihrem Stuhl hin- und her-
gerutscht war, vermochte sich an dieser Stelle nicht mehr zu-
rückzuhalten. Wie konnte sich eine Braut derart das Zepter
aus der Hand nehmen lassen, wenn es um den schönsten Tag
in ihrem Leben ging? »Willst du denn nicht wenigstens deine
Freundinnen und deren Ehemänner einladen?«, fragte sie Seraphine erstaunt und bekam zur Antwort: »Ich habe keine
Freundinnen.«

Ein junges Mädchen, das in seinem ganzen Leben noch
nie aus dem Dorf hinausgekommen war, das seine Kinder- und
Jugendjahre hier verbracht hatte, besaß keine Freundinnen?

Das war in Hannahs Augen wirklich mehr als wunderlich.

Bei dem Gedanken, bald mit Seraphine unter einem Dach
zu wohnen, wurde ihr immer unwohler …

Wer weiß, versuchte sie sich aufzumuntern, vielleicht gehen
Seraphine so kurz vor dem großen Tag wie einem jungen Pferd
die Nerven durch. Wenn sie daran dachte, wie aufgeregt *sie* gewesen war, war dies ihre einzig logische Erklärung für das seltsame Verhalten des Mädchens.

20

Vor lauter Feierlichkeiten kam Hannah in den nächsten Wochen nur noch selten zum Grübeln. Stattdessen ließ sie sich im
Gönninger Trubel treiben und genoss jede Minute:

Am Sonntag nach Ostern wurde Gottlieb Kerner in den Gönninger Gemeinderat gewählt, woraufhin der Schultheiß eine glühende Rede über die Vorzüge des neuen Ratsmitglieds hielt und über die Hoffnungen, die man in ihn setzte. Gottliebs Einzug ins Rathaus wurde gefeiert, als hätte man einen König gewählt!

Am darauf folgenden Wochenende fand die Hochzeit von Valentin und Seraphine statt.

Wenn sich jemand über das schmucklose Kleid wunderte, in dem die Braut vor den Altar trat, so tat er dies hinter vorgehaltener Hand. Als Valentin, über das ganze Gesicht strahlend, zu Seraphine sagte: »Jetzt gehören wir zusammen, für immer und ewig!« und die Braut die letzten Worte wiederholte, waren es nur wenige, die bemerkten, dass Seraphines Blick dabei nicht ihrem Bräutigam, sondern dessen Bruder galt. Hannah gehörte dazu und klammerte sich umso heftiger an Helmut, der neben ihr stand.

»Und nachher geht's auf den Acker!« Helmut warf einen Blick aus dem Fenster. »Hoffentlich hält das Wetter, ich habe keine Lust, im nassen Boden herumzuwühlen.«

»Wenn mir jemand Bescheid gesagt und gezeigt hätte, wie es funktioniert, hätte ich die Kartoffeln längst in die Erde bringen können. Wir hatten schließlich genügend schöne Tage in den letzten Wochen«, erwiderte Hannah, die beim Morgenmahl an einem Marmeladenbrot kaute. Und genug Langeweile hatte sie auch erleiden müssen …

Ihr Blick fiel auf die Fensterbank, wo seit Ende Januar alle möglichen kleinen Pflänzchen vorgetrieben wurden. Zwischen den Töpfen und Schalen hätte nicht einmal mehr ein Fingerhut Platz gehabt! Auch diese Pflanzen mussten endlich hinaus ins Freie. Mehrmals hatte sie Wilhelmine gefragt, warum sie diese Arbeit nicht längst taten. Zu früh, zu früh, wir müssen erst noch die letzten Nachtfröste abwarten, hatte Wilhelmine ihr jedes Mal zur Antwort gegeben. »Gepflanzt wird erst nach den Eisheiligen.« Also hieß es, bis Mitte Mai abzuwarten. Und nun war es endlich so weit.

Während Wilhelmine schon dabei war, die Teller der Männer in die Spüle zu tragen, huschte Seraphine wie ein Geist zur Tür herein. Wie so oft bei ihrem Anblick erschrak Hannah. Sie hatte sich noch immer nicht daran gewöhnt, dass Seraphine nun im selben Haus wohnte. Wie kann man nur so lange schlafen?, fragte sie sich mürrisch. Immer kam Seraphine als Letzte zum Morgenmahl und hielt damit den ganzen Haushalt auf. Demonstrativ starrte sie auf die Wanduhr, deren Zeiger auf sieben Uhr zugingen.

Gottlieb tätschelte Hannahs Arm. »Bist eine ganz Fleißige, das muss man dir schon lassen. Aber Kartoffeln werden bei uns immer erst nach den Eisheiligen ausgebracht!«

Vom Spülbecken aus nickte Wilhelmine zustimmend. »Das war schon immer so. Die Ernte findet dann zwar etwas später statt, aber jetzt ist der Boden schon einigermaßen erwärmt, das tut den Kartoffeln gut.«

Hannah biss sich auf die Lippen. Andere Gönninger hatten ihre Kartoffeln längst gesetzt – das hatte sie mit eigenen Augen gesehen. Sie streichelte ihren dicken Bauch und seufzte. Vor ein paar Wochen wäre sie noch wesentlich behänder gewesen – heute würde ihr die Arbeit auf dem Feld bestimmt nicht mehr so leicht fallen. Aber wenn das schon immer so gewesen war …

»Jetzt mach nicht so ein sauertöpfisches Gesicht, meine Schöne. Am Ende kommt unser Kind mit der gleichen Miene zur Welt!« Helmut lachte und versetzte ihr einen liebevollen Schubs.

Hannah zwang sich zu einem Lächeln. »Und ich darf wirklich ein eigenes Beet anlegen, mit allem, was die Samenstube zu bieten hat?«

»Wenn's dir so wichtig ist«, antwortete Helmut schulterzuckend. »Nötig wäre es nicht, das weißt du ja. Wir bauen genügend von allem an. Aber irgendwo wird sich schon ein Plätzchen für Hannahs Acker finden.«

»Hannahs Acker« – wer hätte vor einem Jahr gedacht, dass sie noch zu einer richtigen Bäuerin werden würde! Wenn sie das ihrer Mutter schriebe … Der Gedanke brachte Hannahs gute Laune zurück. Geräuschvoll nahm sie einen letzten Schluck Kaffee und verdrehte dabei genießerisch die Augen. Die Brüder hatten neben einem guten Batzen Geld auch allerlei Leckereien, darunter feinsten gerösteten Bohnenkaffee, mitgebracht.

»Ich finde es gut, was du vorhast.« Valentin, dem ihr verzücktes Gesicht nicht entgangen war, schenkte ihre Tasse erneut voll. »Irgendwie ist es doch ein Wunder: Da steckt man so ein winziges Samenkorn in den Boden, gießt es ein wenig, und Wochen später zieht man an derselben Stelle eine Rübe aus der Erde! Und wenn man wie du aus der Stadt kommt, ist es umso wichtiger, dieses Wunder zu erfahren.« Er ergriff Seraphines Hand. »Warum hilfst du Hannah nicht ein wenig beim Pflanzen?«

Ohne zu antworten, zog Seraphine ihre Hand weg.

»Das Wunder des Samenkorns – jetzt werd mal nicht philosophisch!«, neckte Helmut. »Hannah erfährt dieses Wunder schließlich gerade am eigenen Leib.«

»Helmut!«, schrie Wilhelmine entsetzt auf. In Windeseile überzog sich ihr Gesicht mit roten Flecken.

Hannah versetzte Helmut einen kräftigen Stoß.

Seraphine saß reglos da, bleich wie ein Leintuch. »Und was passiert mit einem Samenkorn, das in zu mageren Boden gesteckt wurde? Das nicht richtig gegossen wird? Um das sich niemand kümmert? Auf welches Wunder muss dieses Pflänzchen warten?« Gedankenverloren wischte sie ein paar Brotkrümel vom Tisch.

Valentin lachte verwirrt auf, schien jedoch um eine Antwort verlegen. Auch Helmut runzelte die Stirn.

»Dieses Pflänzchen wird eingehen. Nur wer sich anpassen kann, überlebt. *Das war schon immer so,* nicht wahr, Schwiegermutter?«, sagte Hannah zuckersüß. Seraphine und ihre seltsamen Bemerkungen konnten ihr heute gestohlen bleiben!

Alle anderen waren so gut gelaunt, waren so zufrieden mit sich und ihrem Leben – einen besseren Zeitpunkt, um zu erzählen, was ihr durch den Kopf spukte, konnte es nicht geben. Hannah holte tief Luft.

»Ich wollte euch schon lange etwas fragen.« Erwartungsvoll schaute sie in die Runde und fixierte anschließend die Männer mit ihrem Blick. »Warum haltet ihr es nicht wie Emma Steiner, die im Herbst Bestellzettel an ihre Kunden verschickt? Sie erspart sich eine ganze Reise und muss erst im Januar losziehen, um die Bestellungen auszuliefern. Also, ich finde, diese Methode hat durchaus etwas für sich!«

»Ich muss jetzt gehen, die Arbeit wartet!« Geräuschvoll rückte Gottlieb seinen Stuhl nach hinten. »Und ihr verplempert den Tag hoffentlich auch nicht mehr lange mit nutzlosen Reden!«

Zähneknirschend starrte Hannah ihrem Schwiegervater nach. Einfach aufzustehen und ihr nicht einmal eine Antwort zu geben! Sie ließ ihr Brot sinken und schaute Helmut an. Doch es war Valentin, der zuerst antwortete.

»Emmas Verfahren mag sich für einen Neuling im Geschäft im ersten Moment vielleicht verführerisch anhören, aber es ist für die meisten einfach nicht durchführbar. Sonst hätten andere Gönninger es doch längst übernommen! Emmas ›feine‹ Kundschaft rund um Schwäbisch Hall mag ja vielleicht lesen können, aber viele von unseren Kunden können weder schreiben noch lesen – was sollen die mit einem Bestellzettel anfangen? Und selbst wenn sie es könnten, hätte ich Angst, dass sie viel zu wenig aufschreiben oder die falschen Sorten ankreuzen.

Und da ist noch etwas: Briefe können auch verloren gehen – das passiert zwar nur selten, aber es passiert!« Er schüttelte den Kopf. »Neue Ideen sind gut, aber sie müssen auch machbar sein und …«

»Und denk doch nur an den riesigen Aufwand!«, mischte sich Seraphine zum ersten Mal ein. »Irgendjemand muss die Bestellzettel schreiben! Bei den unzähligen Sorten, die die Samenhändler im Sortiment haben, ist das kein Vergnügen. Und wie willst du sie vervielfältigen? Bei euch in der Stadt gibt es vielleicht eine Druckerei an jeder Ecke, bei uns auf dem Land suchst du danach vergeblich. Das bedeutet, die Frauen müssen Hunderte von Listen schreiben! Und Papier ist teuer, das merke ich immer wieder, wenn ich einen neuen Zeichenblock brauche. Mit Papier muss man geizen!«

»Aber –«, hob Hannah an, wurde jedoch gleich von Helmut unterbrochen.

»Ein Stück Papier soll den Besuch des Samenhändlers ersetzen – nie und nimmer! Was glaubst du, wie froh die Leute sind, wenn wir kommen«, sagte Helmut. »In manche der Landstriche, die wir bereisen, verirrt sich nur selten ein Fremder. Dort gibt es keine Markttage oder gar eine Zeitung, aus der die Leute Neuigkeiten erfahren. Deshalb können sie unseren Besuch oft kaum erwarten! Sie fragen uns Löcher in den Bauch, wollen alles ganz genau wissen. Und sie wollen selbst erzählen. Wenn wir gemeinsam am Tisch sitzen, wird nicht nur über die Bestellung geredet, sondern auch über die letzte Ernte, über die Neuigkeiten im Dorf, den Ärger mit dem Nachbarn, über alles Mögliche eben! Das gehört dazu, verstehst du?«

Valentin lachte. »Als guter Verkäufer überredest du den Kunden natürlich auch immer dazu, ein bisschen mehr zu nehmen. Oder du ermutigst ihn, einmal eine neue Sorte zu probieren. Auf diese Art kommen viel größere Bestellmengen zusammen, als wenn wir die Entscheidung allein dem Kunden überließen. Oje, das wäre eine traurige Art, Geschäfte abzuwickeln!«

»Außerdem war es schon immer so, dass im Herbst Bestellungen aufgenommen und diese im Frühjahr ausgeliefert wurden. Das ist nun einmal der Rhythmus, nach dem wir alle leben. Aber eine Auswärtige wie du kann das natürlich nicht wissen«, fügte Seraphine mit einer Stimme hinzu, die an einzelne Nadelstiche erinnerte. »Ich kann gut verstehen, dass es dich immer wieder hinauszieht. Ein Mann wie du muss unter die Leute«, sagte sie, an Helmut gewandt, ihre Stimme nun cremig wie Honig. »Was du den Menschen zu geben vermagst, ist doch viel mehr als nur Sämereien!«

Dumme Kuh! Es war widerlich, wie sie Helmut schmeichelte! Hannah schüttelte den Kopf, als wolle sie eine lästige Fliege vertreiben. Gleichzeitig arbeitete ihr Verstand fieberhaft.

Der persönliche Kontakt zum Kunden – aus dieser Warte hatte sie die Sache gar nicht betrachtet. Andererseits sahen Emma und Käthe nicht so aus, als würde es ihnen an persönlichen Kontakten mangeln, wenn sie nur einmal auf die Reise gingen, ganz im Gegenteil: Wie sie sich auf die Salzbaronin gefreut hatten!

Krampfhaft überlegte Hannah, was sie als Nächstes sagen sollte. Sie wollte von der Idee, im kommenden Jahr nur noch halb so lange von ihrem Mann getrennt zu sein, trotz aller Gegenargumente noch nicht Abschied nehmen.

Sie trank einen Schluck Kaffee.

»Der Besuch im Herbst ist wichtig, das leuchtet mir jetzt ein. Aber Anfang des Jahres nochmals dieselbe Route zu reisen?« Sie runzelte nachdenklich die Stirn. Irgendwo, weit hinten in ihrem Kopf, rumorte ein Gedanke. Ein wichtiger Gedanke, ein guter Gedanke, es musste ihr lediglich gelingen, ihn nach vorn zu holen.

»Kind, das haben die Männer dir doch gerade lang und breit

erklärt«, kam es kopfschüttelnd von Wilhelmine. »So schwierig ist das doch nicht zu verstehen.« Sie und Seraphine tauschten einen Blick.

»Wenn ihr das zweite Mal loszieht, schickt ihr doch eure Ware mit dem Pferdewagen schon voraus, oder?«, wandte sich Hannah wieder an Helmut, ohne sich um ihre Schwiegermutter zu kümmern.

Helmut verzog das Gesicht, als habe er auf etwas Saures gebissen. »Das weißt du doch längst. Der Pferdewagen oder die Bahn bringt unsere gesamte Ware in eine Herberge, die so zentral wie möglich im jeweiligen Samenstrich liegt. Dort nehmen wir die Ware in Empfang, packen die einzelnen Bestellungen in Tütchen ab und liefern diese dann Tag für Tag persönlich an die Kunden aus. Ich weiß wirklich nicht, was deine Fragerei soll! Was passt dir nicht an unserer Methode?«, setzte er ziemlich ungehalten hinzu. »Sollten wir deiner Meinung nach die schweren Kisten auf dem Rücken nach Böhmen schleppen und uns die Kosten für den Fuhrwerktransport sparen?«

»Emma hält es übrigens genauso«, warf Valentin ein. »Auch sie lässt ihre Ware direkt nach Schwäbisch Hall schicken und verteilt sie von dort aus. Die meisten Gönninger gehen so vor, außer denen, die im kleineren Stil handeln und ihre kompletten Sämereien im Zwerchsack mit sich tragen.«

Hannah winkte ab. »Die Ware reist also ohne euch. Ihr nehmt sie nur in Empfang, packt sie um und liefert sie aus«, wiederholte sie, wohl wissend, dass inzwischen jeder am Tisch sie für äußerst begriffsstutzig halten musste. »Bei eurem zweiten Besuch haltet ihr euch nicht mehr so lange bei den Kunden auf, oder?«

Helmut verdrehte die Augen. Es war Valentin, der antwortete: »Im Frühjahr werden die Sämereien dringend für die Aussaat benötigt, der Boden muss bestellt, das Vieh auf die Weiden getrieben werden, da haben die Leute keine Zeit für lange

Gespräche, nicht einmal mit uns! Also liefern wir, kassieren und sind ganz bald wieder weg. Aber was willst du –«

Da! Da war er, der Gedanke! »Dann ist doch euer zweiter Besuch nur eine reine Formsache«, sprudelte es aus Hannah heraus, bevor der Gedanke ihr wieder entwischen konnte. Sie rutschte aufgeregt nach vorn. Sofort stieß ihr Bauch an der harten Tischkante an.

Triumphierend schaute sie in die Runde.

»Wir könnten die Bestellungen ebenso gut schon hier zu Hause abpacken und gleich mit der Post an die Kunden schicken! Oder mit einem Fuhrwerk! Das dauert nicht länger, als wenn ihr euch von einer Herberge aus zu Fuß auf den Weg macht. Stellt euch mal vor: Durch diese Methode würdet ihr ganze drei bis vier Monate Zeit gewinnen!«

Sprachlos schauten die Brüder sich an.

»Wie sollte das gehen, Kind? Hier in Gönningen gibt es doch nicht einmal eine Poststation.« Wilhelmines Ton war milde, als spreche sie mit einem verständnislosen Kind.

»Das macht doch nichts. Dann bringen wir eben die Päckchen nach Tübingen auf die Post, so wie das mit den Briefen auch geschieht. Und es wäre doch viel angenehmer, die einzelnen Bestellungen zu Hause in der Packstube fertig zu machen, als diese Arbeit in irgendeinem Wirtshaus zu erledigen.«

Helmut biss sich auf die Lippe. »Wenn ich daran denke, wie dumm wir manchmal angeschaut werden, wenn wir unsere Löffelchen auspacken und die einzelnen Sorten damit abmessen – besonders angenehm ist das wahrlich nicht. So gesehen … Allerdings … die Kosten! Ich meine, Pakete zu verschicken ist nicht gerade billig. Und dann noch die Kosten für das Packpapier …«

»Reisen kostet auch Geld«, erwiderte Valentin, noch bevor Hannah etwas sagen konnte. Sie triumphierte im Stillen.

Valentin schaute seinen Bruder mit einem durchdringenden

Blick an. »Wenn man diesen Gedanken weiterspinnt … Du, das würde uns völlig neue Möglichkeiten eröffnen! Ich sage nur Russland …« Die letzten Worte waren kaum mehr als ein Raunen.

Helmut, der tief in Gedanken versunken auf seiner Unterlippe kaute, erstarrte. Blinzelte in Richtung seines Bruders. Ein listiges Funkeln trat in seine Augen.

»Wenn ich so darüber nachdenke … Eigentlich wäre Hannahs Vorschlag doch nur eine Weiterentwicklung unserer bisherigen Methode.«

Im nächsten Moment zog er Hannah zu sich heran und drückte ihr einen feuchten Kuss auf den Mund.

»Es wäre sicher nur noch eine Frage der Zeit gewesen, bis wir unser Verfahren selbst umgestellt hätten, nicht wahr, Valentin?« Zufrieden mit dem heftigen Nicken seines Bruders, fuhr Helmut fort: »Aber dass sich eine ›Dahergelaufene‹ so flink ins Geschäft hineindenken kann – alle Achtung!«

»Aber Helmut, du kannst doch nicht allen Ernstes über diesen Unsinn nachdenken. Schließlich –«, begann Wilhelmine, bevor sie von Hannah unterbrochen wurde.

»Warte nur ab, deine Dahergelaufene hat vielleicht noch viel mehr gute Ideen im Sack!« Sie aalte sich regelrecht in der Begeisterung der beiden Brüder. Seraphines düsteren Blick ignorierte sie. Die Schwägerin würde ihr noch dankbar sein! Schließlich würde auch sie von Hannahs Vorschlag profitieren, denn Valentin war dann genau wie Helmut länger zu Hause …

21

Es war ein sonniger Maientag. Seraphine hatte ihre Malutensilien auf dem kleinen Tischchen hinten im Garten ausgebreitet. Hin und wieder rieselte eine Apfelblüte auf das vor ihr liegende Blatt Papier. Manchmal trug auch der laue Wind eine Wolke aus gelbem Blütenstaub vorbei, so dass Seraphine schützend eine Hand über ihre Arbeit legen musste. Lieber hätte sie im Haus gearbeitet, in der Kammer, die sie und Valentin nach der Hochzeit bezogen hatten. Aber dort lief sie Gefahr, gestört zu werden.

Ständig wollte jemand etwas von ihr. Entweder sollte sie mit ins Waschhaus, ins Backhaus, dem Schwiegervater das schwarze Jackett ausbürsten, Tante Finchen die Fußnägel schneiden und und und … Überall waren Stimmen. Streng und herrisch, wenn Wilhelmine sich über etwas beklagte. Vieltönend und wichtig, wenn Gottlieb in seinem Büro Gäste empfing. Zittrig und schwach, wenn die alte Tante etwas zu sagen versuchte. Laut, schrecklich laut, wenn Hannah ihr wieherndes Gelächter von sich gab.

Hierher, in diesen hintersten Teil des Gartens, kam nur selten jemand.

Behutsam öffnete Seraphine das Kästchen mit den Wasserfarben. Sie tauchte einen Pinsel in das bereitgestellte Wasserglas, zog ihn jedoch zurück, als sie sah, wie sehr ihre Hand dabei zitterte. So konnte, so wollte sie nicht malen! Liebe sollte aus ihr fließen, wenn sie den Pinsel mit der Farbe auf dem festen Papier aufsetzte, nicht dieses schreckliche Durcheinander, das in ihrem Inneren tobte wie ein Sommersturm.

Bitte, Sternenfee, mach mich ruhig und still.

So still wie die Mauer, auf der sich erste Eidechsen in der Sonne wärmten.

So still wie die Apfelblüten, die sanft einschlafen durften, nachdem die Bienen ihre Arbeit an ihnen verrichtet hatten.

So still wie der kleine Rosenbusch, dessen Blätter in Vorfreude auf die kommende Blütenpracht silbrig glänzten.

Doch die Stille wollte nicht kommen.

Ihr neues Leben war anders. Anders, als sie es erwartet hatte. Das beschäftigte sie so sehr, dass sie nachts nicht schlafen konnte. Es ließ sie ihr Kissen zerwühlen, sich unruhig hin- und herwälzen, immer darauf bedacht, Valentin nicht zu wecken, weil er sie sonst mit seiner Besorgnis erdrücken würde. »Fühlst du dich unwohl?« »Ist dir zu warm?« »Ist dir zu kalt?« »Soll ich dir einen Becher Milch holen?« – solche Fragen waren das Letzte, was sie brauchte. Ruhe – Zeit zum Nachdenken, das war es, was sie wollte. Und davon gab es immer zu wenig.

Mit leerem Blick starrte Seraphine auf die Trockenmauer, die den Garten von dem des Nachbarhauses trennte.

Ihre Träume waren verschwunden. Die Sternenfee war verschwunden.

Vertrieben, in die Flucht geschlagen. Von der lauten, umtriebigen Familie. Von der schrecklichen Hannah.

Von Valentin, der sie mit seinen Blicken verfolgte, der sie fragte, ob sie genug gegessen habe und ob ihr warm genug sei, der sie mit seiner Fürsorge fast in den Wahnsinn trieb. Warum konnte er sie nicht einfach in Ruhe lassen?

Ihre Träume, der Traum vom Glück mit Helmut – manchmal fiel es Seraphine schwer, die Erinnerung daran heraufzubeschwören.

Mutlos tauchte sie den Pinsel zuerst in Gelb und dann in Rot. Mit dem daraus entstandenen Orange begann sie, die Aster, die sie zuvor mit Bleistift skizziert hatte, zu schattieren. Trotz ihrer Niedergeschlagenheit wurde ihre Hand mit jedem Pinselstrich sicherer. Wie die Blüte geradezu von innen heraus glühte!

Adonisröschen, Begonien, Sommerphlox, Petunien – ihre Sammlung an Blumen wies mindestens schon 20 Blätter auf, und sie hatte vor, mindestens nochmal so viele zu malen. Blumensamen war im Gegensatz zu Gemüsesamen nicht immer leicht zu verkaufen. Bohnen und Rüben konnte man essen – Herbstastern oder Margeriten versprachen lediglich einen Augenschmaus, für den nicht jeder bereitwillig Geld ausgab. Ihr Musterbuch würde dabei helfen!

Im Geist stellte sich Seraphine vor, wie Helmut bei seiner nächsten Reise das Musterbuch, an dem sie seit Wochen arbeitete, aus seiner Tasche holen und stolz einem Kunden präsentieren würde. Kein anderer Samenhändler konnte so etwas vorweisen! Die schönen, bunten Bilder würden die Leute sicher zu viel größeren Käufen animieren, als es allein der Anblick von langweiligem Saatgut vermochte.

Nachdem Seraphine die Blüten vollendet hatte, begann sie, die fransigen Blätter auszumalen.

Jeden Tag würde Helmut etwas von ihr in den Händen halten. Beim Durchblättern des Buches würde er wissen, dass jeder Pinselstrich, jede noch so feine Linie mit Liebe gezogen worden war. Er würde in Gedanken bei ihr sein, so wie sie jeden Tag an ihn denken würde.

Abrupt hielt Seraphine mitten im Pinselstrich inne.

So weit war es gekommen! Da saß sie hier, mitten im Mai, und wünschte sich Helmuts Abreise im kommenden Herbst herbei! Weil er dann an sie denken konnte. Sie seufzte tief auf. Dafür hatte sie Valentin weiß Gott nicht geheiratet. Nahe hatte sie Helmut dadurch sein wollen, ganz nahe! Stattdessen fühlte sie sich ihm heute manchmal ferner als je zuvor. Kaum einmal war sie eine Minute mit ihm allein. Immer drängelte sich jemand zwischen sie, ja, manchmal hatte Seraphine den Eindruck, als wollten die anderen ein Zusammensein zwischen ihr und Helmut unter allen Umständen verhindern. Wann immer sie ihm in die Packstube folgte, um wenigstens ein paar Minuten mit ihm allein sein zu können, stand im nächsten Moment entweder Valentin hinter ihr oder Wilhelmine. Nur Hannah war es scheinbar gleich, wie viel Zeit sie mit Helmut verbrachte. Aber Hannah war dumm. Oder traf etwa das Gegenteil zu? War sie so schlau zu erkennen, dass Helmut und Seraphine ein unzertrennbares, unsichtbares Band verknüpfte?

Bei diesem Gedanken umspielte ein Lächeln ihre feinen Züge. Auch die anderen spürten wohl dieses enge Band, das zwischen ihnen beiden noch immer bestand, sonst würden sie nicht ständig versuchen, sie auseinander zu halten.

Wenn dieses Leben nur nicht so anstrengend wäre! Es kostete so viel Kraft, oft war sie so müde vor lauter Wut und Traurigkeit.

Diese wichtigtuerische Hannah! Wie sie immer wieder das Gespräch an sich riss und dann Helmut zu Antworten drängte! Der Arme konnte nicht einmal in Ruhe frühstücken. Und dann ständig diese sonderbaren Einfälle! Ware per Post zu verschicken – ha, das war sogar dem Schwiegervater zu viel geworden. Aber warum wies er das Weib nicht einfach in seine Grenzen?

»Bist eine ganz Fleißige«, äffte sie ihn leise nach. Fleißig dabei, sich ein Kind machen zu lassen, vielleicht! Fleißig, einen Mann in die Falle zu locken. Seraphine schnaubte. Wie selbstgefällig Hannah ihren dicken Bauch vor sich herschob! Und Essen stopfte sie in sich hinein, als wenn's kein Morgen mehr gäbe. Immer dicker wurde der Bauch, damit nur ja keiner ihn übersah. Und statt sich im Haus aufzuhalten, musste sie ihre Fülle überall präsentieren, sogar auf dem Acker! Im Geist sah Seraphine Hannah vor sich, wie sie mit ihren aufgeschwemmten Fingern in der Erde wühlte und Bäuerin spielte. Als ob sie damit Helmut beeindrucken konnte!

Und an Valentin mochte sie auch nicht denken. »Ich finde

es gut, dass du dem Wunder des Lebens nachspürst …« So poetisch war er ihr gegenüber noch nie gewesen.

Seraphine wusch den Pinsel in einem Wasserglas aus, wählte dann den helleren der beiden Grüntöne und arbeitete damit an den Stängeln der Astern. Mitten im Pinselstrich hielt sie inne.

War sie nicht auch wie ein zartes Pflänzchen, das man in allzu kargen Boden gesetzt hatte? Sogar hier, in diesem schönen Haus? Wer war für sie da? Wer hatte Zeit, sich um sie zu kümmern, wo ständig Hannah mit ihrem lauten Lachen, ihren dummen Ideen jede Aufmerksamkeit auf sich zog? Wo –

»Ach, hier bist du!«

Seraphine schrak zusammen. Ein Schatten fiel auf sie.

Valentin. Der Pinsel wischte über den gezackten Rand des Grüns hinweg. Sie verzog unwillig den Mund.

»Was willst du?«

»Hannah hat die Kohlrabipflänzchen vergessen.« Er zeigte auf die Pflanzschale in seiner Hand.

Hannah, Hannah, Hannah – sogar ihr eigener Mann sprang, wenn sie pfiff!

»Was man nicht im Kopf hat, hat man in den Beinen«, murmelte Seraphine.

»Und du?« Lächelnd hob Valentin ihr Kinn. »Ich dachte, du bist bei deiner Mutter. Meinst du nicht, sie würde sich freuen, dich wieder einmal zu sehen? Seit Ewigkeiten hast du sie nicht mehr besucht.«

»Mutter – die hat mich doch längst vergessen.« Die meiste Zeit vermied Seraphine es, an ihr früheres Zuhause zu denken. Gottlieb Kerner hatte ihrer Mutter auf Lebzeiten ein kostenloses Wohnrecht in der kleinen Hütte eingeräumt und ihr die Schulden, die Friedhelm vor seiner letzten Reise gemacht hatte, erlassen. Nun saß sie wie die Made im Speck zwischen ihren Näharbeiten. Ja, durch Seraphines Hochzeit waren für Else Schwarz gleich zwei Fliegen mit einer Klappe geschlagen worden: Die drohende Armut war abgewendet, und die Tochter war sie ebenfalls los!

»Du bist ihre einzige Verwandte hier in Gönningen. Die Leute reden schon darüber, dass du dich so wenig um sie kümmerst.«

»Dann lass sie reden, was wissen die schon!«, fauchte Seraphine. Was fiel Valentin ein, ihr Vorschriften machen zu wollen?

Valentin schaute seine Frau betrübt an. »Und du kommst auch nicht mit auf den Acker, obwohl wir dort weiß Gott jede Hand gebrauchen könnten. Lieber schaust du zu, wie sich Hannah in ihrem Zustand abrackert! Und sitzt hier allein …« Er seufzte. »Das ist doch nicht normal, sich so abzukapseln! Hannah wäre bestimmt froh gewesen, wenn du ihr beim Anlegen ihres Beetes geholfen hättest.«

»Das glaube ich gern«, entgegnete Seraphine. »Dann hätte sie noch einen Dummen mehr, der nach ihrer Pfeife tanzt!« Wütend starrte sie auf ihr Blatt. Jetzt war das Grün zu buschig geworden! Am Ende würden Helmuts Kunden glauben, die Astern verwendeten ihre ganze Kraft für das Grün statt für die Blüten! Sie biss sich auf die Lippen. Vielleicht … wenn sie ein paar Blüten mehr malte …

Valentin beugte sich über sie, seine Schulter streifte Seraphines Haar. »Du riechst so gut.«

Sie schüttelte sich, als würde sie von einer lästigen Mücke gestört. Sofort rückte Valentin von ihr ab.

Seraphine lachte stumm in sich hinein. So war er: feige, nicht Manns genug, sie zu nehmen, wie sie war. Ob bei Tag oder bei Nacht. Nachts, da war sie es, die die Initiative ergreifen musste. Wenn sie sich vorstellte, es wären Helmuts Arme, die sie hielten, spielte Valentin bereitwillig mit. Wenn sie ihre Beine öffnete, um Helmut zu empfangen, stöhnte Valentin vor Lust laut auf. Wie dumm er war, schoss es Seraphine dabei manchmal durch den Kopf.

Die Nächte gehörten ihr. Ihr und ihren Träumen. Und solange Helmut nicht frei war, würde Valentin genügen müssen.

Über die Schulter warf Seraphine ihrem Mann einen unwirschen Blick zu. Wie er dastand, von einem Bein aufs andere tretend. Bestimmt hoffte er darauf, dass sie ihn bat, sich zu ihr zu setzen.

Doch sie hatte ihm nichts versprochen. Er hatte gewusst, worauf er sich einließ. Dass ihr Herz Helmut gehörte, hatte sie nie verheimlicht. Er wolle ihr Zeit lassen, hatte Valentin erst gestern wieder gesagt. Zeit wofür?, hatte sie sich stumm gefragt. Trotzdem lauerte er ständig, beobachtete sie, jede Regung, jede Bewegung von ihr.

»Schön wird das. Und so naturgetreu! Dafür, dass du so selten draußen bist, sind dir die einzelnen Sorten wirklich gut gelungen.« Valentin hielt die fertigen Blätter fächerartig in die Höhe.

»Wenn man genügend Fantasie hat, braucht man nicht ständig mit der Gießkanne im Garten zu stehen. Gib her, du verknitterst sie nur«, sagte Seraphine und nahm ihm die Blätter wieder aus der Hand. Eigentlich wollte sie nicht mit ihm streiten. Sie wollte … gar nichts mit ihm.

Valentin lachte. »Das werden sie schon aushalten müssen. Wenn mir das Musterbuch etwas nutzen soll, muss ich es schließlich den Kunden zum Durchblättern in die Hand geben.«

Besitzergreifend drückte Seraphine die Zeichnungen an ihre Brust.

»Das Musterbuch ist für Helmut. Er … er …«, stammelte sie.

»Was soll das heißen?«

Wie er sie anschaute. Wie seine Augen funkelten. Seraphine schauderte. Diesen Blick kannte sie. Er gehörte Menschen mit kleinem Geist. Neidischen, eifersüchtigen Menschen. Solchen wie Hannah. Sie waren es, die immer wieder aufs Neue versuchten, ihre und Helmuts Liebe zu zerstören. Sie atmete tief durch.

»Er ist schließlich der Ältere von euch beiden«, rechtfertigte sie sich leise. »Also soll es ihm gehören. Und jetzt lass mich weiterarbeiten.« Resolut tauchte sie den Pinsel erneut ins Rot. Im nächsten Moment rutschte er vom Rot ins Grün, ins Braun … Ihre Hand wurde von einem eisernen Griff umklammert.

»Hör mir zu, wenn ich mit dir rede! Ich bin dein Mann, auch wenn du das gern vergisst. Wenn du also etwas malst, gehört es mir!« Valentins Adamsapfel hüpfte wild auf und ab. »Wie kommst du darauf, deine Zeit mit Malereien für Helmut zu verplempern, während wir anderen uns den Buckel krumm schaffen? Hätte ich das gewusst, hätte ich dich aufs Feld gejagt, das kannst du mir glauben! Ich –«

Seraphine schrie auf. »Du tust mir weh!« Sie entwand ihre Hand aus seiner Umklammerung, rieb sich die gerötete Stelle. »Immer willst du!«, zischte sie. »Ich, ich, ich – etwas anderes höre ich von dir nicht. Nie denkst du an mich, an meine Gefühle.«

Er lachte höhnisch auf. »Das sagt ja gerade die Richtige. Glaubst du, ich sehe nicht, wie du Helmut noch immer anhimmelst? Du machst dich geradezu lächerlich mit deinem Getue. Und mich gleich dazu! Er hat sich für Hannah entschieden. Und wenn du mich fragst, hat er einen verdammt guten Fang mit ihr gemacht!«

»Wie kannst du das sagen, du … Unhold! Davon hast du doch keine Ahnung«, schrie Seraphine und erschrak über sich selbst. Es kam nur selten vor, dass sie laut wurde. Aber nun entwickelte sie Löwenkräfte – für Helmut.

Valentins Gesicht war kreideweiß, seine Lippen bebten. »Ja, das willst du nicht hören! Aber Helmut ist glücklich, so glücklich wie noch nie in seinem Leben. Und jeder, der zwei Augen im Kopf hat, merkt das. Außer dir natürlich. Und weißt du auch, warum das so ist?«

Valentins Geschrei hatte die Eidechsen wohl verjagt. Sie waren in einem winzigen Spalt in der Mauer verschwunden. Auf diesen Spalt starrte Seraphine krampfhaft. Sie wollte die Stille zurück. Die Stille der Mauer, die Stille der Apfelblüten und des kleinen Rosenbuschs.

»Du hast Helmut in einen Schrein gestellt und betest ihn dort an wie einen Heiligen. Dabei erkennst du gar nicht, dass er alles andere als anbetungswürdig ist. Er ist ein normaler Mann, keinen Deut besser als ich oder der Nächstbeste, der auf der Straße vorüberläuft! Aber du, du kannst die Wahrheit nicht mehr erkennen!«

Die Wahrheit, die Wahrheit, die …

Voller Konzentration vermischte Seraphine einen Tropfen Wasser mit brauner Farbe. Nur noch ein paar Äderchen, dann war der Stängel fertig, und sie konnte mit der nächsten Blume beginnen.

»Du bist eine ganz Scheinheilige!«

Sie musste ihm nicht antworten. Sie musste ihm nicht einmal zuhören, wenn sie ihre Ohren nur fest genug schloss …

Halb kniete, halb hockte Hannah am Beetrand. Immer wieder hielt sie in ihrer Arbeit inne, um sich den Rücken zu reiben. Seit den frühen Morgenstunden spürte sie ein Ziehen, manchmal auch ein Stechen im Bauch. Ob die Arbeit zu anstrengend war? Hätte sie doch lieber zu Hause bleiben sollen? Doch Emma hatte für sie ausgerechnet, dass das Kind frühestens in vier Wochen kommen würde. Und auf Emma war in solchen Fragen Verlass, hatte Käthe ihr versichert.

Vorsichtig ließ sich Hannah auf beide Knie hinab. Aah, das war besser! Tief durchatmend, bohrte sie mit dem Zeigefinger weitere Mulden in den Boden. Helmut hatte ihr eine kleine

Schaufel und ein Holzstäbchen gegeben, mit dem sie Löcher graben sollte, um dann die vorgezogenen Pflänzchen hineinzusetzen. Doch sie nahm lieber ihre Hände als Werkzeug. Wenn nur nicht ständig ihr Bauch im Weg wäre!

Gedankenverloren ließ sie die Erde durch ihre Finger rieseln. So ein kleines Stück Land für solch eine große Familie wie die Kerners!

»Wo liegt denn *euer* Acker nun?«, hatte sie von Helmut wissen wollen, kaum dass sie den Ortsrand erreichten. Seinen verständnislosen Blick nahm sie zwar zur Kenntnis, dachte sich aber nichts weiter dabei. Dann waren sie auf schmalen Feldwegen zwischen allen möglichen Parzellen hindurchbalanciert. Auf jedem Flecken Erde waren Gönninger mit der Feldarbeit beschäftigt, mit fast jedem hatten die Brüder ein paar Worte gewechselt. Schließlich war Helmut auf einem Stück umgepflügten Bodens zwischen zwei Baumwiesen stehen geblieben und hatte gesagt, hier könne sie ihr »Versuchsfeld« anlegen.

Mit einem skeptischen Blick maß Hannah das Feld ab. »Und wo kommen die Kartoffeln in den Boden?«, wollte sie wissen.

»Der Kartoffelacker liegt ein ganzes Stück weiter, in der Nähe von unseren Baumwiesen. Wenn du etwas brauchst, musst du nur laut schreien, ich komme dann sofort.« Kurz darauf waren die beiden Brüder in Richtung Rossberg verschwunden.

Hannah seufzte. Mit ihrer Fragerei hatte sie sich vorhin wieder einmal gründlich blamiert.

Wie wenig sie erst von Gönningen wusste! Es war nicht so, dass jede Familie ein großes Stück Erde zu bearbeiten hatte. Jedem gehörte hier ein Flecken, da eine Wiese, weiter hinten im Tal vielleicht noch einmal ein kleiner Acker. Manches Feld lag die meiste Zeit im Schatten der Schwäbischen Alb, an einem steilen Hang, eingepfercht zwischen zwei Weinbergen … Nichts Zusammenhängendes, alles weit auseinander, so dass Harken,

Schaufeln und Saatgut weite Wege getragen werden mussten. Für Hannah aus dem großstädtischen Nürnberg war dies eine Enttäuschung gewesen. An die mühsame Ernte auf den kleinen Flecken mochte sie nicht einmal denken. So hatte sie sich das Landleben nicht vorgestellt!

Die Gönninger Gemarkung sei zum einen durch Erbteilung völlig zerstückelt, zum anderen seien für die ständig wachsende Bevölkerung einfach nicht genügend Äcker vorhanden, hatte Helmut ihr erklärt.

»Das ist ja das Problem: Immer mehr Gönninger müssen sich den spärlichen Boden teilen. Wenn es genügend Anbauflächen gäbe und wir alle vom Getreide- und Gemüseanbau satt würden, wären unsere Vorväter doch nie auf die Idee gekommen, draußen in der weiten Welt ihr Geld zu verdienen! So aber haben sie irgendwann aus der Not eine Tugend gemacht …«

Zufrieden schaute Hannah auf die Reihe mit den Kohlrabistecklingen. Sie nahm den Fetzen Packpapier, der mit den Pflänzchen in der Saatschale gesteckt hatte. »Kohlrabi, zart und fein, schnellwüchsig«, las sie. Zweifelnd schaute sie auf die schmalen Holzspäne, die Helmut ihr zusammen mit einem Bleistift dagelassen hatte. Sie solle die Holzspäne beschriften und dann in die Erde stecken, so dass man immer wusste, in welcher Reihe des Feldes was wuchs. Aber »Kohlrabi, zart und fein, schnellwüchsig«? Bis sie das auf dem Holzspan untergebracht hatte, konnte sie doch gleich mit der Ernte beginnen! Sie schrieb: »Kohlrabi, schnelle Ernte«. Ha – das war doch was! Frohen Mutes nahm sie den nächsten Holzspan und schrieb statt »Salatgurke, mittellang, hellfleischig« schlicht und einfach »Grüne Schlangen«. Darunter konnte man sich etwas vorstellen! Zufrieden mit ihrem Einfall machte Hannah weiter. Schrieb für den Endiviensalat, den Valentin als kraus und etwas zäh bezeichnet hatte, »Gönninger Trotzköpfle«, und eine zweite Salatsorte, die laut den Brüdern besonders ertragreich war, nannte sie »Kopfsalat volle Schüssel«.

Das Erfinden von Namen machte ihr so viel Spaß, dass sie selbst die Schmerzen im Unterleib weniger spürte. »Volle Schüssel« – oje, sie musste aufpassen, nicht über die Stränge zu schlagen! Trotzdem schrieb sie auf den Holzspan für die Erbsen, die sie gerade ausgesät hatte, »Grüne Liebesperlen«. Ein Kichern unterdrückend, stellte sie sich Wilhelmines Gesicht vor, wenn sich die Schwiegermutter daran machte, gemeinsam mit ihr grüne Liebesperlen zu ernten! Helmuts Mutter hatte das Lachen schließlich nicht gerade erfunden. Tante Finchen war da anders, viel fröhlicher, doch auch sie verkniff sich in Wilhelmines Gegenwart meist das Lachen. Hannah seufzte einmal kurz auf und grübelte dann über einen besonders verwegenen Namen für eine Bohnensorte.

Wenig später war sie gerade dabei, zufrieden ihr Werk zu betrachten, als sie etwas Warmes, Nasses zwischen ihren Beinen spürte. Entsetzt starrte sie auf den Flecken dunkelbrauner, morastiger Erde vor ihr. Ihr Fruchtwasser war abgegangen, hatte sich auf einen Teil der Setzlinge ergossen.

»Allmächt, das Kind kommt! Helmut!«

22

Sie nannten ihre Tochter Flora. Es war Helmut, der diesen Namen vorschlug. Ein Kind, das sozusagen mitten auf dem Acker, in der erblühenden Natur an die Tür der Welt klopfte, könne doch gar keinen anderen Namen bekommen als den der Göttin der Blumen. Außerdem passe Flora ausgezeichnet zu der Tochter eines Samenhändlers, argumentierte er gegenüber seinen Eltern, die den Namen für zu ungewöhnlich hielten. Mädchen hießen in Gönningen Klara, Martha oder Liesel – aber Flora? Und was ist mit Seraphine?, wollte Helmut wissen, erntete für diesen Einwand aber nur ein Schulterzucken.

Hannah, die den Wortwechsel matt, aber glücklich von ihrem Lager auf der Küchenbank aus verfolgte, lächelte in sich hinein. Dass Flora der Name einer Göttin war, hatte sie noch nie gehört. Dass ein Vater sich derart vehement für den Namen seines Kindes einsetzte, auch noch nicht. Für sie war es ein gutes Zeichen: Helmut schien über die Geburt einer Tochter mindestens ebenso erfreut zu sein, wie er es bei einem Sohn gewesen wäre. Im Gegensatz zu ihr. Sie hatte so fest daran geglaubt, einen Jungen unter dem Herzen zu tragen! Aber lange hielt Hannahs Enttäuschung nicht an, und Flora gewann vom ersten Moment an ihr Herz.

Sie war ein ausgesprochen schönes Kind. Schon kurz nach der Geburt konnte man ihre feinen Gesichtszüge erkennen, und die ungewöhnlich weit auseinander stehenden Augen verliehen ihr einen hellen, wachen Ausdruck. Auch war sie nicht unbehaart zur Welt gekommen wie so viele Säuglinge, sondern sie war schwarzhaarig, wie ihre Mutter. Hannah konnte sich stundenlang damit beschäftigen, ihre Tochter anzuschauen. Dass Helmut und sie solch ein schönes Wesen zustande gebracht hatten, grenzte für sie an ein Wunder. Flora war etwas Besonderes. Eine Rose inmitten einer Löwenzahnwiese. Ein saftiger Festtagsbraten auf einer Tafel mit Kraut- und Rübengerichten. Ein Vollblutpferd inmitten von Ackergäulen. Hannah hütete sich, solche Gedanken laut zu äußern – teils aus Angst, durch ihren eitlen Mutterstolz das Schicksal herauszufordern, teils aus Sorge, von den anderen belächelt zu werden. Aber wenn sie und Helmut mit Flora allein waren, überboten sie sich in Komplimenten für ihre Tochter.

Flora war nicht nur ein schönes, sondern auch ein ausgesprochen genügsames Kind, das höchstens schrie, wenn es

Hunger hatte. Solange sie unter Menschen war, gab sie sich damit zufrieden, von ihrer Wiege aus stundenlang das Treiben um sich herum zu beobachten. Sie ließ sich von jedermann auf den Arm nehmen, quengelte aber auch nicht, wenn sie wieder hingelegt wurde, sondern schlief binnen Minuten ein.

Wilhelmine und Hannahs Mutter, die eigens zu Floras Taufe angereist war und einige Wochen blieb, waren sich darin einig, selten so ein braves Kind erlebt zu haben. Und das war gut so, denn im geschäftigen Betrieb rund um den Samenhandel blieb Hannah nicht viel Zeit, sich um ihre Tochter zu kümmern.

Für Hannah war das späte Frühjahr 1850 eine Zeit der Freude: Sie kostete jede Stunde, die ihre Mutter zu Besuch war, fröhlich aus. Schlenderte mit ihr durch Gönningen, zeigte ihr mit Besitzerstolz den Acker, den sie angelegt hatte und auf dem die ersten Gemüse schon erntereif waren. Wie nicht anders zu erwarten, gab sich Sophia Brettschneider äußerst beeindruckt von Hannahs gärtnerischen Fähigkeiten, nannte Gönningen ein ausgesprochen hübsches Dorf, lobte Helmuts Qualitäten als Ehemann. Von Emma und Käthe Steiner war sie hellauf begeistert. Dass zwei Frauen es schafften, sich in der harten Wirtshauswelt der Männer zu behaupten, beeindruckte Sophia sehr. Emma dankte sie von Herzen für die Freundlichkeit, die sie Hannah in ihrer größten Not entgegengebracht hatte. Gönningen war ein guter Ort für Hannah – dieses Resümee zog Sophia Brettschneider sehr bald. Ein Ort mit freundlichen, offenen Menschen, einem bescheidenen Wohlstand und genügend Umtrieb, um Hannah die Sehnsucht nach dem großstädtischen Nürnberg zu vertreiben. Dass Gönningen spätestens im kommenden Herbst wieder wie ausgestorben sein würde, mochte Sophia Brettschneider kaum glauben.

Es war einer der heißesten Tage des Jahres, dabei war es noch nicht einmal Mitte Juni. Wilhelmine lag mit Kopfschmerzen zu Bett, auch Tante Finchen hatte sich hingelegt, und Hannah war mit ihrer Mutter und Flora an der Wiesaz, um sich im lauen Wasser die Beine zu kühlen. Nur Gottlieb hatte sich wie jeden Morgen auf den Weg ins Gönninger Rathaus gemacht. Valentin begleitete ihn. Gemeinsam wollten Vater und Sohn später nach Tübingen fahren, um dem Oberamt einen Besuch abzustatten.

Den Atem anhaltend, blieb Seraphine auf der letzten Treppenstufe stehen. Alles war ruhig. Nur aus Gottliebs altem Büro waren leise Kratzgeräusche zu hören, hin und wieder auch ein Fluchen. Seraphine lächelte.

Im Gegensatz zu den anderen, die schon kurz nach dem Aufstehen völlig aufgelöst erschienen – die Kleidung durchgeschwitzt, die Haare strähnig, die Stirn glänzend –, fühlte sie sich kühl und frisch. Sie strich ein letztes Mal den wasserblauen Rock zurecht, versteckte das Musterbuch, das sie in braunes Packpapier eingeschlagen hatte, hinter ihrem Rücken und klopfte dann leise an.

»Ja?«

»Ich bin's!« Sie huschte hinein, schloss die Tür hinter sich. Im Büro waren alle Fensterläden geschlossen. Seraphine blinzelte, um sich an die Dunkelheit zu gewöhnen.

»Wenn du hier noch lange über deinen Büchern sitzt, machst du dir die Augen kaputt!«, sagte sie tadelnd.

Helmut schnaubte. »Wenn ich die Läden nicht zumache, heizt sich das Zimmer auf wie ein Backofen. Bei dem Wetter könnte ich mir etwas Schöneres vorstellen, als hier zu sitzen! Aber einer muss schließlich das Geld verdienen.« Er grinste schräg. »Wenn die Bestellungen nur nicht so elendig viel Zeit beanspruchen würden …«

»Ich könnte dir helfen, du musst mir nur zeigen, was ich tun soll.« Seraphine zog den Besucherschemel, der vor dem Schreibtisch stand, an Helmuts Seite und setzte sich.

Er schüttelte den Kopf. »Kommt gar nicht in Frage, dass du dir diesen schönen Tag hier drinnen um die Ohren schlägst. Aber sag, was wolltest du eigentlich? Valentin ist nicht hier, er –«

»Ich weiß«, unterbrach Seraphine ihn. Sie strich ihm ein paar Haarsträhnen aus den Augen. Er sah erhitzt aus, ein wenig gereizt, als habe sie ihn bei einer wichtigen Arbeit gestört. Unauffällig linste sie auf die Unterlagen, die über den ganzen Schreibtisch verteilt lagen. Wenn er wirklich so beschäftigt war, war dies vielleicht nicht der richtige Zeitpunkt, um ihm das Geschenk zu übergeben. Oder gerade doch? Sie legte das Paket unauffällig unter dem Tisch auf ihren Schoß.

Helmut runzelte die Stirn. »Hannah ist auch nicht da. Sie ist mit ihrer Mutter und Flora an der Wiesaz …«

Von mir aus kann sie in des Teufels Hölle sein, lag es Seraphine auf der Zunge. Stattdessen sagte sie: »Ein Wunder, dass sich die beiden endlich einmal ein wenig Ruhe gönnen. Deine Mutter haben sie auch schon ganz nervös gemacht mit ihrer hektischen Betriebsamkeit …«

»Na, höre ich da etwa einen Vorwurf heraus?« Neckisch knuffte Helmut Seraphine in die Seite. Er hatte den Stift aus der Hand gelegt und schien es nun nicht mehr eilig zu haben, zu seiner Arbeit zurückzukommen. Seraphine ärgerte sich, nicht daran gedacht zu haben, ein Glas Wein mitzubringen. Eine Erfrischung hätte ihm gewiss gut getan.

»Meine werte Schwiegermutter ist nun einmal eine sehr fleißige Frau. Sie ist es nicht gewöhnt, bedient zu werden, das habe ich meiner Mutter auch schon erklärt. Sophia meint es nur gut, wenn sie jedem zur Hand gehen will. Dabei sollte sie ruhig öfter einmal die Füße hochlegen. In Nürnberg kommt sie bestimmt nicht dazu.« Er lächelte. »Und wir dachten immer, un-

sere schwäbischen Mädle hätten das Schaffen erfunden ...
Also, ich finde, Sophia ist eine angenehme Frau, oder?«

Seraphine zuckte mit den Schultern. In ihren Augen war Sophia Brettschneider äußerst gewöhnlich: hemdsärmelig, mit demselben ordinären Lachen wie ihre Tochter, nur an einfältigen Alltagsdingen interessiert.

Schweigen breitete sich aus, während Seraphine krampfhaft darüber nachdachte, wie sie das Gespräch auf ihr Geschenk bringen konnte. Helmut bedachte sie mit einem abwesenden Lächeln, dann nahm er seinen Stift wieder auf und begann, Zahlen in eine Liste einzutragen.

Seraphine verzog den Mund. Warum war sie in Helmuts Gegenwart nur immer so befangen? Warum hatte sie ihm so wenig zu sagen? Natürlich, sie verstanden sich auch ohne Worte. Ja, eigentlich war es ein intimes Schweigen, das sie einte. Aber warum konnte sie ihn nicht geradeheraus fragen, wie er sich fühlte? Ob er glücklich war, sie inmitten all der widrigen Umstände an seiner Seite zu wissen? Warum fragte er *sie* diese Dinge nicht?

An manchen Tagen hätte Seraphine vor Wut, Ärger und Enttäuschung laut schreien mögen. Hätte den Nächstbesten ohrfeigen, Dinge zerstören können – Teller an die Wand schmeißen vielleicht oder Kleidungsstücke zerreißen, bis mit jedem Fetzen auch die Wut kleiner wurde. Natürlich tat sie das nicht. Weder Helmut noch ihr wäre damit geholfen gewesen, keiner von beiden hatte sich dieses Leben ausgesucht. So lächelte sie, war die Sanftmut in Person, erhob im Gegensatz zu der auffahrenden Hannah nie die Stimme, machte gute Miene zu bösem Spiel, bis ihre Gesichtsmuskeln einzufrieren drohten. All dies war so erschöpfend, dass sie manchmal vor lauter Müdigkeit kaum eine Hand heben konnte. Sie kam sich vor wie ein Tier, das in einen viel zu kleinen Käfig gesteckt worden war, aber eigentlich viel Auslauf brauchte.

Lediglich in der Abgeschiedenheit ihres Zimmers, wenn Valentin und sie allein waren und die Nacht ihr einziger Zeuge, ließ sie ihren Gefühlen freien Lauf. Hier konnte sie all die Dinge tun, die sie sich tagsüber versagen musste: sich ihrem inneren Aufruhr hingeben, schreien, stöhnen und schluchzen. Sie nannte es nicht Liebe. Sie hatte kein Wort dafür. Sie wusste nur, dass sie ohne diese Stunden der körperlichen Verausgabung – geboren aus tiefstem Schmerz, aus Wut und grenzenloser Verzweiflung – nicht hätte überleben können.

Valentin – er verstand nichts. Ganz im Gegenteil: Er verstand alles falsch. Er glaubte tatsächlich, sie würde ihm leidenschaftlich ihre Liebe schenken. Manchmal, wenn sie tagsüber allein waren – was Gott sei Dank nicht allzu oft vorkam –, druckste er herum, versuchte Worte zu finden für das, was nachts geschah. Doch Seraphine wollte davon nichts hören.

»Was … warum bist du eigentlich hier?«

Seraphine schrak zusammen. Sie war so in Gedanken versunken gewesen, dass es einen Moment dauerte, bis sie sich an das Gewicht auf ihrem Schoß erinnerte.

»Ich habe etwas für dich. Ein Geschenk.« Mit zittriger Hand legte sie das Paket auf den Tisch.

»Für mich?«

Sie nickte. »Mach's doch auf.«

»Ich weiß zwar nicht, womit ich ein Geschenk verdient habe, aber wenn du meinst …« Helmut zuckte verständnislos mit den Schultern.

Mit angehaltenem Atem beobachtete Seraphine, wie er Seite für Seite umblätterte. Warum sagte er nichts? Gefiel es ihm etwa nicht?

Schließlich legte er das Buch weg. »Es ist wunderschön. Und sehr gelungen …« Er biss sich auf die Lippen.

»Aber …«, führte Seraphine seinen unausgesprochenen Satz weiter.

»Aber was soll ich damit? Wenn du so etwas Schönes verschenken willst, dann solltest du es Valentin –«

»Valentin, Valentin«, unterbrach Seraphine ihn barsch. »Er weiß doch so etwas gar nicht zu schätzen. Außerdem bist du der Ältere, du führst das Regiment bei euren Verkaufsgesprächen. Er sagt doch selbst, dass du der Gewieftere von euch beiden bist.«

»Gerade deshalb solltest du ihm diese Hilfe anbieten«, sagte Helmut. Er hob die Hand, bevor Seraphine weitersprechen konnte. »Auf unserer nächsten Reise müssen wir *beide* unser Bestes geben, und was das Verkaufen angeht, ist er wirklich manchmal ein wenig zurückhaltend. Aber gerade das wird uns nicht sehr viel weiterbringen in Russl-« Er brach ab. »Ach, vergiss, was ich gesagt habe! Nimm das Buch und gib es deinem Mann!« Helmut wandte sich in Richtung Bücherregal und ergriff eine Aktenmappe.

»Du redest nicht einmal mehr mit mir«, sagte Seraphine mit zittriger Stimme. So hatte sie sich das Ganze wahrhaftig nicht vorgestellt. Die ganze Arbeit, so viel Liebe, wurde nun ausgeschüttet wie schmutziges Wischwasser.

»Ach Sera, so war das doch nicht gemeint. Es ist nur ... Ach verdammt!« Er holte tief Luft. »Eigentlich haben Valentin und ich vereinbart, über unsere Pläne Stillschweigen zu bewahren. Aber vielleicht ist es ganz gut, wenn du Bescheid weißt.« Helmut schaute sie fragend an. Da sie nicht antwortete, fuhr er fort: »Dir ist bestimmt schon aufgefallen, dass wir in diesem Jahr noch keine Pläne für den Jakobihandel gemacht haben.«

Seraphine nickte, obwohl ihr noch nichts dergleichen aufgefallen war. Jakobihandel wurden die zusätzlichen Reisen genannt, die von den Gönningern alljährlich ab dem 25. Juli unternommen wurden, um getrocknete Birnen- und Apfelschnitze zu verkaufen. Seraphine bemühte sich zu verdrängen, dass ihr

Vater im Jahr zuvor sämtliche Gewinne aus diesem Handel verspielt hatte.

»Nun, dieses Jahr fällt der Jakobihandel für uns aus. Valentin und ich haben beschlossen, die gesamte Ernte an Rudi Thumm zu schicken.«

»Rudi Thumm? Aber ... der lebt doch jetzt in Amerika!« Nun war Seraphine völlig verwirrt. Apfelschnitze auf eine so weite Reise zu schicken – lohnte sich das?

Helmut nickte. »Richtig. Der gute Rudi, Valentins alter Freund, der vor drei Jahren nach Amerika ausgewandert ist. Es scheint ihm dort gut zu gehen. Er und Valentin stehen schon seit längerer Zeit in Briefkontakt, daher wissen wir ziemlich genau über alles Bescheid. Rudi ist fest davon überzeugt, dass sich unsere schwäbischen Apfelschnitze in seiner deutschen Gemeinde gut verkaufen lassen. Anfangs war ich skeptisch, Trockenobst auf eine so weite Reise zu schicken, das gebe ich zu. Aber die Kosten halten sich im Rahmen, und wenn wir alles in feste Holzkisten verpacken, müsste die Ware auf dem Transport sicher sein. Natürlich bringt dieser Versand eine Menge Papierkram mit sich, aber wenn's sich lohnt?« Helmut zeigte auf einen Stapel mit Zoll- und anderen Ausfuhrformularen.

Valentin schrieb sich mit einem Mann in Amerika? Seraphine widmete diesem Gedanken nur kurz ihre Aufmerksamkeit, denn im nächsten Moment wurde ihr die Tragweite von Helmuts Eröffnung klar.

»Das heißt ja, dass ihr bis zum Herbst hier bleiben werdet! Aber ... das ist ja wunderbar!« Spontan schlang sie die Arme um seinen Hals, küsste ihn auf die Wange. Was für eine schöne Überraschung! Und sie war die Erste, die davon erfuhr. *Danke, Sternenfee, danke!*

Nur ungern rückte Seraphine wieder von Helmut ab.

»Nun ja ... das ist die eine Seite der Medaille.« Helmut zuckte mit den Schultern. »Die andere ... Ich bin gespannt, ob Hannah und du die andere Seite auch so gut aufnehmen werdet. Die Sache ist die: Valentin und ich brauchen den Sommer, um unsere nächste Reise vorzubereiten. Wir werden nämlich im Herbst nicht nur nach Böhmen reisen wie jedes Jahr, sondern danach noch nach Russland. Genauer gesagt, nach Odessa. Dort wohnt ein Cousin von Vater. Seit Ewigkeiten lädt er uns immer wieder ein, ihn einmal zu besuchen. Ein kostenloses Domizil in der Fremde, das ist doch was, oder? Jemand, der sich dort auskennt, der unsere Sprache spricht und Russisch noch dazu – bessere Möglichkeiten, ein gutes Geschäft zu machen, kann man gar nicht haben. In früheren Jahren hat Vater oft davon gesprochen, einmal nach Odessa fahren zu wollen, aber er hat es bisher nicht geschafft und wird es auch nicht mehr schaffen. Doch Valentin und ich – wir machen jetzt Ernst! Wir fahren nach Russland!«

Seraphines Lächeln war während Helmuts Redefluss erstorben. »Oh«, sagte sie mit leiser Stimme, während sich Helmuts Worte wie Frost auf ihre Haut legten.

Helmut schien ihren Stimmungsumschwung nicht zu bemerken. Munter sprach er weiter. »Nach Russland nehmen wir keine Gemüsesamen mit, Kraut und Rüben haben die Russen sicher selbst.« Er lachte. »Cousin Leonard hat geschrieben, dass es rund um Odessa eine große Anzahl Herrensitze gibt, mit reichen Bewohnern, die viel Geld für ihre Gärten ausgeben, weil sie sich gegenseitig damit übertrumpfen wollen. Deshalb werden Valentin und ich uns auf Blumensamen spezialisieren, und da kommt dein Buch natürlich gerade recht! Als ob du es geahnt hättest ...« Er verstummte für einen Moment. »Tulpenzwiebeln wären auch nicht schlecht gewesen, aber bis wir dort ankommen, ist es sicher Anfang März, und es wäre somit viel zu spät für das Setzen von Tulpenzwiebeln. Bleibt also Blumensamen – bei all unseren Lieferanten habe ich nur das Feinste bestellt. Und einige Rosenstöcke werden wir auch mitnehmen. Das wird ein Geschäft!« Er rieb sich die Hände.

Seraphine nickte, dachte jedoch: Tulpen, Rosen – die hatte sie doch gar nicht gemalt! Was redete er da?

»Gott, bin ich froh, dass du diese Neuigkeit so gelassen aufnimmst! Ich meine, du bist die Erste, die davon erfährt. Der Vater weiß natürlich auch Bescheid, bis wir den so weit hatten, war es ein hartes Stück Arbeit, das kann ich dir sagen!« Helmut lachte harsch auf. »Davon abgesehen hielten wir es jedoch für das Beste, unsere Pläne erst einmal für uns zu behalten. Mutter würde vor lauter Sorge gar nicht mehr aufhören zu beten. Und du weißt ja, wie viel im Dorf geredet wird ...«

Eine Russlandreise? Allmählich durchdrangen seine Worte Seraphines Bewusstsein. Das war ... lebensgefährlich! Bisher hatten sich nur wenige Gönninger auf den weiten Weg gemacht, und nicht alle waren zurückgekommen. Und dann ausgerechnet Odessa! Erst vor ungefähr fünf Jahren hatte es dort einen ihrer Nachbarn erwischt: Johannes Wagner hatte elendig an einer Schwindsucht sterben müssen. Seine Witwe, die Anna, war seitdem nicht mehr dieselbe, redete verwirrt daher und gebärdete sich auch sonst manchmal recht auffällig. Die Trauer habe sie verrückt werden lassen, hieß es im Dorf. Und dann gab es noch diese schreckliche Geschichte, die die Alten oft erzählten: Ein Mann namens Andreas Martin Kemmler hatte sich aus Schwermut in Odessa in der Kammer seiner Gastleute erhängt! Dieses Ereignis lag zwar schon mindestens fünfzehn Jahre zurück, aber es zeigte doch eindeutig, dass Odessa den Gönningern nichts Gutes brachte. Warum konnte Helmut nicht einfach wie jedes Jahr nach Böhmen fahren? Wenn es sein musste, auch noch ins Elsass. Was ging ihn dieser Verwandte an? Er kannte den Mann doch gar nicht! Ich flehe dich an, bleib hier! Ich liebe dich, ich kann nicht so lange ohne dich sein ... Seraphines Gedärme krampften sich zusammen. Doch nach außen hin blieb sie ruhig, zupfte einen Fussel von ihrem Ärmel, stand auf, um das Fenster ein wenig zu öffnen. Ja, darin hatte sie Übung.

Was hätte ihr Flehen gebracht? Helmut vertraute ihr so sehr, dass er sie als Einzige in seine Pläne einweihte. Da konnte sie doch nicht daherkommen und heulen wie ein Kind. Zudem sagte ihr ein Blick in sein Gesicht, dass jedes Flehen umsonst gewesen wäre. Diese Zielstrebigkeit! Dieses Sehnen …

»Odessa«, sagte sie dumpf, als habe Helmut stattdessen »Golgatha« gesagt.

Helmut nickte. »Ist das nicht großartig? Mit dem Schiff die Donau hinab – ich kann's immer noch nicht glauben, das wird ein Abenteuer!« Sein Blick war entrückt, so als sehe er schon die Weite des Schwarzen Meeres vor sich. »Und das alles haben wir Hannah zu verdanken. Hätte sie uns nicht auf die Idee gebracht, dass wir die bestellten Samen auch verschicken können, hätten wir ein zweites Mal nach Böhmen reisen müssen. So aber können wir im Anschluss an die Böhmenreise direkt nach Russland aufbrechen und sind bis spätestens Mai wieder zurück. Für euch bedeutet das ab Januar natürlich mehr Arbeit. Ich kann nur hoffen, dass ihr mit dem Verpacken der Lieferungen überhaupt hinterherkommt!« Helmut lachte. »Nun müsst zur Abwechslung auch einmal ihr Weiber ran.« Das klang nicht sonderlich bekümmert.

Hannah, immer nur Hannah! *Sie* war es, die Helmut von zu Hause wegtrieb! Sie war schuld daran, dass sich diese fixe Idee in Helmuts Kopf eingenistet hatte. Er nannte es Träume! Wäre er mit ihr, Seraphine, verheiratet, würde er sich nicht in Träume flüchten müssen. Sie hätte ihm den Himmel auf Erden bereitet.

»Und Hannah kennt eure Pläne wirklich noch nicht?«

Er schüttelte den Kopf. »Ehrlich gesagt weiß ich nicht, wie ich es ihr beibringen soll. Sie …« Seine Stimme hatte plötzlich einen schmerzhaften Ton.

Seraphine nickte. »Ich weiß, was du sagen willst. Hannah würde dich am liebsten anbinden! Ihr passt es ja schon nicht, wenn ihr Männer ins Wirtshaus geht, dabei sollte man meinen, sie als Wirtshaustochter sähe das gelassen. Und dann ihre Unselbstständigkeit, dieses ewige Klammern – sie ist halt keine von uns, woher soll sie also wissen, dass man den geliebten Mann immer wieder ziehen lassen muss? Ob sie das je lernt …« Seraphine staunte über sich selbst. Dass ihr diese Worte gerade jetzt so einfielen!

Helmut runzelte die Stirn. »Mir fällt das Abschiednehmen auch schwer, das kannst du mir glauben. Valentin geht es natürlich ebenso«, setzte er hastig hinzu. »Aber du hast Recht: Uns liegt das Reisen einfach im Blut. Das war schon immer so!« Er verdrehte die Augen. »Himmel, jetzt höre ich mich schon an wie Mutter.«

Seraphine lächelte. Die Frostschicht auf ihrer Haut begann zu tauen. Vielleicht war alles doch nicht so schlimm. *Sie* war die Tochter eines Samenhändlers. *Sie* verstand, was in Helmut vor sich ging. Ihr konnte er sich anvertrauen. Und wenn er erst einmal auf dieser Reise war … nun, dann musste sie stark sein. So, wie sie tagtäglich stark sein musste. Hatte sie sich das nicht fest vorgenommen? Ihr Blick strich über Helmuts verschwitztes Gesicht.

Er nahm ihre Hand. »Jetzt, wo du Bescheid weißt, ist mir leichter ums Herz«, sagte er. »Wahrscheinlich ist es das Beste, wenn ich Hannah auch so bald wie möglich alles erzähle. Sie muss sich einfach an den Gedanken gewöhnen, ohne mich klarzukommen.«

»Das würde ich nicht tun«, antwortete Seraphine eilig. Sie umklammerte seine Hand fester. »Ich meine, Hannah würde sich jeden Tag grämen, würde dir Vorwürfe machen und versuchen, dir die Russlandreise wieder auszureden! Diese Sehnsucht, die du verspürst, die versteht sie nicht!«

Helmuts Stirnrunzeln ließ sie rasch fortfahren: »Sie meint es sicher nicht böse, aber du hättest keine ruhige Minute mehr. Dabei brauchst du die Zeit doch dringend für deine Vorbereitungen.« Sie wies mit dem Kopf Richtung Tisch, der bis zum Rand mit Unterlagen übersät war. »Wenn du meine Meinung hören willst: Es ist wohl am besten, wenn du Hannah so lange wie möglich in Unwissenheit lässt. Wenn ihr erst einmal weg seid, hat sie Zeit genug, sich an die veränderten Umstände zu gewöhnen. Und ich bin ja auch noch da und helfe ihr, wo ich kann.« Auf den letzten Satz war Seraphine besonders stolz, auch wenn er fast die Galle in ihr hochbrachte.

Helmut schaute sie nachdenklich an. Nach einem kurzen Schweigen sagte er: »Ich glaube, du hast Recht. So kurz nach der Geburt will ich sie nicht unnötig aufregen. Wahrscheinlich ist es wirklich das Beste, wenn sie vorerst von nichts weiß.«

23

Als Sophia Brettschneider Ende Juni abreiste, vergoss Hannah bittere Tränen, denn sie fragte sich, wie lange es wohl dauern würde, bis sie sich wiedersahen.

Hannahs Trauer währte nur kurz, denn wenige Tage nach Sophias Abreise eröffnete Helmut ihr, dass sein Bruder und er sich entschieden hätten, den Jakobihandel in diesem Jahr ausfallen zu lassen. Stattdessen wollten sie den kompletten Bestand an Dörrobst, den die letzte Ernte erbracht hatte, mit einem Schiff nach Amerika schicken. Das brachte zwar einen Haufen Schriftkram mit sich, aber es ersparte eine ganze Reise. Hannah hatte schon vom Jakobihandel gehört, doch war ihr bis zu diesem Zeitpunkt nicht klar gewesen, dass die Sommerreise im Kalender der Gönninger ein genauso fester Bestandteil war wie die Handelsreisen im Herbst und Winter. Noch eine Reise? Noch eine Trennung? Sie brach erneut in Tränen aus. Erst als ihr klar wurde, dass dieser Krug zumindest in diesem Jahr an ihr vorüberging, verwandelte sich ihr Weinen in Freudenschreie.

In den darauf folgenden Wochen verbrachte sie so viel Zeit wie möglich mit Helmut, besuchte mit ihm Reutlingen, fuhr ein anderes Mal mit ihm nach Tübingen. Ganz gleich, ob sie die Packstube auf Vordermann brachten oder ob Feldarbeit anstand, sie arbeiteten gut Hand in Hand, hatten einen ähnlichen Rhythmus und ergänzten sich, statt sich gegenseitig zu behindern. Bei aufwändigeren Arbeiten, beispielsweise im September bei der Obsternte, waren natürlich auch Valentin und Seraphine mit von der Partie, an manchen Tagen sogar Wilhelmine und Tante Finchen. Doch bei keinem anderen Paar füllten sich die Körbe so schnell und unter so viel Lachen mit Äpfeln oder Mostbirnen wie bei Helmut und Hannah.

Auch Flora war immer dabei. Entweder wurde sie von Hannah in einem Tuch vor der Brust getragen, oder sie kam in den hochrädrigen Karren, in dem laut Wilhelmine schon ihre drei Kinder gelegen hatten.

Wenn es keine Arbeit auf den Feldern gab, saß Helmut viele Stunden lang im Büro seines Vaters oder in der Packstube. Hannah staunte über die unzähligen Briefe, die zwischen Samenzüchtern, Gärtnern und dem Hause Kerner hin- und hergingen. Immer wieder schrieb Helmut seine Lieferanten wegen neuer, ungewöhnlicher Blumensorten an oder wollte etwas über die Verwendbarkeit der Sorten in fremdem Klima erfahren. Liefermengen und -zeiten wurden verhandelt und natürlich Preise. Daneben gab es Korrespondenz mit dem Zollverein in Tübingen, Karten mit Eisenbahnverbindungen befanden sich ebenso bei den Unterlagen wie Informationen über die Donauschifffahrt. Dass ein solcher Aufwand betrieben werden musste, bevor ein Samenhändler mit seinem Zwerchsack losziehen konnte, hätte Hannah nie vermutet. Helmut erklärte ihr, ohne dies jedoch weiter auszuführen, dass die Lieferanten in der Regel ziemlich genau wüssten, was sie wann an die Kerners zu liefern hatten, dass dieses Jahr die Sache jedoch ein wenig komplizierter wäre.

Als es schließlich auf den Herbst zuging, schienen die Männer von Tag zu Tag nervöser zu werden. Manchmal genügte ein falsches Wort zum falschen Zeitpunkt, und entweder Valentin oder Helmut gingen in die Luft. Hannah kam es bald so vor, als lebten die beiden nur noch für den Moment, in dem sie endlich wieder ihr Bündel packen und losziehen konnten. Sie hätte gern gewusst, ob dies in anderen Haushalten auch der Fall war, doch so gut kannte sie die Gönninger noch nicht. Die Tatsache, dass Helmut sie und Flora so leichten Herzens würde verlassen können, stimmte Hannah traurig und nachdenklich. Und umso mehr galt es, bis dahin jede gemeinsame Minute zu genießen.

Sie hätte sich gern öfter zu Helmut gesetzt, wenn dieser seine Schreibarbeiten erledigte. Nicht, weil das Geschäft sie so brennend interessierte – sie wäre einfach gern noch länger mit ihrem Mann zusammen gewesen. Doch meistens saß schon Seraphine auf dem zweiten Stuhl im Büro, füllte irgendwelche Listen aus, sortierte etwas in dicke Aktenmappen und machte dabei ein wichtiges Gesicht. Hannah hatte gar nicht mitbekommen, wann Seraphine angefangen hatte, Schreibarbeiten für die Männer zu erledigen. Vermutlich in den Wochen, in denen sie so viel Zeit mit ihrer Mutter verbracht hatte. Es war nicht so, dass Helmut und Seraphine ihr das Gefühl gaben, unerwünscht zu sein. Seraphine bot ihr sogar mehr als einmal an, sie in das komplizierte Bestellwesen einzuführen. Doch Hannah lehnte dankend ab und lief aus dem Zimmer, als hätte sie unzählige andere, spannende Dinge zu erledigen. Wenn sie die beiden so Seite an Seite sah – Seraphines silberblondes Haar dicht an Helmuts Wuschelkopf –, konnte sie ihre Eifersucht kaum zügeln. Gleichzeitig grenzte es für sie an ein Wunder, dass sie diesen Mann, den sie aus reiner Verzweiflung geheiratet hatte, so lieben gelernt hatte.

Es gab allerdings auch Tage, an denen ihr Herz groß und weit war und sie sich sagen konnte: Gönne Seraphine doch den Spaß! Was tut sie schon, außer Helmut bei der Büroarbeit zu helfen?

Dieses Auf und Ab der Gefühle vermochte sich Hannah selbst nicht zu erklären. Seraphine war und blieb ihr unheimlich, und dass sie Helmuts einstige Verlobte war, machte die Sache nicht einfacher.

Hin und wieder wanderten Helmut und Hannah auf den Rossberg, manchmal noch vor dem Tagwerk früh am Morgen, an anderen Tagen erst nach Einbruch der Dämmerung. Diese abendlichen Wanderungen waren Hannah am liebsten: Wenn hinter jedem Grashalm eine Grille ihr Lied anstimmte, wenn der Boden noch von der Sonne erwärmt war, wenn hinter so manchem Baum eine Elfe oder ein kleiner Troll vorbeizuhuschen schien, fühlte sie sich der Natur so verbunden wie zu keiner anderen Zeit. Auf dem Berg, wo sie dem Himmel viel näher waren als unten im Dorf, waren ihre Gespräche intimer und inniger. Hier konnte Helmut davon sprechen, wie sehr es ihn ärgerte, seinen Vater immer und immer wieder mühselig von einer neuen Idee überzeugen zu müssen. Hier droben bekam seine Stimme einen seltsamen Klang, wenn er von Aufbrüchen zu neuen Ufern erzählte, nach denen er sich so sehnte. Nicht immer verstand Hannah, wovon er sprach, und manchmal machten ihr seine Reden auch ein wenig Angst. Dann nahm sie seine Hand und hörte schweigend zu.

Auf dem Rossberg konnte Hannah auch von ihren seltsamen Beobachtungen erzählen, die Seraphine betrafen: dass sie die Schwägerin in Helmuts und ihrem Schlafzimmer angetroffen hatte und dass Seraphine auf die Frage, was sie dort zu suchen habe, antwortete, sie habe sich verlaufen. Verlaufen! Im eigenen Haus! Hannah vertraute Helmut an, dass es ihr unwohl dabei war, Flora in Seraphines Armen zu sehen, dass sie Angst habe, die Schwägerin könne dem Kind etwas Böses tun. Auch wenn Helmut Hannahs Befürchtungen als unsinnig abtat und die Schwägerin sogar noch verteidigte, war Hannah danach doch immer etwas leichter ums Herz.

Von einem Tag auf den anderen hatte sich der Sommer verabschiedet. Die Spinnweben, die am Vortag zwischen den Hecken noch silbern in der Sonne geglänzt hatten, hingen nun regenschwer herab, die Vögel hörten auf zu singen, und der Nebel zog in das Tal rund um Gönningen. Die Bäume, befreit von der schweren Last der Äpfel und Birnen, schienen sich wieder leichter dem Himmel entgegenzustrecken. Manche ließen schon jetzt einen Teil ihrer Blätter fallen.

Abschied und Aufbruch kündigten sich an, und eine eigentümliche Stimmung machte sich breit.

Seraphine drückte das Kopfkissen an ihr Gesicht und atmete tief ein. Es war noch ein bisschen warm. Wie gut es roch! Nach Mann, nach Erde, so warm, als wären die letzten Sonnenstrahlen des Sommers darin eingefangen.

Ihre Sonne, so warm …

Ach, warum konnte sie sich nicht immer an ihr wärmen?

Mit einem Seufzen ließ Seraphine das Kissen sinken. Ihre Augen wanderten durch den Raum, blieben an dem bunten Flickenteppich hängen, der vor dem Bett lag. Sie musste an den Teppich denken, den sie gewebt hatte. Die braune und weiße Wolle hatte sie dafür von Wilhelmine bekommen. Immer wieder hatte sie die Fäden gewechselt, bis sie ineinander liefen wie Farbe auf einem nassen Papier. Wie viel feiner war ihre Handarbeit! Wie viel geschmackvoller als dieses bunte, hässliche Ding!

Wäre Helmut ihr Mann gewesen, hätte sie ihm Schönheit geschenkt. Aber Helmut war nicht ihr Mann. Und dieses Zimmer war nicht ihr Zimmer, sondern das von Helmut und Hannah.

Warum sie dennoch immer wieder hierher kam, hätte sie nicht erklären können. Einmal war sie ausgerechnet von Hannah erwischt worden.

Mit den Fingerspitzen fuhr sie über die Kleidungsstücke, die auf einem Stuhl lagen. Helmuts Sachen – so lieblos hingeworfen. Sie konnte nicht dem Impuls widerstehen, sie zusammenzufalten und ordentlich aufeinander zu legen. In den Hemden war sein Geruch noch intensiver. Ein Ohr in Richtung Tür gewandt – im oberen Stockwerk war alles ruhig, die anderen saßen längst beim Morgenmahl –, stopfte sie eines der Hemden unter ihre Strickjacke. Sie würde es mitnehmen, unter ihr Kopfkissen legen wie einen Talisman.

»Du bist eine ganz Scheinheilige!«, hatte Valentin sie beschimpft, damals im Garten, als er sie beim Malen des Blumenbuches störte. Dumme Worte, mehr nicht. Nicht wert, darüber nachzudenken. Unwirsch schüttelte Seraphine den Kopf, als wolle sie sich von einem Spinngewebe befreien. Was wusste Valentin von wahrer Liebe? Nichts. Gar nichts.

Trotzdem war sie nach seinem Ausbruch vorsichtig geworden. Sie wusste, dass er jeden ihrer Schritte beäugte, dass sein eifersüchtiges Auge sie bei jeder Regung verfolgte. Aber sie war schlauer als er. Sie verbarg ihre Liebe, beschützte sie wie ein kleines Küken. Und sie war für ihre Vorsicht belohnt worden. Hatte Helmut nicht *sie* ins Vertrauen gezogen? Während diese Hannah immer noch nichts von der Russlandreise ahnte?

Seraphine wandte sich zum Gehen, Helmuts Hemd fest an ihre Brust gepresst, als ihr Blick auf einen Stapel Unterlagen fiel, der auf dem Nachttisch neben Helmuts Bett lag. Waren das nicht die Frachtpapiere für die Lieferungen, die für Odessa bestimmt waren? Seraphine runzelte die Stirn. Warum ließ Helmut sie so offen liegen? Hatte er nicht Angst, dass Hannah sie finden würde? Beim näheren Hinsehen erkannte sie, dass die Formulare noch nicht ausgefüllt waren, Odessa als Zielort der Waren also nicht genannt wurde. Erleichterung durchflutete sie – Hannah wusste also in der Tat noch nichts.

Aber hatte Helmut nicht gesagt, dass er heute mit den Papieren nach Tübingen aufs Zollamt fahren wollte? Hatte er nicht von einem »Freihafen« und von besonderen Einfuhrbestimmungen, die es herauszufinden galt, gesprochen?

Seraphine hatte die Papiere schon in der Hand, wollte zu ihm in die Küche laufen, sie ihm geben, bevor er das Haus verließ.

Stattdessen ging sie in die Hocke, dann auf die Knie, langsam, als wäre jede ihrer Bewegungen von größter Wichtigkeit.

Unter dem Bett lagen plustrige Staubwolken – die Haustiere fauler Mädchen.

Seraphine schnaubte, hob vorsichtig einen Staubbüschel mit der hohlen Hand an, schubste den Packen Unterlagen darunter.

Dann putzte sie sich die Hände an Hannahs Kleid ab, das über der Lehne des zweiten Stuhles hing, und verließ rasch den Raum, um Helmuts Hemd in ihrem Schlafzimmer in Sicherheit zu bringen.

Mit einem Lächeln setzte sie sich Minuten später zu den anderen an den Tisch.

»Verflixt nochmal, wo sind die Papiere?« Sich die Haare raufend, lief Helmut durchs Schlafzimmer, wühlte die Sachen auf dem Stuhl durch, schaute im Kleiderschrank nach, blieb mitten im Raum stehen.

»Ich hätte schwören können, dass ich sie hier auf dem Nachttisch abgelegt habe, aber jetzt bin ich mir nicht mehr sicher. Im Büro sind sie auch nicht … Verdammt!«

»Was ist denn so wichtig an diesen Papieren?«, fragte Hannah, die mit Flora auf dem Arm im Türrahmen stand. »Am helllichten Morgen so einen Aufstand zu machen ...« Sie trat zu ihm und wollte ihm einen Kuss auf die Wange drücken, doch er schüttelte sie unwirsch ab.

»Das verstehst du nicht. Ich brauche sie eben!«

»Wenn ich das nicht verstehe, liegt es vielleicht daran, dass du mir nichts erklärst«, erwiderte sie schärfer, als sie beabsichtigt hatte. Seit Tagen gebärdete sich Helmut wie ein brummiger Bär, war ungeduldig mit ihr, hatte kaum Augen für Flora. Sie hätte sich gern eingeredet, dass sein Verhalten damit zu tun hatte, dass ihm der bevorstehende Abschied so schwer fiel wie ihr. Doch in Wahrheit hatte sie eher das Gefühl, er sei mit den Gedanken schon auf irgendeiner Straße unterwegs. Hannah schluckte. Kämpfte gegen den Kloß in ihrem Hals an, der aufsteigende Tränen andeutete. Alte Heulsuse!, schimpfte sie sich stumm.

»Kommst du endlich?« Valentin steckte den Kopf durch die Tür. »Wenn wir jetzt nicht aufbrechen, kommen wir genau dann in Tübingen an, wenn Herr Krohmer sein ausgedehntes Mittagsmahl beginnt.«

»Die Papiere sind weg!« In einer hilflosen Geste warf Helmut beide Arme in die Luft.

Valentin runzelte die Stirn. »Was soll das heißen, die Papiere –«

»Dass sie weg sind! Ich kann sie nicht mehr finden!«, schrie Helmut.

»Wenn wir alle suchen, finden wir sie vielleicht.« Hannah bemühte sich um einen beschwichtigenden Ton. Sie legte Flora aufs Bett und schaute sich um. Wo sie suchen sollte, war ihr allerdings rätselhaft.

»Mensch, Helmut!« Valentin verdrehte die Augen. »Wenn wir das heute nicht erledigen, ist's zu spät! Heute ist Krohmers letzter Tag im Amt, bis sich sein Nachfolger eingearbeitet hat, sind wir längst in Russland und haben womöglich nicht die richtigen Einfuhrpapiere dabei!«

»Valentin!«, zischte Helmut seinem Bruder zu.

Einen Moment lang verharrten alle drei wie die Figuren eines Scherenschnittes. Hannah war die Erste, die aus der Erstarrung erwachte.

»Russland?« Sie schüttelte den Kopf. »*Russland*?«

Helmut stöhnte auf. Wütend funkelte er Valentin an. »Vielen Dank, lieber Bruder! Jetzt muss sie es auf diese Art erfahren!«

Valentin kratzte sich zerknirscht am Kinn und huschte dann ohne ein weiteres Wort aus dem Zimmer.

Fassungslos schaute Hannah ihren Mann an. Was ging hier vor?

»Ich wollte es dir ja schon längst sagen, aber ...«

»*Was* wolltest du mir sagen?«

»Hannah ...« Helmuts Hand strich über ihr Haar. Sie kam Hannah wie ein Fremdkörper vor. »Jetzt weine nicht, ich komme doch wieder. Es sind doch nur ein paar Monate. An Floras Geburtstag bin ich spätestens wieder zurück.«

Die Hände vors Gesicht geschlagen, schüttelte Hannah seine Hand ab. Stumme Weinkrämpfe ließen ihren Leib beben, nur Floras wegen biss sie sich auf die Lippen, um nicht laut aufzuheulen.

Russland ...

Helmut würde eine halbe Ewigkeit fort sein.

Was, wenn ihm etwas zustieß?

Das würde sie nicht überleben.

Plötzlich kam ihr ein Gedanke. Sie fixierte Helmut kritisch.

»Wann hattest du eigentlich vor, mich in deine Pläne einzuweihen? Ich meine, ihr reist doch kommenden Montag ab.« Sie erschrak über den eisigen Ton in ihrer Stimme.

201

Er seufzte. »Ich wollte es dir wirklich schon lange sagen, aber nie war der richtige Zeitpunkt. Und dann … Also, ich kenne dich doch …« Er wandte den Blick als Erster ab.

»Und die anderen wissen längst Bescheid?« Hannah konnte nichts dagegen tun, dass sich ihre Stimme am Ende des Satzes überschlug.

»Ja – nein! Das heißt …« Helmut verzog den Mund. »Vater weiß natürlich Bescheid, ohne sein Einverständnis könnten wir die Reise ja gar nicht finanzieren. Und Mutter …« Er zuckte mit den Schultern. »Sie sorgt sich halt auch immer so sehr, da wollten wir sie nicht unnötig früh beunruhigen.«

Hannah machte eine wegwerfende Handbewegung. »Und Seraphine?«

»Seraphine … Nun, die …« Wie ein Schulbub, der um eine Antwort verlegen ist, trat Helmut von einem Bein aufs andere. »Sie ist ja eine von uns, also …«

Eine von uns! Und was war *sie*? Hannah schnaubte. »Dann bin ich also die einzige Dumme in diesem Haus, von deiner Mutter einmal abgesehen.« Bevor sie etwas dagegen tun konnte, wurde sie von einem neuen Weinkrampf geschüttelt. Sie versteckte ihr Gesicht abermals hinter ihren Händen.

Warum vertraute er ihr so wenig? Warum zog es ihn hinaus in die weite Welt, wo er doch jetzt Frau und Kind hatte? War sie solch eine schlechte Ehefrau? Dabei gab sie sich so große Mühe …

Helmuts Versuche, Hannah zu beruhigen, waren vergeblich.

»Siehst du!«, fuhr er auf. »Deshalb habe ich nichts gesagt! Ich wusste, du würdest dich unmöglich anstellen! Seraphine dagegen, die hat ganz anders reagiert. Gelassen, gefasst, obwohl sie Valentin bestimmt auch nicht gern ziehen lässt. Aber sie versteht, dass ein Mann tun muss, was nötig ist.«

Ächzend ging Helmut in die Hocke.

Zwischen ihren gespreizten Fingern hindurch beobachtete

Hannah ihn. Nein, ich werde ihm nicht verzeihen, selbst wenn er auf Knien darum bittet, dachte sie bitter.

Doch Helmut war anderweitig beschäftigt. Mit einer Hand stützte er sich am Bettrahmen ab, mit der anderen fuhrwerkte er unter dem Bett herum.

»Ja, gibt's denn das ...« Er zog den staubigen Packen Papier hervor. Kopfschüttelnd wischte er ihn sauber.

»Also, die sind doch nie und nimmer von allein unters Bett gerutscht!« Sein Blick wanderte hinüber zu Hannah. Sie wiegte Flora, die inzwischen ebenfalls zu weinen begonnen hatte, auf ihrem Arm hin und her, während sie selbst lautstark den Rotz hochzog.

Mit zusammengekniffenen Augen betrachtete Helmut Mutter und Kind. Dann lachte er trocken auf.

»Warum guckst du so komisch?«, fuhr Hannah ihn an. »Bin ich jetzt auch noch schuld an deinem Saustall?« Sollte er doch dahin reisen, wo der Pfeffer wuchs! Sie war so wütend, so traurig!

Abrupt wandte sich Helmut ab. Im Türrahmen drehte er sich noch ein Mal zu ihr um.

»Wenn es nicht so unglaublich wäre, würde ich sagen, das hier« – er wedelte mit den Papieren – »ist dein Werk. Weil du nicht willst, dass ich abreise. Weil du am liebsten auf mir hocken würdest wie eine Glucke auf ihren Jungen. Aber eines sage ich dir: Du kannst mich nicht festbinden! Nicht mit deinem Geheule und nicht mit solchen lächerlichen Taten!«

Hannah ergriff den nächstbesten Gegenstand – es war ausgerechnet die Bibel vom Nachttisch – und warf ihn Helmut an den Kopf.

24

Auf der Reise nach Böhmen waren die Brüder in gedämpfterer Stimmung als in den Jahren zuvor. Anstatt Vorfreude zu empfinden, war Helmut noch immer schlecht gelaunt, weil er ständig an den Vorfall mit Hannah kurz vor der Abreise denken musste. Valentin wiederum war betrübt, weil sich Seraphine so kühl von ihm verabschiedet hatte – nicht einmal zu einem Kuss hatte es gereicht!

Klammheimlich hatte sich außerdem eine Art Überdruss eingeschlichen, der für beide neu war: Die Route war bekannt, die Gasthöfe, in denen sie übernachteten, waren dieselben wie immer, und das traf auch auf die Kunden zu. Wie jedes Jahr besuchten sie die städtischen Gartenbaubetriebe von Karlsbad, den Abt des Klosters in Tepl und die vielen Bauern und Hausfrauen, die ihren Besuch schon sehnsüchtig erwarteten. Nichts Neues also. Selbst die Fahrt mit der Pferdeeisenbahn von Budweis nach Granz, auf früheren Reisen stets einer der Höhepunkte, ließ sie dieses Mal unberührt. In Wahrheit fieberten die beiden Brüder dem großen Abenteuer Russland entgegen. Die Geschäfte verliefen zum Glück zufriedenstellend, auch wenn Helmut und Valentin einige Mühe gehabt hatten, die Kunden von ihrem neuen Bestellverfahren zu überzeugen. Manche misstrauten der Post, andere misstrauten den Samenhändlern – bestanden diese doch auf einer Zahlung im Voraus. Aber was blieb den Leuten letztlich anderes übrig, als sich auf die »neue Mode« einzulassen? Sie brauchten die Sämereien, und zwar im Frühjahr.

Gesund und weniger erschöpft als sonst – die Aufregung peitschte sie geradezu auf – reisten die Brüder Ende Dezember mit einem vollen Bestellbuch nach Ulm, von wo aus die große Fahrt mit dem Schiff beginnen sollte.

Noch in Böhmen hatten sie lange debattiert, ob sie ihre Waren für Odessa nicht in Gönningen abholen sollten. Immerhin hätte dies bedeutet, die Familie wenigstens für ein paar Tage zu sehen. Aber ein Abstecher nach Gönningen hätte sie mindestens eine Woche gekostet. Außerdem – und dies sprach keiner aus – wäre ihnen die Abreise nach einem solchen Kurzbesuch nur unnötig schwer gefallen. Womöglich hätte sie gar der Mut verlassen!

So hatten sie sich schließlich dagegen entschieden und ihren Nachbarn Matthias per Brief gebeten, die drei für Russland bestimmten Holzkisten mit seinem Fuhrwerk direkt nach Ulm ans Schiff zu bringen. Dort drückten sie ihm auch die Briefe für die Familie sowie einen dicken, dreifach versiegelten Umschlag mit dem Bestellbuch in die Hand. Auf jeder Seite des Buches stand nur eine Bestellung, und zu jeder hatten Helmut und Valentin genaue Instruktionen geschrieben, so dass die Frauen keine Mühe haben sollten, die jeweiligen Samenpakete zusammenzustellen und auf den Postweg zu bringen.

»Malinka« hieß das Schiff, das sie von Ulm bis nach Galati bringen sollte – und dort würden sie das größte Stück der Reise schon hinter sich haben. Von diesem Hafen bis zur Donaumündung ins Schwarze Meer waren es nur noch gut hundert Meilen, und in Galati hieß es dann auch, die Waren in ein größeres, seetaugliches Schiff umzuladen.

Doch zuerst einmal galt es, in Ulm das richtige Schiff zu finden: Während Valentin die Holzkisten mit dem Saatgut bewachte, schlängelte sich Helmut mit Hunderten von anderen Menschen zwischen aufgetürmtem Gepäck die schmalen Kais entlang.

Wie fremd ringsum alles war! Das Geschrei und der Lärm waren ohrenbetäubend, die Aufregung hing nahezu greifbar über den Köpfen der Leute. Dutzende Schiffsrümpfe drängten sich wie eine Walfamilie aneinander. Welches Schiff war nur die »Malinka«? An allen Kähnen wurde gehämmert, gemalt, geschrubbt. Waren wurden verladen, Kisten, Säcke und Körbe verstellten die Stege und Planken, lehnten an einem wackligen Geländer oder plumpsten hier und dort auch ins Wasser. Als Helmut endlich zwischen zwei noch größeren Schiffen die »Malinka« entdeckte, stieß er einen Seufzer der Erleichterung aus.

Das Schiff würde in einer Kolonne mit sieben anderen Schiffen fahren, erklärte ihm der Kapitän. Die Abfahrt sei für den frühen Mittag geplant, bis dahin würden alle Waren geladen sein.

Mit einiger Aufregung schauten die Brüder zu, wie ihre Kisten mit den wertvollen Blumensamen im Bauch des Schiffes verstaut wurden. Was, wenn das Schiff ein Leck hatte und der Samen feucht wurde? Was, wenn sich Nagetiere durch die Holzkisten fraßen und die Ware beschädigten? Am liebsten hätten sich Helmut und Valentin in den Frachtraum zu ihren Kisten gesetzt und diese gehütet wie eine Schafherde. Da das jedoch verboten war, blieb ihnen nichts anderes übrig, als es sich an Deck so bequem wie möglich zu machen und die Kisten während der langen Fahrt die Donau hinab zu vergessen.

»Ihr habt Glück, unser Kapitän versteht sein Handwerk«, sagte kurze Zeit später ein Mann, der sich neben ihnen niedergelassen hatte. Wie die Brüder hatte auch er sich bestens gegen die Winterkälte geschützt: Er trug zwei Mäntel übereinander, auf dem Kopf eine riesige Fellmütze, dazu einen Schal, den er bis übers Kinn gewickelt hatte. So vermummt war sein Gesicht kaum zu erkennen. Valentin schätzte ihn auf etwa fünfzig Jahre und wunderte sich, warum ein alter Mann eine solche Reise unternahm.

»Er heißt Mariusz Dobrez und wird auch ›der alte Donauwolf‹ genannt. Fährt nun schon im achtundzwanzigsten Jahr die Strecke von Ulm nach Galati und hat bisher nur fünf Schiffe dabei verloren. Und sein Leben behalten!« Der Mann lachte so sehr, dass sein hagerer Leib bebte. Er stellte sich als Herbert Richter vor und behauptete, Geschäftsmann zu sein, ohne weiter auf die Art seiner Geschäfte einzugehen.

Die Brüder schauten sich an. »Fünf Schiffe verloren?«

»Keine Sorge, um diese Jahreszeit ist das Reisen nicht gefährlicher als sonst, höchstens ein wenig kälter«, erwiderte Richter gelassen. »Wahrscheinlich wird's nur hinter Pressburg ein bisschen schwierig. Der letzte Sommer war überall sehr trocken, die Donau führt wenig Wasser, da heißt es aufpassen! Aber auf den Donauwolf und seine Mannschaft ist Verlass!«

»Woher wissen Sie das alles?«, fragte Valentin, während er seinen Blick über das silbrig glänzende, gemächlich fließende Wasser schweifen ließ. Die »Malinka« führte die Kolonne an, was bedeutete, dass sie von ihrem Platz aus eine gute Sicht auf den vor ihnen liegenden Fluss hatten. Doch wäre es womöglich weniger gefährlich gewesen, als zweites, drittes oder viertes Schiff zu fahren?

Der Mann grinste. »Bin selbst ein alter Donauwolf, dies ist meine siebte Fahrt nach Vidin, aber ich war auch schon in Galati! Hab mit den Türken zu tun – geschäftlich …« Den letzten Satz raunte er ihnen zu, während er dem Familienvater, der sich zusammen mit seiner Frau und sechs Kindern und einer Unmenge von Decken unter viel Getöse neben ihnen einrichtete, einen ärgerlichen Blick zuwarf.

»Auswanderer – die wollen bestimmt bis nach Ismail«, flüsterte er mit leicht verächtlichem Unterton. Laut sagte er: »Und wohin führt euch die Reise?«

Während Helmut von Leonards Einladung nach Odessa erzählte, lehnte sich Valentin zurück.

Sie hatten es geschafft! Sie folgten dem Strom, der für so viele

Menschen Verheißung bedeutete. Der sich seinen Weg durch aller Herren Länder bahnte, der seinen Namen wechselte, hier Donau hieß, da Dunaj, später Duna, Dunav oder Dunava – um sich am Ende seiner Tausende Meilen langen Reise im Schwarzen Meer zu verlieren.

Eine seltsame Melancholie machte sich in Valentin breit, und er fragte sich, woher sie rührte. Lag es daran, dass sie alte Wege verließen? War es die Sehnsucht nach dem Zuhause, das noch so nah und doch unerreichbar für sie war? Oder die Angst vor der Fremde?

Irgendwann, im späten Frühjahr, würden sie wieder an all den Kirchen, Burgruinen und hübsch anmutenden Städten hier vorbeikommen, dann aber aus der anderen Richtung. Ob sein Bruder und er sich bis dahin verändert haben würden? Ob sie dann andere Menschen geworden waren? Valentin schmunzelte in sich hinein. Im besten Fall waren sie bessere und schlauere Menschen geworden – und reich noch dazu!

In Herbert Richter hatten sie einen guten Begleiter gefunden, der sie auf Besonderheiten an der Wegstrecke aufmerksam machte, der die Dörfer und Städte, an denen sie vorbeikamen, beim Namen kannte, der aber genauso gut auch schweigen konnte. Von ihm erhielten die Brüder nützliche Hinweise wie den, erst in Vidin neue Lebensmittel zu kaufen und nicht schon in Orsova, wie die meisten Reisenden das täten. In Vidin seien die Preise um ein Vielfaches niedriger, erzählte Richter. Außerdem seien die Türken bei weitem kein so schaurig-wildes Völkchen, wie es immer hieß, sondern äußerst gastfreundlich und liebenswert.

Über Wien ging die Reise weiter nach Pressburg, wo die Karawane bei starker Strömung um die Burg herumfuhr. Bei diesem Tempo würden sie die Strecke bestimmt in weniger als fünf Wochen zurücklegen, frohlockten die Brüder. Doch sie freuten sich zu früh, wie sich bald herausstellte: Kurz hinter Pressburg erhoben sich plötzlich kleine Hügel aus dem Wasser, bewachsen mit Schilf und Weiden, manchmal voller Geröll und Schotter. Mühselig mussten sich die Schiffe ihren Weg durch das Gewirr von Ried und Weiden suchen, immer wieder brachte der Kapitän die »Malinka« fast zum Stillstand und ließ einen seiner Matrosen mit einer langen Latte im Wasser stochern, um die Wassertiefe zu erkunden. Bis nach Komárno hieße es, sich den Weg sorgfältig zu suchen, erklärte ihnen Herbert Richter, schon so manches Schiff sei auf einer der kleinen Sandinseln gestrandet oder habe sich gar an scharfem Geröll den Bauch aufgerissen.

Trotz eines unguten Gefühls gelang es Helmut und Valentin, sich für die faszinierende Landschaft zu begeistern: Während ihr Schiff im Schneckentempo um die kleinen Inseln kroch, stiegen aus der Schilflandschaft Hunderte von Reihern, Kormoranen und Großtrappen auf, drehten ihre Kreise, stürzten sich zu Fischzügen ins Wasser, um sich später einen Teil ihrer Beute von den am Ufer wartenden Störchen einfach wegschnappen zu lassen.

»Ganz schön dumm!« Die Brüder lachten bei diesem Anblick. »Lassen sich die Früchte ihrer Arbeit einfach abluchsen!«

Auch Herbert Richter grinste. »Nicht viel dümmer als so mancher Russlandreisender, wenn ich das so sagen darf. Vor allem im Hafen von Galati müsst ihr Obacht geben auf euer Hab und Gut. Da treibt sich einiges Gesindel herum, das nur auf ein paar arglose Reisende wartet, um sie auszurauben!«

»Dann werden wir dort also unsere Augen nicht nur vorn, sondern auch hinten haben – danke für den Rat!«, antwortete Helmut. »Aber bisher haben wir stets ein gutes Gespür für gefährliche Gegenden gehabt – passiert ist uns noch nichts. Und außerdem sind wir zu zweit …«

Die Tage reihten sich aneinander und wurden zu Wochen. Bald würde sich der erste Monat des neuen Jahres dem Ende zuneigen. Die Brüder hatten sich inzwischen an den Rhythmus an Bord gewöhnt, der bei weitem nicht so eintönig war, wie sie es sich vorgestellt hatten. Immer wieder kamen Zöllner an Bord, um Pässe und Waren zu kontrollieren, an manchen gefährlichen Stellen holte der Kapitän Lotsen aufs Schiff, und es war spannend, ihnen bei der Arbeit zuzuschauen. Die Brüder hatten sich außerdem mit einigen der Matrosen und Mitreisenden angefreundet, es wurde gesungen, man spielte Karten und stritt hin und wieder auch miteinander. Die Enge schweißte die Menschen zusammen, doch gleichzeitig versuchte jeder, seinen erkämpften Platz, sein Essen, sein Hab und Gut vor den anderen zu schützen. Auch die Fahrt an sich hielt immer wieder Überraschungen parat: So schlängelte sich die Donau ausgerechnet im flachen Ungarn, im Land der Puszta und der weiten Ebenen, durch zwei Gebirgsstücke und wurde dabei äußerst temperamentvoll. Valentin, der glaubte, an dieser Stelle schon das berüchtigte »Eiserne Tor« vor sich zu haben, wurde vom Kapitän eines Besseren belehrt: Bis dahin würde man mindestens noch fünf Tage brauchen!

Es war der Anfang der fünften Woche. Am Abend sollten sie in Orsova anlegen, Passagiere verabschieden und neue an Bord nehmen. Nachdem die Reisenden in der Woche zuvor unter einem eisigen Ostwind zu leiden hatten, war es nun fast mild. Die trübe Wintersonne schien die Passagiere schläfrig zu machen, auf Deck war es erstaunlich ruhig.

Helmut, der seit dem Morgen gegen Übelkeit ankämpfte, ließ seinen Blick über die hügelige Landschaft schweifen. Der Fluss war an dieser Stelle so breit, dass man das Ufer kaum ausmachen konnte. Aber was war das? Er kniff die Augen zusammen, um besser sehen zu können. Vor ihm in der Ferne erhoben sich seltsame felsenartige Verwerfungen – es schien, als würde die Donau direkt auf dieses Massiv zusteuern! Irgendwie wird sie sich ihren Weg schon bahnen, das hat sie bisher auch getan, versuchte sich Helmut zu beruhigen. Er rülpste, um den sauren Geschmack der Suppe, die er am Vorabend gegessen hatte, loszuwerden. Dann versetzte er Valentin, der vor sich hin döste, einen Schubs.

Wenn sie sich unterhielten, wurde er das ungute Gefühl im Bauch vielleicht los.

Valentin brummte, rappelte sich dann aber aus seiner halb liegenden Stellung auf. »Was ist los?« Er gähnte.

»Ach, nichts Besonderes, ich fragte mich nur gerade, ob Cousin Leonard –« Helmut stutzte. Die wenigen kahlen Bäume, die hier das Ufer säumten, schienen plötzlich geradezu an ihnen vorbeizurasen. Ihm wurde schwindlig, und er schaffte es gerade noch, sich über die Reling zu lehnen. Dann begann er zu würgen.

»Was ist?«, fragte Valentin, noch immer schläfrig. »Kotzt du schon wieder?«

Helmut wischte sich schwer atmend den Mund ab. »Die Strömung ist auf einmal unheimlich stark! Und schau mal, wie eng der Fluss pl … plötzlich geworden ist! Da – nichts als Felsen!« Beklommen schaute er auf die nackten Felswände, die direkt aus dem Wasser ragten. Im nächsten Moment tat sich unmittelbar vor ihnen eine hohe Felswand auf.

»Du lieber Himmel, wir fahren genau auf den Felsen zu!«

Um sie herum war es dunkel geworden, dämmrig wie in einer Klamm. Keinen Armbreit entfernt ragten steile Felsspitzen aus dem Wasser, das schäumte und sprudelte, als hätte jemand es zum Kochen gebracht.

»Himmel, hilf!«, murmelte nun auch Valentin. »Das kann nur schief gehen …«

Hier war es: das Eiserne Tor!

Sollte die gefährlichste Stelle der ganzen Donau ihr Ende bedeuten? Ich will nicht sterben!, dachte Helmut voller Panik. Was wird dann aus Hannah und Flora? Ich will zurück nach Gönningen!

Vor seinem inneren Auge sah Helmut plötzlich seinen alten Lehrer Grimme vor sich, der in der Gönninger Schule die Landkarte entrollte und mit seinem Stock die Schlangenlinie namens Donau entlangfuhr. Wie sehr hatten er, Helmut, und Valentin die Geografiestunden geliebt! Andächtig hatten sie den Geschichten gelauscht, die vom gefährlichen Kampf zwischen Wasser und Gestein erzählten. Die Südkarpaten! Das Balkangebirge! Und dazwischen die allmächtige Donau. Mutige Männer, die sich mit ihren Schiffen durchs Eiserne Tor wagten. Selbst nach dem Unterricht hatten sich die Brüder nicht von der Karte losreißen können, nachts hatten sie von dem wilden Fluss geträumt und davon, ihn selbst einmal zu befahren.

Und nun …

Eine lähmende Angst klumpte sich in Helmuts Magen zusammen, er wollte schreien, die anderen auf die drohende Gefahr aufmerksam machen. Der alte Donauwolf – warum tat er nichts? Doch kein Ton wollte über seine Lippen kommen.

So fühlt es sich also an, wenn man stirbt.

Helmut schloss die Augen, wartete auf den sicheren Tod. Darauf, dass das Schiff am Felsen zerschellte.

Der Augenblick wurde länger, und durch die geschlossenen Lider spürte Helmut etwas Warmes, Helles. Er blinzelte vorsichtig und sah Sonnenlicht. Alles vorbei? War er schon im Himmel? So einfach war das? Keine Schmerzen, keine Qual?

»Geschafft!«, dröhnte es in seinem linken Ohr. Eine Pranke fiel auf seine Schulter. Zitternd drehte er sich um.

»So wie diese Stromschnellen stellt man sich die Hölle vor,

nicht wahr?« Herbert Richter lachte. Er hatte die ganze Nacht hindurch Karten gespielt, unter seinen Augen lagen blaue Schatten. Er sah noch hagerer aus als sonst, schien aber bester Laune zu sein.

»Wir können froh sein, dass wir nicht zwanzig Jahre früher hier durch mussten, sonst hätte es dem Schiff wahrscheinlich den Bauch zerrissen!«, sagte er. »Damals gab's noch nicht einmal eine Karte von diesem Streckenabschnitt, in der die Unterwasserfelsen verzeichnet gewesen wären.«

»Und heute gibt es die?«, fragte Valentin. Auch er war leichenblass.

Richter nickte. »Ein ungarischer Graf hat sich der Sache angenommen. In einem Jahr mit extremem Niedrigwasser beauftragte er einen Ingenieur, hier entlangzuschippern und seine Beobachtungen festzuhalten. Mit seiner Karte ist es für die Schiffer leichter geworden. Das hätte ich euch vielleicht früher erzählen sollen, was?« Er zwinkerte ihnen gut gelaunt zu. »Was haltet ihr davon, wenn ich euch heute Abend in Orsova zu einem ordentlichen Krug Wein einlade?« Richter schepperte mit seinem Geldsack, der schwer von seinem Gürtel herabhing. »Gleich morgen früh haben wir das Eiserne Tor vor uns, und wenn der Kapitän den Schlüssel zum Aufschließen in die Hand nimmt« – er lachte ob seines Wortspiels –, »ist es für uns Passagiere ganz nützlich, nicht mehr im Besitz aller Sinne zu sein.«

»Was?«, schrie Helmut entsetzt. »Das war noch gar nicht das Eiserne Tor?«

Sie hatten Glück: Der Schlüssel zum Eisernen Tor passte. Die Lotsen führten die »Malinka« sicher hindurch, und auch der Rest der Karawane kam heil durch die steinerne Grotte.

Danach wurde die Fahrt ruhiger, und die Anspannung der Brüder ließ nach.

In Vidin ging Herbert Richter von Bord, um seinen Geschäften nachzugehen. Die Brüder deckten sich nochmals mit Reiseproviant ein, bevor das nächste Wegstück in Angriff genommen wurde.

Der wilde Ritt der vergangenen Wochen hatte die Donau müde gemacht. Nur noch träge und mit wenig Gefälle schlängelte sie sich in Richtung Schwarzes Meer.

Am Ende der fünften Woche legte die »Malinka« endlich in Galati an. Für Helmut und Valentin bedeutete dies, das Ausladen ihrer Ware zu bewachen. Dank Richters warnenden Worten ließen sie ihre Holzkisten keinen Moment lang aus den Augen. Gleichzeitig mussten sie sich ein neues Schiff für die Weiterfahrt suchen. Mit Erstaunen stellten sie fest, dass die Schiffe, die von hier aus die Donau hinab- und weiter ins Schwarze Meer fuhren, noch größer waren als alle Donaukähne, die sie bisher gesehen hatten.

Hinter ihnen lagen karge Landstriche, die scheinbar unendliche Weite der russischen Ebenen, doch von nun an war die Landschaft dicht bewachsen und unübersichtlich. Wälder mit Bäumen, wie sie die Brüder noch nie gesehen hatten, säumten die Ufer, dichte Schilfrohrlandschaften versperrten den Blick, gaben ihn nur ab und an auf ein kleines Dorf frei, und das nun schon nahe Meer verlieh der Luft eine salzige Würze. Der mittlere Arm der Donau brachte die Samenhändler schließlich nach Sulina, wo das Schiff anlegte, um nochmals Fracht aufzunehmen. Einer der Matrosen machte sie auf ein Schild aufmerksam, das an einem riesigen Leuchtturm angebracht war: eine große schwarze Null auf weißem Grund. Hier war die Donau zu Ende, hier ergoss sie sich ins Schwarze Meer.

Helmut war bei diesem Anblick seltsam zumute. Er wünschte sich plötzlich, die Reise würde noch andauern. Wie hatten sie sich an den Rhythmus der Donau gewöhnt! Wie viele interessante Menschen hatten sie getroffen – Kapitäne,

Lotsen, Zöllner, Passagiere –, in wie vielen fremden Häfen angelegt!

Nun ging die Reise hinaus aufs offene Meer. Am Abend des
nächsten Tages würden sie, so Gott wollte, in Odessa anlegen.

Die Brüder lachten sich an. Odessa rief – und sie waren dabei, diesem Ruf nun endgültig zu folgen!

25

Es war schon dunkel, als sie im Hafen von Odessa anlegten.
Ein letztes Mal hieß es Kisten ausladen. Auf wackligen Beinen
staksten die Brüder anschließend durch den Freihafen, wo ihre
Ware vorläufig aufbewahrt werden sollte.

Plötzlich hatten es beide nicht mehr eilig. Schweigend standen sie am Uferkai und schauten hinaus auf das schwarze Wasser, das von den Lichtern einiger Schiffe erhellt wurde.

Schließlich gab sich Helmut einen Ruck und legte Valentin
einen Arm um die Schulter. »Dann wollen wir mal!«

»Und ob, Bruderherz, und ob!«

Beide legten in diesem Moment mehr Zuversicht in ihre
Stimmen, als sie verspürten.

Nach einem halbstündigen Fußmarsch durch die Stadt hatten
sie sich schließlich zu Leonards Haus durchgefragt.

Unsicher ließ Helmut seinen Blick an der langen Hausfront
entlanggleiten. Waren sie hier wirklich richtig? Hier, in diesem
riesigen Haus? Zögerlich betätigte er den Türklopfer, der aus
einem riesigen Löwenschädel aus Messing bestand.

Die Begrüßung hätte unter engsten Familienmitgliedern nicht
herzlicher sein können! Sowohl Leonard als auch seine Frau
Eleonore hießen die beiden Brüder wie verlorene Söhne will-

kommen. Umarmungen und Küsse wurden verteilt, dabei hatte man sich noch nie zuvor gesehen. So viel Gefühl war den Brüdern fast ein wenig unheimlich, zu Hause in Gönningen wäre eine solche Begrüßung undenkbar gewesen.

Binnen kürzester Zeit flatterten die fünf Töchter des Hauses samt ihren Ehemännern und Kindern herein, und auch von diesen wurden die Württemberger liebenswürdig begrüßt. Das Ganze ging derart turbulent vor sich, dass sich in kürzester Zeit auch die halbe Nachbarschaft versammelte, um an dem frohen Ereignis teilzuhaben. Helmut und Valentin, beide noch etwas erschöpft von der letzten Schiffspassage, wären am liebsten vor dem Durcheinander geflüchtet, doch für die nächsten Stunden gab es kein Entrinnen. So ließen sie sich willenlos ins Haus führen, wo ihnen als Erstes Gläser mit Wodka in die Hand gedrückt wurden. Danach wühlten sie mit einiger Anstrengung ihre Geschenke aus dem Gepäck hervor: Zwetschen- und Birnenbrand für Leonard, feinstes schwäbisches Leinen für seine Frau, für die Töchter Naschwerk, das sie in Böhmen gekauft hatten. Vor allem Eleonore schien über das feine Tuch hocherfreut. Auch nach mehr als dreißig Jahren sei sie vom Heimweh nach der alten Heimat nicht geheilt, gestand sie den Brüdern unter Tränen.

Nach einem nicht enden wollenden Begrüßungsfest, das die Frauen des Hauses eilends auf die Beine stellten, fielen die Brüder schließlich wie ohnmächtig in ihre Betten.

Gleich am nächsten Morgen bat Helmut Leonard, ihnen den Weg in den Freihafen zu zeigen. Dort wollten sie endlich ihre Ware genauestens in Augenschein nehmen. Obwohl Leonard ihnen viel lieber zuerst die Stadt gezeigt hätte, ließen sich die Samenhändler nicht beirren. Sie wollten unbedingt wissen, wie gut oder schlecht die empfindliche Ware die lange Reise überstanden hatte.

»Ich kann's nicht glauben«, murmelte Helmut vor sich hin.

Mit glänzenden Augen öffnete er die zweite Kiste, indem er mit einer Zange die Nägel aus der Holzbeplankung zog. »Wenn die Rosenstöcke genauso gut aussehen, dann sind wir gerettet!«

Valentin wühlte indessen noch immer in der ersten schon geöffneten Kiste.

»Die Lilienzwiebeln machen den Eindruck, als hätte man sie frisch aus der Erde geholt! Nicht verschrumpelt, nicht einmal an den äußeren Rändern angetrocknet – und das nach dieser langen Reise!«

Er wies mit einer weit ausholenden Geste in Richtung der riesigen Lagerflächen, zog jedoch seinen Arm im nächsten Moment wieder zu sich heran, um einem der unzähligen Fuhrwerke Platz zu machen, die sich hoch beladen durch die engen Fahrspuren des Freihafens manövrierten.

»Dass in diesem Tollhaus überhaupt etwas an seinem Platz ist …« Er warf dem Zollbeamten, der jeden ihrer Handgriffe mit Argusaugen beobachtete, einen anerkennenden Blick zu. »Die Burschen hier scheinen wirklich den Überblick zu bewahren!«

»Und nichts ist weggekommen«, murmelte Helmut. »Wenn ich daran denke, wie mulmig mir gestern Abend war, die Ware einfach aus den Augen zu lassen … Aber alles ist noch da, nicht eine Kiste ist unterwegs aufgebrochen worden oder verloren gegangen. Und alles ist in einwandfreiem Zustand!« Sein Gesicht wurde von einem schiefen Grinsen überzogen. »Wenn wir das nach Hause schreiben …«

»Ich fasse es nicht!« Triumphierend schaute Valentin von der letzten geöffneten Kiste auf. »Die Rosen sind auch in bester Verfassung!« Er hielt einen kahlen Rosenstock in die Höhe, um dessen Wurzeln ein Fetzen Sackleinen gewickelt war. »Keine Austrocknung, keine Spur von Erfrierungen!« Er fuhr sich mit dem Handrücken über die Augen, als könne er sein

Glück nicht fassen. Im nächsten Moment knallte eine Hand hart auf seinem Rücken nieder.

»Na, alles in Ordnung?« Leonard lächelte so breit, dass seine Schnurrbartenden nach oben hüpften. »Hier im Freihafen liegen eure Sachen so sicher wie in Abrahams Schoß! Da kommt keiner dran, solange er nicht die entsprechenden Papiere vorweisen kann.«

Helmut legte Leonard kameradschaftlich einen Arm um die Schulter. »Mir fällt ein ganzer Steinbrocken vom Herzen! Nichts hat Schaden genommen. Also, wenn das kein gutes Omen fürs kommende Geschäft ist …« Er musste inzwischen schreien, um sich in dem immer lauter werdenden Stimmengewirr Gehör zu verschaffen.

»Ich schlage vor, wir lassen die Kisten noch für ein Weilchen in der Obhut dieses Mannes da und gehen zurück in die Stadt, um auf eure guten Geschäfte zu trinken!«, schrie Leonard.

»Und was ist mit der Verzollung? Sollten wir diese Angelegenheit nicht besser so schnell wie möglich hinter uns bringen?« Helmut biss sich auf die Lippen. Ihr »Unternehmen Russland« fing so vielversprechend an, da wollte er nun keinen Fehler machen. Außerdem sorgte er sich um die Lagerkosten. Am liebsten hätte er die ganze Ware mit zu Leonard nach Hause genommen, traute sich aber nicht, seinem Gastgeber diesen Wunsch vorzutragen.

Leonard winkte ab. »Wozu haben wir einen Freihafen? Willst du dir unnötige Kosten aufladen? Verzollt wird erst, wenn ihr die Sachen verkauft! Solange sie hier liegen, kosten sie euch keinen Rubel. So, und jetzt kommt. Ich kenne ein kleines Gasthaus, in dem man nur darauf wartet, unsere Krüge mit dem besten Wein der Gegend zu füllen!«

Mit frohem Herzen steuerten die drei Männer eine der zahlreichen steilen Treppen an, die den Hafen mit der höher gelegenen Stadt verbanden.

Der Rest des Tages verging, wie er begonnen hatte: Die beiden Brüder ertranken in einem Rausch aus Hochgefühlen, in die sich im Laufe der Stunden aber auch Nachdenklichkeit mischte.

Sicher, Leonard hatte ihnen von reichen Landsitzen mit schönen Parks erzählt, die rund um Odessa an der Küste entlang zu finden waren. Und er hatte ihnen in jedem seiner Briefe gute Geschäfte in Aussicht gestellt, die in der Stadt am Schwarzen Meer zu machen waren. Aber so ganz hatten die Brüder ihm nicht geglaubt. Gute Geschäfte – was man darunter verstand, war schließlich Ansichtssache. Auch dass er selbst es »als Büchsenmacher« zu bescheidenem Wohlstand gebracht habe, hatte Leonard geschrieben.

Bescheidener Wohlstand?

Dass dies eine große Untertreibung war, bedeutete für die Brüder den ersten Schock des Tages. Am Vorabend waren sie zu müde gewesen, hatten ihre letzten Kräfte benötigt, sich all die Namen und Gesichter zu merken, ohne die Pracht des riesigen Hauses, das die Familie bewohnte, in sich aufnehmen zu können. Doch als sie es zum ersten Mal bei Tageslicht sahen, verschlug es ihnen fast die Sprache: Hoch gelegen, im westlichen Teil der Stadt, mit einem grandiosen Ausblick über die ganze Bucht von Odessa, hatte es mindestens zehn Zimmer und war so prachtvoll ausgestattet wie der Palast eines Zaren – zumindest kam es den Brüdern so vor. Die Fenster reichten vom Fußboden bis fast unter die Decke, und das hereinfallende Sonnenlicht verlieh den Räumen eine Tiefe, die sie noch größer erscheinen ließen. Einen Garten konnte das Haus nicht aufweisen, dafür aber einen riesigen Innenhof, ausgelegt mit feinstem, poliertem Granit. In der Mitte schoss ein großer Springbrunnen Dutzende von Wasserfontänen in die Höhe.

Springbrunnen im Februar? Valentin wollte von Leonard wissen, ob sie nicht hin und wieder einfroren. Er wurde darüber aufgeklärt, dass Odessa zwar unter eisigen Winden litt, die

Winter ansonsten aber recht mild waren und die Temperatur selten unter den Gefrierpunkt sank, vor allem nicht in einer so geschützten Lage wie der seines Hauses.

Milde Winter? Das passte so wenig wie alles andere zu dem Bild, das sich die Brüder aus Württemberg von der russischen Stadt gemacht hatten.

Russland – das hatte in Helmuts und Valentins Augen bisher überwiegend Armut bedeutet. Kleine Holzhäuser, die mit Müh und Not den eisigen russischen Wintern trotzten. Verhärmte Bauern, die aus der einzigen Kuh im Stall den letzten Milchtropfen pressten. Gesichter, in denen sich Schwermut und lebenslange Entbehrungen tief eingegraben hatten. *Das* waren die Dinge, von denen sich Russlandreisende an den Stammtischen erzählten!

Wer sich bisher auf den Weg ins Zarenreich gemacht hatte, besuchte Verwandte, so wie Valentin und Helmut es taten. Bei diesen Verwandten handelte es sich immer um Württemberger, die während der großen Hungersnot dreißig Jahre zuvor ausgewandert waren, in der Hoffnung, in Russland ein besseres Leben zu finden. Ein Trugschluss, wie sich leider viel zu oft herausstellte. »Dem ersten der Tod, dem zweiten die Not, dem dritten das Brot« – dieser Spruch wurde in Württemberg oft zitiert, wenn die Rede auf die ausgewanderten Familienmitglieder kam. Was bedeutete, dass es mindestens dreier Generationen bedurfte, ehe man im riesigen Zarenreich überhaupt Fuß gefasst hatte. Von Leuten wie Leonard und seiner Frau samt ihrem Reichtum war nie die Rede gewesen …

Als Leonard sie mit stolzgeschwellter Brust durch Odessa führte, ging das Staunen weiter: Die Stadt war ganz anders, als Helmut und Valentin sie sich vorgestellt hatten! Keine Holzhäuser, sondern Prunkbauten aus massivem Stein. Wie hätten die Odessiten Häuser aus Holz bauen sollen, wo es in der ganzen Gegend kaum Holz gab?, beantwortete Leonard die Frage der Brüder mit einer Gegenfrage. Stattdessen gab es Kalkstein in Hülle und Fülle. Was lag da näher, als den abzubauen und für den Hausbau zu verwenden?

In Gönningen sei dies ganz ähnlich, erwiderte Helmut daraufhin ebenfalls mit Stolz. Dort würden viele Häuser aus Tuffstein gebaut, einer wertvollen Gesteinsart, die man nahe dem Dorf abbaute. Dass es zwischen dem großartigen Odessa und der schwäbischen Heimatgemeinde wenigstens eine Ähnlichkeit gab, war für beide Brüder ein beruhigendes Gefühl.

Die Männer spazierten an riesigen, palastähnlichen Geschäftshäusern vorbei, und zu jedem einzelnen wusste Leonard eine Geschichte zu erzählen. Überhaupt schien Leonard fast jeden zu kennen und jeder kannte ihn. Alle paar Meter blieb er stehen, um mit einem elegant gekleideten Herrn ein paar Worte zu wechseln oder um einer feinen Dame die Hand zu küssen. Die Brüder staunten nicht schlecht. Wohin sie auch schauten, sahen sie freundliche Menschen.

Immer wieder überquerten sie breite Straßen, auf denen ein so emsiges Treiben herrschte, dass sie eine Lücke zwischen den vielen Fuhrwerken, Droschken und Einspännern abwarten mussten, um sicher von einem Gehsteig auf den anderen zu gelangen. Ein Sprachengemisch aus Russisch, Deutsch, Polnisch und – laut Leonards Auskunft – Armenisch drang aus den unzähligen Cafés und Wirtshäusern, quoll aus den vielen kleinen Märkten. Ja, selbst die Droschkenfahrer, die immer wieder anhielten, um nachzufragen, ob Bedarf an einer Fahrt bestünde, redeten in unterschiedlichen Sprachen. Als Helmut eine entsprechende Bemerkung machte, zog Leonard ein Gesicht.

»Die vielen Einwanderer werden langsam zum Problem! Alle wollen einen Blick durch das ›Fenster in den Süden‹ werfen! Alle hoffen auf das große Glück, aber nur die wenigsten wollen dafür arbeiten. Wenn das so weitergeht, werden wir uns in ein paar Jahren der vielen Bettler nicht mehr erwehren können.«

Helmut und Valentin schauten sich bedeutungsvoll an. Solche Worte aus dem Mund eines Mannes, der selbst erst vor einigen Jahrzehnten ins Land gekommen war …

Sie staunten auch nicht schlecht über die vielen weitläufigen Parks, welche die einzelnen Stadtteile miteinander verbanden. In einen einzigen Park hätte ganz Gönningen fünf Mal hineingepasst! Die Odessiten scheinen wahre Gartenliebhaber zu sein, ging es Helmut durch den Kopf, als sie eine weitere, nicht enden wollende Baumallee entlangspazierten.

Leonard, der Helmuts prüfenden Blick gesehen hatte, bemerkte: »Warte nur ab, bis sie wieder ihr grünes Kleid tragen. Dann fühlt man sich in ganz Odessa wie unter einer grünen, schattigen Haube – eine Pracht ist das! Könnt ihr euch vorstellen, dass in den letzten zwanzig Jahren innerhalb der Stadtgrenze mehr als vierzigtausend Bäume angepflanzt wurden? Ein Teil davon ist leider schon in den ersten Jahren eingegangen – vor allem im Sommer fehlt es hier an Regen –, aber ein Großteil hat sich diesen Bedingungen angepasst. Es blieb den Bäumen ja auch nichts anderes übrig, nicht wahr? Nur wer sich anpasst, überlebt!« Leonard lachte verschmitzt.

Die beiden Brüder tauschten erneut einen Blick. Jeder konnte die Gedanken des anderen lesen: vierzigtausend Bäume – die Leute hier scheinen in anderen Dimensionen zu rechnen …

Wie würden ihre Blumen und Rosen wohl mit den eisigen Winden im Winter und den trockenen Sommern zurechtkommen?

Nur wer sich anpasst …

Auch wenn die Stadt in Leonards Augen erst im Frühjahr ihre ganze Pracht entfaltete, so zeigte sich Odessa an diesem sonnigen Wintertag doch aufgeputzt wie eine feine Dame für den nächsten Ball. Dieser Eindruck machte den Brüdern Angst: Hier sollten sie ihren lumpigen Samen verkaufen? Sie waren in der Annahme hierher gekommen, den Russen mit ihren Wa-

222

ren etwas Besonderes, etwas aus der reicheren Welt bieten zu können. Doch angesichts des an allen Ecken spürbaren Wohlstands kamen ihnen erste Zweifel. Mit jedem Palast, an dem sie vorbeikamen und dessen Bewohner Leonard mit Namen nennen konnte, wurden Helmut und Valentin kleinlauter. In Böhmen, da waren sie »große« Männer, da waren sie wichtig, dort wurden ihre Ansichten und Ratschläge ernst genommen. Aber hier …

Als sie schließlich in dem Gasthaus saßen, leerte Helmut seinen ersten Krug Wein so schnell, dass ihm schwindlig wurde. Unauffällig wollte er die Hände um eins der Tischbeine legen, doch als er die fein gedrechselte, vergoldete Säule zu fassen bekam, ließ er sie aus lauter Angst, durch seinen groben Griff etwas kaputt zu machen, gleich wieder los.

Inzwischen kam er sich vor wie der letzte Bauerntölpel, und er konnte nicht behaupten, dass ihm das gefiel.

Warum hatte Leonard sie nicht in ein Wirtshaus mit vernünftigen Holztischen führen können statt in dieses Puppenhaus, schoss es ihm ärgerlich durch den Kopf. Wollte er sie auf Teufel komm raus beeindrucken? Oder gab es in dieser Stadt womöglich gar keine einfachen Schankstuben?

In fließendem Russisch – oder hatte Odessa gar eine eigene Sprache? – bestellte Leonard etwas zu essen. Nachdem sich die Bedienung von ihrem Tisch entfernt hatte, war Valentin der Erste, der seinem inneren Aufruhr Luft machte.

»Ehrlich gesagt, ich bin ziemlich erledigt! Da glaubt man, wir Samenhändler seien gut zu Fuß, aber der Marsch durch Odessa hat mich eines Besseren belehrt. Diese Stadt ist einfach … riesengroß!«

Leonard nickte. Seine Aufmerksamkeit wurde jedoch gleich darauf von der Platte mit Essen in Beschlag genommen, welche die Bedienung in die Tischmitte stellte. Er hob einen kleinen Pfannkuchen auf, schaufelte darauf etwas von dem roten Berg, der in der Mitte der Platte prangte, und steckte sich alles auf einmal in den Mund.

Erneut wechselten die Brüder einen Blick. In solch einem feinen Etablissement hätten sie mit Besteck, zumindest einem Löffel gerechnet – und nun das! War denn in Odessa nichts so wie anderswo?

Die Pfannkuchen mit ihrer Füllung aus Fleisch, Gemüsestückchen und allerlei Gewürzen waren äußerst schmackhaft, stellte Helmut fest. Auch ähnelten sie Gerichten, die sie schon in Böhmen gegessen hatten. Also gab es wohl doch einige Gemeinsamkeiten …

Valentin war der Einzige, der noch nichts von dem Mahl probiert hatte. Beinahe verzweifelt schaute er Leonard an. »Und dann dieser Reichtum überall! Wie kann es sein, dass in dieser Stadt das Geld sozusagen auf der Straße liegt?«

Leonards Hand hielt mitten in ihrer Bewegung zum Mund inne. Er runzelte die Stirn, was ihm den Ausdruck eines weisen, alten Mannes verlieh.

»Wer behauptet, dass in Odessa das Geld auf der Straße liegt? Nein, nein, mein Junge, hier muss man für sein Leben mindestens so hart arbeiten wie anderswo, wenn nicht sogar härter.«

Valentin wandte ob dieser Belehrung verlegen den Blick ab.

Helmut beschloss, für seinen Bruder in die Bresche zu springen. »Aber was ist mit dir? Ich meine, du bist doch auch mit Nichts in diesem Land angekommen. Und schau dich heute an! Deine Frau und deine Töchter – gekleidet wie Prinzessinnen. Dein Haus – ein Palast. Du selbst ein angesehener Geschäftsmann! Wie kann ein einfacher Büchsenmacher zu solch einem Reichtum kommen?«

Leonard stutzte, und im nächsten Moment verschluckte er sich so heftig an seinem Pfannkuchen, dass er laut zu prusten begann. Kleine Krümel landeten auf der Tischdecke. Auf den

Husten folgte ein Lachanfall, der nicht mehr enden wollte. Bald waren sämtliche Blicke auf ihren Tisch gerichtet.

Peinlich berührt schaute Helmut auf den Boden. Das Verhalten seines Verwandten war ganz unverständlich.

Langsam beruhigte Leonard sich wieder. »Der Büchsenmacher!« Er grinste noch immer. »Du glaubst allen Ernstes, dass ich mein Geld mit Schießwaffen verdiene?«

Helmut zuckte mit den Schultern. Ihm war es allmählich gleich, womit Leonard seinen Lebensunterhalt bestritt, solange er sich einigermaßen unauffällig benahm.

»Du hast uns doch selbst geschrieben, dass du Büchsenmacher bist«, warf Valentin mit säuerlicher Miene ein.

»Ja, aber doch nur, weil …« Leonard kicherte schon wieder. »Weil die Leute mich so nennen! Fünf Töchter – versteht ihr? Fünf Töchter und kein einziger Sohn! So bin ich eben der Büchsenmacher geworden.« Er zuckte beiläufig mit den Schultern, doch sein Schnurrbart hüpfte schon wieder munter auf und ab.

Einen Moment lang herrschte Totenstille am Tisch, doch dann brandete aus drei Kehlen schallendes Gelächter auf, und sogar Helmut und Valentin war es gleich, wie viel Aufsehen sie in dem feinen Lokal erregten.

Als sie sich schließlich die Lachtränen aus den Augen gewischt und ihre ausgetrockneten Kehlen mit einem frischen Krug Wein befeuchtet hatten, wurde Leonard ernst.

»Ich glaube, es ist an der Zeit, euch ein bisschen aus meinem Leben zu erzählen …«

26

»Das erste Jahr hier war gar nicht so schwierig, wie ich es mir vorgestellt hatte«, hob Leonard an. »Wobei ich mit dieser Erfahrung wahrscheinlich ziemlich allein dastehe … Die meisten Auswanderer haben ihre Entscheidung herzukommen bitter bereut. Manche sind innerhalb der ersten Jahre wieder zurück nach Württemberg gegangen – wie mein Bruder, aber der war schon immer ein Fall für sich.« Er lachte sein wieherndes Lachen. »Meine erste Frau – Gott hab sie selig – hatte die Idee, einen Krämerladen zu eröffnen, und das taten wir dann auch.«

»Hier in Odessa?«, fragte Helmut zwischen zwei Schlucken Wein.

Leonard schüttelte den Kopf. »Nein, das war noch in Carlsthal, das liegt ungefähr vier Stunden von hier entfernt. Das Geschäft lief gut. Ich hab mir von den russischen Handwerkern in der Gegend meine Ware besorgt: Korbwaren, Sättel und Stiefel, Eisenwaren, Getreide und Saatgut von den Bauern, ach, alles Mögliche eben. Und unsere Landsleute waren froh darüber, dass sie sich mit mir in der deutschen Sprache verständigen konnten. Vielen fiel es schwer, die russische Sprache zu lernen, versteht ihr?«

Valentin nickte. »In Böhmen können wir ja auch Deutsch reden, aber hier –«

»Nun, ich hatte damit keine Probleme«, fiel ihm Leonard ins Wort. »Bin mit jedem handelseinig geworden, ganz gleich, ob Kunde oder Lieferant. Hab wohl ein Ohr für das Russische. Die Leute kamen von nah und fern, um bei ›Leonards‹ einzukaufen. Das war eine schöne Zeit!« Er angelte nach einem weiteren Pfannkuchen.

»Dann hat sich dein Erfolg also schon ganz am Anfang angedeutet …« Helmut schaute seinen Verwandten bewundernd an. Leonard hatte geschafft, wovon so viele träumten!

Leonard verzog das Gesicht. »Nun, damit es mir nicht zu wohl wird, hat sich das Schicksal eine böse Prüfung für mich einfallen lassen.« Er runzelte die Stirn. »Hat euch euer Vater nie etwas darüber erzählt?«

Die Brüder verneinten.

»Na, wahrscheinlich habt ihr Jungen bloß nicht richtig hingehört. Die Jugend hat doch selten ein Ohr für die Geschichten der Alten.« Leonard seufzte. »Hab schon lange nicht mehr darüber gesprochen. Es war so: Meine erste Frau Barbara kam in einem fürchterlichen Feuer ums Leben. Unser Sohn auch. Unser ganzes Anwesen brannte nieder! Der Laden, die Ware … einfach alles. Nur Lea und ich konnten uns retten.«

Das war ja entsetzlich! Valentin legte seinen Pfannkuchen wieder auf den Teller, ohne abgebissen zu haben.

Helmut hatte Mühe, sich zu erinnern, zu welchem Gesicht der Name Lea gehörte. Doch dann fiel es ihm ein: rote Haare wie ihr Vater, aufwändig hochgesteckt, für eine Frau ungewöhnlich groß und mit einem gewinnenden Lachen. Sie war die älteste Tochter, verheiratet mit dem Leiter des Philharmonischen Orchesters von Odessa. Eine feine Dame, die ihm ein wenig Respekt eingeflößt hatte. Aber wer oder was tat das hier nicht, wenn er ehrlich war.

»Freunde haben uns Unterschlupf gewährt, das ganze Dorf half in den kommenden Monaten dabei, den Laden wieder aufzubauen. Doch es war einfach nicht mehr dasselbe, die Freude war weg. Ich war Witwer. Hatte kein Geld. Alles war auf Pump gekauft …« Er schloss für einen Moment die Augen und schien weit weg zu sein. Im nächsten Moment straffte er die Schultern, und die Traurigkeit verschwand aus seiner Miene. »Richtig auf die Beine gekommen bin ich erst wieder, als Eleonore hierher kam. Ich sag es nicht gern, aber es ist so: Sie war es, die den Grundstein für unseren heutigen Wohlstand gelegt hat.«

»Wie das?«, kam es von beiden Brüdern gleichzeitig. Eine Frau?

Leonard lächelte. »Als ich mich mit ihr das erste Mal in Odessa aufhielt, war sie es, die vorschlug, hierher zu ziehen. Das lebhafte Treiben erinnere sie an Stuttgart, sagte sie. Carlsthal barg für mich so viele schmerzhafte Erinnerungen, dass ich den Neuanfang gern versuchen wollte. Und es hat sich gelohnt: Eleonore hat mit ihrem Backwerk die ganze Stadt erobert!«

»Mit Backwerk ...« Helmut runzelte die Stirn. Allmählich war er sich nicht mehr sicher, wie viel man auf Leonards Erzählungen geben konnte. Besonders schlüssig hörte sich das Ganze nicht an ...

»Ihr wisst doch sicher, dass Eleonore eine berühmte Zuckerbäckerin am königlichen Hof zu Stuttgart war. Und als sie sah ... also, nachdem sie unsere desolate Lage erkannt hatte ... Man glaubt es kaum, aber jeder riss sich regelrecht darum, Eleonores Zuckerbäckereien auf einem seiner Feste präsentieren zu können. Schon nach dem ersten Monat in Odessa wurden ihr fünf verschiedene Festanstellungen angeboten, und zwar in wirklich feinen Häusern! Sogar unser Gradonatschalnik, also der Bürgermeister, wollte sie für seine Küche haben. Aber Eleonore beschloss, auf eigene Faust weiterzubacken. Nächtelang haben wir damals in einem kleinen angemieteten Backhaus gestanden. Und tagsüber war da noch Lea, die versorgt werden wollte. Das war eine harte Zeit. Irgendwann wurde die Nachfrage nach all den Zuckerkringeln, Hefeteilchen und Petits Fours so groß, dass wir es allein nicht mehr schafften. Zudem war Eleonore mit Bettina schwanger.«

»Dann habt ihr ein paar Leute eingestellt«, sagte Helmut, der sich eigentlich eine aufregendere Geschichte erhofft hatte.

»Falsch!«, sagte Leonard triumphierend. »Eleonore beschloss, eine Schule für Zuckerbäckerinnen zu eröffnen und so

228

ihre Kunst weiterzugeben. Was soll ich sagen? Die Schule wurde ein großer Erfolg. Alle hochwohlgeborenen Damen der Stadt waren fortan der Ansicht, dass es nicht schaden könne, ihren Töchtern nicht nur eine musikalische und künstlerische Erziehung angedeihen zu lassen, sondern ihnen zugleich ein paar praktische Fähigkeiten zu vermitteln. Liebe geht durch den Magen – dieses Sprichwort gilt für russische Männer mindestens ebenso wie für württembergische. Durch Eleonores Törtchen wurde der Heiratswert so mancher jungen Dame enorm gesteigert …«

Die drei lachten.

»Eine verrückte Geschichte!« Valentin schüttelte den Kopf. »Und was ist aus dieser Schule geworden? Gibt es sie noch?«

»Und ob! Inzwischen wurde sie zu einer Hauswirtschaftlichen Schule ausgeweitet, in der neben dem Kochen und Backen noch weitere Fertigkeiten gelehrt werden. Sowohl Eleonore als auch Bettina, Margarete und Maria sind dort als Lehrerinnen beschäftigt. Ich selbst habe natürlich mit der ganzen Sache nichts zu tun, habe damals lediglich die Formulare für die Genehmigung bei der Stadt unterschrieben. Dass ein Weib eine Schule eröffnen will, war selbst den Russen ein wenig unheimlich, obwohl sie in dieser Richtung ziemlich fortschrittlich sind.«

Leonard zuckte mit den Schultern, als wolle er seine Rolle bei der ganzen Angelegenheit so weit wie möglich herunterspielen. Im nächsten Moment aber schwoll seine Brust an wie die eines Gockels.

»Meine Welt liegt da unten.« Sein Kinn wies ungefähr in die Richtung des Freihafens. »Nachdem er 1819 eröffnet worden war, habe ich schnell meine Chance erkannt …«

»Und verrätst du uns auch, worin diese Chance lag?« Helmut rülpste. Das viele Essen, der schwere Wein und die ganzen Erzählungen schlugen ihm allmählich auf den Magen.

»Dazu müsste ich eigentlich länger ausholen und ein wenig von Odessas Geschichte erzählen. Aber um es kurz zu machen: Der Hafen bedeutete den Durchbruch für unsere Stadt. Nun wurde der Traum von Katharina der Großen wahr, die aus Odessa ein Fenster zum Süden machen wollte. Der zollfreie Hafen lockte eine Unmenge ausländischer Geldgeber hierher, plötzlich gab es Waren aller Art aus aller Herren Länder – und diese Waren mussten verkauft werden! Englisches Zinn, Seide aus Indien, eine Schiffsladung Porzellan aus China, Tonnen voller Gewürze aus Asien – es bedurfte lediglich guter Kontakte, um all die feinen Güter umzuschlagen.« Leonard rieb sich die Hände, als freue er sich noch heute über die damaligen Erfolge. »So ist aus dem kleinen Krämerladen ›Leonards‹ ein Großhandelsunternehmen geworden.« Er hielt inne und seufzte tief. »Natürlich hat alles zwei Seiten. Für die einheimischen Handwerker wurde es mit der Zeit immer schwieriger, ihre eigenen Produkte zu verkaufen. Wer wollte noch schlecht geschmiedete Messer kaufen, wenn doch Schiffsladungen voller Solinger Qualitätsware hier eintrafen? Segen für die einen, Fluch für die anderen – so wird es wohl immer sein. Viele würden den Freihafen lieber heute als morgen schließen …«

Die Ellenbogen auf den Tisch gestützt, beugte sich Leonard nach vorn.

»Doch genug von mir! Ich sehe euch an den Nasenspitzen an, dass ihr mehr als bereit seid, euch auch ein Stück vom Odessiter Kuchen abzuschneiden!«

Helmut lachte auf. »Richtig erkannt! Warum reden wir zur Abwechslung nicht mal über den Handel mit Blumensamen …«

Und das taten sie für den Rest des Nachmittags. In Leonards Haus setzten sie ihre Gespräche fort, wobei sowohl Eleonore als auch Lea einiges beizutragen hatten. Beide hatten mit den wohlhabenden Familien der Stadt zu tun – Eleonore durch ihre Schule, Lea durch ihren Ehemann, den bewunderten Musiker. Sie kannten sich in dem fein ziselierten Uhrwerk, das Odessa am Laufen hielt, bestens aus.

Odessa war eine ungewöhnliche Stadt mit ungewöhnlichen Menschen. Wer hier Geschäfte machen wollte, war gut beraten, sich dies immer vor Augen zu halten.

Mit dem Freihafen war nicht nur eine Menge Geld und Ware, sondern auch eine ganz neue Kultur ins Land gekommen. Plötzlich begannen die Russen, über ihren eigenen Tellerrand hinwegzuschauen – so drückte es Eleonore aus. Italienische und französische Architekten kamen in Mode, und die brachten ihren eigenen Stil mit. Neben russischen Niello-Vasen fand man nun in den Herrenhäusern auch Porzellan aus Sèvres, Delfter Kacheln und feinstes böhmisches Kristall. Düstere flämische Stillleben hingen Seite an Seite mit düsteren russischen Stillleben. Chinesische Lackmalereien verdrängten in manchen Häusern sogar die Ikonen. Italienische Freskenmaler wurden ins Land geholt, um Decken ganzer Säle auszumalen. Alte russische mythologische Wesen – wie Sirin, halb Mädchen, halb Vogel, mit Schwanzfedern und Brüsten, das zur Abwehr böser Mächte eingesetzt wurde – verschwanden. Im modernen Odessa galt es als zeitgemäß, kosmopolitisch zu denken und zu leben. Und wer es sich leisten konnte, übertrug diese Philosophie vom Haus auch auf den Garten.

Dass die Menschen in dieser Gegend große Gartenliebhaber waren, davon hätten sie sich schon bei ihrem ersten Rundgang durch die Stadt ein Bild machen können, warf Valentin ein. Selbst jetzt im Winter machten die Gärten einen gepflegten Eindruck.

Eleonore nickte. »Und ihr habt noch keinen einzigen Landsitz gesehen! Ich glaube, da werden selbst euch die Augen überlaufen vor Glück!«

Valentin räusperte sich. »Ähm, vielleicht ist das eine dumme Frage, aber wie kommt es eigentlich, dass gerade hier in Odessa so viele reiche Leute wohnen?«

Leonard lehnte sich schmunzelnd auf seinem Stuhl zurück. »Schau dich doch um! Vermutlich hat unser Herrgott auf dieser Welt nur wenige schönere Plätze geschaffen!« Er nickte in die Richtung, wo das Meer lag.

»Papa«, sagte Lea, »findest du nicht, Valentin und Helmut haben eine genauere Antwort verdient?«

»Nein, nein, es ist schon –«, wollte Valentin abwinken, doch Leonard unterbrach ihn.

»Odessa ist wie eine Insel inmitten eines sehr unruhigen Ozeans. Ein wunderschöner, ruhiger und sicherer Ruhepol. Das kann man von Sankt Petersburg oder wo auch immer unser hoch geschätzter Zar derzeit weilen mag, nicht sagen. Das Säbelrasseln schmerzt manchmal doch sehr in den Ohren.«

»Politische Gründe also.« Helmut nickte.

»Ich möchte nichts gegen Zar Nikolaus sagen!« Leonard hob abwehrend die Hände. »Er macht sein Geschäft nicht schlechter als andere. Fühlt sich für alles verantwortlich, manchmal vielleicht ein bisschen zu sehr!« Er lachte heiser auf. »Ein wenig mehr politisches Geschick würde man ihm dennoch wünschen. Doch er führt lieber mit harter Hand, steckt Unsummen von Geldern in sein Millionenheer, das zwar mit schicken Uniformen beeindruckt, aber mit seinen veralteten Waffen nicht einmal gegen eine Horde Kosaken vorgehen könnte …« Diesmal folgte ein betrübter Seufzer.

»Ich verstehe immer noch nicht – was hat das mit den vielen Herrensitzen rund um Odessa zu tun?«, fragte Valentin.

»Zar Nikolaus vermutet hinter jeder Ecke einen versteckten Umstürzler. Diese Angst hat in den letzten ein, zwei Jahren zugenommen, mit unangenehmen Folgen vor allem auch für die Menschen in seiner unmittelbaren Umgebung. Das Säbelrasseln, versteht ihr? Er verlangt Rechenschaft über jeden noch so kleinen Schritt, den einer seiner Gefolgsleute tut. Das gefällt vielen nicht, und so ziehen sie sich auf ihre Landgüter zurück, wo sie ungestört feiern und ihren Geschäften nachgehen können.«

Lea, deren Gatte selbst ein Landhaus wenige Kilometer südlich von Odessa sein Eigen nannte, nickte zustimmend. »Irgendwie sind hier fast alle mit den Romanows verwandt. Geld und Einfluss – beides ist regelrecht greifbar in unserer Stadt.« Sie klang wie jemand, der mit elterlichem Stolz die Vorzüge der eigenen Sprösslinge aufzählt. »Aber lasst uns noch einmal auf euren Samenhandel zurückkommen. Aus welchen Gründen auch immer – die Leute sind bereit, viel Geld auszugeben, wenn die Qualität stimmt. Euer Vorteil ist, dass ihr aus Württemberg kommt. Deutschen Waren vertrauen die Russen.« Sie lächelte zufrieden.

»Das können sie auch, und der Preis stimmt bei uns ebenfalls«, warf Helmut vollmundig ein.

Lea schüttelte den Kopf. »Der Preis ist Nebensache. Die Leute wollen das Ungewöhnliche. Und gute Beratung. Wer kundig ist und bereit, ausreichend Zeit für den Kunden zu opfern, wer Fantasie hat, dem wird bald aus der Hand gefressen. Alle anderen …« Sie zuckte mit den Schultern.

Helmut hüstelte. »Nun ja, ein Garten ist ein Garten, oder? Darunter kann ich mir eigentlich auch in Russland kein Hexenwerk vorstellen …«

Lea und ihre Mutter tauschten einen unauffälligen Blick. »Wir werden sehen …«

»… sind wir vor zwei Tagen endlich heil und gesund in Odessa eingetroffen. Natürlich haben wir sofort die Ware kontrolliert. Welch ein Glück! Alles hat die lange Reise in den Holzkisten wohlbehalten überstanden! Die Rosen –«

»Die ganze Ware wohlbehalten – Gott sei Dank!«, fiel Wilhelmine Hannah ins Wort.

Diese ließ den Brief sinken.

»Warum muss er immer nur übers Geschäft schreiben?«, rief sie aus. »Kein einziges Wort darüber, wie es ihm und Valentin geht. Ob er Heimweh hat, ob er seine Tochter vermisst …« – oder mich, fügte sie im Stillen hinzu.

Wilhelmine lachte. »Kind, du musst wirklich noch einiges lernen. Unsere Männer sind doch nicht zum Spaß auf Reisen! Da geht's nur ums Geschäft. Oder wäre es dir lieber, er würde dir von allen möglichen Zerstreuungen erzählen, die er unterwegs genießt?«

Hannah verzog das Gesicht. »Natürlich nicht.«

»Helmut ist nun einmal ein praktischer Mensch. Das Schreiben ist nicht seine Leidenschaft, nicht wahr, Mutter Wilhelmine?«, zischte Seraphine durch zusammengebissene Zähne, mit denen sie gerade das lose Ende einer Paketschnur festhielt, während sie das andere darumschlang.

Nachdem sie auch noch die letzten Zeilen gelesen hatte, reichte Hannah den Brief an Wilhelmine weiter, die begierig danach griff.

»Du brauchst mir nicht zu erklären, wie es in Helmut aussieht!«, fuhr sie Seraphine an. »Immerhin bin ich mit ihm verheiratet«, setzte sie noch hinzu und kam sich dabei etwas kindisch vor.

Seraphines Blick war vielsagend.

Hannah reagierte nicht darauf. Wie hatte sie sich gefreut, als der Briefträger heute mit dem dicken Umschlag ankam! Und was war aus ihrer Freude geworden ...

Krampfhaft versuchte sie, sich wieder auf das gute Dutzend Samentütchen zu konzentrieren, das vor ihr auf dem Tisch lag. Hatte sie alles für Herrn Stanecik herausgesucht? Hatte sie sich auch nicht in der Menge vertan? Und hatte sie auch daran gedacht, ein paar Sonnenblumensamen als kostenlose Dreingabe beizulegen? Nachdem sie alles ein letztes Mal mit der Seite im Bestellbuch verglichen hatte, schob sie den Korb mit den Tüten hinüber zu Seraphine, die für das Verpacken und Adressieren zuständig war. Sollten sich doch ihre Finger verkrampfen, wenn sie die Pakete mit komplizierten böhmischen Namen wie Zdenek Stanecik oder Bohumil Dolezil beschriftete!

Ohne rechte Lust blätterte Hannah zur nächsten Seite im Bestellbuch. Sehnsüchtig wanderte ihr Blick dabei hinüber zu der Wiege am Fenster, wo Flora selig vor sich hin schlummerte. Wenn die Kleine wenigstens schreien würde! Dann hätte sie sie hochnehmen und ein wenig an die frische Luft gehen können. Dann hätte sie durchatmen, dem Gefühl, zu ersticken, entrinnen können.

Seit Helmuts Bestellbuch in dem dicken Briefumschlag eingetroffen war, saßen die drei Frauen jeden Tag in der Packstube, um Seite für Seite die Aufträge auszuführen. Schon drei Mal waren sie mit dem Fuhrwerk eines Nachbarn in Tübingen auf der Post gewesen und hatten jedes Mal eine Wagenladung voller Pakete auf den Weg gebracht. Heute wollten sie den Rest erledigen.

An und für sich machte Hannah die Arbeit Spaß. Das Falten und Beschriften der Papiertütchen, das Abmessen der einzelnen Samensorten mit den verschiedenen Löffelchen, ja, sogar das Gefühl der verschiedenen Samenformen in ihrer Hand liebte sie: dicke runde Samen und schmale längliche, manche waren so zart, dass Hannah Mühe hatte, sich vorzustellen, dass daraus einmal eine Möhre oder ein Rettich werden sollte. Trotz kleiner Meinungsverschiedenheiten arbeitete sie gern mit Seraphine und Wilhelmine zusammen. Und Arbeit bedeutete Abwechslung, eine willkommene Unterbrechung des langweiligen Alltags.

Aber in letzter Zeit machte Hannah gar nichts mehr Spaß.

Unwillig schob sie die Bestellung eines Herrn Vaclav Kovaz von sich.

»Was schreibt eigentlich Valentin?«

Ohne auf Seraphines Erwiderung zu warten, schnappte sie sich den Briefumschlag, der in der Tischmitte lag.

»Der ist ja noch gar nicht geöffnet!«

Interessierte Seraphine denn gar nicht, was ihr Mann zu erzählen hatte? Vorsichtig begann sie, mit dem Zeigefinger das dünne Papier aufzuschlitzen.

»Hannah! Du kannst doch nicht einfach fremde Post öffnen! Das gehört sich nicht«, sagte Wilhelmine tadelnd.

Hannah zuckte mit den Schultern. »Warum nicht? Seraphine ist in dieser Hinsicht auch nicht gerade zurückhaltend.«

Schon drei Mal war es vorgekommen, dass die Schwägerin einen von Helmuts Briefen geöffnet hatte. »Aus Versehen«, wie sie später sagte. Hannah hatte ihr natürlich nicht geglaubt. Groß und deutlich hatte ihr Name auf dem Umschlag gestanden, genau wie auf diesem hier Seraphines Name stand. Man musste schon mit Blindheit geschlagen sein, um »versehentlich« den falschen Brief zu öffnen!

»*Geliebte Seraphine*«, begann sie laut vorzulesen.

»*Ich hoffe, wenn du diese Zeilen liest, bist du wohlbehalten und bei bester Gesundheit.*

Uns hat die lange Reise nach Odessa weniger zugesetzt als befürchtet, und nun genießen wir die großzügige Gastfreundschaft unseres Großcousins Leonard. Das Zuckerbackwerk seiner Frau Eleonore hat die karge Verpflegung während der Schiffsreise

längst wieder wettgemacht – wenn das so weitergeht, werden wir
dick und rund nach Hause kommen!

Ach Seraphine, wie oft ich in dieser Stadt an dich denken muss!
Diese Pracht, diese Schönheit an allen Ecken – dein künstlerisches
Auge hätte seine wahre Freude daran!«

Hannah ließ den Brief sinken. Warum konnte Helmut nicht
ebenso schreiben? Unter niedergeschlagenen Lidern warf sie
ihrer Schwägerin einen Blick zu, die scheinbar unberührt und
ohne ihre Arbeit zu unterbrechen zuhörte. Wusste Seraphine
Valentins innige Zeilen gar nicht zu schätzen? Undankbares
Geschöpf!

»Was die Geschäfte angeht, ist Odessa allerdings alles andere
als ein leichtes Pflaster. Sicher, reiche Leute gibt es genug, aber
ihre Vorstellungen entsprechen wohl nicht ganz dem, was wir da-
beihaben. Helmut hat erst gestern wieder gesagt, er –«

»Helmut? Was hat Helmut gesagt?« Wie von der Tarantel
gestochen fuhr Seraphine auf.

»Was heißt das, die Vorstellungen der Kunden entsprechen
nicht dem, was unsere Männer dabeihaben?« Auf Wilhelmines Stirn erschien eine Sorgenfalte.

Hannah überflog die nächsten Zeilen. »Näheres sagt er dazu
nicht. Er schreibt nur, dass Helmut ziemlich verärgert ist und
dass beiden allmählich die Lust am Verkaufen vergeht ...« Sie
schüttelte den Kopf. »Seltsam.«

»So kenne ich meine Jungen auch nicht.« Wilhelmine seufzte
schwer. »Oje, das darf ich gar nicht dem Gottlieb erzählen.
Dann heißt es nur wieder: Hätten die Buben auf mich gehört!
Und ganz Unrecht hat er damit nicht. Gottliebs alter ergiebiger
Samenstrich im Elsass verwaist, und die beiden treiben sich
irgendwo in Russland herum!«

Seraphine riss Hannah den Brief aus der Hand, überflog ihn
rasch.

»Da gibt es nichts zu deuten: Russland bekommt den bei-

den nicht! Aber ist das ein Wunder? Ach, wäre es doch nur nie
so weit gekommen! Und wem wir das zu verdanken haben,
wissen wir alle nur zu gut …« Sie warf Hannah einen giftigen
Blick zu. »Und der arme Helmut traut sich nicht einmal, seine
Sorgen zu offenbaren«, murmelte sie vor sich hin.

»Der arme Helmut – verflixt nochmal!«, schrie Hannah.
»Helmut ist nicht arm. Er wollte unter allen Umständen nach
Russland! Das war sein Traum! Und Valentins ebenfalls. Vor
ihrer Abreise hast du doch ständig so getan, als würdest du dies
gut verstehen! Aber nun, wo es scheinbar nicht so gut läuft, ist
er auf einmal der ›arme‹ Helmut. Auf solches Geschwätz kann
ich verzichten!« Atemlos schluckte Hannah die Spucke hinunter, die sich vor lauter Aufregung in ihrem Mund angesammelt
hatte. Wie Gift, das sie versprühen wollte.

»Was hat sie denn nun schon wieder in den falschen Hals
bekommen?«, wandte sich Seraphine kopfschüttelnd an Wilhelmine. »Ich habe doch gar nichts gesagt.« In ihrer Stimme
lag eine arrogante Überheblichkeit, die für Hannah nicht zu
überhören war. Als ob sie über ein unverständiges Kind redete!
Dieses Weibsstück!

Nun schlug auch noch Wilhelmine in dieselbe Kerbe. »Es
gibt wirklich keinen Grund, derart aufzubrausen. Und dabei
auch noch zu fluchen. Du benimmst dich gotteslästerlich!«,
tadelte sie Hannah. »Sieh, jetzt hast du mit deinem Gebrüll das
Kind geweckt.« Sie wollte schon aufstehen und zur Wiege gehen, als Hannah ihr eine Hand auf die Schulter legte.

»Lass nur, um Flora kümmere ich mich selbst!«, sagte sie
eisig. Rigoros bugsierte sie die Wiege aus dem Zimmer und
ließ die Tür knallend hinter sich ins Schloss fallen.

Sollten sie ihr doch alle gestohlen bleiben!

Einen Schal um Hals und Ohren gewickelt, ein dickes Schaffell
über Floras Kinderwagen gelegt, spazierte Hannah durch die

verwaisten Gönninger Straßen. In manchen Häusern brannte schon Licht, andere warteten dunkel und einsam auf die Rückkehr ihrer Bewohner.

Tränen, für die sie sich hasste, liefen über Hannahs Gesicht. Warum heulte sie? Weil ein paar Häuser dunkel waren? So ein Blödsinn! Sie konnte sich nicht erinnern, in Nürnberg je derart nah am Wasser gebaut zu haben.

Wann war sie nur so weinerlich geworden?

Ihr Blick wanderte nach oben in Richtung der steilen Albhänge, die ihre langen, breiten Schatten ins Tal warfen. Obwohl es erst früher Nachmittag war, neigte sich das Tageslicht schon dem Ende zu. Dabei lag Lichtmess längst hinter ihnen, und die Tage wurden eigentlich schon wieder länger. Aber davon merkte Hannah nichts. Hier *muss* man doch trübsinnig werden, dachte sie grimmig. Gleichzeitig wusste sie, dass nicht der Winter und seine kurzen Tage, nicht die Berghänge der Schwäbischen Alb an ihrem Trübsinn schuld waren.

Es war Helmut.

Er fehlte ihr so!

Ach, wenn sie diesen Mann nur nicht so sehr lieben würde! Dann hätte sie auch nicht so viel Angst haben müssen. Angst davor, sein Geruch in seinem Kopfkissen könne endgültig verblassen. Angst, seine Stimme, sein Lachen aus ihrem Ohr zu verlieren.

Angst machte traurig und wütend. Hannah hasste Angst. Und sie hasste Gönningen mit seinem schrecklichen Samenhandel!

Warum hatte sie nicht in einem Dorf landen können, dessen Bewohner von Ackerbau und Viehzucht lebten? Wo die Männer abends nach Hause kamen und gemeinsam mit den Frauen eine ordentliche Brotzeit genossen? Wo es regelmäßige Feste gab, wo getanzt und gefeiert wurde? Gönningen dagegen wurde vom Rhythmus der Handelsreisen bestimmt. Wie sehr dieser Rhythmus ihr eigenes Leben beeinflusste, hatte sie Anfang Januar am eigenen Leib erfahren müssen.

Es war ihr erster Hochzeitstag gewesen und ihr Ehemann ein paar Tausend Meilen von ihr entfernt. Kein Mensch hatte ein Wort darüber verloren. Im Hause Kerner wurde wegen so etwas nicht viel Aufhebens gemacht. Allein war Hannah mit Flora auf den Rossberg marschiert und hatte lange in die Richtung gestarrt, in der sie Russland vermutete. Dann hatte sie eine kleine Kerze entzündet und für Helmuts baldige, gesunde Rückkehr gebetet. Ob Helmut auch an sie dachte? Sie wusste es nicht.

Schon das Weihnachtsfest war nicht besonders fröhlich gewesen. Wie eine alte Jungfer hatte sie es mit Wilhelmine und Gottlieb verbracht. Helmuts Schwester war samt Gatten aus Reutlingen angereist. Obwohl die beiden ständig gestritten und sich giftige Worte wie spitze Hölzchen zugeworfen hatten, beneidete Hannah sie. Lieber ein Ehemann zum Streiten als gar keiner!

Im Jahr zuvor, als Hannah allein und einsam in Emmas Gästezimmer gesessen hatte, hatte sie sich noch ausgemalt, wie schön die Zukunft sein könnte.

»Träume sind Schäume«, murmelte sie nun vor sich hin und warf Flora, die interessiert um sich guckte, ein Lächeln zu.

Die anderen schienen gar nicht zu merken, wie traurig alles war. Wilhelmine und Gottlieb taten so, als wäre es völlig normal, Weihnachten ohne die Söhne zu feiern. Wilhelmine besuchte ihre alten Leute, pflegte allerdings Tante Finchen, die mit einer Erkältung im Bett lag, mehr schlecht als recht. Gottlieb ging völlig in seiner neuen Tätigkeit als Gemeinderat auf – am liebsten hätte er sich auch noch am Heiligen Abend in seinen Akten vergraben! Und Seraphine? Die gab sich unerträglich selbstzufrieden, anders konnte Hannah es nicht bezeichnen. Fast hätte man den Eindruck bekommen können, sie wäre froh, Valentin los zu sein. Seit seiner Abreise wirkte sie nicht mehr so müde wie sonst, ja, man konnte sie beinahe fleißig nennen: Sie werkelte hier etwas herum, malte häufig – inzwischen war sie an einem zweiten Musterbuch für Blumensamen – oder las eines der besinnlichen Bücher, die Wilhelmine wie einen Schatz hütete. Manchmal dichtete sie auch. Einmal hatte Seraphine das Heft, in das sie ihre Gedichte schrieb, versehentlich in der guten Stube liegen lassen. Hannah hatte sich nicht verkneifen können, einen Blick hineinzuwerfen. Von einer Sternenfee war da die Rede gewesen. Und von anderen seltsamen Sachen. Hannah wusste nicht, ob sie über die Zeilen, in denen Worte wie »Sehnsucht«, »Schmerz« und »Verzehren« besonders häufig vorkamen, lachen oder weinen sollte. Ha! Dafür wusste sie genau, wonach sich ihre Schwägerin verzehrte: Sie heulte noch immer ihrer alten Liebe nach!

Als sie Emma von dieser Entdeckung erzählte, wollte diese wissen, ob der Name Helmut denn in irgendeinem Gedicht auftauchte. Natürlich nicht, erwiderte Hannah, Seraphine sei doch nicht dumm. Dann ist gar nicht bewiesen, dass sich ihr Herzeleid überhaupt auf Helmut bezieht, hatte Emma geantwortet. Und dass sie, Hannah, sich etwas einbilden würde.

Wie auch immer: handarbeiten, lesen, dichten – Hannah hatte für derlei Zeitvertreib nichts übrig. All das war so langweilig!

Ach, wie sie die Geschäftigkeit im »Goldenen Anker« in Nürnberg vermisste! Die Gäste, das Durcheinander, das ständige Kommen und Gehen. Hitzige Gespräche über zu vielen Krügen Bier, herausfordernde Blicke, kleine Anzüglichkeiten, die über den Tisch flogen. Ein wenig Musik, das Lachen, fröhliches Feiern – das Leben konnte so schön sein! Natürlich hätte sie Helmut auch in Nürnberg vermisst, aber doch nicht Tag und Nacht, Minute für Minute!

Hannah seufzte abgrundtief. Warum konnte sie sich nicht

selbst genügen? Warum verlangte sie immer noch mehr vom Leben? Hatte sie nicht längst bekommen, was ihr zustand?

Sie blieb stehen und schaute zu, wie sich ihr Seufzer in einer kleinen Atemwolke auflöste. Wenn sich doch nur alle Sorgen so auflösen würden!

Plötzlich stand Hannah vor dem Gasthaus »Sonne«. Sie musste darauf zugesteuert sein, ohne es zu merken. Sie zögerte noch einzutreten, als die Tür bereits aufgerissen wurde.

»Hannah! Wie schön! Und die kleine Flora ist auch dabei …«

Ehe Hannah etwas sagen konnte, langte Emma in den Kinderwagen, hob Flora heraus und verschwand mit ihr ins Haus. Lachend folgte Hannah ihr.

»Morgen ist es wieder mal so weit – so spät wie dieses Jahr waren wir noch nie dran!«, sagte Emma, als sie es sich in der Wirtsstube bequem gemacht hatten, und deutete dabei auf ein Bündel Gepäck. »Aber jetzt heißt es auf nach Hohenlohe!«

Hannah seufzte. »Nun geht ihr auch noch fort! Wie soll ich Gönningen ohne euch ertragen?«

Emma lächelte verständnisvoll. »Wie schnell ein Jahr vergeht! Mir kommt es vor, als wäre es gestern gewesen, dass wir hier zusammensaßen und dir von unseren Reisegepflogenheiten erzählten!«

»Und jetzt sitze ich wieder hier!« Hannah konnte die Bitterkeit nicht aus ihrer Stimme verdrängen, dabei hatte sie sich fest vorgenommen, sich nichts von ihrer Stimmung anmerken zu lassen.

»Die Zeit bleibt nicht stehen.« Emma legte Hannah eine Hand auf den Arm. »Bis zu Floras Geburtstag sind wir längst wieder zurück. Weißt du was? Wir feiern Floras ersten Geburtstag hier in der Wirtsstube! Ich lade dich und die Kerners ein! Wir trinken Kaffee und essen Hefezopf und erzählen uns ganz viel – na, ist das was?«

Hannah nickte lustlos. Normalerweise hätte Emmas Angebot sie gefreut, aber heute …

Emma verzog den Mund. »Jetzt guck doch nicht so griesgrämig! Sag, gibt's etwas Neues von Helmut und Valentin?« Sie schob Hannah einen Teller mit trockenem Hefezopf zu, doch diese lehnte das Angebot kopfschüttelnd ab.

Leise erzählte sie von den beiden Briefen, die am Morgen angekommen waren.

»Seraphine hat Valentins Brief nicht einmal geöffnet, kannst du dir das vorstellen?«

»Sie ist schon ein komisches Mädchen«, stimmte Emma zu. »Aber dir wird wohl nichts anderes übrig bleiben, als deine Schwägerin so zu nehmen, wie sie ist.«

»Schwägerin!« Hannah schnaubte. »So, wie sie sich aufführt, könnte man meinen, *sie* wäre diejenige, die auf Helmut wartet! Ständig redet sie von ihm, gerade so, als wäre er *ihr* Mann! Aber ich kann ihr doch nicht den Mund verbieten, auch wenn ich das am liebsten täte!« Sie ließ die Faust auf die Tischplatte knallen, und Emma runzelte die Stirn. Hannah lehnte sich zu ihr hinüber. »Stell dir vor, erst gestern habe ich sie dabei erwischt, wie sie in unserem Kleiderschrank herumgewühlt hat! Behauptete, sie wolle Helmuts Kittel durchgehen und nachschauen, welche davon geflickt werden müssen!«

Emma lachte. »Und dagegen hast du etwas einzuwenden? Dann schick die brave Seraphine einfach hierher, bestimmt finde ich auch noch etwas Flickwerk!«

»Du verstehst das nicht«, antwortete Hannah unwirsch. »Wenn Helmuts Sachen geflickt werden müssen, dann ist das *meine* Aufgabe, auch wenn die Nähte nach dem ersten Tragen wieder aufgehen.« Sie sah zerknirscht drein, doch im nächsten Moment wurde ihre Miene wieder grimmig. »Das Schlimme ist, dass Seraphine immer so scheinheilig freundlich tut! Sie wolle mir einen Gefallen tun, sagte sie. Weil sie wüsste, wie ungern ich nähe. Was soll ich darauf antworten?« Hannah machte eine hilflose Handbewegung. »Sie bringt mich immer wieder so weit, dass ich mich kindisch und dumm fühle! Und sie steht dann immer besonders gut da. Was bezweckt sie damit? Will sie mich aus dem Haus ekeln? Ha, da hat sie sich aber gründlich vertan, so leicht gebe ich mich nicht geschlagen!«

»Du redest, als ob ihr euch in einem Krieg befändet, aber ganz so schlimm wird es doch nicht sein, oder?«

Emmas buschige Augenbrauen hoben sich fragend.

Hannah funkelte sie an. »Schau nicht so, ich weiß genau, was dir durch den Kopf geht. Du findest auch, ich bin kindisch und dumm!«

Emma lächelte. »Nein, das finde ich nicht. Du bist eifersüchtig! Das ist etwas völlig anderes und normal für eine junge verheiratete Frau! Die Frage ist nur, ob du dir damit einen Gefallen tust. Und ist deine Eifersucht nicht völlig grundlos? Ich meine, Helmut hat *dich* geheiratet …«

Ja, Helmut hatte sie geheiratet. Trotzdem hatte er es vorgezogen, Seraphine ins Vertrauen zu ziehen, was die Russlandreise anging. Dieser Vertrauensbruch versetzte Hannah immer noch einen Stich.

Emma stand auf und legte Flora, die zufrieden vor sich hin gurgelte, in Hannahs Arm.

»Du kannst gern noch ein bisschen bleiben, ich bringe dir auch gleich eine Tasse Tee. Aber ich muss leider weiterpacken. Käthe ist losgelaufen, um Proviant zu kaufen. Wenn ich bis zu ihrer Rückkehr noch nicht mit dem Packen fertig bin, schimpft sie mich alt und gebrechlich! Und das höre ich mir nur ungern an.« Sie lächelte spitzbübisch.

»Tut mir Leid, dass ich dich von der Arbeit abgehalten habe«, sagte Hannah zerknirscht. Rasch stand sie auf und wickelte sich ihren Schal um. »Ich komme morgen früh noch einmal kurz vorbei, um dir und Käthe eine gute Reise zu wünschen.

Gott sei Dank ist der Boden gefroren, so dass ihr sauberen Fußes reisen könnt.«

»Das lass ich mir gefallen!«, rief Emma erfreut. »Endlich fängst du an, wie eine echte Samenhändlerfrau zu denken!«

Hannah lachte trocken. »Hoffen wir, dass ich mich irgendwann auch wie eine echte Samenhändlerfrau benehme ...«

28

Obwohl die Sonne schien und der Boden nicht gefroren war, hatte sich Ludmilla Gräfin Voraskova vom Kopf bis zu den Zehen in dicke Pelze gehüllt. Seit mehr als einer Stunde marschierte sie wie ein Feldwebel durch ihren Garten. Die Brüder folgten ihr. Es wunderte sie inzwischen nicht mehr, dass die Gräfin fast perfektes Deutsch sprach – die meisten der feinen Herrschaften, die sie in den letzten Tagen besucht hatten, sprachen außer ihrer eigenen noch weitere Sprachen.

Es wunderte sie inzwischen auch nicht mehr, dass sie auf ihrem Marsch durch den »Garten«, der viel eher ein riesiger Park war, an unzähligen kleinen Tempeln, Grotten und anderen Gebäuden vorbeigekommen waren, die keinem anderen Zweck dienten als dem der Erbauung ihrer Besitzer.

In Odessa wunderte die beiden Brüder nichts mehr.

Die Gräfin blieb stehen und wies nach rechts, wo vor einem noch kahlen Wäldchen eine Vielzahl von Menschen auf dem Boden werkelte.

»Derzeit bin ich dabei, sämtliche gerade Wege durch gewundene ersetzen zu lassen. Zuerst habe ich überlegt, ob ich nicht ein altes Prinzip aufgreife und gewundene Wege in ein starres Netz von geradlinig verlaufenden Wegen einfügen lasse, aber im Grunde genommen ist das undenkbar. Undenkbar!«

»Undenkbar«, stimmte Helmut ihr zu und gab seinem Bruder im selben Moment unauffällig einen Schubs.

»Nun, so undenkbar dann auch wieder nicht«, fuhr die Gräfin fort, und Helmut fragte sich, ob sie etwa seinen sarkastischen Unterton wahrgenommen hatte. »Batty Langley hat genau dieser Idee in seinem Werk ›New Principles of Gardening‹ großen Raum eingeräumt. Ein Klassiker, der Ihnen doch sicher nicht unbekannt ist, oder?«

Helmut verneinte hastig. Batty Langley? Nie gehört …

Er überlegte rasch, dann sagte er: »Aber bedenkt, gnädige Frau: Wo in der Natur gibt es gerade Linien? In keinem Wald, an keinem Bach, um keinen See. Wenn Ihr also die perfekte Natur kreieren wollt, seid Ihr mit Euren Gedankengängen auf dem richtigen Weg.«

»Ein wahrhaft passendes Wortspiel!«, lobte die Gräfin und schaute ihn dabei eindringlich an, als grüble sie darüber nach, was man diesem Gärtnerburschen zutrauen konnte und was nicht.

Valentin zwang sich zu einem Lächeln. Er versuchte zu schätzen, wie viele Leibeigene kniend auf dem kalten Boden herumrutschten, um den jüngsten Einfall der Gräfin zu verwirklichen. So vermummt ihre Herrin war, so armselig gekleidet waren die Männer: In kniekurzen Hosen und mit ein paar Fetzen am Leib mussten sie dem langen Wintertag standhalten. Manche hatten nicht einmal Schuhe an! Ein einfacher Mensch war in den Kreisen der Gräfin nicht viel wert – diese Erkenntnis war für Valentin so schrecklich, dass er am liebsten die Flucht ergriffen hätte. Mit solchen Menschen wollte er keine Geschäfte machen!

Andererseits war die Voraskova zu ihm und Helmut sehr freundlich. Aufgeschlossener als andere. Sie fragte um Rat, wo andere nur ihre hochtrabenden Gartenpläne dargelegt hatten. Und es wäre doch besser, den Samen zu verkaufen, als ihn ins

Schwarze Meer zu werfen, oder? Sehr viel mehr Möglichkeiten sah er leider nicht …

Valentin atmete einmal tief durch. »Gnädige Frau, verzeiht mir meine dumme Frage, aber um Eure Gartenanlage zu verstehen, bin ich gern bereit, mich der Lächerlichkeit preiszugeben …« Es fehlte nicht viel, und er hätte einen Lachanfall bekommen. Wenn's mit dem Samenhandel mal nicht mehr klappt, können wir immer noch ans Königliche Hoftheater nach Stuttgart gehen, schoss es ihm durch den Kopf. Zwei solch gute Schauspieler nimmt König Wilhelm sicher mit Handkuss auf. Der Gedanke weckte einen neuen Lachreiz.

»Ja?« Die Gräfin warf ihm über den dicken Pelzkragen einen Blick zu.

Valentin deutete auf die riesige Brücke, die zu ihrer Rechten einen nicht allzu großen See überspannte. Eine Gruppe schwarzer Schwäne zog auf dem grünlich schimmernden Wasser malerische Kreise.

»Wohin führt die Brücke? Ich meine, Euer Anwesen liegt doch weiter rechts, wenn ich nicht völlig die Orientierung verloren habe.«

Die Gräfin lachte ein perlendes Lachen.

»Wohin die Brücke führt – das ist herzig! Nirgendwohin! Aber sagen Sie selbst: Würde nicht etwas fehlen, wäre sie nicht just an diesem Platze?«

Die Brüder murmelten Zustimmung, während die Gräfin ihnen erklärte, dass der See eigentlich gar kein See war, sondern ein aufgestauter Bach.

»So, wir sind angelangt!« Die Augen der Gräfin wanderten über eine Auenlandschaft, die sich hinter der Brücke und dem See bis weit über die bisherigen Ausmaße des Gartens erstreckte. Jetzt, im Winter, war das Gras noch blass und müde, die Gruppen von Büschen nur zum Teil belaubt. Die weiten Grasflächen wurden immer wieder von unschönen Gräben in runder oder geschlängelter Form unterbrochen, die seltsam anmuteten. Valentin runzelte die Stirn, verkniff sich jedoch jegliche weitere Frage.

Gräfin Voraskova war sein Blick allerdings nicht entgangen. »Noch letztes Jahr befanden sich hier ganze Broderien aus Blumen – diese Schande habe ich im Herbst entfernen lassen. Die Erde wie ein Brautkleid mit Spitzenumrandungen zu schmücken ist doch schrecklich en passé, finden Sie nicht auch?«

»Nun ja, in Frankreich sind solche Moden durchaus noch zu finden. Aber wir wissen ja alle – die Franzosen ...« Helmut hüstelte geziert. »Wenn alle so dächten, wären wir binnen einer Woche bankrott«, murmelte er Valentin zu, der ein Kichern unterdrückte, indem er es in ein Räuspern verwandelte. Helmut, der alte Aufschneider! Was wusste der schon von den Moden in Frankreich!

»Diese feinen Rasenflächen sind also Euer neuestes Projekt«, hob er an. »Meiner Ansicht nach ist dieser Rasen nahezu perfekt. Kein Unkraut, keine Maulwurfshügel.« Hier war wieder kein Geschäft zu machen, dachte er ärgerlich. Grassamen hatten sie nicht im Angebot. Hätten sie von Anfang an gewusst, dass es darum ging, hätten sie sich diesen weiten Marsch ersparen können!

»Das ist es ja!«, rief die Gräfin. »Der Rasen ist zu perfekt! Oder haben Sie jemals in der freien Natur eine so ordentliche Fläche gesehen?«

»Und was wollen Sie, äh ... was wollt Ihr nun tun?« Valentin zog lautstark die Nase hoch, bis er sich daran erinnerte, dass sich dies in Gegenwart einer so feinen Dame am allerwenigsten gehörte.

Die Voraskova lächelte und zeigte dabei eine Reihe gelber Zähne.

»Zurück zur Natur!, würde ich sagen. Ich möchte aus diesen Flächen blühende Blumenwiesen machen. Und da kommt

Ihr Samen gerade zur rechten Zeit. März und April ist doch für die meisten Blumenarten die beste Saatzeit, oder?«

»Aber … wie …« Helmut schluckte. Er schaute sich um. »Entschuldigt meine Offenheit, aber wisst Ihr, wie aufwändig sich Euer Projekt gestalten würde? Natürlich haben wir geeignete Blumensamen – Duftveilchen, Ehrenpreis, Margeriten –, wundervolle Sorten, die Euren Garten Eden vollenden würden. Und die Zeit für eine Aussaat wäre in der Tat perfekt, aber dafür müsste der komplette Rasen abgetragen und neu angelegt werden! Den Blumensamen einfach zwischen das Gras zu werfen und auf ein Anwachsen zu hoffen, wäre vergebliche Liebesmüh.«

»Genau!«, bestätigte Valentin. »Der Rasen müsste fort, der Boden mit Lehm und Torf neu aufbereitet werden. Dann erst könnten Blumen- und Grassamen ausgesät werden.« Ha, das würde der Gräfin ihre Hochnäsigkeit vergehen lassen!

Valentin sonnte sich derart in dem Gefühl, der großspurigen Frau einmal den Wind aus den Segeln genommen zu haben, dass er ihr Händeklatschen zuerst gar nicht mitbekam.

»Genauso machen wir es! Der Aufwand ist nicht der Rede wert, ich bin froh, wenn ich meine Leute beschäftigen kann. Aber ich danke Ihnen für den kleinen Hinweis.« Sie wandte sich zum Gehen.

Sprachlos und wie angewurzelt blieben die Brüder stehen.

»Kommen Sie, kommen Sie schon! Ich kann es kaum erwarten, mit Ihnen die genaue Zusammensetzung der Blumenmischung festzulegen!«, rief die Gräfin ihnen über die Schulter zu.

»Das wäre geschafft!«, sagte Helmut, als er und Valentin sich bei einem Krug Wein in einem Wirtshaus in der Stadt erholten. »Ich hätte nicht gedacht, dass wir dieser Frau auch nur ein einziges Samenkorn verkaufen können.«

Valentin, der die Beine unter dem Tisch bis hinüber zu Helmuts Seite ausstreckte, grinste. »Dafür haben wir es doch ganz gut hinbekommen, oder? Deine Idee, unsere Margeriten als besonders naturnahe Sorte anzupreisen, war ausgesprochen gut! ›*Hierbei handelt es sich nicht um eine künstlich hochgezüchtete Sorte, sondern um das, was der Garten Eden von allein hervorbringt*‹«, äffte er seinen Bruder nach.

Helmut runzelte die Stirn. »Das ist ja alles schön und gut, aber jetzt mal ehrlich: So kann es nicht weitergehen!«

Valentin hob schläfrig eine Augenbraue. Er hatte Mühe, die Augen offen zu halten. Nach dem langen Marsch durch die Winterluft wirkte die Wärme in der Wirtsstube geradezu einschläfernd.

»Ich habe langsam die Nase voll von all den Voraskovas, Bartakovas und Tscherkovs! Das hat doch mit unserem Samenhandel nichts mehr zu tun. Ich komme mir vor wie eine Mischung aus einem Zirkusaffen, einem Universitätsprofessor und einem tumben Toren. Und ich kann nicht behaupten, dass mir dieses Gefühl gefällt!«

Valentin hob seinen Krug Wein. »Darauf trinke ich! Und dann lass uns einen Happen zum Essen bestellen. Das viele Schwätzen hat mich hungrig gemacht«, sagte er, um ein wenig Zeit zum Nachdenken zu gewinnen.

Seit mehr als zwei Wochen waren sie nun schon mit dem Samenhandel beschäftigt, falls man ihre täglichen Aktivitäten überhaupt so nennen konnte.

Leonard hatte Wort gehalten und ihnen durch seine Kontakte Zutritt zu den feinsten Landhäusern rund um Odessa verschafft. Ihr erster Besuch hatte bei einem von Leas Nachbarn stattgefunden.

»Graf Tscherkov ist ein reizender Herr mit Sinn für die Schönheiten des Lebens«, hatte sie ihn beschrieben.

Die Schönheiten des Lebens, o weh … Wenn Valentin an den Garten des Grafen dachte, bekam er noch heute ein nervöses

Augenwinkern: vor dem Haus symmetrisch und schlicht, war er im hinteren Bereich derart überladen mit marmornen Bänken, Engelsfiguren, Springbrunnen und anderem Zeug, dass das Auge des Betrachters nach wenigen Schritten wild hin- und herhuschte. Kein Gehölz, das nicht in irgendeine Tierform gebracht worden wäre! Keine Biegung, hinter der nicht die nächste Überraschung wartete. Manche davon – etwa ein in Stein geschlagener Höllenschlund, aus dem eine Wasserfontäne schoss – waren so grotesk, dass es einen regelrecht erschreckte. Überhaupt schien Wasser das bestimmende Element im Tscherkovschen Garten zu sein: Kaskaden von Wasser, einzelne Brunnen, Grotten, in denen es vor sich hin plätscherte, Kanäle – an einem Wegstück sogar Wasserstrahlen, die durch irgendeine geheimnisvolle Technik ausgelöst wurden und sie nass gespritzt hatten! Blumen- und Staudenbeete spielten offenbar eine untergeordnete Rolle. Seine Anlagen würden auf die jahrhundertealte »Manieristische Gartentradition« zurückgehen, hatte Tscherkov ihnen erklärt.

Außer zwei Dutzend Rosenstöcken hatte der Graf jedoch nichts gekauft, das Angebot der Brüder war ihm zu »ordinär«. Er erklärte ihnen, dass er eigens für seine Gärten zwei Blumensammler eingestellt hatte, »rastlose Individuen« nannte er sie, die nichts anderes taten, als die Welt auf der Suche nach neuen, exotischen Blumen und Pflanzen für die gräfliche Sammlung zu bereisen.

Manche Herrschaften hatten selbst kein Interesse, die Samenhändler zu treffen, sondern schickten stattdessen ihre Gärtner. Von diesen wurden die Brüder durch riesige Gewächshäuser geführt, in denen Lilien und Rosen, seltene Orchideengewächse und allerlei andere Schönheiten vorgetrieben wurden oder überwinterten. Hier war Blumensamen gefragt! Einfach war das Handeln dennoch nicht, denn die Gärtner wollten alles ganz genau wissen. Bei welcher Temperatur die

Keimfähigkeit dieses Samens lag, wie es sich mit der Frostempfindlichkeit jener Sorte verhielt, wie mit der Sortenreinheit einer anderen. Viele Fragen wussten die Brüder zu beantworten, bei manchen mussten sie sich aufs Raten verlegen. Die Art, wie sie hier behandelt wurden, schmeckte den beiden nicht. Ganz und gar nicht. Immerhin hatten sie inzwischen einen Großteil ihrer Ware an den Mann gebracht, nur auf den meisten Rosenstöcken waren sie bisher sitzen geblieben. Gerade auf den Rosen, auf die sie so große Hoffnungen gesetzt hatten!

»Ich glaube, wir sollten den feinen Herrenhäusern den Rücken kehren und für unseren restlichen Bestand nach ganz normaler Kundschaft Ausschau halten«, sagte Helmut. Mit den Zähnen riss er ein Stück saftiges Fleisch von einem Hühnerschenkel ab. Fett tropfte neben seinem Teller auf die Tischdecke. »Ich meine, in Odessa gibt es doch genügend Geschäftsleute mit kleineren Häusern und kleineren Gärten als denen, die wir bisher besucht haben.«

Valentin nickte. »Keine schlechte Idee. Leonards Hilfsbereitschaft in allen Ehren, er wollte uns ja nur einen Gefallen tun, indem er uns die Adressen der feinen Häuser gab, aber –«

»Gefallen tun!«, fiel Helmut ihm mit vollem Mund ins Wort. »Der wollte doch nur angeben!«

»Das glaube ich nicht. Er und Eleonore sind ja wirklich in diesen Kreisen zu Hause. Und die Töchter sowieso!«

»Aber ich habe die Nase voll von all den Wichtigtuern!«, erwiderte Helmut. »Morgen sehen wir zu, dass wir unsere Rosen an den Mann bringen, und dann kümmern wir uns um die Heimreise.« Er lächelte versonnen. »Ich kann es kaum erwarten, mal wieder ein breites Schwäbisch zu hören.«

»Und mit ganz normalen Leuten zu tun zu haben«, fügte Valentin hinzu.

»Und in einem Gasthaus zu essen, in dem du nicht ständig

eine Tischdecke im Weg hast«, sagte Helmut und hob das ge-
stärkte weiße Tuch hoch, das nach ihrem Mahl mit Soßen-
flecken übersät war.

»Und ich freue mich auf Seraphine!« Valentin atmete tief
durch. »Jede Nacht muss ich an sie denken. Es ist schön zu
wissen, dass sie zu Hause auf mich wartet.«

29

Sie hatten Glück: Drei Tage später fuhr das nächste Schiff von
Odessa Richtung Galati ab. Sowohl Leonard als auch Eleonore
ließen es sich nicht nehmen, die Samenhändler mit einer Kutsche bis zum Hafen zu bringen. Beide waren traurig, dass die
schwäbischen Verwandten die Heimreise antraten, Eleonore
war seit Helmuts Ankündigung, so bald wie möglich aufbrechen zu wollen, immer wieder in Tränen ausgebrochen. Um
sich abzulenken, kaufte sie etliche hübsche Geschenke für die
unbekannte Verwandtschaft im Schwabenland ein.

Auch wenn sie Leonards Familie lieb gewonnen hatten, war
Valentins und Helmuts Vorfreude auf Gönningen so groß, dass
es ihnen schwer fiel, Abschiedsschmerz zu heucheln.

Doch als sie ihre Verwandten schließlich ein letztes Mal um-
armten, während der Kapitän schon ungeduldig nach ihnen
rief, liefen auch ihnen Tränen über die Wangen.

»Wir kommen wieder«, flüsterte Helmut Eleonore ins Ohr,
während sie sich an ihn klammerte, und er glaubte es in diesem Augenblick auch.

»Grüßt mir die Heimat«, flüsterte Eleonore tränenerstickt.
»Und vergesst nicht euer Versprechen, auf den Rotenberg zu
gehen und Königin Katharina schöne Blumen von mir aufs
Grab zu legen.« Nun schluchzte sie hemmungslos.

Leonard löste Eleonores Hand von Helmuts Arm. Liebevoll zog er seine Frau an sich.

»Geht, ihr Glücklichen, geht! Die Heimat ist halt doch die Heimat …«, murmelte er vor sich hin.

»Leonards Bemerkung vorhin … Ich bekomme sie nicht mehr aus dem Kopf.« Es war Valentin, der das lange Schweigen zwischen ihnen brach.

Helmut hob fragend die Augenbrauen.

»Na, das mit der Heimat! Wir sind wirklich Glückskinder, oder? Wohin wir auch gehen – ob nach Böhmen, ins Elsass oder noch weiter fort –, wir Samenhändler sind eigentlich immer auf dem Weg nach Hause. Ganz gleich, wie weit wir von Gönningen entfernt sind, ob es zehn Meilen sind oder tausend – immer geht's heim. Das ist schon tröstlich …«

Seit Stunden waren sie auf dem Schiff, und eine seltsame Stimmung hielt die Samenhändler gefangen: wieder ein neues Schiff, ein fremder Kapitän, fremde Mitpassagiere – alles aufregend, anstrengend, und dennoch war das Neue inzwischen alt, die Geschäfte waren erledigt. So hätten die beiden am liebsten einen Zauberspruch gemurmelt, der sie augenblicklich nach Gönningen brachte. Stattdessen stand ihnen erneut eine wochenlange Schiffsreise bevor. Die Zeit in der Fremde hatte sie ermüdet, die Sehnsucht nach der Heimat war riesengroß – vielleicht schafften sie es deshalb nicht, die Freude über das erfolgreich bestandene Abenteuer Russlandreise zuzulassen. Sie waren Helden. Sie hatten geschafft, woran so viele vor ihnen gescheitert waren. An diesen Gedanken hätten sie sich wärmen, sich mit kleinen Anekdoten die Zeit vertreiben können, stattdessen zogen sie sich wie Schnecken in ihr Haus aus Schweigen zurück.

Abgesehen von einem heftigen Gewitter mit Blitz und Donner kurz vor Pressburg verlief die Fahrt ruhig, fast zu ruhig für Helmuts Geschmack. Ewig tatenlos herumzusitzen machte ihn unleidlich. Aus lauter Langeweile zettelte er unnötige Streitereien mit Mitfahrenden an, spielte Karten oder würfelte, allerdings nur mit kleinen Einsätzen. Ansonsten blieben die Brüder unter sich.

Als sie nach endlos erscheinenden Wochen schließlich in Wien ankamen, hatte Helmut das Gefühl, wilde Hummeln hätten sich auf seinem Hosenboden breit gemacht, so sehr juckte es ihn, etwas zu unternehmen.

»Heute Abend wird gefeiert!«, sagte er zu Valentin, noch bevor sie den Hafen verlassen hatten. »Lass uns trinken gehen, den besten Wein! Von mir aus auch Bier, wenn dir das lieber ist. Ich will Musik, und selbst zu einem Tänzchen würde ich nicht Nein sagen! Haben wir das nicht verdient?«

Valentin lachte. »Aber lass uns wenigstens zuerst unser Gepäck bei der Neidler-Wirtin verstauen.«

»Abgemacht!« Krachend landete Helmuts Hand auf Valentins Rücken. »Und dann gehört der Abend uns!«

Kurze Zeit später saßen sie in einem der vielen Wirtshäuser, die sich am Donauufer aneinander drängten.

Ihre Koffer und Taschen hatten sie in ihrem Zimmer abgestellt. Dort wäre alles gut aufgehoben, an ihr käme niemand unerlaubt vorbei, hatte die Neidler-Wirtin ihnen versichert. Angesichts ihrer Leibesfülle glaubten die Brüder dies gern, trotzdem konnten sie sich nicht überwinden, ihr Geld ebenfalls im Zimmer zu lassen. So trugen sie es wie auf der langen Reise in mehreren Beuteln am Körper. Leonard hatte sogar darauf bestanden, dass Eleonore ihnen speziell zugeschnittene Taschen nähte, die man im Hosenlatz tragen konnte. »Ein Brustbeutel ist schnell vom Hals gerissen, aber es muss schon viel geschehen, bis euch einer an den Sack greift!«, hatte er lachend gesagt, es aber durchaus ernst gemeint. Und so baumelte seit Wochen ein Geldbeutel in ihrem Schritt, nicht gerade ein angenehmes Gefühl …

Außer ihrem waren nur noch drei weitere Tische besetzt. Das Essen schmeckte fast so fade wie auf dem Schiff, statt Musik war lediglich das Zetern der Köchin mit dem Küchenjungen zu hören, und das Bier war schal und wässrig. Ein scharfer Geruch nach Bohnerwachs zog durch den Raum.

Valentin musste zum wiederholten Mal niesen.

»Nicht einmal anständiges Bier gibt es hier, und kochen können sie auch nicht!« Helmut starrte auf seine Suppe, in der ein jämmerliches Stückchen Fleisch schwamm. Mit Todesverachtung führte er schließlich einen Löffel zum Mund und warf ihn dann scheppernd auf den Tisch. »Komm, lass uns woanders hingehen!« Er warf ein paar Münzen auf den Tisch, dann stand er ruckartig auf.

Valentin packte ihn am Ärmel und zog ihn wieder auf den Stuhl.

»Wir bleiben!«, zischte er. »Das war so ausgemacht, erinnere dich!«

»Stell dich doch nicht so an! Wir müssen ja nicht gleich durch die halbe Stadt laufen. Lass uns einfach ein paar Türen weiterziehen! Irgendwo muss es doch ein wenig mehr Leben geben als hier«, fauchte Helmut zurück. Noch während er sprach, ging die Tür auf. »Gleich nebenan habe ich …« Er verstummte.

Valentin folgte dem Blick seines Bruders auf die vier jungen Frauen, die sich an einem der Nebentische niederließen, nachdem sie sich an der Theke Krüge mit Bier geholt hatten. Sie waren auffällig gekleidet, zu auffällig für diese Umgebung, dachte Valentin. Dann zog er Helmut näher an sich heran.

»Ich habe keine Lust, mich in irgendeiner dunklen Gasse überfallen zu lassen. Wir trinken noch ein, zwei Bier, und dann geht's in unser Zimmer. Feiern können wir, wenn wir das Geld sicher heimgebracht haben.«

»Ist ja gut.« Ungeduldig winkte Helmut ab. »Was machen vier hübsche Weibsbilder allein in einem Wirtshaus?«, murmelte er dann. Eine der Frauen, die seine Blicke durchaus bemerkt hatte, hob die Hand zum Gruß. Spitzbübisch lächelnd winkte er zurück. »Wie Huren sehen die eigentlich nicht aus ...«

Valentin zuckte mit den Schultern. »Nicht jede Frau, die allein in ein Wirtshaus geht, muss gleich eine Hure sein! Stell dir vor, das würden andere von unseren Gönninger Samenhändlerinnen sagen. Vielleicht kennen sie die Wirtin oder sind mit ihr verwandt. Wären sie sonst gleich so vertraulich zur Theke marschiert und hätten sich ihr Bier geholt?« Ihm waren die Frauen gleichgültig, aber wenn Helmut durch deren Anwesenheit nun mit dem Lokal versöhnt war, sollte es ihm recht sein.

Mit seinem gewinnendsten Lächeln drehte sich Helmut zu dem Nachbartisch um. »Wenn ich die Damen auf ein Glas Bier einladen darf?«

Valentin seufzte. Das hatte ja kommen müssen!

Eine der Frauen winkte Helmut mit ihrem Zeigefinger zu sich heran.

»*Ein* Bier in dieser Spelunke genügt uns«, flüsterte sie. »Wir kommen nur hierher, weil die Wirtin meine Tante ist und wir es zum halben Preis bekommen. Aber sobald wir ausgetrunken haben, gehen wir woanders hin.« Mit einem beiläufigen Schulterzucken wandte sie sich wieder ihren Gefährtinnen zu.

»Da siehst du's, sogar Weibsbilder halten es hier nicht aus!« Helmut funkelte Valentin wütend an.

Die Frau am Nachbartisch räusperte sich übertrieben laut. »Wenn die Herren möchten, können sie uns jedoch gern woanders zu einem Glas Wein einladen. Ein Freund von uns hat ganz in der Nähe ein Gartenlokal, und ein anderer Freund spielt dort mit seiner Gruppe auf, so dass es recht unterhaltsam ist.«

»Unterhaltsamer als hier allemal«, kicherte eine andere der Frauen.

»Und ein warmer Abend ist es obendrein«, ergänzte die Dritte.

»Tut mir Leid, aber –«, hob Valentin an.

»Warum nicht?«, sagte Helmut im selben Moment.

Die Damen waren Schauspielerinnen und gehörten zum Königlichen Hoftheater, erzählten sie, nachdem sie das Lokal gemeinsam verlassen hatten. Normalerweise hielten sie sich in solchen Lokalen nicht auf, doch ab und an erlaubten sie sich den Spaß, sich einen Abend unters gewöhnliche Volk zu mischen.

Während sich Helmut prächtig amüsierte und wild gestikulierend erzählte, trottete Valentin missmutig hinterher. Es gefiel ihm nicht, wie das eine Weib Helmut die ganze Zeit zuzwinkerte. Sie lief nun direkt neben ihm, immer wieder berührten sich wie zufällig ihre Schultern. Diese Unverfrorenheit! Und wie er seinen Bruder kannte, hatte der inzwischen längst auch nicht mehr nur ein Glas Wein im Sinn, sondern etwas anderes. Dabei war er doch jetzt verheiratet!

Unwillkürlich wanderte Valentins Hand hinunter zu seinem Schritt, wo das Geldsäckchen fröhlich baumelte. So viel Geld am Leib, und sie spazierten durch eine fremde Stadt, mitten in der Nacht. Noch waren die Straßen von vielen Laternen hell erleuchtet, und besonders gefährlich kam ihm diese Gegend nicht vor. Dennoch hieß es jetzt umkehren, zurück in den Gasthof, die Tür zuschließen, das Schicksal, das es bisher so gut mit ihnen gemeint hatte, nicht herausfordern ...

Er lief schneller, bis er auf Helmuts Schulterhöhe war, dann zog er seinen Bruder zu sich heran. Doch bevor er dazu kam, seinen Spruch aufzusagen, zischte Helmut ihm ins Ohr: »Diesen Blick kenne ich! Du hast mal wieder etwas dagegen, dass ich Spaß habe. Aber heute kannst du dich auf den Kopf stellen, es ist mir wurscht! Wochenlang hab ich in Odessa nach der Pfeife von anderen getanzt, heute mach ich nur das, was ich will!«

Schon riss er sich aus Valentins Umklammerung los und schloss wieder zu den Frauen auf.

»So, verehrte Damen, wie weit ist es denn noch bis zu diesem sagenhaften Lokal?«

Und Valentin blieb nichts anderes übrig, als hinter ihm herzutrotten.

30

»Wir sind überfallen worden! Unser Geld – alles weg!«

Valentin zog mit zitternden Händen das Innere seiner Hosentaschen nach außen. Ein unfreiwilliger Schluchzer kroch aus seiner Kehle, er wischte sich über den Mund, versuchte, die Fassung zu gewinnen.

Lieber Gott, mach, dass das nicht wahr ist …

»Jetzt alles der Reihe nach, die Herren! Zuerst einmal die Personalien – wenn ich um Ihre Reisepässe bitten darf?« Geschäftig hielt der Gendarm eine ausgestreckte Hand über den Tisch.

Valentin zupfte die beiden Lappen aus den Fetzen seines Hemdes. »Gott sei Dank haben sie uns die nicht auch noch abgenommen.«

Der Gendarm wechselte einen Blick mit seinem Kollegen, der ansonsten konzentriert daran arbeitete, seinen Bleistift mit einem stumpfen Messer zu spitzen.

Während der Gendarm mit quälender Langsamkeit die Daten der Reisepässe in ein Formular übertrug, schaute Valentin an sich hinab. Sein Hemd war offen und völlig verschmutzt, die Knöpfe abgerissen, seine Hose da zerrissen, wo die Diebe an den Taschen gezerrt hatten. Ihre Brustbeutel waren weg, der Beutel, den Helmut um die Hüfte gebunden hatte, ebenfalls. Nur die beiden »Sackbeutel« von Leonard waren ihnen erhalten geblieben – ein schwacher Trost, denn darin befanden sich gerade einmal zwei Fünftel ihres Geldes. Genug, um die Heimreise zu bezahlen …

Das darf doch alles nicht wahr sein! Ein Alptraum! Bitte, lieber Gott, mach, dass ich gleich aufwache …

Nervös fuhr sich Valentin übers Gesicht, das rau war von den Bartstoppeln.

Helmut, der völlig in sich versunken dasaß, sah keinen Deut besser aus, ganz im Gegenteil: Seine linke Gesichtshälfte war mit Blut verschmiert, das aus einer Platzwunde unter dem Auge stammte. Er hielt sich den Kopf, als habe er Schmerzen. Hatte er auch eins drübergezogen bekommen? Valentin schüttelte sich wie ein nasser Hund, doch die Erinnerung wollte nicht kommen.

Nur an die Zeit davor erinnerte er sich. Nach höchstens zehn Minuten Fußmarsch hatten sie ihr neues Ziel erreicht: Das Gartenlokal, in das die Damen sie geführt hatten, trug den seltsamen Namen »Goldene Henne«. Auch dort waren höchstens vier Tische besetzt, aber die Stimmung war fröhlich und laut und der Wein gut. Fackeln brannten, Nachtinsekten schwärmten umher, es war richtig behaglich. Valentin dachte, dass die Stimmung Seraphine gefallen würde. Milan, ein Ungar, hatte auf seiner Geige gespielt, laut und nicht immer richtig, die Töne kratzten Valentin noch immer im Ohr. Sie hatten getanzt, Helmut mit der Frau, die sich Rosi nannte, er selbst mit … Den Namen der Frau hatte er ebenfalls vergessen. Doch dann war es vom Donauufer empfindlich frisch heraufgezogen, und die feuchte Luft hatte seine Knochen so steif gemacht, dass ihm die Tanzschritte schwer fielen. Er wollte gehen, zurück in den Gasthof –

»So, und jetzt erzählen Sie!« Mit gezücktem Bleistift und gelangweilter Miene schaute der zweite Gendarm von einem Bruder zum anderen.

Helmut rappelte sich aus seiner Erstarrung auf. Stockend schilderte er die Vorkommnisse des Abends. Wie sie von einem Wirtshaus zum nächsten gegangen waren, in Begleitung der vier Hofschauspielerinnen und –

»Hofschauspielerinnen?« Weggeblasen war die gelangweilte Miene des Gendarmen, sein Bleistift fiel mit einem scheppernden Geräusch auf die Tischplatte und rollte bis an deren Rand.

Beide Brüder nickten beklommen.

»Feine Damen waren das!«, spuckte Helmut aus.

Wieder ging ein bedeutungsvoller Blick zwischen den beiden Gendarmen hin und her.

»Erzählen Sie weiter!«

Helmut machte eine hilflose Handbewegung. »Sie müssen uns etwas in den Wein getan haben, ein Schlafpulver oder … ich weiß nicht. Mein Kopf tut weh, da ist eine Beule, vielleicht bin ich auch bewusstlos geschlagen worden. Ab einem bestimmten Moment hab ich keine Erinnerung mehr. Alles schwarz!«

»Ich bin davon aufgewacht, dass ich fror. Als ich mich umschaute, wusste ich nicht, wo ich war und wie ich an diesen Ort gekommen bin«, ergänzte Valentin mit trockenem Mund. Jämmerlich hatte er gefroren, tat es noch immer. Er hatte das Gefühl, nie mehr in seinem Leben richtig warm werden zu können.

Alles weg. Der Ertrag von fünf Monaten. Alles für die Katz! Was soll jetzt nur werden …

Er schlug beide Hände vors Gesicht.

»Lassen Sie mich raten …« Der ältere Gendarm seufzte. »Als Sie aufwachten, befanden Sie sich nicht mehr in der ›Goldenen

Henne‹?« Er nannte den Namen mit einem ironischen Unterton.

Nachdem Helmut den Kopf geschüttelt hatte, fuhr er fort: »Stattdessen ausgeraubt in irgendeiner Gasse. Haben Sie versucht, die Lokalität, in welche die ›Damen‹ Sie geführt haben, wiederzufinden?«

»Natürlich!«, rief Helmut. »Das war unser erster Weg heute früh, noch bevor wir hierher auf die Wache gingen. Ich wollte einfach nicht glauben, dass so etwas *uns* passiert!«

Wie nicht ganz bei Sinnen waren sie am Donauufer umhergeirrt, waren von Haus zu Haus gegangen, doch auf keinem der Wirtshausschilder prangte eine goldene Henne. Bei Tag sah alles ganz anders aus, und sie hatten gestritten: Waren sie an dieser Ecke links oder rechts abgebogen? Helmut hatte gemeint, so weit wären sie gar nicht gelaufen, Valentin dagegen glaubte, es wäre sogar noch weiter gewesen. Am Ende hatten sie aufgegeben und waren zur nächsten Wache gerannt.

Der Gendarm lehnte sich mit verschränkten Armen zurück. »Wie viel Geld wurde Ihnen abgenommen?«

Helmut nannte den Betrag, woraufhin sein Gegenüber einen Pfiff ausstieß.

»Wir werden natürlich alles versuchen. Aber wenn nicht ein Wunder geschieht, müssen Sie davon ausgehen, dass Sie das Geld für immer verloren haben.«

»*Was*? Aber –«

»Sie sind auf eine wüste Bande hereingefallen, die schon im zweiten Frühjahr in unserer schönen Stadt ihr Unwesen treibt. Zuvor waren sie in Pressburg tätig. Bisher konnten wir sie nicht fassen.« Der Gendarm wandte den Blick ab, als fühle er sich persönlich für dieses Versagen verantwortlich.

»Aber das Lokal, ich meine, die ›Goldene Henne‹! Die Frauen sind dort bekannt! Und in dem ersten Wirtshaus, also dort, wo wir sie trafen, kennt man sie auch. Die Wirtin ist sogar die Tante von einem der Weiber. Dass sie keine Schauspielerinnen sind, ist mir inzwischen klar, aber –«

»Diese ›Goldene Henne‹ gibt es nicht, und die Wirtin hat ihre ›Nichte‹ gestern wahrscheinlich zum ersten Mal gesehen«, unterbrach der zweite Gendarm Helmut barsch. »Die ganze Geschichte war eine Inszenierung, so gesehen sind die Damen durchaus Schauspielerinnen …«

Mit starrer Miene lauschten die Brüder, was der Gendarmerie von der Vorgehensweise der Räuberbande bekannt war: Die Damen, die sich als Hofschauspielerinnen ausgaben, betraten ein Wirtshaus und taten auffällig vertraulich mit dem Wirt oder der Wirtin. Dies sollte ihre zukünftigen Opfer in Sicherheit wiegen. In Wirklichkeit besuchten sie jedes Gasthaus nur ein einziges Mal. Dann spähten sie den Raum aus – sie besaßen offenbar einen äußerst guten Blick für besonders willige und ›zahlungskräftige‹ Opfer. Nachdem sie den Kontakt hergestellt hatten, folgte jedes Mal das gleiche Spiel: Sie erzählten den Opfern von einem Gartenlokal, in dem bessere Unterhaltung geboten werde. Dieses ›Lokal‹ wurde von den Komplizen für nur einen Abend in einem Garten der vielen leer stehenden Sommersitze am Donauufer aufgebaut, angefangen beim Wirtshausschild über Tische, Bänke und Musik. Am nächsten Morgen war die ganze Staffage wie von Zauberhand wieder verschwunden.

»Die Gäste, der Geigenspieler – alles nur gespielt?«, fragte Valentin fassungslos. Die Sache war so unglaublich, dass er darüber für einen gnädigen Augenblick die traurige Rolle vergaß, die sie selbst in diesem Spiel innehatten.

Die Gendarmen nickten. Über den weiteren Verlauf eines solchen Abends gingen die Aussagen der bisherigen Opfer auseinander: Die einen behaupteten, so wie Helmut, einen Schlag auf den Hinterkopf bekommen zu haben, andere wiederum glaubten, ein einschläferndes Mittel eingeflößt bekommen zu haben. Das Ergebnis war dasselbe: Nachdem die Opfer bis auf den letzten Heller ausgeraubt worden waren, wurden sie in irgendeiner Gasse ausgesetzt. Bis sie erwachten, waren die Räuber längst über alle Berge oder bereiteten ihr nächstes »Theaterstück« vor.

»Wir haben der Räuberbande den Namen ›Frühjahrsdiebe‹ gegeben, denn sie handeln nur zu dieser Jahreszeit und bei schönem Wetter.« Der Wachmann lachte müde. »Hätte es gestern in Strömen geregnet, wären Sie heute noch im Besitz Ihres Geldes …«

»Und wären Sie erst in ein, zwei Monaten nach Wien gekommen, ebenfalls«, ergänzte der andere. »Dann sind die Sommersitze bewohnt, und den Räubern fehlt die Kulisse für ihre Scharade …«

»Sag jetzt bloß nichts«, zischte Helmut, kaum dass sie die Gendarmerie verlassen hatten. »Jeden Vorwurf, den du mir machen kannst, mache ich mir doppelt und dreifach! Hätte ich doch nur auf dich gehört! Ein bisschen Spaß wollte ich haben – nun, den haben wir jetzt!«

Valentin nickte verdrossen. Ihm stand nicht der Sinn danach, Helmut Vorwürfe zu machen, im Gegenteil. Hätte er darauf bestanden, dass sie in sicherer Nähe ihres Fremdenzimmers blieben … Angestrengt schluckte er aufsteigende Tränen hinunter. Wenn er jetzt auch noch losheulte wie ein Wickelkind …

»Es nutzt alles nichts!« Er legte Helmut einen Arm um die Schulter. Dieser erwiderte die Geste. »Uns bleibt jetzt nur noch übrig zu überlegen, wie wir nach Hause kommen und …« Valentin brach seufzend ab.

»Und wie wir daheim unsere Dummheit erklären«, ergänzte Helmut an seiner Stelle.

31

»Und dann … wie aus dem Nichts sind sie gekommen! Gleich fünf Kerle auf einmal! Oder waren es sogar noch mehr?« Helmut drehte sich zu Valentin um, erntete ein Schulterzucken. »Sie packten uns von hinten an den Schultern, der eine hielt Valentin ein Messer an die Kehle …« Er schluckte.

Wilhelmine, die diese Geschichte nun mindestens schon zum fünften Mal hörte, hielt sich mit vor Entsetzen geweiteten Augen die Hand an den Hals, als spüre sie die Klinge selbst.

»Mir haben sie eins drübergezogen, da, am Auge – es ist immer noch zu sehen!« Helmut tippte mit dem Zeigefinger unter sein rechtes Auge. »Gemeingefährlich waren die! Ruchlos! Zu allem bereit!«

»Wir hatten keine Chance.« Valentin starrte trübselig in sein Bier. »Das ganze Geld, die Arbeit von mehr als fünf Monaten – alles weg! Bis auf das, was wir … verstecken konnten.«

»Nun, so kannst du das auch nicht sagen, zum Glück habt ihr eure Verdienste aus dem Böhmengeschäft in Ulm an Matthias übergeben. Alles ist also nicht kaputt!«, widersprach Hannah betont fröhlich. Matthias, der Nachbar, der bisher stumm am Tisch gesessen hatte, richtete sich bei diesen Worten auf. Immerhin kam ihm bei dieser Geschichte nun eine besondere Rolle zu.

Helmut schnaubte. »Aber es reißt ein empfindliches Loch in unser Säckel.« Er kassierte von seinem Vater einen Stoß in die Rippen und verstummte.

Hannah atmete auf. Gottlieb wollte nicht, dass derart persönliche Dinge in aller Öffentlichkeit besprochen wurden – ihr sollte das heute recht sein!

Sie warf einen Blick in Richtung der Wiege, die Emma extra in die Wirtsstube hatte tragen lassen. Flora, das Geburtstagskind, schlief selig darin.

Was hätte es für ein schöner Tag werden können …

Hannah lächelte Helmut an. »Erzähl doch noch einmal, in welch wunderbare Häuser ihr in Odessa gekommen seid!«

Helmut bedachte sie mit einem schrägen Blick. Dann schien er sich jedoch einen Ruck zu geben.

»Häuser, ach was, Paläste waren das! Mit nichts zu vergleichen. Die Leute in Odessa wissen gut zu leben. Vornehme Leute sind das, ganz vornehme Leute.« Beifall heischend schaute Helmut in die Runde.

»Der eine Graf hatte einen Garten, ach, was sage ich, einen Park, in dem es neben Fischweihern, Apfelplantagen und Gemüsezuchten vier Glashäuser nur für Orchideen gab. Und er besaß weitere Glashäuser zum Überwintern von anderen Pflanzen. Ein ganz verrückter Blumenliebhaber war das!«

Hannah lächelte. Es war ihr wieder einmal gelungen, ihn vom Trübsalblasen abzubringen …

Emma hatte Wort gehalten und die Familie Kerner an Floras Geburtstag zum Mittagessen eingeladen, was zuvor zu einigen Auseinandersetzungen geführt hatte.

Wilhelmine war dagegen gewesen, die Einladung anzunehmen. »Wem ist denn ausgerechnet jetzt zum Feiern zumute?«, hatte sie mit verheulten Augen wissen wollen.

»Gerade jetzt brauchen die Männer ein bisschen Aufmunterung«, war dagegen Hannahs Argument gewesen, dem sich Wilhelmine am Ende nicht entziehen konnte.

»Ich tu dir auch mal wieder einen Gefallen«, hatte Gottlieb Kerner der Wirtin zwischen Pilzsuppe und Schweinebraten zugeraunt. Er war zu dem Schluss gekommen, dass man Emmas Großzügigkeit seiner neuen, wichtigen Tätigkeit als Gemeinderat zu verdanken hatte. Dass der Grund für die Einladung eigentlich Emmas Freundschaft zu Hannah war – auf diese Idee kam er nicht.

Inzwischen war der Nachmittag vorangeschritten, und zu der Familienrunde hatten sich immer mehr Samenhändler gesellt. Die Rückkehr der Brüder aus dem fernen Russland und der schreckliche Überfall in Wien war in den letzten Tagen Dorfgespräch gewesen. Nun wollten alle die Geschichte aus dem Mund der Heimkehrer hören.

Hannah entspannte sich allmählich. So launisch wie in den letzten Tagen hatte sie Helmut noch nicht erlebt! Stumm und in sich gekehrt, dann wieder laut und voller Vorwürfe gegen sich selbst. Anfangs hatte Hannah versucht, ihn zu trösten, indem sie sagte, dass so etwas jedem passieren könne, dass er keine Schuld an dem Missgeschick habe. Missgeschick, ha!, war er ihr grob über den Mund gefahren, so dass sie sich beleidigt abwandte. Überhaupt war er manchmal ihr gegenüber so angriffslustig, als habe *sie* die Räuber eigenhändig engagiert! Sogar im vertrauten Schlafzimmer war er völlig verändert. In der ersten Nacht nach seiner Heimkehr hatte er Hannah so grob genommen, dass sie vor Schmerz beinahe geschrien hätte. Aber sie biss die Zähne zusammen. Sie ahnte, was in ihm vorging: die Mühsal so vieler Monate – dahin in einer Nacht! Es ging um mehr als nur um das Geld. Für die Brüder war das Ganze eine große persönliche Niederlage. Statt stolz die Gewinne von der Russlandreise auf den Tisch werfen zu können, waren sie wie Bettler in Gönningen angekommen …

Umso mehr freute sich Hannah, ihn nun in alter Manier große Reden schwingen zu hören. Und die Gönninger taten ihm den Gefallen und lauschten mit offenen Mündern und großen Augen.

Insgeheim hatte sie ein wenig Angst vor der Reaktion der Leute im Dorf gehabt. Schadenfreude – ob stille oder offen ausgesprochene – wäre das Letzte gewesen, was Helmut und Valentin brauchten. Und dass einige Gönninger den Kerners ihren Erfolg neideten, hatte Hannah inzwischen schon mitbekommen. Wie Lothar Gmeiner, ein Samenhändler in Helmuts Alter, der selbst noch nie weiter als bis Bayern gekommen war. Ihm warf Hannah jetzt einen giftigen Blick zu – er war der Einzige gewesen, der eine spöttische Bemerkung hatte fallen lassen. Zum Glück hatte Helmut sie nicht gehört, weil just in diesem Moment Emma mit einem frischen Krug Bier an den Tisch getreten war. Ansonsten hatten die Brüder nur verständnisvolles Kopfnicken geerntet, ein Schulterklopfen hier, eine aufmunternde Bemerkung da. Aus den Erzählungen ringsum konnte Hannah heraushören, dass solche Überfälle auch schon anderen Gönningern widerfahren waren. Ein trauriger Trost …

Wenn ich ihm nur irgendwie helfen könnte, ging es ihr nicht zum ersten Mal durch den Kopf. Ihm die Last von den Schultern nehmen! Sie wusste, dass die Kerners jeden Herbst für mehr als dreitausend Gulden Sämereien bezogen. Einen Teil davon – Warenportionen für zwei- oder dreihundert Gulden – verkauften sie gleich wieder an kleinere Händler weiter. Aber die Kerners waren es, die das Geld dafür gleich bei den Samenzüchtern auf den Tisch legen mussten. Die Gewinne aus der Russlandreise waren für diese Einkäufe mit einkalkuliert worden, nun musste die Familie erspartes Geld dafür verwenden. Das würde sie zwar nicht an den Rand des Ruins bringen, aber ärgerlich war es schon.

Es ging Helmut und Valentin jedoch nicht nur um das verlorene Geld – Hannah spürte, dass die verlorene Ehre, oder wie immer sie es nennen sollte, die beiden Männer viel mehr bedrückte.

Emma trat mit einer großen Schale Kekse an den Tisch. »Ein feiner Stoff ist das«, flüsterte sie Hannah ins Ohr, während sie ihre Hand über Hannahs Rücken gleiten ließ. Erst da merkte Hannah, dass sie völlig angespannt war. Sie schüttelte sich wie ein nasser Hund.

»Findest du?«, murmelte Hannah. »Es stammt aus Odessa, Leonards Frau hat ihm beim Aussuchen geholfen. Er dachte, Rot würde gut zu meinem schwarzen Haar passen. Seraphine hat dasselbe Kleid in Rosa bekommen. Rosa – brrr!«

Emmas Blick wanderte hinüber zu Seraphine, die, eingepfercht zwischen Valentin und ihrer Schwiegermutter, einen mürrischen Eindruck machte.

»Dafür sitzt ihr Kleid weitaus besser. Sei mir nicht böse, Kindchen, aber irgendwie …« Stirnrunzelnd zupfte Emma zuerst an einer Stofftasche unterhalb Hannahs rechter Brust, dann am Übergang zwischen Ober- und Rockteil.

»Vielleicht ist das in Russland Mode, aber hier bei uns würde ich sagen, es ist einfach eine schlechte Handarbeit!«

Sofort verdunkelte sich Hannahs Blick. »Das ist Seraphines Werk! Das Kleid war zu eng. Seit Floras Geburt … Ich weiß auch nicht, ich habe immer so viel Hunger, manchmal könnte ich von früh bis spät essen!« Unglücklich schaute Hannah an sich hinab. Wo früher ihre schlanke Taille saß, hatten sich im letzten Jahr kleine Speckröllchen gebildet. Ihre Schenkel rieben aneinander, selbst jetzt im Sitzen. Auch ihre Hüften waren noch ausladender geworden. Sogar Helmut war aufgefallen, dass sie an Gewicht zugelegt hatte. Er hatte eine Bemerkung gemacht in der Art, dass ihr wohl das süße Nichtstun bekommen würde. Nichtstun! Wo sie von früh bis spät zu tun hatte!

»Sera hat das Kleid weiter gemacht. Das wäre gar kein Problem, sagte sie. Du weißt ja, nähen ist nicht meine Stärke … Sieht es wirklich so grausig aus?« Auf einmal wusste Hannah nicht mehr, wie sie sitzen sollte. Sie kam sich fett und unförmig vor. Unglücklich schob sie die Schultern nach vorn, um ihre Körperfülle zu verstecken.

Emma warf einen missbilligenden Blick in Seraphines Richtung. »Bring das Kleid morgen zu mir, ich schau, ob sich noch was retten lässt.«

»Und ist euch jetzt die Lust aufs Reisen vergangen? Oder steht womöglich als Nächstes Amerika auf dem Plan?«, fragte Lothar Gmeiner, und der spöttische Unterton in seiner Stimme war nicht zu überhören.

Das schlecht sitzende Kleid war von einem Moment auf den anderen vergessen. Abrupt wandte sich Hannah wieder der Tischrunde zu. Dieser Lothar! Wie konnte er vom Abreisen faseln, wo die Männer gerade erst nach Hause gekommen waren? Unwillkürlich rückte sie näher an Helmut heran.

Der tätschelte ihre Hand. »Meine Hannah hat unsere Äcker und die Wiesen zwar gut vorbereitet, und auch sonst ist alles gut in Schuss, aber manche Arbeiten sind eben Männersache! Und dann … müssen wir einfach sehen, wie's weitergeht. Irgendwie müssen wir das verlorene Geld ja wieder hereinholen.« Er sank in sich zusammen.

Einen Moment lang sagte niemand etwas.

Dann ließ Gottlieb seine flache Hand auf den Tisch fallen. »Euer alter Vater ist ja auch noch da! Wenn's sein muss, ziehe ich im Herbst nochmal los. Ehrlich gesagt, das Reisen fehlt mir. Wieder einmal den Duft fremder Apfelbäume in der Nase haben, die Füße in einen anderen Bach baumeln lassen. Leute treffen, die etwas zu erzählen haben … Und dann das Geschäft, o ja, das Geschäft!« Er schluckte so heftig, dass sein Adamsapfel hüpfte. »Einige meiner Kunden haben mir sogar schon geschrieben. Sie wollen wissen, wann *ihr* Samenhändler wiederkommt … Eigentlich habe ich ja gedacht, ihr beide würdet dieses Jahr auch ins Elsass reisen.« Er warf seinen Söhnen einen tadelnden Blick zu. »Aber es wird wohl das Beste sein, wenn ihr euch völlig auf Böhmen konzentriert. Am Ende verzettelt ihr euch, und das spült auch kein Geld in leere Kassen!« Er seufzte schwer. »Wenn nur nicht ausgerechnet dieses Jahr so viel im Rathaus zu tun wäre …«

»Macht ihr denn schon Fortschritte, was die Poststation für

Gönningen angeht?«, wollte Matthias wissen. »Herrgott, die in Tübingen müssen doch endlich einsehen, dass wir dringend eine eigene Post brauchen! Wenn nicht wir, wer dann?«

Gottlieb nickte. »So ist es. Aber solche Dinge brauchen Zeit. Es geht darum, Fürsprecher zu gewinnen, und da …« Er begann einen langen Monolog über die vielen Schreiben, die er schon nach Tübingen geschickt hatte. Nun plante er eine Fahrt nach Stuttgart in der Hoffnung, dort mehr ausrichten zu können.

Hannah schlug die Beine übereinander. Langsam wurden ihr die Reden zu viel. Draußen schien die Sonne, von den letzten noch in Blüte stehenden Bäumen schneite es weiße Flocken, müder Fliederduft wehte durch die offenen Fenster herein. Wie gern wäre sie mit Helmut ein wenig spazieren gegangen! Vielleicht hätte das seine trüben Gedanken vertrieben, und ihre gleich mit! Hinaus aus dem Dorf, über die Felder und Wiesen, dorthin, wo der Himmel weit war und von keinen Dächern begrenzt wurde. Hannah seufzte sehnsüchtig, und im selben Moment ging ihr nicht ohne Spott durch den Kopf: Du denkst schon wie ein Samenhändler! Den zieht die Sehnsucht nach der Weite auch immer wieder hinaus, trotz aller Gefahren.

Und dann kam ihr ein Gedanke, der so verwegen war, so beängstigend, so neu …

Was wäre denn, wenn ich beim Samenhandel mitmachen würde?

So könnte ich ihm helfen!

Was ist mit Flora, schoss es ihr im selben Moment durch den Kopf. *Ich kann doch mein Kind nicht allein lassen! Du liebe Güte, wie soll ich das überstehen?*

Und mit wem sollte sie losziehen? Allein würde sie sich so etwas nie und nimmer zutrauen, davon abgesehen, wäre es auch viel zu gefährlich. Vielleicht konnte sie Gottlieb überreden? Nein, der hatte ja seine »wichtigen« Aufgaben im Rathaus zu erledigen. Wilhelmine? Himmel, hilf! Mit ihrer Schwiegermutter auf der Reise zu sein konnte sich Hannah nicht vorstellen.

Bliebe nur noch … Seraphine!

Hannah schaute an ihrem schlecht sitzenden Kleid hinab. Inzwischen war sie davon überzeugt, dass Seraphine es absichtlich verschnitten hatte. Und mit solch einem gemeinen Menschen sollte sie sich auf die Reise machen? Nein, das war einfach zu viel verlangt!

Es musste ihr ein anderer Weg einfallen, Helmut irgendwie zu unterstützen.

Andererseits … in guten wie in schlechten Zeiten – das hatten sie sich doch geschworen, oder? Wenn sie ihre Abneigung gegen Seraphine überwinden und mit ihr auf die Reise gehen würde, dann wüsste Helmut, dass er nicht allein war – und *das* würde ihm gut tun!

Bevor die Courage sie verließ, sagte Hannah: »Was würdet ihr eigentlich davon halten, wenn ich ins Elsass reise? Seraphine könnte mich begleiten. Zu zweit würden wir so eine Handelsreise sicher schaffen.«

Auf einen Schlag verstummte das Tischgespräch.

»Wie meinst du das – du und Seraphine?«, fragte Helmut stirnrunzelnd.

Hannah verdrehte die Augen. »Na, wie zwei ordentliche Samenhändlerinnen eben! Mit Zwerchsack und einer guten Ladung Ware im Gepäck. Oder traust du mir das nicht zu?« Sie funkelte ihn an. Wehe, er wagte es, genau das vor allen Leuten zu sagen! Je mehr sie über ihre Idee nachdachte, desto besser gefiel sie ihr. Flora würde schon zurechtkommen, sie war bei ihrer Großmutter gut aufgehoben, und außerdem waren es ja nur wenige Wochen … Und Seraphines Gemeinheiten würde sie sich einfach nicht mehr so zu Herzen nehmen. Vielleicht meinte die andere es gar nicht so böse, vielleicht war sie, Han-

nah, auch nur besonders empfindlich, was die Schwägerin anging. Hannah blinzelte – darüber wollte sie jetzt nicht nachdenken. Viel schöner war der Gedanke, im nächsten Herbst und
Winter nicht mehr allein in Gönningen zu sitzen und auf Helmuts Rückkehr zu warten. Sie auf der Reise – so ganz konnte
sie sich das noch nicht vorstellen …

»Das kommt gar nicht in Frage!« Helmut plusterte sich auf.
»Ihr zwei habt doch überhaupt keine Erfahrung! Und außerdem … Mensch, Valentin, sag doch auch mal was!« Auf seinen
Wangen tanzten hektische rote Flecken, die kurz zuvor noch
nicht da gewesen waren.

Valentin nickte heftig. »Dein Angebot ehrt dich, aber wir haben uns die Suppe eingebrockt, nun werden wir sie auch auslöffeln!«

»Die Suppe auslöffeln, die ihr euch eingebrockt habt – so ein
Blödsinn! Du tust gerade so, als ob ihr euch absichtlich habt
überfallen lassen! Das war einfach Pech, es hätte jedem passieren können. Und deshalb finde ich es nur richtig, wenn Seraphine und ich jetzt auch mal unseren Teil zum Geschäft bei-
tragen. Sera, du siehst das doch sicher genauso, oder?« Hannah
warf ihrer Schwägerin einen aufmunternden Blick zu, den
diese äußerst giftig erwiderte. Warum sagt sie denn nichts, die
dumme Kuh?, ärgerte sich Hannah stumm.

Helmut schlug mit der Faust so heftig auf den Tisch, dass die
Krüge wackelten. »Kommt gar nicht in Frage!«, wiederholte er.
»Und jetzt will ich nichts mehr davon hören! So weit kommt's
noch, dass ich mir von meinem Weib aus der Patsche helfen
lass!«

»Warum denn nicht?«, mischte sich erstmals Wilhelmine ins
Gespräch. »Das wäre wirklich eine Hilfe in der derzeitigen
Situation. Und das Elsass ist keine gefährliche Ecke, sondern
für eine Frau gut zu schaffen.«

»Meine Ecke ein Weiberstrich? Wilhelmine!« Gottliebs

Stimme überschlug sich fast vor Entrüstung. »Darüber reden wir zu Hause noch ein Wörtchen«, zischte er seiner Frau zu.

Hannah, die nun in Wilhelmine eine Mitstreiterin erkannte, ignorierte ihren Schwiegervater geflissentlich. »Mit ein bisschen Vorbereitung schaffen wir das! Wir haben noch den ganzen Sommer Zeit, um alles Wichtige über die Samensorten zu lernen.« Sie wollte nach Helmuts Hand greifen, sie aufmunternd drücken, doch er entzog sich ihr mit einem Ruck. Beleidigt rückte Hannah von ihm ab. Eingebildeter Kerl! Glaubte er, sie schaffe das nicht, nur weil sie ein Weib war?

Lothar Gmeiner warf Hannah einen beifälligen Blick zu. »Wenn der Vorschlag von Sera gekommen wäre, wär das ja nichts Besonderes gewesen. Aber ausgerechnet von dir? Ich muss schon sagen, das hätte ich dir nicht zugetraut.«

Alle Augen – bis auf die der beiden Brüder – richteten sich anerkennend auf Hannah, die sich in der allgemeinen Bewunderung aalte.

32

Es war ein stiller Sommermorgen. Schon um sechs Uhr früh strahlte die Sonne durch die Ritzen in den Fensterläden, zeichnete helle Striche auf das Betttuch.

Valentin liebte den Sommer. Wenn die Tage so lang waren, dass sie kein Ende nahmen. Er liebte das frühe Aufstehen, er liebte es, abends lange auf den Feldern zu arbeiten.

Gleich würde wieder einer dieser Tage beginnen. Er musste nur seine Beine aus dem Bett schwingen, sich ein dünnes Hemd und eine kurze Hose überwerfen. Unten in der Küche würde schon ein Krug mit kalter Buttermilch stehen – mehr brauchte er in dieser Hitze nicht als Morgenmahl.

Aber noch gönnte er sich einen Moment.

Auf den rechten Ellenbogen gestützt, betrachtete er seine Frau. Das tat er oft und gern, vor allem am Morgen, wenn Seraphine noch schlief.

Sie trug ein weißes Nachthemd, das um den Hals herum ein feines Muster aus Löchern aufwies. Fast faltenlos umhüllte es ihren Körper. In der Hitze der Nacht hatte sich ein Großteil ihrer Haare aus dem straffen Zopf gelöst, den Seraphine am Vorabend geflochten hatte. Wie ein Heiligenschein umrahmten die feinen Härchen ihr weißes Gesicht. Keine Wimper blinzelte, keine Regung zuckte über ihre Wangen, nicht einmal ihre Nasenflügel hoben sich, so flach atmete sie im Schlaf.

Sie liegt da wie eine Leiche!, fuhr es Valentin durch den Kopf. Diese makellose Schönheit, diese Kühle …

Er konnte dem Impuls nicht widerstehen, ihr ein paar Haare aus dem Gesicht zu streichen. Seraphine war so viel feiner als alle anderen Menschen, die er kannte! So viel empfindlicher.

Und ausgerechnet dieses schöne, zarte Wesen sollte zusammen mit Hannah ins Elsass reisen, um Samen zu verkaufen? Was hatte Mutter sich nur dabei gedacht, Hannahs Vorschlag zu unterstützen? »Die beiden Mädchen sind jede auf ihre Art liebenswert, aber hier zu Hause sind sie zwei arge Streithennen«, hatte Mutter ihm geantwortet, als er ihr seine Zweifel bezüglich Seraphines Tauglichkeit für diese Aufgabe vortrug. »Du weißt doch selbst, wie es auf der Reise ist: Da muss man sich zusammenraufen! Das tut den beiden gut, vielleicht herrscht danach ein wenig mehr Frieden im Haus … Und eine Hilfe ist es obendrein!« Beschämt hatte er zur Seite geschaut – so weit war es schon gekommen, dass die Frauen helfen mussten, ihre Dummheit wieder gutzumachen.

Jetzt sah Valentin auf seine Finger hinab, die gerade noch die silbrige Strähne berührt hatten. Wie grobschlächtig seine Hand war, wie rau.

Urplötzlich schlug Seraphine die Augen auf. »Was willst du?« Ihre Stimme klang glockenklar und kühl.

Valentin zuckte zusammen. Wie lange war sie schon wach? »Nichts. Ich …«

»Warum starrst du mich dann an, als wäre ich ein Mondkalb? Kann ich nicht einmal mehr in Ruhe schlafen? Musst du mich selbst im Schlaf mit deinen Blicken verfolgen?«

»Ich tu dir doch gar nichts!«, verteidigte sich Valentin. Hilflos suchte er nach Worten, mit denen er die Situation hätte entschärfen können. War es denn nicht völlig normal, dass ein Mann seine Frau in einem stillen Moment anschaute? Er seufzte.

»Ich habe heute Nacht schlecht geträumt, aber *davon* hast du natürlich nichts mitbekommen!«, zischte Seraphine. »Wenn ich nur daran denke, was du mir mit dieser Elsassreise eingebrockt hast, bekomme ich Alpträume.«

Als habe er in offenes Feuer gelangt, sprang Valentin vom Bett.

»Entschuldige, dass ich so dumm war, mich überfallen zu lassen!«, fuhr er sie an. »Ich bin halt nicht Manns genug, meiner Frau ein sorgenfreies Leben zu ermöglichen. Aber eines solltest du wissen …« Er warf ihr einen lauernden Blick zu. »Eigentlich trägt mein großartiger Bruder die Schuld an dieser Sache! Hätte er nicht darauf bestanden, dass wir mit diesen Weibern durch die Lokale ziehen –«

Abrupt brach er ab. Was war nur in ihn gefahren? Sie hatten sich doch geschworen, Stillschweigen über die Sache zu bewahren!

»Wie … Welche Weiber?« Seraphine runzelte die Stirn.

»Das willst du nicht hören, was?« Er lachte bitter. »Am besten vergisst du, was ich gerade gesagt habe!«

Seine Beine waren schwer wie Blei, als er die Treppe zur

Küche hinabstieg. Zusammen mit Hose und Hemd hatte sich Valentin in seinen alltäglichen Mantel aus Einsamkeit gehüllt.

Die Freude auf den Tag war verflogen. Stattdessen erfüllten ihn nun düstere Gedanken.

Was war nur mit diesem Weib los?

Nachts, da brachte sie ihn fast um mit ihrer Leidenschaft. Zeigte ihm Dinge, von denen er nicht einmal gewusst hatte, dass Liebende sie miteinander taten.

Nachts, da fühlte er sich geliebt. In diesen Stunden gehörten sie zusammen, enger und intensiver, als er es sich je erträumt hätte. Dann war seine Einsamkeit fort, ausgelöscht durch eine Hitze, die alles Unselige verbrannte.

Doch tagsüber wollte Seraphine nichts von ihm wissen, behandelte ihn wie einen Fremden oder schlimmer noch: wie Luft. Mehr als einmal hatte er sie gefragt, warum dies so war. Warum sie ihn nachts beinahe mit Haut und Haaren auffraß und tagsüber nicht einmal seine Hand nahm. Dann schaute sie ihn an, als wisse sie nicht, wovon er sprach.

Manchmal war sie regelrecht kalt und abweisend, sagte verletzende Dinge wie gerade eben. Die meiste Zeit jedoch lebte sie in ihrer eigenen Welt. Ihr Blick war oft abwesend, und manchmal fielen ihr am helllichten Tag auch die Augen zu, als ermüde sie völlig durch sich und das Leben.

Valentin wusste nicht, wie er damit umgehen sollte. Er hatte es auf alle möglichen Arten versucht: Er war sanft und liebevoll zu ihr, versuchte, ihr jeden Wunsch von den Augen abzulesen – so weit das eben ging. Zeichenblöcke hatte er ihr besorgt und neue Wasserfarben dazu. Beides hatte sie ohne ein Wort des Dankes an sich gerissen.

Andere Male wurde er richtig grob zu ihr, gröber, als es eigentlich seiner Art entsprach. Doch immerhin war sie seine Frau, er konnte angemessenes Verhalten von ihr verlangen! Aber auch diese Ausbrüche brachten nicht die erwünschte Veränderung – Seraphine nahm sowohl Valentins Liebenswürdigkeiten als auch seine Grobheit gleichgültig hin.

Weil ich ihr gleichgültig bin, dachte er düster bei sich.

Helmut dagegen musste nur einen seiner dummen Witze reißen, und Seraphine erblühte wie eine Blume, die nach langer Trockenheit endlich wieder einmal gegossen wurde.

Warum konnte sie nicht ein klein wenig sein wie Hannah, die so schallend lachte, dass man ihr dabei bis in den Rachen gucken konnte. Hannah, die Helmut zu allen möglichen und unmöglichen Gelegenheiten einen Kuss auf die Wange drückte – sehr zum Missfallen von Mutter, für die solche Liebesbekundungen unschicklich waren. Valentin konnte sich nicht erinnern, seine Eltern je in einer innigen Umarmung oder gar küssend gesehen zu haben. Vielleicht war Seraphine der Mutter darin ähnlich? Er wusste nicht, ob seine Eltern sich liebten. Doch immerhin waren sie ein Ehepaar, das drei Kinder gezeugt hatte. Und das ging schließlich nicht ohne Liebe oder wenigstens Zuneigung, oder?

Irgendwann würde es vielleicht auch bei ihnen so weit sein. Ein Kind würde Seraphine aus ihrer Stille reißen. Würde das unsichtbare Band der Nacht in den Tag hinüberretten. Ein Kind – ein Sohn womöglich –, das war seine Hoffnung!

Valentin holte tief Luft und stieß die Küchentür auf.

Was soll ich nur tun? Was soll ich …

Kaum hatte Valentin das Zimmer verlassen, drehte sich Seraphine wieder auf den Rücken.

Helmut und Valentin und irgendwelche Frauen in Wien … Was hatte das zu bedeuten?

Ach, könnte sie doch nur wie eine Schlange aus ihrer Haut schlüpfen!

Aber das war nicht möglich.

Sie war schwanger.

... was soll ich nur ... Wien ... Helmut und andere Weiber?
Hat das etwas mit mir zu tun? Nein, bestimmt nicht ...

Sie empfand nichts für das Kind, das wie eine kleine Kaulquappe irgendwo in ihrem Bauch ruhte.

Doch halt, natürlich empfand sie etwas: Das Kind stellte ein Problem für sie dar.

Sie konnte kein Kind von Valentin bekommen. Nicht, weil das Kind von ihm war – er war eigentlich ein netter Kerl und immerhin war sie seine Ehefrau. Aber dafür war sie nicht auf dieser Welt, das war nicht die Aufgabe, für die sie bestimmt war.

Manchmal bedauerte sie dies wehmütig. Alles hätte so einfach sein können: sie und Valentin und ein Kind. Dann wären sie Eltern, für immer verbunden durch ein kleines Wesen. Hier ein unbeschwertes Lachen, da eine Vertraulichkeit unter Eheleuten ... Es gab Momente, in denen sie sich nach nichts mehr sehnte.

Aber dieses Leben war ihr nicht bestimmt. Zumindest nicht mit Valentin.

Ein Kind würde alles zerstören. An wen konnte sich Helmut noch wenden, wenn sie mit einem schreienden Säugling an der Brust dasaß? Sie vermochte ihm doch schon jetzt nur so wenig zu geben! Hätte er sonst in Wien die Gesellschaft von fremden Weibern gesucht? Wie einsam musste er sich gefühlt haben.

Ein Kind ... Das darf ich Helmut nicht antun.

Nach dieser Feststellung, die so klar und einfach war, ließ sie alle anderen Gedanken in ihrem Kopf frei wie Pferde, denen man das Gatter öffnet.

Was soll ich nur tun?

Das Kind musste weg – es stand ihrer Liebe im Weg. Es hätte gar nicht dazu kommen dürfen.

Was soll ich ...?

Natürlich wusste sie, dass die Gefahr bestand, schwanger zu werden, wenn man mit einem Mann schlief. Aber sie hatte diese Gefahr unterschätzt. Valentin und sie? Undenkbar.

Früher hatte sie geglaubt, ein Kind würde nur dann entstehen, wenn ein Paar sich in Liebe vereinte. Seit jedoch diese Hannah mit einem Kind im Bauch in Gönningen angetanzt war, wusste Seraphine, dass Liebe dabei keine Rolle spielte. Es hatte nur damit zu tun, dass ein Mann bei einer Frau lag.

Wie soll ich dieses Kind ...?

Erst letztes Jahr hatte eine Frau aus Gönningen ihr Kind am Ende der Schwangerschaft verloren, und sie selbst wäre dabei auch fast gestorben. Damals hatte es geheißen, sie habe sich körperlich übernommen, fast bis zum letzten Tag war sie mit ihrem Mann auf der Reise gewesen.

Ob das Kind auf dieser furchtbaren Reise ins Elsass sterben würde? Unruhig warf sich Seraphine von einer Seite zur anderen.

Soll ich darauf hoffen?

Bis zur Abreise waren es noch etliche Wochen. Womöglich würde sie schon einen Bauch bekommen, und alle wüssten Bescheid. Und was, wenn das Kind die Reise überlebte?

Vielleicht, wenn sie stürzte? Aber was war, wenn sie sich dabei lediglich ein Bein brach? Das durfte nicht geschehen! Auf dieser Reise musste sie schließlich beweisen, dass sie die bessere Samenhändlerfrau war! Noch immer ärgerte sich Seraphine, dass nicht sie diese Idee gehabt hatte, sondern Hannah. Andererseits: Helmut schien von der ganzen Sache nicht besonders angetan zu sein ... Eigentlich seltsam, ging es ihr nicht zum ersten Mal durch den Sinn.

Schlagartig setzte sie sich aufrecht hin.

Natürlich!

Helmut hatte ein schlechtes Gewissen, und ausgerechnet da kam Hannah mit ihrer Hilfsbereitschaft daher und verstärkte dadurch sein schlechtes Gewissen noch mehr ... Wie musste er sie dafür hassen!

Seraphines Blick verdüsterte sich. Warum war sie nicht schon längst auf die Idee gekommen, die Geschichte mit dem Überfall zu hinterfragen? Dann wüsste sie jetzt vielleicht mehr. Konnte überlegen, was das für sie zu bedeuten hatte. Wie sie reagieren sollte ...

Sie war unachtsam geworden. War zu viel mit sich und anderen Problemen beschäftigt, statt an Helmut zu denken. Kein Wunder, dass er sie an manchen Tagen kaum anschaute. Sie hatte so fest daran geglaubt, dass alles nach seiner Rückkehr aus Russland besser werden würde. Dass er erkennen würde, wer die richtige Frau für ihn war. Stattdessen kreisten seine Gedanken ständig ums Geld: das Geld, das ihnen gestohlen worden war, das Geld, das sie auf der nächsten Reise verdienen mussten, um den Rückschlag aufzuholen. Geld, Geld, Geld – und kein Platz für Komplimente, ein liebes Wort, einen zärtlichen Blick.

Hätte Seraphine es nicht besser gewusst, hätte sie glauben können, dass sie längst nicht mehr so wichtig für ihn war wie einst. Aber da gab es immer noch dieses unsichtbare, unauflösbare Band zwischen ihnen ... Sie spürte es, Valentin spürte es und Hannah erst recht!

Seraphine lächelte boshaft.

Vielleicht sollte ich der lieben Hannah erzählen, was ich von Valentin erfahren habe! Mal sehen, wie groß ihre Reiselust dann noch ist ...

Seraphine hatte lange gebraucht, bei der Schwägerin eine Schwäche zu finden – von ihrem grobschlächtigen Äußeren einmal abgesehen. Sie war fleißig, meist gut gelaunt, nahm selten ein Wort übel – lauter Tugenden, die bei den Kerners gern gesehen wurden. Aber Hannah war eifersüchtig – *das* war ihre Schwäche!

Vielleicht hebe ich mir meine Neuigkeiten noch ein bisschen auf. Bestimmt kommt der Zeitpunkt, an dem ich Hannah damit besser überraschen kann …

Das Kind … Es musste weg, es würde alles zerstören, wofür sie bisher gelebt hatte.

Ach, Sternenfee, warum hast du nicht besser auf mich aufgepasst?

Es gab Kräuter, die, wenn man sie aß, zu einem schrecklichen Durchfall und zu Bauchkrämpfen führten. Eine Möglichkeit. Aber welche Kräuter? Und wie viele davon? Sie wollte schließlich nicht an einer Vergiftung sterben.

Valentin! Er hatte ihr das angetan! Doch selbst als Schuldigen konnte sie ihn nicht um Hilfe bitten, ganz im Gegenteil: Er durfte nichts wissen. Sie musste sich normal verhalten, bei der kleinsten Laune ihrerseits würde er wieder anfangen, wie mit einem Messer in ihrer Seele herumzustochern.

Valentin – er würde sie umbringen, wenn er wüsste, was sie vorhatte. Ein wenig tat er ihr Leid. Er bemühte sich so! Warum konnte sie sich nicht auch bemühen?

Und wenn sie für einen Moment das Unmögliche dachte? Was wäre, wenn sie das Kind tatsächlich bekäme? Wenn sie mit aller Kraft versuchen würde, Valentin zu lieben?

Unmöglich. Nicht, solange Helmut ihr Herz besaß. Und das würde für immer der Fall sein.

Seraphine machte eine unwillige Bewegung. Keine Zeit, sich Gedanken um Valentin zu machen.

Was sollte sie nur tun?

Vielleicht gab es irgendeinen Zauber …

Ach, Sternenfee, warum lässt du nicht einfach wie jeden Monat mein Blut fließen? Wenn nur alles wieder gut wäre. Wenn nur das Kind wieder weg wäre.

Vielleicht konnte sie das Blut selbst zum Fließen bringen? Das Kind herausholen, so wie es hineingekommen war.

Probeweise schob Seraphine einen Finger hinauf in die Höhle, in der sie das Nest vermutete.

Nichts. Es musste tiefer liegen.

Vielleicht war es aber auch so klein, dass man es mit der bloßen Hand noch nicht spüren konnte. Es dauerte schließlich lange, bis man einer Frau die Schwangerschaft ansah.

Sie brauchte etwas anderes. Einen langen Gegenstand, einen spitzen noch dazu, so einfach würde sich das Kind nicht herauskratzen lassen.

Halb sitzend, halb liegend schaute sich Seraphine im Zimmer um.

Ihre Pinsel! Da, auf dem Tisch.

Am Vorabend hatte sie sich an einem Bild versucht – die Wiese mit den Apfelbäumen, dahinter die untergehende Sonne. Die kleinen, noch unreifen Äpfel waren ihr gut gelungen, doch dann war ihre Sonne in einem dicken Wust dunkler Wolken ertrunken, und sie hatte das Bild zerrissen.

Schöpfung und Zerstörung lagen nahe beieinander ...

Seraphine stand auf und ging zu dem Tisch. Welchen Pinsel sollte sie nehmen? Sie wählte den größten und huschte zurück in ihr Bett.

Der Schmerz war erträglich, sie hatte Erfahrung, mit Schmerz zu leben. Seelischer Schmerz oder körperlicher – wo war der Unterschied? Sie biss die Zähne aufeinander, hörte, wie ihre Kiefer knirschten. Das und ihr lautes Atmen waren die einzigen Geräusche im Raum. Sie durfte das Atmen nicht vergessen, durfte nicht ohnmächtig werden ... Für Helmut.

Sternenfee, pass auf mich auf.

Ein Widerstand war zu spüren, etwas Weiches ... Dieses Kind war ein Teil von ihr ... sie wollte nicht darüber nachdenken ... bohrte weiter. Alles wurde noch weicher, warm, nass. Es tat so weh ... weh ...

Sie hatte nicht daran gedacht, ein altes Tuch im Bett auszulegen! Wenn es klappte, wenn ihr Plan aufging, würde alles voller Blut sein, womöglich würde man sogar sehen, was da …

Seraphine hielt inne, legte ihr Werkzeug zur Seite. Halb ohnmächtig vor Schmerz erhob sie sich, torkelte zum Schrank, wühlte nach den Lumpen, die sie für ihre monatliche Blutung verwendete. Zu spät. Blut lief an ihren Beinen hinab, hellrot, in einem heißen Strahl.

Hastig schob sie sich den ganzen Packen Lumpen zwischen die Beine. Das tat gut. Mit letzter Kraft schaffte sie es zurück ins Bett. Den Pinsel ließ sie hinter die Rückwand fallen. Keine Spuren … Sie war schlau. Der Gedanke, alles im Griff zu haben, beruhigte sie. Sie schloss die Augen, gab sich den Wellen von Schmerz hin, die sie überspülten.

Schon nach kurzer Zeit spürte sie, wie die Lumpen weich und warm wurden. So viel Blut?

Sie hatte es geschafft. Das Kind war aus seinem Nest gestoßen worden, hier würde nichts mehr wachsen, nichts mehr, nichts außer ihrer großen Liebe …

Als Valentin eine Stunde später auf Geheiß seiner Mutter Seraphine wecken wollte – die Frauen waren zum Beerenpflücken verabredet –, glaubte er zuerst, sie wäre noch einmal besonders tief eingeschlafen. Doch als sie selbst auf sein Rütteln hin nicht reagierte, wurde er stutzig. Einer Eingebung folgend, hob er die Bettdecke und erschrak zu Tode. Blut! Überall Blut.

Der eilig hinzugerufene junge Arzt hatte so etwas noch nie gesehen und war äußerst besorgt. Nachdem er Seraphine mit einem Riechfläschchen aus ihrer Ohnmacht geweckt hatte, schaute er sie ratlos an. Die Krämpfe hätten schon in der Nacht angefangen, sagte sie. Es wäre die Zeit ihrer monatlichen Blutung, die bei ihr immer sehr heftig ausfallen würde. Eine Frauensache eben, kein Grund, sich Sorgen zu machen …

Der Arzt tätschelte ihr den Arm. Sie war noch eine junge

Frau, solche Blutungen würden sich im reiferen Alter geben. Der Blutverlust, dazu die Hitze … Und Seraphine war sowieso ein recht blutarmes Wesen. Da konnte eine Ohnmacht schon einmal vorkommen.

Seraphine lächelte schwach.

Der Doktor schrieb etwas auf, empfahl Seraphine außerdem, einen Saft aus Roten Beten zu trinken, da dies der Blutbildung sehr dienlich sei, und riet ihr, sich zu schonen.

Valentin stürzte aus dem Haus, um die vom Arzt verschriebenen Stärkungsmittel zu holen. Am liebsten hätte er auch etwas gegen sein schlechtes Gewissen verlangt. Da denk ich noch, sie liegt da wie eine Leiche, und komme nicht auf den Gedanken, sie zu fragen, ob es ihr gut geht!, schalt er sich immer wieder. Wer weiß, wie lange sie schon Monat für Monat gelitten hat? War es da ein Wunder, dass eine Frau kühl und abweisend wurde?

33

Der Sommer wurde müde, der Herbst lugte an manchen Tagen schon um die Ecke, und jede Stunde war von früh bis spät mit Arbeit ausgefüllt: Äpfel und Birnen mussten gepflückt, entkernt und in feine Ringe geschnitten werden. Diese wurden dann auf speziellen Vorrichtungen im großen Ofen des Backhauses gedörrt – eine schweißtreibende Arbeit, vor allem, da es für die Jahreszeit noch recht warm war. Auf den Gemüseäckern war ebenfalls vieles erntereif. Da sich Seraphine noch immer von ihren schweren Blutungen erholen musste, blieb der größte Teil der Arbeit an Hannah hängen, was ihr aber nicht das Geringste ausmachte. Sie konnte sich an jedem Weißkrautkopf, an jedem Busch Bohnen freuen, war sie es doch gewesen, die den Samen dazu gesteckt hatte. Jeden Tag füllte sich der Keller des Kernerschen Hauses ein wenig mehr: Körbe mit Dörrobst drängten sich neben Körben mit Zwiebeln und einer prall gefüllten Kartoffelschütte, auf den Regalen reihten sich steinerne Töpfe mit eingekochter Marmelade. Der Anblick erfüllte Hannah mit Stolz und Zufriedenheit. Früher, in Nürnberg, hatten ihre Eltern sämtliche Lebensmittel, die den Gästen des »Goldenen Ankers« aufgetischt wurden, auf dem Markt oder bei fahrenden Händlern gekauft. Statt eines Küchengartens konnte der elterliche Gasthof lediglich einen düsteren Hinterhof aufweisen. Dass es so viel Spaß machen konnte, Nahrungsmittel selbst anzubauen und wachsen zu sehen, hätte Hannah nie gedacht.

Sie wurde nicht müde, die erdigen Düfte in sich aufzunehmen, die über den Feldern hingen: Der leicht faulige Verwesungsgeruch, der vom Krautacker emporstieg, die Süße überreifer Äpfel auf den Wiesen, der intensive Duft von geschnittenem Liebstöckel oder Bohnenkraut – alles zusammen ergab eine Mischung, die Hannah in der Nase kitzelte, betörte und sie gleichzeitig ein wenig traurig machte.

Das Jahr verzehrte sich selbst.

Als hätte es eine geheime Absprache gegeben, verabschiedete sich das schöne Wetter just an Hannahs und Seraphines letztem Tag in Gönningen. Als Hannah am Tag der Abreise aus dem Fenster schaute, war es draußen so trüb und grau wie in ihrem Inneren: Ein heftiger Wind wehte kleine Äste und Blätter durch die Gassen, Regentropfen schlugen plätschernd auf dem Kopfsteinpflaster auf. Wilhelmines Rosenbüsche duckten sich gegen den Regen an die Hauswand. Weit und breit war kein Mensch zu sehen.

Hoffnung keimte in Hannah auf. Bei solch einem Wetter würde doch niemand von ihnen erwarten loszuziehen! Rasch kroch sie noch einmal zurück ins Bett, zu Helmut, der mit Valentin erst in ein paar Tagen abreisen wollte.

Doch nach einer Stunde riss der Himmel auf, es wurde hell, die Oktobersonne spiegelte sich in den nassen Oberflächen ringsum und blendete in den Augen.

Hannahs Gnadenfrist war abgelaufen.

»Und – wie sehe ich aus?« Hannah rückte ein letztes Mal ihr grünes Reisekleid zurecht. Mit der rechten Hand befingerte sie die schwarz gekreppte Spitzenhaube, die sie mit Nadeln in ihrem Haar befestigt hatte. Die Gönninger Samenhändlerinnen trugen zwar keine Tracht, wenn sie auf die Reise gingen, aber die schwarze Spitzenhaube war dennoch so etwas wie ein Erkennungszeichen. Hannah hatte ihre von Wilhelmine bekommen, Seraphine trug ihre eigene Haube.

»Gut!«, antwortete Helmut kurz angebunden, während er gleichzeitig versuchte, die zappelnde Flora auf seinem Arm zu halten. Dann schien er sich eines Besseren zu besinnen. »Die Elsässer werden euch aus der Hand fressen! Ihr werdet eure Ware im Nu verkauft haben, du wirst schon sehen.«

Hannah seufzte. Sie konnte die aufmunternden Worte gut gebrauchen, denn sie selbst war weitaus weniger zuversichtlich als ihr Mann. Mehr als einmal hatte sie ihre vollmundigen Worte an Floras Geburtstag schon bereut.

»Wahrscheinlich werden sie uns in kürzester Zeit als Hochstaplerinnen entlarven … Ich meine, *so* viel wissen wir nach diesem Sommer doch auch noch nicht vom Ackerbau.« Sie warf einen kurzen Blick zu Seraphine hinüber, die ein Stückchen abseits schweigend neben Valentin stand – auch eine Art, Abschied zu nehmen.

Hannah starrte auf das Vesperpaket, das Wilhelmine ihr zuvor in der Küche in die Hand gedrückt hatte – hart gekochte Eier, Brot, ein Stück Käse. Sie wandte sich abrupt ab, machte

ein paar Schritte auf das Haus zu, als wolle sie wieder hinein-
gehen, drehte sich erneut um …

Helmut verfolgte diesen seltsamen Tanz mit einem spöttischen Lächeln.

»Wie werde ich all das hier vermissen! Den Rossberg, die
Wiesaz, und vor allem euch alle!« Hannah schlang ihre Arme
um Wilhelmine, die sich inzwischen zu ihnen gesellt hatte. Mit
freundlicher Miene löste sich die Schwiegermutter aus der
Umklammerung. Wie einem kleinen Kind kniff sie Hannah in
die Wangen.

»Also, dass sich eine Auswärtige so sehr in unser Gönningen
verlieben kann, hätte ich nicht gedacht. Aber denk daran: Das
mit der Reise ist *deine* Idee gewesen …«

Hannah nickte. »Einerseits bin ich schrecklich aufgeregt und
freue mich riesig. Aber dann wieder, wenn ich an die Kleine
denke …« Sie blickte zu Helmut und Flora, und ihr Gesicht
verdunkelte sich. Wenn sie sich jetzt nicht beherrschte, würde
sie losheulen und nicht mehr aufhören. Ach, wenn das Abschiednehmen doch bloß schon hinter ihr läge!

Helmut lachte. »Jetzt weißt du, wie ich mich fühle, wenn's
wieder mal so weit ist.«

Er setzte Flora auf dem Boden ab und hob Hannahs Zwerchsack auf.

»Es sind ja nur ein paar Wochen, und wer weiß, vielleicht findest du auch Gefallen an der Reise? Wenn nicht, dann heißt es
einfach Zähne zusammenbeißen!« Gekonnt befestigte er die
Riemen des Zwerchsacks unter Hannahs Achseln.

»Habt ihr meine Wegbeschreibung eingepackt?« Mit eiligen
Schritten kam Gottlieb aus Richtung Rathaus herangeeilt.
»Denkt dran: Wenn ihr bei der ›Adler‹-Wirtin in Herrenberg
übernachtet, dann müsst ihr sie an den Sonderpreis erinnern,
den ich –«

»Wir werden an alles denken, was du uns gesagt hast«, unterbrach Hannah ihren Schwiegervater beruhigend. Umständlich zog sie einen dicken Schreibblock aus ihrer Kleidertasche. »Alles dabei, siehst du?« Wann sie die vielen Seiten mit Anweisungen lesen sollte, war ihr noch unklar.

Der alte Mann verzog das Gesicht. »Am liebsten würde ich ja doch selbst …«

Hannah strich ihm über die Wange, was ihn erschrocken zurückweichen ließ – Zärtlichkeiten in der Öffentlichkeit war er nicht gewohnt.

»Mach du lieber den Tübingern Dampf, damit wir recht bald unsere eigene Poststation bekommen! Wir werden deinen alten Samenstrich schon ordentlich beackern.« Hannah staunte, wie fest ihre Stimme klang, wo ihre Knie doch wie Espenlaub zitterten. Sie hatte sich schon wieder halb zu Helmut umgewandt, als sie erneut zu Gottlieb herumfuhr. »Und du bist dir wirklich sicher, dass wir kein Gewerbepatent brauchen? Was, wenn Seraphine und ich angehalten und nach so etwas gefragt werden?«

Erst im Vorjahr war eine neue Hausierordnung erlassen worden, und an allen Stammtischen wurde seit längerem heftig darüber diskutiert. Was, wenn Gottlieb doch nicht so gut Bescheid wusste, wie er vorgab? Die Ausstellung solcher Papiere würde sicher Tage dauern, ihre Abreise würde sich verzögern, vielleicht gar nicht stattfinden …

Gottlieb schüttelte den Kopf. »Ein Gewerbepatent brauchst du nur, wenn du im Inland reist, fürs Ausland reicht ein Reisepass und den hast du ja.«

Hannah nickte kläglich und straffte dann ihre Schultern. Der schwere Zwerchsack drückte schon jetzt unangenehm auf ihr Kreuz. Inzwischen hatte sich auch Seraphine zu ihnen gesellt. Valentin stand mit leerem Blick hinter ihr.

Mit einem leisen Jammern warf sich Hannah erneut an Helmuts Brust, doch er schob sie sanft von sich.

»Geht jetzt, das Abschiednehmen wird nicht leichter, wenn man es lange hinauszögert.«

Sie hatten die letzten Häuser Gönningens noch nicht hinter sich gelassen, als Hannah in Tränen ausbrach.

»Ich kann nicht ... Flora!« Heftige Schluchzer schüttelten sie und den Zwerchsack bei jedem Schritt.

»Nun gräm dich nicht«, kam es leise von Seraphine.

Inmitten ihrer Schluchzer wusste Hannah zunächst nicht, ob sie richtig gehört hatte. Seraphine wollte sie *trösten*? Geräuschvoll schnäuzte sie in ihr Taschentuch.

Ein leises Lächeln erschien auf Seraphines Gesicht. »So ist's besser. Und wenn wir schon einmal dabei sind – wollen wir nicht endlich Frieden schließen? Nicht mehr streiten, sondern zusammenhalten?« Sie legte ihren Kopf schräg wie ein Eichhörnchen, das eine besonders schöne Nuss im Auge hat. »Die Reise wird uns dann umso leichter fallen.«

Mitten im Naseputzen hielt Hannah inne. Argwöhnisch starrte sie auf die Hand, die Seraphine ihr hinhielt. Was waren denn das für unvermittelt neue Töne? Dahinter steckte doch bestimmt wieder irgendeine niedere Absicht ...

»Also gut«, sagte sie dennoch und schlug in die ausgestreckte Hand ein – während eine innere Stimme ganz laut »Nein!« schrie.

Zwei hübsche junge Frauen wurden von Fuhrleuten gern mitgenommen, daher kamen sie gut voran. Die erste Mitfahrgelegenheit bot ihnen ein Bauer aus einem der Nachbardörfer, der mit seinem alten Gaul und dem klapprigen Wagen auf dem Weg zum Markt in Tübingen war.

Mehr als einmal schaute Hannah über ihre Schulter, ob Gönningen noch zu sehen war, doch das Dorf war längst in der hügeligen Landschaft verschwunden. Bisher hatte sie die Wege, die vom Samenhändlerdorf in die weite Welt führten, lediglich mit dem Finger auf der Karte nachgezogen – nun machte sie sich selbst auf den Weg ...

Um ihrer trübseligen Stimmung zu entrinnen, begann Hannah, die Kenntnisse zu wiederholen, über die sie als zukünftige Samenhändlerin verfügen musste. »Gurken benötigen einen warmen Boden und eine sonnige Lage«, rezitierte sie laut. »Sie dürfen erst ausgesät werden, wenn keine Nachtfröste mehr zu erwarten sind. Blumenkohl braucht viel Düngung, sein Boden muss besonders häufig gelockert werden. Stangenbohnen nehmen kühle Nord- und Ostwinde übel – dies muss man schon bei der Wahl des Beetes berücksichtigen. Kohlrabi ... was war nochmal mit Kohlrabi?«

Seraphine schüttelte ratlos den Kopf. »Das werden die Leute schon selbst wissen ...«

»Und wenn nicht? O Gott, was machen wir, wenn jemand Auskunft zu den Kohlrabisorten haben will?« Hannah stöhnte theatralisch.

»Dann können wir nur hoffen, dass uns bis dahin ein schlauer Spruch dazu einfällt«, antwortete Seraphine trocken.

Hannah kicherte nervös. »Vergiss den Kohlrabi für einen Moment. Erinnerst du dich noch an die verschiedenen Porreesorten? Und muss man den Boden für Salat düngen oder nicht?«

»Die Porreesorten ... hmmm.« Mehr war von Seraphine nicht zu hören.

Auf einmal war alles, was sie in den letzten Wochen Abend für Abend mit den Männern auswendig gelernt hatten, wie weggeblasen.

»Das fängt ja gut an. Wir werden uns in Grund und Boden blamieren!«, unkte Hannah und wunderte sich, dass ihre Stimmung dennoch recht heiter war.

Noch auf dem Tübinger Marktplatz hatten sie Glück und fanden jemanden, der in Richtung Herrenberg fuhr. Den Ort, den er als sein Ziel nannte, kannten die Frauen zwar nicht, doch ein Blick auf Gottliebs alte Karte sagte ihnen, dass die Richtung stimmte. Da sich hinten auf dem Wagen jede Menge leere Bierfässer türmten, quetschten sie sich neben dem Fahrer auf den Kutschbock. Während der äußerst gesprächige Mann Seraphine unterhielt, versuchte Hannah, ihren Fahrtweg mit Gottliebs Beschreibungen auf dem kleinen Block zu vergleichen – ein fruchtloses Unterfangen, wie sich bald herausstellte. *»Nach ungefähr drei Meilen kommt ihr an eine Kreuzung, auf der rechter Hand ein Wegkreuz steht, dort müsst ihr euch schräg links halten und dann …«* So oder ähnlich klangen Gottliebs Notizen, und nichts davon erkannte Hannah ringsum wieder. Offenbar führten mehrere Wege nach Herrenberg. Enttäuscht stopfte sie Gottliebs Block samt Landkarte in ihre Tasche. Einen Moment lang beschlich sie ein ungutes Gefühl bei der Vorstellung, sich einem Fremden anvertraut zu haben. Was, wenn der Mann ein ganz anderes Ziel im Sinn hatte? Was, wenn er ihnen Böses wollte? Unter niedergeschlagenen Lidern warf sie ihm einen langen Blick zu und stellte fest, dass er eigentlich ganz harmlos aussah. Mit Begeisterung gab er eine Geschichte nach der anderen zum Besten und war zufrieden, wenn von Seraphine ab und an ein bewunderndes »Unglaublich!« oder ein entsetztes »Du lieber Himmel!« kam. Trotzdem nahm sich Hannah vor, ab Herrenberg genau den von Gottlieb beschriebenen Weg einzuschlagen. Wenn sie dafür keine Mitfahrgelegenheit fanden, mussten sie eben in Gottes Namen zu Fuß gehen. Nachdem sie diesen Beschluss gefasst hatte, entspannte sie sich ein wenig.

Der Himmel war voller schnell fliegender Wolken, und dort, wo sie aufrissen, sah er wie eine zerknitterte blaue Wolldecke aus. Die Sonne lugte hervor und tauchte die Landschaft in honigfarbenes Licht. Obwohl der Wagen im Schritttempo fuhr, war der Fahrtwind frisch und blähte Hannahs Reisekleid auf. Wann immer sie unter tief hängenden Ästen hindurchfuhren, blieben zerrissene Spinnweben in ihrem Gesicht kleben. Ja, es war Herbst …

Nun, da keine Insekten mehr brummten, keine milchschweren Kühe mehr auf der Weide muhten und nur hin und wieder ein Krähenschrei die Stille zerriss, war es ungewöhnlich still. Hannahs Blick folgte einer Schar von Vögeln, die ruhig und stetig Richtung Süden flogen.

Die Samenhändler sind wie Zugvögel. Sie kommen und gehen mit derselben Regelmäßigkeit.

Wo hatte sie diese Worte erst kürzlich gehört? Sie konnte sie niemandem zuordnen, wusste lediglich, dass es in Gönningen gewesen sein musste.

Hannah lächelte. Eine nicht unangenehme Melancholie überfiel sie. Der Herbst war die Zeit des Abschiednehmens, die Zeit, in der die Gönninger zu fremden Orten aufbrachen. Der einzige Unterschied zum vergangenen Jahr bestand darin, dass diesmal auch *sie* auf und davon zog. Wie ein Zugvogel …

Es dämmerte schon, als der Kutscher schließlich anhielt. Hier würden sich ihre Wege trennen, erklärte er. Die Brauerei, bei der er Bier holen wollte, läge zur Rechten, während der Weg nach Herrenberg geradeaus führte.

»Nach ungefähr drei Meilen kommt ihr in ein kleines Wäldchen. Wenn ihr dieses durchquert habt, stoßt ihr linker Hand auf einen Weg, der euch direkt nach Herrenberg hineinführt. Der Weg ist zu schmal für ein Fuhrwerk und führt über Stock und Stein, aber er ist eine ausgezeichnete Abkürzung für jeden, der zu Fuß unterwegs ist. Um diese Jahreszeit sollte er ordentlich ausgetreten sein, daher könnt ihr ihn eigentlich gar nicht verpassen.« Der Mann fügte noch hinzu, dass Hannah und Seraphine Herrenberg vermutlich in spätestens zwei Stunden erreicht haben dürften.

»Na endlich!« Kaum waren von dem Brauereiwagen nur noch die Hinterräder zu sehen, sprang Hannah in die Büsche. Schon seit Stunden musste sie dringend Wasser lassen!

Nachdem sie ihre Röcke wieder zurechtgerückt hatte, gesellte sie sich zu Seraphine, die mit zusammengekniffenen Augen in Richtung des Wäldchens schaute.

»Ob es nicht sinnvoller wäre, außen herum zu laufen? Immerhin wird es bald dunkel ...«

Hannah biss sich auf die Unterlippe. Auch ihr war nicht wohl bei dem Gedanken, allein durch einen fremden Wald gehen zu müssen. Sie schaute ihre Schwägerin an. »Uns bleibt wohl nichts anderes übrig! Wenn wir nicht unnötig trödeln, sind wir schnell wieder draußen.« Obwohl sie ihrer Stimme einen festen Klang verlieh, war sie insgeheim auf alle möglichen Einwände von Seraphine eingestellt: *Ich bin zu müde, ich kann nicht mehr laufen, der Wald macht mir Angst, warum warten wir nicht, bis ein anderer Wagen vorbeikommt und uns mitnimmt ...*

Doch statt zu lamentieren, nickte Seraphine ihr zu. »Dann wollen wir mal!« Mit festem Schritt gab sie das Tempo vor.

Verdutzt marschierte Hannah hinter ihr her. Was war denn in ihre Schwägerin gefahren?

34

Mit jedem Schritt, den sie taten, wurde der Wald dichter. Die Buchen und Eichen wurden weniger, dafür nahmen die Nadelbäume zu. Das bisschen Licht, das noch durch die hohen Bäume einfiel, wurde von dunklen Moosflecken aufgesogen, so dass die Frauen Mühe hatten, auf dem Weg zu bleiben. Sie kamen nicht so schnell voran, wie sie es sich gewünscht hätten, und die Gefahr, auszurutschen, in ein Loch zu treten oder über eine frei liegende Wurzel zu stolpern, war groß.

Eine Zeit lang war nur der schwere Atem der beiden zu hören.

»Hier ist es so still wie in einer Kirche«, flüsterte Seraphine schließlich.

»In einer Kirche ist es aber nicht so unheimlich«, gab Hannah gedämpft zurück und fügte hinzu: »Warum flüstern wir eigentlich?«

Beide kicherten nervös, während sie auf das Wispern des Waldes lauschten. Waren das normale Geräusche?

Hoffentlich war nicht die ganze Strecke bis ins Elsass derart unheimlich, dachte Hannah bang, und ihr Magen verkrampfte sich vor lauter Aufregung. Wie konnte Seraphine so gleichmütig durch diese düstere Wildnis stapfen? Und überhaupt: Seraphine verhielt sich völlig anders als zu Hause! Fast hätte man sie als … überlegen bezeichnen können. Im Grunde ihres Herzens war sie wohl doch eine Samenhändlertochter.

Abrupt blieb Hannah stehen. Du lieber Himmel, was war denn das?

Ihre Hand flog an die Brust, als wolle sie verhindern, dass ihr rasendes Herz davonsprang.

Seraphine fuhr herum. »Was ist! Warum schreist du so?«

Zitternd zeigte Hannah nach rechts. »Da … da geht es schrecklich tief hinab. Und das Rauschen … ein Wasser …«

Keine zwei Fußbreit von ihr entfernt tat sich neben dem Weg jäh ein Abgrund auf. Ein falscher Schritt, und sie wäre in die Tiefe gestürzt! Hannah spürte, wie sich die Härchen auf ihren Unterarmen aufstellten.

»Der Weg führt doch schon die ganze Zeit an diesem Bach entlang, das hat der Kutscher sogar extra erwähnt. So wissen wir, dass wir richtig sind. Jetzt lass uns weitergehen, solange es noch hell ist.«

Hannah schaute die Schwägerin entgeistert an. *Solange es noch hell ist ...* Wenn dieser Dämmerzustand für Seraphine hell war, wie sah dann Dunkelheit für sie aus? Mit wackligen Knien setzte Hannah abermals einen Schritt vor den anderen, während Seraphine forsch voranmarschierte.

Hannahs Erleichterung war riesengroß, als sich der Wald eine halbe Stunde später zu lichten begann. Die Abkürzung, von der der Kutscher gesprochen hatte, war breiter als der Hauptweg, und so konnten die Frauen nach einer weiteren halben Stunde Fußmarsch den Wald endlich hinter sich lassen. Hinter einem dünnen Nebelschleier deutete das Schimmern von Licht auf die ersten Häuser hin – ein Gehöft oder schon die Ausläufer des Ortes?

Eine Faust in ihren schmerzenden Rücken gedrückt, beschleunigte Hannah das Tempo. Sie war müde, hatte Durst und sehnte sich danach, den Zwerchsack für kurze Zeit abzulegen. Doch sie wollte nicht anhalten, weder um an einer der vielen Quellen, die ringsumher aus der Erde sprudelten, zu trinken, noch um ihrem Rücken eine Pause zu gönnen. Bald, bald würden sie die Stadt erreichen, das von Gottlieb empfohlene Wirtshaus »Adler« aufsuchen, ein Bier trinken, ihr Brot essen, dann die engen Stiefel ausziehen, alle viere von sich strecken und –

Sie war so in diese Vorstellung vertieft, dass sie nicht merkte, wie Seraphine plötzlich stehen blieb. Hart prallte sie auf die Schwägerin, die einen unwirschen Ton von sich gab. Hannah bat um Entschuldigung.

Seraphine nickte in Richtung der verschwommenen Lichter vor ihnen.

»Mit Herrenberg hat das gewiss noch nichts zu tun. Ist wohl nur ein einsamer Hof. Aber wir sollten ihn dennoch ansteuern und dort nach dem Weg fragen. Es ist doch seltsam, dass man von der Stadt noch nichts sieht. Vielleicht liegt sie hinter den Hügeln dort … Oder weiter rechts?«

Wieder war es Seraphine, die voranlief. Ihr war Hannahs verwunderter Blick nicht entgangen. Ja, es erstaunte sie selbst, dass sie noch nicht müde war! Zugegeben, da sie bisher fast nur gefahren waren, war die Reise noch nicht sonderlich anstrengend gewesen. Aber dass sie, Seraphine, geradezu das Gefühl hatte, die dunklen Bäume vor sich ausreißen zu können …

Es war, als hätte sie mit Gönningen auch ihre Sorgen verlassen. Als hätte sie sich wie eine Schlange gehäutet und wandelte nun mit neuem Kleid durch die Fremde. Bei jedem Schritt, den sie tat, hatte sie an Helmut gedacht. Helmut, dem sie mit dieser Reise beweisen wollte, dass *sie* die Samenhändlerfrau war und nicht die Dahergelaufene. Sie würde nicht schlapp machen, gewieft sein im Verkaufen – bestimmt kauften die Leute lieber von einer schönen Frau als von einer unansehnlichen! Im Geiste sah sie schon Helmuts bewundernde Blicke, wenn sie mit einem Sack Geld nach Hause kamen. Ihr Verdienst, in doppelter Hinsicht. Dieser Gedanke gab ihr so viel Kraft!

Sie warf einen kurzen Blick über die Schulter. Ein paar Schritte hinter ihr folgte Hannah schwer schnaufend. Die Schwägerin schien schon ziemlich ermattet zu sein. War das nicht eine gute Gelegenheit, ihr beiläufig zu erzählen, dass Helmut in Wien mit irgendwelchen Huren … Nein, das wollte sie sich für später aufheben.

Als sie Hannah am Morgen angeboten hatte, das Kriegsbeil zu begraben, hatte dem natürlich kein völliger Sinneswandel zugrunde gelegen. Ganz im Gegenteil: Als sie Hannahs tränenreichen Abschied von Helmut miterleben musste, hätte sie das Weib am liebsten von ihm weggerissen! Dass sie ihr stattdessen später die Freundschaft anbot, schien ihr eine Notwendigkeit. Sie wollte Hannah in Sicherheit wiegen. Sollte Hannah ruhig glauben, sie hätte wie gewohnt das Zepter in der Hand. Sie würde noch früh genug merken, dass auf der Reise die Uhren anders schlugen. Erste Anzeichen dafür gab es allerdings schon jetzt: Hier, weit weg von der gewohnten Umgebung, war Hannahs Mundwerk nicht mehr so groß, ihr Auftreten nicht mehr so laut und selbstsicher. Da! Jammerte sie nicht sogar leise vor sich hin? Und jetzt stolperte sie schon wieder über ihre eigenen Beine! *So* müsste Helmut seine Frau sehen!

Mit jedem Schritt, den sie dem Hof näher kamen, nahm das ungute Gefühl in Seraphines Bauch zu. Ihr Körper versteifte sich, ihre Hände ballten sich zu Fäusten, sie versuchte, den harten Knoten in ihrer Kehle hinunterzuwürgen. Beklommen schritt sie den letzten Hügel hinab.

Wäre da nicht das Licht gewesen, das durch zwei der Fenster schien, hätte man meinen können, der Hof sei verlassen. Das halbe Dach des Haupthauses fehlte, Fensterläden hingen schief in den Angeln, manche Fenster waren mit Brettern zugenagelt. Selbst im düsteren Abendlicht war zu erkennen, dass sich die beiden kleineren Nebengebäude in einem ähnlich desolaten Zustand befanden. Das ganze Anwesen sah aus, als hätte es viele traurige Geschichten zu erzählen.

Seraphine wollte die Geschichten nicht hören.

Hier, vor diesem Haus, das aus jeder Pore Armut verströmte, erlebte Seraphine einen Augenblick von Einsamkeit, der erschreckend und beklemmend zugleich war. Plötzlich war alles, was sie längst hinter sich wähnte, wieder da: das Gefühl, am falschen Platz zu sein, das Gefühl von erlittener Ungerechtigkeit, Mutters Duldsamkeit, ihr stummes Bangen vor jedem neuen Tag.

Aus genau solchen Verhältnissen hatte die Sternenfee sie herausgeholt. Sie hatte damit nichts mehr zu tun.

Der Gedanke hätte tröstlich sein sollen, und dennoch versteinerte Seraphines Gesicht. Sie wollte nicht weiter an dieser alten Narbe kratzen, aus der nur allzu schnell Eiter hervortreten mochte.

Lass uns weitergehen, wir finden Herrenberg auch so, wollte sie zu Hannah sagen, als diese just in dem Moment an ihr vorbeistürmte.

»Wer hier wohl haust?« Auch in Hannahs Stimme schwang ein beklommener Ton. Mit der rechten Hand teilte sie das Weißdorngestrüpp, das sich zwischen ihnen und dem Hof ausbreitete. »Jedenfalls habe ich keine Lust, mich lange aufzuhalten. Wir fragen nur kurz nach dem Weg und –«

Im nächsten Moment ertönte in Bodennähe ein seltsam schepperndes Geräusch. Gleichzeitig begann ein Hund laut und heftig zu bellen.

Bevor sich Seraphine umschauen konnte, sackte Hannah zusammen. Sie heulte auf wie ein tödlich verwundetes Tier, ihr Gesicht war vor Schmerz verzerrt. »Mein Bein …«

Seraphines Blick wanderte nach unten, entdeckte zwischen den Stacheln des Weißdorns einen verrosteten Gegenstand. Erschrocken japste sie auf. »Eine Falle! Du bist in eine Falle getreten!« Mit weit aufgerissenen Augen starrte sie auf Hannahs rechtes Bein, das zwischen den Zähnen einer eisernen Fuchsfalle gefangen war. Dort, wo der Stiefel endete, hatten sich die Krallen in Hannahs Fleisch gebohrt. Blutstropfen traten aus.

Ohne sich von den Stacheln des Busches abhalten zu lassen, versuchte Seraphine, das Folterwerkzeug mit bloßen Händen zu öffnen. Doch so sehr sie auch zerrte und zog, die Krallen bewegten sich nicht einmal ein winziges Stück.

»O Gott, was machen wir jetzt bloß?«

Seraphine schaute auf ihre Hände. Die Knöchel waren aufgeschlagen, Blut rann von ihrem Daumen herab und vermischte sich mit dem Rost der Fuchsfalle. Kalter Schweiß stand auf ihrer Stirn. Vor lauter Anstrengung war ihr schwindlig, beim Luftholen verschluckte sie sich und begann zu würgen. Hannahs Bein … es sah so schrecklich aus! Wie ein lebloses Wesen in den Fängen eines eisernen Gebisses.

»Du … musst … Hilfe holen«, quetschte Hannah zwischen zusammengebissenen Zähnen hervor.

»Aber wo? In dieses Haus gehe ich nicht allein! Wer weiß, wer da …« Tränen schossen Seraphine in die Augen. Das hier hatte sie nicht gewollt! Hannah sollte auf dieser Reise leiden, damit sie von ihrem hohen Ross herunterkam. Sie sollte endlich einsehen, dass sie als Frau für Helmut nichts taugte, dass sie seinem Glück im Wege stand. Aber doch nicht so! Es war schrecklich, einfach schrecklich. Ein Alptraum … Hilflos knetete Seraphine ihre Hände.

»Herrgott, reiß dich zusammen!«, schrie Hannah, die nach wie vor verzweifelt an der Falle zerrte. »Dein Jammern hilft jetzt nicht weiter! Geh ins Haus und hol jemanden mit Werkzeug. Von allein komme ich hier nicht raus!« Nun wurde auch sie von einem Heulkrampf geschüttelt, und das Weiße ihrer Augen leuchtete in der Dunkelheit. »Geh! Verdammt nochmal, geh!«

Wie eine von fremder Hand geführte Marionette stakste Seraphine davon. Als hätte sie im Rücken Augen, sah sie Hannah vor sich: gefangen im Gestrüpp des Weißdorns, ihr Haar wirr, das Gesicht von den Stacheln zerkratzt, ihr Bein auf unnatürliche Art verdreht und leblos.

Du lieber Himmel, warum musste das ausgerechnet ihnen passieren!

Hannah hilflos und völlig auf mich angewiesen …

Angestrengt kaute Seraphine auf diesem Gedanken herum.

Ein Unfall. An ihrem ersten Reisetag. Etwas, womit niemand gerechnet hatte.

Sternenfee, hast du deine Finger im Spiel?

Eine Fuchsfalle. Bestialisch, widerlich. Etwas, wofür man niemanden zur Verantwortung ziehen konnte.

Ausgerechnet hier, in dieser Wildnis, abseits der Stadt.

Wenn man wenigstens noch etwas sehen würde! Aber längst war die Nacht über sie hereingebrochen. Ob es sieben Uhr war? Oder schon acht? Seraphine hatte jegliches Zeitgefühl verloren.

Im Dunkeln konnte man sich verlaufen, vor allem in fremder Umgebung. Noch ein Gedanke.

Was, wenn ich weder den Hof noch Hannah wiederfinde?

Würde Hannah die Nacht allein überstehen?

Abrupt hielt Seraphine an, runzelte die Stirn. Ihre Finger brannten dort, wo die Haut abgeschabt war. Sie benetzte den Zeigefinger und tupfte die Spucke auf ihren ramponierten Daumen. Was, wenn Hannah verblutete? Oder erfror? Sie war schon erschöpft, der Marsch durch den Wald hatte sie angestrengt. Eine lange Nacht ohne jeden Schutz vor der Kälte und mit dieser Verletzung würde sie bestimmt nicht überstehen.

Was sollte sie dann zu Hause sagen? »*Hannah ist in eine Falle geraten.*« Das würde sie sagen, aber nicht in dem merkwürdig heiteren Ton, den sie gerade im Ohr hatte.

Hannah ist in eine Falle geraten – war das nicht komisch? Ausgerechnet Hannah, die Zielstrebige.

Unter den entsetzten und fassungslosen Augen der anderen Familienmitglieder würde sie laut heulen und erzählen, wie es gewesen war: dass sie verzweifelt versucht habe, Hilfe zu holen. Dass sie hilflos durch die Nacht geirrt sei, und als sie Hannah am nächsten Morgen wiedergefunden habe, sei diese …

Seraphine blinzelte und bemühte sich um klare Gedanken. War sie nicht tatsächlich gerade dabei, sich zu verlaufen? Wenn sie die Augen schloss, wo war dann vorn, wo hinten? Aus welcher Richtung waren sie gekommen, wo vermuteten sie Herrenberg? Es war ganz leicht, die Orientierung zu verlieren. Man musste nur ein paar Hundert Fuß in die falsche Richtung laufen …

Seraphine kniff die Augen zusammen, streckte ihre schmerzenden Arme weit von sich und drehte sich wie ein Kreisel um die eigene Achse.

Die falsche Richtung …

Hannah für immer aus meinem Leben verschwunden …

Schnell, schneller …

Wo war vorn, wo hinten, wenn einen die Beine kaum mehr trugen?

Ihr Tanz wurde vom schrillen Kläffen eines Kettenhundes begleitet, der offenbar gegen die Anwesenheit von Fremden in seinem Territorium protestierte. Seraphine lachte.

Ein aufdringliches Summen erfüllte ihren Kopf, Gedanken lösten sich auf, sie fühlte sich seltsam schwerelos.

Die falsche Richtung … ein Unfall … schrecklich … alle Sorgen los … Helmut frei … für sie … endlich …

»Was machst du hier?« Jedes Wort ein Peitschenschlag.

Zu Tode erschrocken riss Seraphine die Augen wieder auf und taumelte fast in die ausgestreckten Arme einer Frau.

»Ich …« Mit Entsetzen registrierte sie das Messer, das in der rechten Hand der Frau aufblitzte. Instinktiv riss sie die Arme in die Höhe. Ich bin harmlos!, wollte sie schreien, doch kein Ton kam über ihre Lippen.

Sternenfee, wo bist du?

Zitternd stellte sie ihre Beine weiter auseinander, um festeren Boden unter den Füßen zu gewinnen.

»Du sagst mir augenblicklich, was du auf meinem Grund willst!« Das Messer schimmerte silbrig im matten Mondlicht. »Wenn du glaubst, bei mir gäbe es was zu holen, hast du dich getäuscht!« Die Frau lachte roh. »Das haben andere auch schon geglaubt und wurden eines Besseren belehrt …«

Seraphine starrte ihr Gegenüber an. Die Frau sah aus, als würde sie nicht zögern, ihre Waffe zu benutzen. Ihr Gesicht war mit Muttermalen und Leberflecken übersät, ihre Haare so raspelkurz geschnitten, dass ihr Schädel wie ein Totenkopf wirkte.

»Ich …« Lahm wies Seraphine mit ihrem rechten Arm hinter sich. »Ich wollte Hilfe holen. Meine … Schwägerin ist in eine Falle geraten.« Krampfhaft versuchte sie, dem abschätzigen Blick der anderen standzuhalten.

»Hilfe holen – und dafür führst du so einen Veitstanz auf? Diesen Bären kannst du jemand anderem aufbinden.« Die Frau schnaubte verächtlich. Ohne ein weiteres Wort drehte sie sich um und ging auf das heruntergekommene Haus zu.

Fassungslos schaute Seraphine ihr nach.

»Halt! So warten Sie doch! Sie können doch nicht einfach – «

Wie ein Derwisch fuhr die Kahlgeschorene herum. »Was kann ich nicht?« Plötzlich war sie wieder ganz nah, ihr Atem traf Seraphines Gesicht. »Was ich auf meinem Grund und Boden mache, ist *meine* Sache. Es ist mein gutes Recht, mich zu schützen. Wenn Eindringlinge in meine Fallen geraten – Pech!« Mit raschen Schritten begab sie sich zu dem Schuppen, der rechts vom Haupthaus lag, und rüttelte so lange an dessen Tür, bis sie mit einem Quietschen aufging.

Fallen? Hieß das, es gab mehrere? Beklommen huschte Seraphines Blick über den Boden. Wo war sie nur hingeraten?

Im nächsten Moment war die Frau wieder zurück und hielt ihr ein gebogenes Eisenteil entgegen. »Damit kannst du die Falle aufstemmen. Und dann verschwindet ihr, aber schnell!«

Entsetzt starrte Seraphine auf das Werkzeug. »Aber … was soll ich damit tun? Ich weiß doch gar nicht, wo … und wie …«

Mit einem Fluch riss die Frau Seraphine das Teil wieder aus der Hand. »Aber wo sich die Falle befindet, weißt du wenigstens noch?«

Seraphine nickte und rannte los.

35

Die Frau in der Falle war ohnmächtig geworden.

Es dauerte nur wenige Augenblicke, bis Evelyn die Vorrichtung mit dem Stemmeisen geöffnet hatte. Der verletzte Fuß war in der Zwischenzeit dick angeschwollen, und dort, wo sich die Zähne der Falle ins Fleisch gebohrt hatten, vermischte sich Blut und Rost zu einer braunen, klebrigen Masse.

Was für eine Bescherung! Es war nicht daran zu denken, dass die beiden jungen Frauen weiterlaufen konnten. Hier liegen lassen konnte sie die Verwundete aber ebenfalls nicht, die Nächte wurden nun, Anfang Oktober, schon empfindlich kalt.

Einen Fluch ausstoßend, hob Evelyn die Verletzte unter den Achseln an. Halb schleppte, halb zog sie sie ins Haus. Die andere Frau trottete mit zwei riesigen Säcken hinterher.

Drinnen angekommen, setzte Evelyn ihre Last auf der hölzernen Bank ab.

»Hier, nimm den Lumpen und wasch das Bein gründlich! Wasser findest du dort drüben«, sagte sie zu der zweiten Frau und ging selbst noch einmal nach draußen. Als sie zurückkam, hatte sie ein Bündel Kräuter bei sich, die sie kurz darauf mit Mörser und Stößel zu einem dicken Brei zerquetschte. Dieser würde helfen, eine Blutvergiftung zu verhindern, erklärte sie der Fremden, während sie die Paste auf das verletzte Bein auftrug. Bei der Behandlung kam die Verletzte kurzzeitig zur Besinnung, doch gleich darauf schlief sie vor Schmerzen und Erschöpfung ein.

Und nun? Evelyn war nicht daran gewöhnt, Besuch zu bekommen. Was sollte sie jetzt mit der anderen anfangen? Sie hatte keine Lust, die Nacht mit zwei fremden Frauen zu verbringen, aber sie konnte sie natürlich nicht einfach vor die Tür setzen, vor allem, nachdem die eine in *ihre* Falle getreten war!

Dumme Weibsbilder! Was mussten sie auch hier herumschleichen!

Widerwillig holte Evelyn Most und zwei Becher aus dem Schrank und knallte diese auf den Tisch. Der Blick, den die Fremde darauf warf, entging ihr nicht.

»Keine Angst, ich werde dich schon nicht vergiften«, sagte sie spöttisch und schenkte der anderen und sich selbst einen Becher ein.

Dann beobachtete sie, wie die Fremde zögerlich an dem Gebräu nippte, den nächsten Zug aber schon gieriger nahm. Silbrig glänzende Haare, die Augen weit aufgerissen wie bei einem Reh, eine Haut ohne jede Blessur. Kein Muttermal, keine Warze verunzierte die ebenmäßigen Züge. Eine ungewöhnlich schöne Frau, wie eine Prinzessin. Und daneben sie, mit dem kahl geschorenen Schädel, den tief liegenden Augen und dem Kleid, das seit Wochen dringend nach einer Wäsche schrie.

Die Prinzessin und die Hexe – Evelyn schnaubte. Kein Wunder, dass das Mädchen sie so verschreckt anschaute.

Auf beide Ellenbogen gestützt, beugte sich Evelyn über den Tisch. »So, und jetzt will ich wissen, was ihr hier auf meinem Grund und Boden zu suchen habt!«

In knappen Worten schilderte die Prinzessin, dass sie Samenhändlerinnen seien und wie sie von Gönningen hierher gekommen waren.

»Wir wollten lediglich nach dem Weg fragen – aber wenn das in Ihren Augen schon ein Verbrechen ist …« Abfällig schüttelte sie den Kopf und fuhr fort: »Wie kann man eine Fuchsfalle so nah an einem Weg auslegen? Da ist es ja beinahe unvermeidlich, dass auch einmal ein Mensch hineintritt.«

Die Fremde klang wütend, mürrisch – Angst konnte Evelyn in ihrer Stimme nicht entdecken. Bei der Prinzessin schien es sich doch um mehr zu handeln als um ein kleines, verunsichertes Mädchen. Ihr fiel wieder ein, bei welch seltsamem Tanz sie die Fremde entdeckt hatte: die Arme weit ausgebreitet, die Augen geschlossen, hatte sie sich wie wild und zuckend um ihre eigene Achse gedreht, als wolle sie erreichen, dass ihr schwindlig wurde. Was war das nur gewesen?

»Wie du vielleicht schon bemerkt hast, lebe ich allein hier, da muss ich mich schützen!«, sagte sie ohne den Hauch eines Bedauerns. »Samenhändlerinnen seid ihr also … Hier kommt auch ein, zwei Mal im Jahr ein Samenhändler vorbei, ein Mann. Vielleicht ist er sogar aus eurem Dorf.« Sie zuckte mit den Schultern. »Ihr müsst ein freies Leben führen …« Unwillkürlich kroch ein Seufzer über ihre Lippen. Sie nahm hastig einen Schluck Most.

»Nun, ganz so frei auch wieder nicht«, bekam sie zur Antwort. »Wir haben unsere Reisezeiten, und das Gebiet, in dem wir unseren Samen verkaufen dürfen, ist auch festgelegt. Jeder Samenhändler besucht seinen eigenen Landstrich, der von allen anderen respektiert wird.«

Evelyn nickte. Es war nicht so, dass sie die Einzelheiten des Samenhandels besonders interessierten – die Fremde interessierte sie! Da war etwas in ihrem Blick … Etwas, das in ihr eine Saite zum Klingen brachte. Evelyn schüttelte sich wie ein Pferd, das einen Schwarm Fliegen vertreiben will. Was ging sie dieses Mädchen an? War sie schon so vereinsamt, dass sie unbedingt eine Fremde zum Reden bringen wollte? Der Gedanke ärgerte sie. Doch im selben Moment hörte sie sich sagen: »Aber es gibt keinen Mann, der euch was zu sagen hat – das nenne ich Freiheit!«

Die Prinzessin runzelte die Stirn. »Wir sind natürlich verheiratet! Aber unfrei sind wir Gönninger Frauen dennoch nicht. Schon seit Jahrhunderten gehen Frauen allein auf den Samenstrich – und viele würden sich bedanken, ihren Ehemann dabei an ihrer Seite zu haben«, fügte sie hinzu, eine Grimasse schneidend.

Evelyn musste lachen, und die andere fiel mit ein.

Humor hat sie also auch … Evelyn holte tief Luft, schaute sie für einen Moment prüfend an, dann stand sie auf, öffnete eine Schranktür und kam mit Brot und Käse in der Hand zurück. Mit demselben Messer, mit dem sie zuvor die Fremde bedroht hatte, begann sie, von beidem dünne Scheiben abzuschneiden. Die ganze Situation war so verrückt, dass Evelyn kaum dem Impuls widerstehen konnte, hysterisch loszulachen.

Dann nickte sie in Richtung der Schlafenden. »Du magst sie nicht besonders, was?«

»Wie kommst du denn darauf?« Das Entsetzen in der Stimme der anderen war nicht zu überhören.

Evelyn grinste. Hatte sie mit ihrer Bemerkung also den Nagel auf den Kopf getroffen! Dabei wusste sie selbst nicht, wie sie darauf kam. Es war nur so ein Gefühl … Die Art, wie die Prinzessin die andere betrachtete. Nicht offensichtlich feindselig, aber auch nicht so besorgt, wie man es in einer solchen Lage erwarten konnte.

»Ich heiße übrigens Evelyn.«

»Und ich Seraphine. Evelyn und Seraphine – nicht gerade zwei gewöhnliche Namen.«

»Und auch keine gewöhnlichen Frauen, oder?« Evelyn hob die Augenbrauen. Sie wusste nicht, ob ihr die plötzliche Vertraulichkeit recht war. Gleichzeitig spürte sie, wie Seraphine sie immer mehr zu faszinieren begann.

Normalerweise waren ihr andere Leute gleichgültig. Doch bei diesem unverhofften Gast brannten ihr plötzlich alle möglichen Fragen auf der Zunge – allzu merkwürdig wirkte die junge Frau. Was ging hinter der schönen Stirn vor? Was war das für ein Leben, das die Samenhändlerin führte? Trotz ihrer Neugier beschloss Evelyn, erst einmal abzuwarten, ob die Fremde von sich aus zu erzählen begann.

Sie musste nicht lange warten.

»Die da hat mir den Mann weggenommen. Er ist die große Liebe meines Lebens«, kam es unvermittelt.

Fragend hob Evelyn die Augenbrauen. Eine andere Reaktion war nicht nötig.

Stockend erzählte Seraphine davon, wie die verletzte Frau, die Hannah hieß, eines Tages in dem Dorf Gönningen angekommen und was danach geschehen war. Immer wieder verbesserte sie sich, suchte nach einem anderen, einem passenderen Wort, um ihre Gefühle wiederzugeben. Sie schien das Erzählen nicht gewohnt zu sein. Hatte sie keine Freundin in dem Dorf, in dem sie wohnte? War diese Seraphine etwa genauso einsam wie sie? Nicht auf alles konnte sich Evelyn einen Reim machen, und sie wollte nachfragen, doch inzwischen sprudelte es aus Seraphine nur so heraus.

»Ich hasse sie!«, endete sie schließlich. Der verkniffene Zug um ihren Mund, der während des Erzählens fast verschwunden war, grub sich nun umso härter wieder ein.

Einen Moment lang schwiegen beide.

»Du hättest sie liegen lassen können«, sagte Evelyn schließlich gedehnt. »Draußen, in der Falle.«

»Stimmt, dann wäre ich frei gewesen. Frei für meine große Liebe.« Seraphine reckte herausfordernd ihre Brust, als wolle sie sich damit selbst Kraft geben.

»Aber du hast es nicht getan.« Evelyns Augen wurden schmal, ihr Blick lag prüfend auf ihrem Gast. »Weil ich dazugekommen bin?«

Seraphine zuckte mit den Schultern. Sie brach ihre Scheibe Brot entzwei, legte ein Stück Käse darauf und biss hinein. Lediglich ein kleines Zucken unter ihrem Auge verriet, dass die Frage sie aufgewühlt hatte.

Auch eine Antwort.

»Vielleicht hätte ich es getan, vielleicht wäre ich aber auch zu feige gewesen. Doch du hast mir die Entscheidung abgenommen, als du mit deinem Messer ankamst, mit deinem giftigen Blick und deinem Werkzeug!«, stieß Seraphine plötzlich hervor. »Zum ersten Mal seit langer Zeit hätte es das Schicksal gut mit mir meinen können. Und dann kommst ausgerechnet du! Du …« Sie brach ab, als fiele ihr kein passendes Schimpfwort ein.

»Das Schicksal«, sagte Evelyn verächtlich. Am liebsten hätte sie das dumme Ding wegen seiner Arroganz an den Schultern gepackt und geschüttelt, geschüttelt …

»Was weißt denn du vom Schicksal! Ein ›schicksalhafter‹ Unfall – und schon ist die Widersacherin aus dem Spiel! Wie einfach. Und wie wäre es danach weitergegangen? Wie hättest du damit gelebt? Nicht gut, das kann ich dir sagen, denn ich – « Abrupt verstummte sie. Himmel, sie war dabei, sich um Kopf und Kragen zu reden.

»Du hast das auch schon hinter dir«, stellte Seraphine nüchtern fest.

Evelyn blinzelte. Diese Kühle. Diese erwartungsvollen Augen!

»Ja, ich habe das auch alles hinter mir«, sagte sie gedehnt.

»Und?«

Fassungslos starrte Evelyn ihr Gegenüber an. »Wie kommst du darauf, dass ich dir das erzählen werde?«

»Das sehe ich dir an.«

Zwei Augenpaare fixierten einander, und schließlich war es Evelyn, die lächelnd zuerst wegschaute.

»Ich war auch mal verheiratet«, begann sie, ohne noch länger zu zögern. Wie fasst man ein Leben in wenige Sätze? »Dies hier war einmal ein großer Hof, mit vielen Ländereien. Wir haben Hopfen angebaut und für gutes Geld an die Brauereien in der Gegend verkauft. Als ich hier einheiratete, war ich schon vierundzwanzig und mein Mann über vierzig. Nicht die große Liebe, aber auch keine Qual. Ich war nie so schön wie du, um mich haben sich die Burschen nie gerissen. Anfangs lief es gut, doch dann kam das erste schlechte Jahr – der Regen hat uns die ganze Ernte zunichte gemacht. Das Geld wurde knapp, Rücklagen hatte mein Mann nicht. Dann kam das zweite schlechte Jahr, diesmal war es irgendeine Krankheit, die unsere Hopfenpflanzen befallen hatte. Kurt mischte Jauche, düngte, schnitt die Pflanzen zurück, alles vergeblich. Keine Ernte, kein Geld zum Leben. Plötzlich war ich an allem schuld. Seit ich auf den Hof gekommen sei, habe ihn das Glück verlassen – so redete ein erwachsener Mann daher! Erst verkauften wir die Schweine, dann die Kuh. Mit dem Geld besorgte Kurt nicht etwa neues Saatgut. Er fuhr nach Herrenberg – Pferd und Wagen hatten wir da noch – und soff dort wie ein Loch. Und wenn er zurückkam, schlug er zu. Das erste Mal war ich fassungslos. Konnte nicht glauben, dass er so grob zu mir war – ich hatte doch nichts Schlechtes getan! Ein Mal ist kein Mal, das ist nur der verdammte Schnaps, der in ihm tobt, sagte ich mir. Aber es blieb nicht dabei. Beim zweiten Mal brach er mir den Arm, hier« – sie raffte ihren Ärmel hoch und entblößte einen seltsam verwachsenen Ellenbogen –, »ein anderes Mal schlug er mir so in den Rücken, dass ich eine Woche lang nur auf allen vieren kriechen konnte. Zu diesem Zeitpunkt war ich das erste Mal schwanger. Das Kind kam tot zur Welt.«

Evelyn starrte mit leeren Augen vor sich hin. Hör auf zu erzählen, es tut so weh, schrie alles in ihr.

»Und niemand hat dir geholfen? Das muss doch irgendjemand mitbekommen haben?«

»Wer denn? Und selbst wenn es so gewesen wäre – seit wann ist es verboten, seine Frau zu schlagen?«

Evelyn verzog höhnisch das Gesicht.

»Ein paar Monate später war ich wieder schwanger. Ich freute mich auf das Kind und mein Mann offenbar auch. Sobald es auf dem Hof einen Nachfolger gab, würde er wieder zur Besinnung kommen, hoffte ich. Er war schließlich einmal ein fleißiger Bauer gewesen. Warum er sich so verändert hatte, weiß ich bis zum heutigen Tag nicht. Schließlich sind ein, zwei schlechte Ernten hintereinander doch nichts Ungewöhnliches. An magere Jahre sind wir alle gewöhnt, irgendwann folgen auch wieder fette – so ist das im Leben.

Doch wir stritten weiter. Vielleicht hätte ich öfter mal meinen Mund halten sollen, aber wenn er besoffen war, konnte ich es ihm ohnehin nicht recht machen. Blieb ich stumm, war ich eine verstockte Ziege, gab ich ihm eine Antwort, war ich ein freches Weibsbild. Immer wieder schlug er zu. Und immer wieder hoffte ich, dass es das letzte Mal sei. Dass er wieder der Alte werden würde, ein ganz gewöhnlicher, rechtschaffener Mann. Ha, da hätte ich lange warten können! Ich versuchte, meinen Bauch zu schützen, drehte mich so, dass mein Rücken die Hiebe abbekam. Eines Tages aber ...« Sie holte tief Luft.

Jede Einzelheit dieses Tages war ihr für immer ins Gedächtnis eingebrannt. Sie wusste noch, dass es im ganzen Haus nach Sauerkraut gerochen hatte. Neblig war es gewesen, ein Tag, an dem es nie richtig hell wurde. Der Hund hatte sich in der Nacht von der Kette befreit und war nass und räudig und mit blutigem Maul von seiner Jagd zurückgekommen. Er war schon immer ein Wilderer gewesen, mehrmals hatten sie mit dem Förster deswegen Ärger bekommen. Der Hund war der Auslöser für den Streit, ihr Mann warf ihr vor, ihn nicht richtig angekettet zu haben.

»Er stieß mich die Treppe hinunter. Es sind nur ein paar Stufen, aber es hat gereicht. Ich verlor auch dieses Kind. Tagelang hab ich geblutet. Wäre ich doch damals nur gestorben! *Das* wäre ein gut meinendes Schicksal gewesen! Aber ich lebte. Musste ihm Tag für Tag gegenübersitzen, sein Essen kochen, seine zerlumpten Hosen waschen. Nie hat er ein Wort über die Angelegenheit verloren.«

Seraphine schluckte. »Und dann …?«

»Habe ich die Sache selbst in die Hand genommen. Er verschwand von einem Tag auf den anderen – Schicksal!« Evelyn lachte ironisch.

Seraphine schwieg, zerpflückte ihre Brothälfte in winzige Krümel.

Von der Bank her war ein Geräusch zu hören. Hannah seufzte laut im Schlaf.

Irgendwann schaute Seraphine auf. »Es war zu spät, nicht wahr?«

Evelyn nickte stumm. »Nacht für Nacht verfolgen mich die Schreie meiner ungeborenen Kinder. Hätte ich früher reagiert, mir von diesem Scheusal nicht alles gefallen lassen, könnte eines heute leben.«

Ihre verkrampften Muskeln lockerten sich ein wenig, der Knoten in ihrem Hals tat nicht mehr ganz so weh. Sie hatte gewusst, dass Seraphine nicht nachfragen würde. Verschwunden? Wie? Warum?

»Die Leute in der Gegend glauben, er habe sich aus dem Staub gemacht. Bei so einer Frau ist das doch kein Wunder! Überall hat er schlecht von mir geredet, sogar mein eigener Vater will nichts mehr von mir wissen. Mir ist das egal. Sollen sie glauben, was sie wollen. Ein paar Mal war der Büttel da, wollte genau wissen, was an dem Tag geschah, als er verschwand. Von den anderen Tagen wollte er nichts wissen. Niemand will davon etwas wissen.«

Gedankenverloren starrte Evelyn vor sich hin, dann suchte sie erneut Seraphines Blick, ließ ihn nicht mehr los.

»Wenn du meinen Rat hören willst: Vergiss diesen Mann! Und rede nie mehr davon, dir das Schicksal gefügig machen zu wollen. Schau mich an: Auch ich bin jahrelang einer Illusion hinterhergerannt. Habe einfach nicht wahrhaben wollen, dass der Schnaps Kurt für immer in seinen Fängen halten würde.

Dass nichts mehr so werden würde, wie es einmal war. So, wie du nicht wahrhaben willst, dass dieser Helmut nichts mehr für dich empfindet. Die Himmelsmächte habe ich angefleht! Und was hat es mir gebracht? Gar nichts. Hätte ich stattdessen nur mein Leben in die Hand genommen! Wenn ich meinen Vater lange genug darum angegangen wäre, hätte er mich bestimmt wieder auf seinem Hof leben lassen. Wenn nicht, hätte ich immer noch weglaufen können. Und irgendwo in Frieden leben. Mit meinem Kind. Nichts davon habe ich getan. Stattdessen habe ich stillgehalten, tatenlos – denn die Taten habe ich ja ihm überlassen!« Evelyn lachte rau.

»Dass Helmut nichts mehr für mich empfindet, stimmt nicht!«, schrie Seraphine auf. Sie warf einen Blick auf Hannah, seufzte, fuhr dann mit leiserer Stimme fort: »Was du erdulden musstest, ist einfach furchtbar, diese ganze Geschichte ist schrecklich, aber sie ist doch nicht mit Helmuts und meiner Geschichte zu vergleichen! Bei mir geht es doch um etwas ganz anderes.«

»Ach ja?«, antwortete Evelyn spitz. »Schau dich doch an: Auch du vertust Jahre damit, tatenlos auf die Erfüllung eines Traumes zu warten. Und kommst dabei nicht von der Stelle. Du hoffst, dass dir ein ›gutmeinendes Schicksal‹ hilft. Dem du zur Not sogar noch auf die Sprünge helfen würdest … Himmel, weißt du eigentlich, was das bedeuten würde?«

Unvermittelt packte sie Seraphines Hand und drückte sie so fest, dass die Knöchel ganz weiß wurden.

»Du hast doch einen guten Mann! Warum vergisst du nicht deinen alten Traum von der großen Liebe und gibst dich mit dem zufrieden, was du hast? Warum lebst du nicht einfach dein Leben? Es geht auch ohne diesen Helmut.«

Seraphine zuckte mit den Schultern – eine Geste, die Evelyn so nicht erwartet hatte und nicht zu deuten wusste. »Und warum …«

Kraftlos gab Evelyn Seraphines Hand frei. Sie hatte alles gesagt, alles gegeben. Warum mache ich mir eigentlich solch eine Mühe?, fragte sie sich stumm. Was geht es mich an, ob sich diese Fremde ihr Leben verpfuscht oder nicht?

»Warum scherst du dir die Haare und läufst herum wie eine Sünderin? Du hast doch nichts falsch gemacht!«

Evelyn blinzelte. Die Haare? Die Haare … Als sie endlich verstand, lachte sie schrill auf. Erst als sie sich an die Schlafende auf der Bank erinnerte, schlug sie eine Hand vor den Mund.

»Läuse waren das! Ich hatte Läuse, deshalb habe ich meine Mähne abgeschnitten, einen anderen Grund hat das nicht!«

Dass Seraphine in dieser Nacht nicht schlief, hatte nichts mit dem harten Dielenboden zu tun, auf dem Evelyn ihr ein Lager bereitet hatte. Auch nichts mit Hannah, die im Schlaf bei jeder Bewegung leise stöhnte. Sondern damit, dass die Gedanken wie wild gewordene Hummeln durch ihren Kopf rasten, gegen die Schädeldecke stießen, zitternd und wirr weiterflogen.

Welche Himmelsmacht hatte sie ausgerechnet hierher, zu Evelyn, gebracht? Auf diesen Hof, bei dessen Anblick ihr die Galle hochgekommen war. Dem sie sich mit so viel Widerwillen genähert hatte.

Ach, hatte es gut getan, sich endlich einmal alles von der Seele reden zu können. Dabei hätte sie sich zuerst fast nicht getraut – immerhin war Evelyn eine wildfremde Frau! Aber genau dieser Gedanke hatte sie schließlich beruhigt, und ehe sie sich versah, war sie mitten im Erzählen gewesen. Du triffst sie nie wieder, es kann dir gleich sein, was sie von dir denkt, hatte sie sich gesagt.

Was war Evelyn nur für eine kluge Frau! Und so viel mutiger, als sie, Seraphine, es bisher zu sein wagte. Evelyn hatte ihr Leben wahrlich in die Hand genommen! Dass sie ihren Mut und ihre Tatkraft selbst so herunterspielte, ja, fast schlecht davon redete, zeugte nur davon, wie bescheiden sie war.

Evelyn konnte zuhören und hatte schließlich auch sehr offene Worte gefunden, als es um Seraphines Leben ging. Wie hatte sie sich ausgedrückt?

»Du vertust Jahre damit, tatenlos auf die Erfüllung eines Traumes zu warten.« Bei diesen Worten wäre Seraphine fast vom Stuhl gefallen. Evelyn hatte den Nagel auf den Kopf getroffen! Eine Fremde hatte ausgesprochen, was sie selbst nicht hatte wahrhaben wollen.

Jahrelang hatte sie herumgesessen und gewartet … Worauf eigentlich? Auf einen großen Donner, der Hannah mit einem Schlag vom Erdboden gewischt hätte? Darauf, dass sich Valentin in Luft auflöste? Dass Helmut sie an die Hand nahm und über die sieben Weltmeere entführte, damit sie irgendwo in fremden Landen glücklich und zufrieden bis an ihr Lebensende zusammen waren?

Dumme, dumme Kuh.

Da saß sie und wartete und litt. Litt an der absoluten Liebe, statt zu erkennen, dass man für die absolute Liebe etwas *tun* musste. Plötzlich verspürte sie eine bislang unbekannte Kraft in sich. Als ob sie aus einem langen Winterschlaf erwacht wäre.

Seraphine runzelte die Stirn. Dazu passte haargenau, was Evelyn noch gesagt hatte: »Schau dich doch an, du kommst nicht von der Stelle, weil du tatenlos auf höhere Himmelsmächte wartest.«

Nun, ganz so tatenlos war sie nicht gewesen, besänftigte Seraphine sich selbst. Aber rückblickend kamen ihr die kleinen Sticheleien und Gemeinheiten, die sie Hannah zugefügt hatte, kindisch vor. Als ob ein grobschlächtiges Weib wie die Schwägerin sich davon hätte einschüchtern lassen!

Ja, Evelyn war eine kluge Frau. Eine weise Frau.

Aber in einem Punkt musste Seraphine ihr widersprechen: Niemals würde sie Helmut so einfach vergessen können!

Als ob das möglich wäre! Helmut war ihr Leben!

Wenn es ihn nicht geben würde, dann vielleicht …

Valentin war ein guter Mann, das Leben an seiner Seite bequem. Vielleicht hätte sie ihn sogar lieben können, wenn es Helmut nicht gäbe.

Helmut war ihre Liebe, ihr Leben, ihr Fluch. Das konnte Evelyn natürlich nicht wissen.

Seraphine presste beide Hände an ihre Brust. Dieses heiße Gefühl von Zuversicht, das in ihrem Innersten brannte!

Sie würde Helmut zurückgewinnen.

Aber dazu musste sie Pläne schmieden und diese besser heute als morgen in die Tat umsetzen. Keine Angst mehr haben, unbeirrbar sein, stark. Stärker sogar als Evelyn, die zu lange gewartet hatte. Das hatte sie doch selbst zugegeben, oder? »Hätte ich statt zu warten nur mein Leben in die Hand genommen …«

Das Leben in die Hand nehmen – genau das hatte Seraphine vor!

36

Noch nie in ihrem Leben hatte sich Hannah so elend gefühlt. Und so einsam.

Sie konnte nicht laufen, nicht einmal zu humpeln vermochte sie in den ersten Tagen. Sobald sie mit dem verletzten Bein auftrat, knickte es weg. Bei jeder noch so kleinen Drehung des rechten Fußes schoss der Schmerz bis hinauf in die Hüfte. Inzwischen schmerzte sogar schon das unverletzte linke Bein! Wehleidiges Ding, schimpfte sie sich, doch die Schmerzen waren stärker als ihre sonst so robuste Natur und übermannten sie immer wieder. Dank Evelyns Kräuterkompressen hatten sich die offenen Wunden nicht entzündet, aber mehr richteten die Kräuter nicht aus.

Gleich am nächsten Morgen war Evelyn in den Wald gegangen und mit zwei Astgabeln zurückgekommen. Aus denen hatte sie Krücken geschnitzt und sie Hannah zum Probelaufen gegeben. Sie will uns so schnell wie möglich loswerden, war es Hannah durch den Kopf geschossen. Mühsam hatte sie sich aufgerappelt, Evelyn die Krücken aus der Hand gerissen und diese unter die Achseln geschoben, wo das roh geschnitzte Holz ihr sofort einen Splitter ins Fleisch jagte. Eine Krücke war ein wenig kürzer als die andere, und Hannah war mit einem lauten »Klack-Klack« durch den Raum gehumpelt. Ganze fünf Schritte, dann hatte ihr rechtes Bein so heftig zu pochen begonnen, dass ihr Tränen in die Augen geschossen waren. Sie wurden durch Evelyns ärgerliche Miene nicht gerade zum Versiegen gebracht.

Da Laufen außer Frage stand, mit und ohne Krücken, war Hannah an ihr unbequemes Lager gefesselt, den lieben langen Tag. Wenn sie wenigstens jemanden zum Reden gehabt hätte! Das hätte ihr die Zeit und die trüben Gedanken vertrieben. Hätte ihr Heimweh vielleicht ein wenig gemildert, ihre Sehnsucht nach Flora, nach Helmut, nach ihrem Zuhause. Aber es war niemand da, der ihre Tränen trocknete, ihr Mut zusprach, sie einmal in den Arm nahm.

So faul Seraphine zu Hause war, so betriebsam werkelte sie plötzlich auf Evelyns Hof herum und half bei kleineren Reparaturen. Hannah hatte bisher nicht einmal gewusst, dass Seraphine einen Hammer in die Hand nehmen konnte. Hier aber kletterte die Schwägerin sogar auf dem Dach herum, um morsche Latten auszubessern! Sie half beim Ausmisten des Hühnerstalls, holte ohne Klagen Wasser oder stapfte zu einem nahe gelegenen Bach, um Wäsche zu waschen. Evelyn musste nur »Hü!« sagen, und Seraphine sprang. Es fehlte lediglich, dass sie freudig dabei wieherte, dachte Hannah zornig, während sie untätig in der düsteren Stube saß. Die beiden schienen beste Freundinnen geworden zu sein und sprachen in einer Art miteinander, die Hannah seltsam fand. Manchmal hatte sie sogar das Gefühl, sie redeten miteinander, ohne den Mund zu öffnen! Als ob sie gegenseitig ihre Gedanken lesen konnten. Zwischen Seraphine und ihr hatte es nie solch ein Verständnis gegeben. Hannah ertappte sich dabei, eifersüchtig auf die verschrobene Einsiedlerin zu sein.

Da die Schmerzen so gar nicht weniger wurden, war Hannah überzeugt davon, dass der Knöchel gebrochen war. Wenn wenigstens ein Arzt in der Nähe gewesen wäre, um sich die Verletzung anzuschauen! Ein Arzt aus Herrenberg würde sich nicht bequemen, hier heraus auf den Hof zu kommen, sagte Evelyn jedoch in solch einem bestimmten Ton, dass Hannah nichts dagegen einzuwenden wagte. Außerdem hätte ein Arztbesuch Geld gekostet. Sie hatten zwar Geld, aber es war für ihre Reisekosten – Übernachtung und Verpflegung – bestimmt. Deshalb scheute Hannah davor zurück, es für sich selbst zu beanspruchen.

Jeden Abend vor dem Einschlafen redete sie sich ein, dass es am nächsten Tag sicherlich besser sein würde. Morgen früh ist das Bein abgeschwollen, und wir können endlich von diesem schrecklichen Hof und dieser schrecklichen Frau weg, sagte sie sich immer wieder, nur um am nächsten Morgen mit demselben geschwollenen Fuß aufzuwachen, mit dem sie eingeschlafen war.

Die Tage begannen mit einem bestimmten Ritual: Kaum waren sie wach, kamen Evelyn und Seraphine zu Hannah an die Bank. Evelyn lupfte die Decke, wickelte die Lumpen mit der Kräuterpaste ab, und dann starrten alle drei Frauen erwartungsvoll auf Hannahs Bein. Beim Anblick der missmutigen Gesichter der beiden anderen fühlte sich Hannah täglich mehr als Versagerin. *Ihr Fuß war es, der nicht heilen wollte, sie* war für Evelyn ein ungebetener, lästiger Gast, *sie* brachte sämtliche Reisepläne durcheinander, verursachte Kosten und Unannehmlichkeiten, und zwar ausgerechnet jetzt, wo die Familie sowieso schon einen Schicksalsschlag hatte hinnehmen müssen.

Dabei hatte sie doch nur helfen wollen …

»Wir müssen miteinander reden.« Es war ihr fünfter Tag auf dem Hof. Seraphine war nicht wie an den Tagen zuvor mit Evelyn nach draußen gegangen, sondern setzte sich mit einem Becher Most an Hannahs Lager.

Blasse Sonnenstrahlen fielen durchs Fenster und hinterließen auf Seraphines Haar einen hellen Glanz. Wie schön sie ist!, dachte Hannah unwillkürlich. Fahrig tastete sie nach ihrem stumpfen Schopf, der eine Wäsche dringend nötig gehabt hätte.

»Was gibt's?«, fragte sie mürrisch, während sie aus dem Fenster starrte. Direkt davor streckte sich eine der letzten Rosen der Sonne entgegen, ihre Blätter waren an den Rändern schon dunkel und welk, ausgelaugt nach einem langen Sommer. Bald würde wieder alles grau in grau sein, keine Farben mehr, keine Blumen. Und der Winter so lang …

Kurz vor ihrer Abreise hatte Hannah mehrere Dutzend Tulpenzwiebeln in Wilhelmines Vorgarten gesetzt, als hoffe sie, dadurch dem farblosen Winter etwas entgegenzusetzen. Stunde um Stunde hatte sie mit einer kleinen Schaufel Löcher in die Erde gebohrt, und auch Flora hatte mit ihren bloßen Händen in der Erde gewühlt. Es war ein fröhlicher Nachmittag gewesen. Wilhelmine beklagte zwar die Kosten der vielen Zwiebeln, aber Hannah ließ sich nicht abhalten. »So haben wir jetzt schon etwas, worauf wir uns fürs kommende Frühjahr freuen können!«, argumentierte sie. Am Ende brachte Helmut ihr noch einen weiteren Korb Tulpenzwiebeln. Sie waren seiner Ansicht nach von zu geringer Qualität, als dass er sie seinen böhmischen Kunden anbieten wollte. Hannah hatte nie erfahren, ob er dieses Argument lediglich vorschob, um ihr eine Freude zu machen.

Wer weiß, ob ich bis zum Frühjahr überhaupt wieder im Garten oder auf den Feldern arbeiten kann, schoss es ihr nun durch den Kopf. Wer weiß, ob das Bein jemals wieder gesund wird … Sie biss sich auf die Lippe, um einen Schluchzer zu unterdrücken. Verdammt, verdammt, verdammt!

»Hallo, hörst du mir eigentlich zu?« Seraphine rüttelte an ihrem Arm. »So, wie es aussieht, fällst du noch für einige Zeit aus. Es ist also nicht daran zu denken, dass wir beide ins Elsass weiterreisen …«

Hannah atmete auf. Sie hatte nicht diejenige sein wollen, die vorschlug, Wagen und Fahrer für den Heimweg nach Gönningen zu organisieren. Aber da Seraphine nun selbst …

»Unsere Zwerchsäcke sind noch voll, Gottliebs Kunden warten auf ihre Ware und wir auf deren Geld!«, sagte Seraphine vorwurfsvoll.

Hannah runzelte die Stirn. Seit wann machte sich ihre Schwägerin solche weit reichenden Gedanken? Wieder einmal erstaunte sie Seraphines neue Tatkraft, und sie fragte sich, ob ihr die alte Seraphine mit dem stets verträumten, abwesenden Blick, den tiefen Seufzern und der ständigen Müdigkeit nicht doch lieber gewesen wäre.

»Und? Was schlägst du vor?«

»Dass Evelyn und ich ins Elsass reisen. Bis wir zurückkommen, wird dein Fuß ja hoffentlich wieder geheilt sein, so dass wir an den Heimweg denken können. Wir müssten Evelyn natürlich an den Gewinnen beteiligen, das ist klar, aber –«

»Du kannst mich doch nicht hier allein lassen!« Voller Entsetzen klammerte sich Hannah an Seraphines Ärmel, als wolle sie schon just in diesem Moment aufbrechen.

»Hannah, ich bitte dich, stell dich nicht so an! Soll ich etwa allein reisen? Du weißt doch, dass die Gefahr dann noch viel größer ist! Denk nur an meinen Vater!« Mit kalten Fingern löste Seraphine Hannahs Hand von ihrem Arm und rückte ein Stück von der Schwägerin ab.

»Natürlich nicht! Aber vielleicht … Wenn wir noch ein paar Tage warten, dann kann ich doch mit …« Jetzt nur nicht heulen, diesen Triumph gönnst du ihr nicht, sagte eine Stimme in Hannahs Innerem, doch die erste Träne lief bereits über ihre Wange. Allein in diesem schrecklichen Haus, niemand da in der Nacht, ringsum Geräusche, die sie nicht kannte. Die Vorstellung ließ sie zittern.

»Und was wäre, wenn du hier in der Gegend verkaufen würdest? Evelyn könnte dich zu den umliegenden Gehöften führen, und abends wärt ihr wieder hier – das ist doch eine gute Idee!«

»Einem anderen Samenhändler ins Handwerk pfuschen – wirklich eine gute Idee! Helmut würde vor Begeisterung bestimmt Beifall klatschen.«

Mit einem Seufzer stand Seraphine auf.

»Andererseits befinden wir uns natürlich in einer Notsituation …«

Hannah nickte eifrig. »Ich weiß, dass es in Gönningen als unehrenhaft gilt, wenn man einen fremden Samenstrich nicht respektiert, aber bestimmt werden die Leute daheim Verständnis für unsere missliche Lage haben!« Schon fühlte sie sich besser. Wenn sich Seraphine geschickt anstellte und gut verkaufte, würden sie in ein paar Tagen nach Hause können und –

»Unehrenhaft – eine schmeichelhafte Umschreibung, die du da verwendest. In Gönningen gilt das, was wir vorhaben, fast als ein Verbrechen!«, entgegnete Seraphine barsch und schaute kopfschüttelnd auf Hannah hinab. »Es ist doch erstaunlich. Du meinst es immer so gut und machst dadurch allen das Leben schwer! Das ist schon eine besondere Gabe …«

»Also hör mal! Dass ich in diese dumme Falle getreten bin, dafür kann ich weiß Gott nichts! Du hättest genausogut hineingeraten können, so, wie du die ganze Zeit vorweg gestürmt bist!«, brauste Hannah auf. »Wenn jemand an unserer misslichen Lage schuld ist, dann deine liebe Evelyn – sie hat die Falle schließlich ausgelegt!« Sie atmete tief durch. Es tat gut, sich endlich wieder einmal Luft zu machen. Fortan würde sie sich nicht mehr unterkriegen lassen, weder von ihren Schmerzen noch von Seraphines Feindseligkeit oder Evelyns –

»Ach Hannah, wenn du nicht immer so engstirnig denken würdest«, sagte Seraphine in einem Ton, den sie genauso einem Tor gegenüber hätte anschlagen können. »Es fing doch schon mit dem unsinnigen Vorschlag an, überhaupt auf diese Reise zu gehen. Hast du dich eigentlich nie gefragt, warum ich nicht sofort begeistert zugestimmt habe?«

»Eigentlich nicht«, erwiderte Hannah mit blitzenden Augen. »Wenn's um Arbeit geht, verstehst du es meistens sehr gut, dich zu drücken!«

Seraphines Lachen perlte von ihren Lippen wie Wasser vom Gefieder einer Ente.

»Die faule Seraphine – wie einfältig! Und so bequem für dich, nicht wahr? Aber leider liegen die Dinge ein wenig anders, meine Liebe!«

Na wunderbar – nun hatten sie einen deftigen Streit vom Zaun gebrochen. Eine passendere Gelegenheit hätten sie weiß Gott nicht finden können! Erbittert hob Hannah ihr pochendes Bein an, um es auf die Bank zu legen. Dabei war es doch noch gar nicht lange her, dass Seraphine ihr die Freundschaft angeboten hatte. Nun sah man ja, was davon zu halten war.

»Bestimmt wirst du mich gleich aufklären. Also, was ist?«,

schob sie hinterher, als Seraphine nicht gleich antwortete. Da wurde sie auf einmal unsicher. Wie sie zur Seite schaute, so schuldbewusst, so …

»Eigentlich wollte ich es dir gar nicht sagen«, hob Seraphine stockend an, doch dann fixierte sie Hannah mit ihrem Blick. In ihren Augen lag ein Glitzern, das nicht im Geringsten zu ihrer Zögerlichkeit passte. »Aber vielleicht ist es doch besser, wenn du die Wahrheit erfährst: Was den Raubüberfall in Wien angeht, haben Helmut und Valentin uns eine ordentliche Lügengeschichte aufgetischt! Sie haben sich nämlich mit irgendwelchen Frauen eingelassen und sind von denen ganz schön genarrt worden!«

»Was? Frauen? Ich verstehe dich nicht. Was redest du denn da?« Unwillkürlich rappelte sich Hannah auf und verschränkte die Arme vor der Brust, als könne sie sich so gegen etwas zur Wehr setzen.

Auf Seraphines Lippen tanzte ein boshaftes Lächeln.

»Wenn du es deutlicher haben willst, bitte: Dein lieber Mann hat herumgehurt und ist dabei auf die Nase gefallen! *Deshalb* habe ich nicht eingesehen, dass wir ihnen aus der Patsche helfen. Diese Suppe haben sich die Männer eingebrockt, sie hätten sie auch ganz allein auslöff …«

Mit einer hektischen Handbewegung unterbrach Hannah Seraphines Redefluss.

»Woher weißt du … Das glaub ich nicht, das kann nicht sein!«

»Glaub, was du willst!«, erwiderte Seraphine schnippisch. »Warum sollte Valentin mich anlügen? Warum sollte er sich und Helmut in einem schlechteren Licht darstellen als nötig? Wobei er allerdings betonte, dass die ganze Sache Helmuts Idee gewesen war.«

»Aber …« Hannah schluckte. Helmut und andere Weiber. Log seine Frau an. Hielt sie zum Narren. Krampfhaft klammerte sie sich an der Lehne der Bank fest, bis ihre Knöchel weiß hervortraten. Tränen rannen nun heiß über ihre kalte Haut. Hannah stieß ein Wimmern aus. Es klang wie von einem verängstigten Kätzchen.

»Jetzt tu doch nicht so entsetzt! Helmut ist halt immer noch der Alte. Er hat schon auf seinen Reisen herumgehurt, als er mit mir verlobt war, und er tut es immer noch. Hast du allen Ernstes geglaubt, *du* hättest ihn geändert?« Seraphines Stimme kippte.

Meint sie das wirklich alles so, oder will sie mich mit ihren bösen Worten nur quälen?, fragte sich Hannah einen Moment lang, doch ihre Verwirrung war zu groß, als dass sie länger darüber hätte nachdenken können.

Erbarmungslos fuhr Seraphine fort: »*Du* mit deiner dummen Idee, die Waren im Frühjahr zu verschicken, hast es doch erst möglich gemacht, dass Helmut nach Russland reisen konnte! Dass er seine ›Träume‹ ausleben konnte! Ha – tolle Träume waren das. Und d*u* hast hinterher unbedingt helfen müssen. Nun schau dir an, wohin es uns gebracht hat: Liegst hier wie ein Krüppel, und ich kann sehen, wo und wie ich zu Geld komme! Du bist nichts als eine Last!«

Hannah erschauderte.

»Ja, die Wahrheit tut weh, liebe Schwägerin. Aber es wird Zeit, dass du ihr endlich ins Auge siehst. Die ach so kluge Hannah mit ihren Patentrezepten weiß nämlich in Wahrheit überhaupt nicht, wo der Hase lang läuft!« Genussvoll spuckte Seraphine jedes Wort aus. »Kommst als Reing'schmeckte daher und willst uns Gönningern erklären, wie die Welt funktioniert!«

Alles eine Lüge? Helmut … Träume … Krüppel … Wie durch einen Nebel nahm Hannah nur noch Wortfetzen wahr.

»Wie konnte er das tun?« Hannahs Stimme klang heiser, war kaum noch zu vernehmen.

»*Ich* soll dir erklären, was in deinem Mann vorgeht? Ausge-

rechnet ich? Wo du doch viel besser weißt, wie's in ihm aus-
schaut!« Seraphine lachte, erhob sich ungestüm und verließ
den Raum.

Eine Stunde später zogen Seraphine und Evelyn los, bepackt
mit den beiden Zwerchsäcken. Sie hatten sich zuletzt doch dafür entschieden, die Samen so schnell wie möglich in der näheren Umgebung zu verkaufen. Evelyn hatte Hannah zuvor
etwas zu essen hingestellt, und Seraphine hatte ihr vorgeschlagen, sich doch auf die Bank vors Haus zu setzen und die letzten Sonnenstrahlen zu genießen. Als ob nichts gewesen wäre.

Hannah starrte unentwegt ins Leere.

Helmut hatte sie belogen und betrogen. Und wieder war es
Seraphine gewesen, die Bescheid wusste. Hannah konnte nicht
sagen, welcher Verrat mehr wehtat.

Für Stunden blieb sie auf der Bank im Haus sitzen, wiegte sich
weinend vor und zurück, wund an Geist und Körper. Sie hatte
das Gefühl, nicht mehr atmen zu können, alles war zu eng,
keine Luft mehr, kein Leben. Nur Schmerz, so rot und gierig
wie Feuer.

Als sie es nicht mehr aushielt, humpelte sie nach draußen.
Sofort kam der Hund schwanzwedelnd angerannt, reckte sich
Hannah entgegen, so weit seine Kette das erlaubte. Hannah
kniete sich zu ihm hinab und begann ihn mit zittriger Hand zu
kraulen. Mit entspannten Lefzen gab sich das Tier den Strei-
cheleien hin. Doch bald darauf rieb es seine Schnauze an ihrer
Brust. Zuerst erschrak Hannah – so etwas hatte noch kein
Hund getan. Doch dann merkte sie, dass er sie ebenfalls strei-
cheln wollte, als ob er ihre Traurigkeit spürte. Die Vorstellung
hatte etwas seltsam Tröstliches. Nach einer Weile zitterte Hannahs Hand weniger. Vorsichtig holte sie Luft und merkte, dass
der eiserne Käfig, der ihre Brust umspannt hatte, sich dabei
weitete. Als sie daraufhin wie eine Erstickende laute Schnaufer

von sich gab, schaute der Hund mit einem verwunderten Blick zu ihr auf. Unwillkürlich musste Hannah lachen. »Du hältst mich für ganz schön verrückt, nicht wahr?«

Sie strich über seinen Kopf, und als sie eine Zecke hinter dem rechten Ohr bemerkte, drehte sie diese mit ungeübter Hand heraus. Dann suchte sie das Tier nach weiteren Blutsaugern ab, fand eine Zecke unter der Kette am Hals, eine am Genick, daneben noch eine. Der Hund ließ alles mit sich geschehen. Als Hannah mit seiner Fellpflege fertig war, legte er sich auf den Rücken und streckte ihr den Bauch entgegen, als wollte er sagen: Mach hier bitte weiter! Hannah lächelte. Den Rücken an die Wand gelehnt, das verletzte Bein von sich gestreckt, setzte sie sich neben das Tier. Sie spürte, wie sie nach und nach ruhiger wurde, wie sich ihre Gesichtszüge entspannten. Mit einem Seufzer schloss sie die Augen, fühlte die lauen Sonnenstrahlen auf ihrem Gesicht.

Vielleicht war alles gar nicht so schlimm.

Vielleicht hatte Seraphine vorhin nur auf ganz besonders böse Art ihr Gift verspritzt.

Woher sollte sie so genau wissen, was damals in Wien vorgefallen war und was nicht? Als ob Valentin seiner Frau haarklein irgendwelche Weibergeschichten beichten würde! Wenn er überhaupt etwas erzählt hatte, dann hatte Seraphine seine Worte bestimmt falsch gedeutet.

Und wenn nicht?

Jäh riss Hannah die Augen auf, die sofort vom Sonnenlicht zu tränen begannen. Was, wenn Helmut sie wirklich nach Strich und Faden betrog?

Nein, das konnte sie einfach nicht glauben. So etwas würde sie doch *spüren*, oder? Bestimmt waren die Vorgänge in Wien ganz harmlos gewesen: ein Plausch, ein wenig Schäkern mit hübschen Mädchen bei einem Glas Wein oder Bier – allein diese Vorstellung machte Hannah wütend und eifersüchtig …

Aber so etwas konnte man einem Mann nicht verbieten, und einem Samenhändler schon gar nicht!

Seufzend tätschelte Hannah den Kopf des Hundes. »Seraphine wollte mir bestimmt nur eins auswischen. Und ich falle auch noch darauf herein!«

Sosehr sie sich auch an diesen Gedanken klammerte – die Zweifel, die Seraphines Worte gesät hatten, wurde sie nicht mehr los. Sie musste mit Helmut reden – erst dann würde sie wieder ihren Frieden finden.

Aber bis dahin wollte sie sich von Seraphines Giftspritzerei nicht länger verrückt machen lassen.

Sie biss sich auf die Unterlippe. Und wenn Helmut doch –

37

Zwei Wochen später hatte Seraphine fast die ganzen Sämereien verkauft, und Hannah konnte immer noch nicht richtig laufen.

Evelyn marschierte daraufhin zu einem der Nachbarhöfe und überredete einen Bauern, die beiden Frauen mit seinem Gespann nach Gönningen zu kutschieren.

»Musstest du Evelyn wirklich so viel Geld geben? Der übrig gebliebene Samen allein hätte es auch getan! Davon kann sie Gemüse für eine ganze Familie anbauen!«, zischte Hannah, kaum dass sie auf dem Wagen saßen. Die Gans, eingepfercht in einem Korb zwischen ihnen, wurde durch Hannahs Zischen hellhörig und begann aufgeregt zu schnattern. Wütend warf Hannah ihr einen Blick zu. Evelyns Abschiedsgeschenk – darauf hätten sie weiß Gott verzichten können!

Seraphine, die Evelyns kleiner werdender Gestalt zuwinkte, fuhr herum.

»Ich weiß ja nicht, wie es bei euch in Nürnberg ist, aber bei uns sagt man: Ist sie's nicht würdig, so ist sie's bedürftig! Dass Evelyn fast am Hungertuch nagt, hast du doch wohl auch mitgekriegt. Außerdem finde ich, dass sie sehr wohl des Geldes würdig ist! Sogar eine ihrer wenigen Gänse hat sie uns geschenkt. Und sie hat uns ein Dach über dem Kopf gegeben, uns verköstigt, mir beim Verkaufen geholfen.«

Hannah lachte auf. »Das war ja wohl das Mindeste, was sie tun konnte, nachdem sie für meinen Unfall verantwortlich war. Außerdem hast du dir Kost und Logis mehr als verdient – so viel, wie du auf dem Hof herumgewerkelt hast.«

Seraphine warf einen bedeutungsvollen Blick auf Hannahs rechtes, immer noch bandagiertes Bein.

»*Ich* schon …«, sagte sie langgezogen.

Und Hannah verstummte.

Da die beiden Pferde schon alt waren und nur langsam von der Stelle kamen, mussten sie notgedrungen auf halbem Weg ihr Nachtlager einrichten, obwohl Hannah am liebsten durchgefahren wäre. Der Bauer – ein einsilbiger Mann mit einer Hasenscharte, die ihn nur undeutlich nuscheln ließ – bot an, die Frauen in einem nahe gelegenen Wirtshaus abzusetzen und am nächsten Morgen wieder abzuholen. Doch nach kurzer Beratung beschlossen sie, das Geld zu sparen und auf dem Wagen zu übernachten, falls sich der Mann bereit erklärte, daneben oder darunter zu schlafen.

Es war eine trübe, wolkenreiche Nacht, aber nicht sonderlich kalt. Hannah, die vom Gerumpel der vielen Stunden auf dem Wagen erneut starke Schmerzen hatte, fielen die Augen zu, kaum dass sie sich mit ihrem Umhang zugedeckt hatte. Der leere Zwerchsack diente ihr als Kissen.

Sie war gerade dabei einzuschlafen, als sich Seraphine neben ihr laut räusperte.

»Wenn ich dir noch einen guten Rat geben darf, bevor wir morgen in Gönningen ankommen ...«

Auf deine Ratschläge kann ich gut verzichten, lag es Hannah auf der Zunge, doch sie war zu müde zum Streiten und gab lediglich ein Brummen von sich.

»Ich hielte es für das Beste, wenn du Wilhelmine und Gottlieb gegenüber nichts von der Sache in Wien erwähnst.«

Hannah richtete sich noch einmal auf. »Als ob ich schon jemals zu den beiden gerannt wäre, um mich über Helmut zu beschweren! Seine Eltern geht das nichts an, das mache ich ganz allein mit ihm aus.«

Sie ahnte Seraphines Schulterzucken mehr, als dass sie es in der Dunkelheit sah.

»Ich meine ja nur ... Aber an deiner Stelle würde ich auch Helmut gegenüber ganz schön still sein.«

Hannah schnaubte. »Das kommt mir gar nicht in den Sinn, der wird mir Rede und Antwort stehen müssen! Oder glaubst du, dass ich mir so etwas einfach gefallen lasse? Vorausgesetzt, an der Geschichte ist überhaupt was Wahres dran«, schob sie noch hinterher.

Seraphine seufzte ausgiebig. »Ob du dir das gefallen lassen musst ... Tja, die Frage ist gar nicht so leicht zu beantworten.«

Die Frage war gar nicht ernst gemeint!, wollte Hannah sagen, doch da ergriff Seraphine erneut das Wort.

»Wer weiß, ob dein Fuß jemals wieder in Ordnung kommt. Womöglich wirst du dein Leben lang durch die Gegend humpeln. Und das als Frau eines Samenhändlers ...«

»Ich ...« Sprachlos brach Hannah ab. Wie konnte jemand nur so gemein sein?

»Auf eines musst du dich gefasst machen: Helmut wird nicht gerade begeistert sein. Erstens wollte er nicht, dass wir diese Reise unternehmen, er wird also sagen, es sei deine Schuld, dass du ... na ja. Und dann« – Seraphine zögerte nur kurz –,

»du weißt doch, wie gern er sich immer ein wenig über Käthe und ihr Hinkebein lustig macht. Eine Frau mit einem körperlichen Gebrechen hätte er nie geheiratet. So sind die Männer halt: Sie selbst kommen mit erfrorenen oder gar abgefallenen Zehen von ihrer Reise zurück, oder sie legen sich mit einer Lungenentzündung nieder, aber wehe, die Frauen sind nicht kerngesund. Da heißt es gleich, das Weibsbild ist nur eine Last! Um also auf deine Frage zurückzukommen: Ich an deiner Stelle würde das Maul nicht so voll nehmen.«

Wieder einmal war Hannah längst verstummt.

»Es scheint mir, als sei vor allem der Knöchel in Mitleidenschaft gezogen. Tut es weh, wenn ich hier drücke?«

Hannah schrie auf.

Flora, die gerade eben auf den Schoß ihrer Mutter gekrabbelt war, schaute mit weit aufgerissenen Augen den Arzt an. Seit Hannahs Ankunft am Abend zuvor war sie nicht mehr von ihrer Seite gewichen.

Der Arzt nickte wissend und drückte noch einmal vorsichtig auf dem noch immer angeschwollenen Fuß herum. »Wahrscheinlich eine Art Trümmerbruch. Es kann aber auch nur eine besonders schwere Quetschung sein. Die Art der Falle, die Sie mir beschrieben haben, spräche für beide Möglichkeiten.«

»Und was hat das zu bedeuten?«, fragte Hannah mit trockenem Mund. Nur mit Mühe brachte sie für Flora ein Lächeln zustande.

Der Arzt packte seine Utensilien wieder in die Tasche. »Dass Sie abwarten müssen. Und sich schonen müssen. Natürlich dürfen Sie umhergehen, einige Arbeiten im Haus verrichten, Sie sollen es dabei aber nicht übertreiben. Wenn es eine Quetschung ist, dann bedarf das Bein vor allem der Ruhe.«

»Können Sie denn gar nichts tun? Gibt es keine Medizin, damit ich wieder ordentlich auftreten kann?«

Der Arzt zuckte mit den Schultern. »Einen frischen Bruch hätte ich schienen können. So wäre die Möglichkeit größer gewesen, dass die Knochen wieder gerade zusammenwachsen. Doch nach so langer Zeit ist da nichts mehr zu machen, der Heilungsprozess hat längst begonnen, und wir können nur hoffen, dass sich die Knochen von allein richtig gelegt haben. Wenn nicht ...«

Er ließ seine Tasche mit einem schnappenden Geräusch zuknallen.

»Was ist dann?« Hannahs Stimme war nicht mehr als ein Flüstern.

»Dann werden Sie Ihr rechtes Bein wahrscheinlich nie mehr vollständig belasten können.«

»Nie mehr ...« Hannahs Stimme versagte.

»So, jetzt müssen wir noch schnell die Kartoffeln pellen, damit sie gut ausdampfen können, sonst werden die Knödel nichts, das weiß ich von deiner Mama. Die Oma macht ja lieber Spätzle, aber wir müssen deine Mama ein wenig aufmuntern, damit sie bald wieder ganz gesund wird. Das sagt auch deine Tante Seraphine.« Mit hochrotem Kopf und zwei Topflappen in den Händen hob Wilhelmine den Deckel des Bräters an, in dem die Gans vor sich hin schmurgelte. Mit einem Löffel gab sie das Bratenfett, das sich am Boden gesammelt hatte, wieder auf die Gans und bestrich sie damit. Nach mehr als zwei Stunden solcher Behandlung hatte sich inzwischen eine goldbraune Kruste gebildet, die Wilhelmine das Wasser im Mund zusammenlaufen ließ. Eine Gans zum Martinitag – so etwas hatte es bisher noch nicht gegeben. Schließlich war um diese Jahreszeit stets die Hälfte der Familie auf der Reise, und für den Rest lohnte sich ein solch aufwändiges Essen nicht.

»Einen feinen Braten hat die Seraphine uns da mitgebracht!« Wilhelmine lächelte ihrer Enkelin zu.

»Gans tot! Nicht essen!« Nicht zum ersten Mal an diesem Tag stiegen Flora Tränen in die Augen. Seit sie am Morgen gesehen hatte, wie Wilhelmine die Gans auf den Hackblock gelegt und ihr mit dem Beil den Kopf abgeschlagen hatte, während Seraphine das Tier festhielt, war sie nicht mehr zu beruhigen. Es half auch nichts, dass Wilhelmine ihr eine besonders schöne Feder geschenkt hatte. Flora, die zum ersten Mal in ihrem Leben gesehen hatte, wie ein Tier geschlachtet wurde, war untröstlich.

Wilhelmine verzog den Mund. »Wenn du so weitermachst, wird die Milch von deinem Geplärre sauer!« Ungeduldig schaute sie vom Topf mit dem Blaukraut zum Bräter, dann zu den Kartoffeln. Wenn sie das Festmahl bis zu Gottliebs Rückkehr aus dem Rathaus auf den Tisch bekommen wollte, war noch einiges zu tun. Mit Tante Finchens Hilfe konnte sie nicht rechnen, die hatte heute wieder einen schlechten Tag und lag danieder. Und Seraphine war ausgerechnet heute Vormittag zum alten Fritz Steinmehl gegangen, um ihm einen Anteil ihrer Einkünfte zu überreichen – als Ausgleich dafür, dass sie in seinem Samenstrich gewildert hatte.

Gottlieb war wütend gewesen, als er hörte, wo Seraphine die Sämereien verkauft hatte. Er wusste natürlich, wer den Samenstrich rund um Herrenberg innehatte. Und er wusste auch, dass Fritz Steinmehl aufgrund eines Leistenbruchs dieses Jahr nicht selbst auf die Reise gegangen war – was man nun fast als Glück ansehen musste. So würde er von Seraphines Verkäufen sogar noch profitieren.

Die brave Seraphine! Wie sie alles so tapfer gemeistert hatte! Ganz erschöpft waren die beiden angekommen, aber Seraphine hatte sich nicht etwa lange ausgeruht, nein, gleich am nächsten Tag hatte sie Hannahs alte Aufgaben übernommen. Nicht, dass Hannah ihr dies dankte – Gott bewahre! Das Gekeife zwischen den beiden Jungen war schlimmer als vor der Reise – so viel zu ihren frommen Wünschen, die gemeinsame Reise würde die Frauen enger zusammenschweißen.

Hannah war aber auch undankbar, schoss es Wilhelmine durch den Kopf, während sie mit feuchten Händen Knödel formte. Statt sich darüber zu freuen, dass Seraphine putzte und wischte, einkaufen ging, den Keller fegte und die Packstube noch dazu, strafte sie die Schwägerin die meiste Zeit mit eisigem Schweigen.

Wilhelmine warf einen Blick auf die Küchenuhr. Fast zwölf. Hannah würde bald aus dem Waschhaus zurückkommen.

»Am besten übernehme ich das Waschen auch«, hatte Seraphine gesagt. »Sonst heißt es im Dorf am Ende noch, wir würden eine Kranke schinden!«

Wilhelmine sah dies genauso, aber Hannah, der Dickkopf, wollte die Arbeit im Waschhaus machen, wie eh und je.

»Ich bin vielleicht nicht so flink wie sonst, aber ans Bett gefesselt bin ich schließlich auch nicht. Ihr braucht nicht so zu tun, als wäre ich zu gar nichts mehr nütze!«, hatte sie gefaucht, den Wäschekorb ergriffen und war damit fortgehumpelt. Prompt verlor sie auf der Treppe das Gleichgewicht, Gottliebs Hemden landeten auf der Gasse, seine Unterhosen in den kahlen Rosenbüschen. Natürlich hatte ausgerechnet in diesem Moment die dicke Marianne ihr neugieriges Gesicht aus dem Fenster stecken müssen!

Wilhelmine schüttelte missbilligend den Kopf.

Dem Fuß tat dieses ewige Umherhumpeln gewiss auch nicht gut – Wilhelmine sah doch, wie Hannah vor Schmerz das Gesicht verzog, wenn sie sich unbeobachtet glaubte! Aber wehe, man sagte was. Dann fuhr Hannah auf, wie von der Tarantel gestochen.

Floras Weinen hatte sich zu einem hysterischen Heulkrampf gesteigert, der sich weder durch Wilhelmines Schimpfen noch durch beruhigende Worte eindämmen ließ.

Wilhelmine warf dem Kind einen ärgerlichen Blick zu. Wenn sich die kleine Range nicht beruhigte, würde sich niemand in Ruhe dem guten Essen widmen können.

»Weißt du was?«, sagte sie in betont munterem Ton. »Jetzt kocht die Oma dir einen Grießbrei. Den mag meine Flora doch, nicht wahr?« Noch etwas, was sich geändert hatte, dachte sie mürrisch. Zu ihrer Zeit hatte man der Kinder wegen nicht solchen Aufstand gemacht. Ihre Mutter hätte sie in den Keller gesperrt und fertig!

Floras Miene hellte sich auf, blieb aber dennoch skeptisch.

»So, wir brauchen Milch, ein bisschen Zucker, Grieß …« Mit ihrer feuchten Hand zog Wilhelmine die Vorratsdosen aus Porzellan vom Regal. »Das darf doch nicht sein«, brummte sie vor sich hin, während im selben Moment der Deckel des Brä-ters zu klappern begann.

Entnervt hob Wilhelmine den Deckel an, vergaß dabei den Topflappen und schrie im nächsten Moment vor Schmerz auf. Eilig hielt sie ihre Hand in die Schüssel, in der der Ackersalat in kaltem Wasser darauf wartete, gewaschen zu werden.

»Das kommt davon, wenn man alles allein machen muss!«, brummte sie vor sich hin, während ihre Hand heftig zu pochen begann.

»Kann ich dir helfen?«

Wilhelmine erschrak, als sie ihre Schwiegertochter in der Küchentür stehen sah. Flora lief auf Hannah zu und umschlang sie mit ihren kleinen Armen.

»Ach, du bist es! Ich dachte, es wäre Sera … Na ja, macht ja nichts.«

»Ich kann dir auch helfen«, sagte Hannah noch einmal.

»Wir brauchen Grieß, weil –« Wilhelmine brach ab. »Ach, ist nicht so wichtig. Ich werde Seraphine schicken, wenn sie zurück ist.«

»Wenn du Grieß brauchst, dann hol ich dir welchen. Oder

glaubst du, Seraphine macht das besser als ich?« Hannahs Stimme wurde laut. Abrupt riss sie sich von Flora los. »Ich bin vielleicht ein Krüppel, aber das Stück Weg zum Laden schaff ich gerade noch!«

Und weg war sie.

Mit offenem Mund schaute Wilhelmine ihr nach. Was war denn nun wieder los?

»Wenn das Mädle so weitermacht, dann gute Nacht …«

Nein, mit Temperament hatte das nichts mehr zu tun, Hannah war irgendwie aus dem Gleichgewicht. Es wurde höchste Zeit, dass die Buben zurückkamen, Helmut würde seiner Frau den Kopf schon wieder zurechtrücken.

Hoffentlich …

»Eine Fuchsfalle – man stelle sich vor! Die arme Hannah, gefangen wie ein Vieh …« Marianne blähte ihre Backen auf, so dass ihr ohnehin schon rundes Gesicht aussah, als würde es gleich platzen, und stützte sich auf Almuth Maurers Verkaufstheke ab. »Ich bin einmal an einer Falle vorbeigekommen, in der ein Hase gefangen war. Das Beinchen war fast ab, nur noch ein paar Sehnen hielten es zusammen. Man hat das Weiße in seinen Augen gesehen, mir kam es so vor, als würde er mich um Hilfe anflehen. Ich hab dann einen Prügel genommen und den Hasen erschlagen, das war das Beste für die arme Kreatur. Ich mag gar nicht mehr daran denken …«

Annchen warf Marianne einen angewiderten Blick zu. »Eine Falle so auszulegen, dass Menschen hineingeraten! Dieser Lump gehört bestraft, bevor noch jemanden das gleiche Schicksal ereilt wie unsere arme Hannah!«

Elsbeth Wagner, die Apothekergattin, wandte sich an Seraphine. »Also, ich wäre vor Schreck in Ohnmacht gefallen! Was für ein Glück, dass du einen so kühlen Kopf bewahrt hast. Ohne dich wäre die arme Hannah wirklich verloren gewesen.«

Seraphine zuckte mit den Schultern. »Einer musste ja einen kühlen Kopf bewahren.« Sie lachte leise auf. »Das war von Anfang an auf dieser Reise so«, fügte sie mehr zu sich selbst hinzu. Die anderen spitzten daraufhin ihre Ohren.

»Wenn jemand eine Reise tut …« Marianne nickte wissend.

»… dann hat er was zu erzählen«, ergänzte Annchen. »Wie hast du das gerade eben gemeint?«

Almuth Maurer seufzte. Eines war gewiss: Bevor die Weiber nicht jedes noch so kleine Detail aus Seraphine herausgepresst hatten, würde keine mehr an ihre Einkäufe denken. Sie klatschte in die Hände. »Oh, schon so spät! In zehn Minuten muss ich schließen.«

Außer Annchen, die einen eher beiläufigen Blick auf die runde Uhr hinter der Theke warf, nahm keine der anwesenden Frauen Notiz von Almuths Einwurf.

»Ach, da war nichts Besonderes.« Seraphine winkte ab. »Nur … ihr wisst ja selbst, wie es auf der Reise ist. Da muss man sich aufeinander verlassen können.«

Mariannes Backen blähten sich erneut auf. »Und ob! Aber sag, die Hannah …«

»Sie ist halt nicht von hier!« Seraphine lächelte entschuldigend in die Runde. »Kennt unsere Regeln nicht, hat vielleicht auch nicht das notwendige Gespür – aber das kann man ihr ja nicht übel nehmen.« Sie schüttelte den Kopf, schloss für einen Moment die Augen, als kämpfe sie mit irgendwelchen unangenehmen Erinnerungen. »Dabei fühlte ich mich selbst auch nicht sonderlich gut, ihr wisst doch, erst ein paar Wochen vor der Reise hatte ich diese … Blutungen. So etwas schwächt, aber darauf wird ja keine Rücksicht genommen.«

Die anderen warfen sich bedeutungsvolle Blicke zu. Auf Mariannes Gesicht zeigten sich vor lauter Neugier rote Flecken.

Schließlich öffnete Seraphine die Augen wieder, blinzelte ein paar Mal fast verwundert.

»Ich habe nicht etwa verlangt, dass sich Hannah um mich kümmert. Ich kann ziemlich stark sein, wenn's darauf ankommt. Aber sie ... Sie ist gerannt, als gelte es, einen Wettkampf zu gewinnen! Immer muss sie so vorpreschen, ohne Bedacht. Ich war von Anfang an dagegen, auf diesen Hof zu gehen, wir hätten den Weg nach Herrenberg auch allein gefunden. Aber bevor ich was sagen konnte ...« Ihre Hände hoben sich in einer resignierten Geste. »Die Falle war gut versteckt, in einem Gebüsch. Evelyn – das ist die Frau, die allein auf dem Hof lebt – hat sie zu ihrem eigenen Schutz aufgestellt. Sie hätte des Nachts schon mehrmals jemanden ums Haus schleichen hören, hat sie gesagt. Also, das kann man doch verstehen, oder?«

Die anderen nickten eilig.

»Ehrlich gesagt, dort, wo Hannah herumgestapft ist, hatte sie wirklich nichts zu suchen.« Auf Seraphines Stirn zeigte sich eine ärgerliche Falte. »Aber sie wusste es ja wieder einmal besser.«

Elsbeth Wagner machte ein wissendes Gesicht. »Jaja, das kommt davon, wenn jemand immer die Erste sein will! Und sich nichts sagen lässt.«

»Aber so war sie doch schon immer, die Hannah!«, ergänzte Marianne. »Ich weiß noch, wie sie vor ihrer Abreise vor dem Haus Tulpenzwiebeln gesetzt hat. Viel zu tief, das habe ich mit einem Blick gesehen. Aber als ich ihr das sagte, hat sie nur mit den Schultern gezuckt und darauf beharrt, es wäre richtig so, wie sie es täte. Also, wer von uns beiden lebt denn sein Leben lang in einem Samenhändlerdorf?«

»Das ist doch für Helmut sicher auch nicht einfach, oder?«, flüsterte Ännchen. »Ich meine, wenn eine Frau so vorwitzig ist – meiner würde sich das von mir nicht gefallen lassen!«

Seraphine schnaubte. »Helmut bekommt doch von all dem nur die Hälfte mit! Hannah versteht es, sich stets ins rechte Licht zu rücken. Und mich in den Schatten. Ganz geschickt ist sie darin, ich bin mir sicher, darauf fällt nicht nur Helmut rein, damit täuscht sie auch viele im Dorf ...« Die letzten Worte verklangen schmerzvoll.

Schuldbewusste Blicke huschten durch den Raum.

»Aber vielleicht bin ich auch selbst daran schuld.« Wieder sprach Seraphine mehr zu sich als zu den anderen. »Vielleicht müsste ich mich einfach auch öfter in den Mittelpunkt drängen, so wie sie es tut.«

»Du bist an gar nichts schuld!«, erwiderte die Apothekergattin vehement. »Dass sich Hannah dermaßen wichtig nimmt, haben wir nicht geahnt. Ich meine, wer schaut schon hinter die Fassade eines Hauses? Und –« Sie brach ab, weil die Ladentür bimmelte. Im nächsten Moment erstarrten die Frauen.

»Wenn man vom Teufel spricht ...«, raunte Marianne.

»Hannah, gerade haben wir uns nach dir erkundigt!« Almuth gelang es als Erster, die Fassung wiederzufinden. »Wie schön, dich nach deinem Unfall so gesund und munter zu sehen. Sag, wie geht es dem Bein?«

»Gut«, antwortete Hannah kurz, während ihr Blick die anwesenden Frauen streifte. Als keine etwas sagte, wandte sie sich der Theke zu. »Grieß hätte ich gern, ein Pfund bitte!«

Mechanisch griff Almuth nach einem der oberen Schubfächer und wog die gewünschte Menge Grieß ab. »Brauchst du sonst noch was?«

Wortlos den Kopf schüttelnd, legte Hannah ihr abgezähltes Geld hin. Schon wieder an der Ladentür sagte sie zu Seraphine: »Wenn du mit deinem Schwätzchen fertig bist, könntest du ruhig nach Hause kommen. Das Essen ist bald fertig.«

Die anderen schauten ihr nach.

»Seht ihr?«, rief Seraphine triumphierend, als sie sicher sein konnte, dass Hannah sie nicht mehr hörte. »Nicht einmal ein paar freundliche Worte mit euch gönnt sie mir!«

»Und uns lässt sie ganz links liegen.« Die Apothekergattin

hob irritiert die Augenbrauen. »Ist sich wohl zu fein für unsereins, was?«

»Also, ich hab ja schon immer gesagt, dass sie ein bisschen von oben herab tut«, setzte Marianne dazu.

»So sind sie halt, die Reing'schmeckten!«, stellte Almuth fest, und alle nickten heftig.

38

In den nächsten Wochen entwickelte sich Seraphine zur Nachtschwärmerin im besonderen Sinn: Wenn sich alle anderen im Haus schon längst zur Ruhe gelegt hatten, trennte sie in der Küche alte Schürzen auf, um aus den Stoffresten neue zu nähen, sie stopfte Strümpfe und strickte an einem Schal. Viel lieber hätte sie an einem neuen Kleid für sich gearbeitet, doch sie konnte nirgendwo einen schönen Stoff auftreiben, und sie hatte Bedenken, das Haus so lange zu verlassen, um nach Reutlingen zu fahren und Stoff zu kaufen. Trotzdem saß sie jeden Abend so lange im Schein der Petroleumlampe mit ihren Handarbeiten am Küchenfenster, dass Wilhelmine sie verschwenderisch schimpfte. »Das teure Petroleum! Wer sein Tagwerk nicht bei Licht erledigen kann, braucht es bei Nacht nicht nachzuholen«, sagte sie, stieß jedoch auf taube Ohren.

Es war nicht so, dass Seraphine eine besondere Vorliebe für Flickarbeiten entwickelt hätte. Ganz im Gegenteil, sie hasste es, die vom vielen Waschen verfilzten Socken zu stopfen und zu wissen, dass sie eine Woche später schon wieder löchrig im Nähkorb landen würden. Aber sie hatte ein bestimmtes Ansinnen, und dafür hätte sie auch den Küchenboden mit der Zunge sauber geleckt, wenn es nötig gewesen wäre.

Für den Fall, dass Helmut und Valentin zu nachtschlafender

Zeit von der Reise zurückkamen, wollte sie wach sein und die Erste, die Helmut begrüßte. Vor der Familie, vor allem aber vor Hannah.

Mühelos hatte sie die anderen davon überzeugen können, den Brüdern keinen Brief zu schreiben, um sie über den unseligen Ausgang der Elsassreise zu informieren. Dann würden sich die beiden nur unnötig Sorgen machen, war die einhellige Meinung der Familie gewesen. Bisher wussten die Brüder also nichts.

Und nun hoffte und betete Seraphine, dass Helmut und Valentin nicht bei Tag nach Hause kamen – ein Zwiegespräch mit Helmut wäre dann unmöglich gewesen. Doch in der Nacht …

Drei Tage vor Weihnachten ging ihr Wunsch in Erfüllung.

Es war nach neun, und Seraphine saß wieder einmal an einem Berg Flickwäsche, als sie das Schloss der Vordertür hörte. Wie von der Tarantel gestochen, fuhr sie auf und rannte in den Flur.

»Leise, leise, das ganze Haus schläft schon!«, begrüßte sie die Brüder und musste gegen den Drang ankämpfen, sich Helmut an den Hals zu werfen, ihn zu küssen, küssen, küssen …

Wie müde er aussah! Das Gesicht grau vor Erschöpfung, die Haare struppig, das Kinn voller Bartstoppeln, die von einem viel zu langen Tag erzählten.

»Dann wecken wir sie halt!«, dröhnte Helmut so laut, dass Seraphine innerlich winselte. »Es kommt schließlich nicht alle Tage vor, dass wir nach drei Monaten Reise nach Hause kommen, oder? Es gibt viel zu erzählen, aber zuerst brauch ich etwas zwischen die Zähne, ich bin fast am Verhungern, wir haben seit dem Morgen nichts mehr gegessen!« Polternd marschierte er in Richtung Küche.

»Seraphine, meine Liebe – wie hast du mir gefehlt …« Bevor sie etwas dagegen tun konnte, zog Valentin sie an sich. Seine Arme legten sich wie eine Krake um ihren Leib, klammerten …

Seraphine holte tief Luft und küsste ihn so innig, wie sie konnte, doch dann entwand sie sich mit aller Kraft.

»Das hat später noch Zeit«, zischte sie, während sie mit einem Ohr in Richtung Treppe lauschte. Noch waren keine Schritte zu hören.

Sie ließ Valentin stehen und lief in die Küche, wo Helmut am Herd schon den Deckel des Suppentopfes hob.

»Gerstensuppe – nicht gerade das, was ich ein Willkommensmahl nennen würde ...« Er verzog missbilligend das Gesicht.

»Es ist auch Schinken da und Brot, gleich werde ich euch etwas richten«, sagte Seraphine, noch immer um eine leise Stimme bemüht. Sie packte Helmut am Arm und zog ihn zum Küchentisch. »Aber zuerst müssen wir reden, dringend! Es ist etwas vorgefallen, was du unbedingt wissen musst.« Bevor er widersprechen konnte, begann sie, ihm ihre sorgfältig zurechtgelegte Version der Vorfälle in Herrenberg vorzutragen.

»Hannah ...« Helmut brachte nicht mehr als ein Krächzen heraus. Wie gelähmt hörte er sich den Rest von Seraphines Erzählung an. Das kann doch nur ein böser Traum sein, schoss es ihm durch den Kopf. Er hatte sich so auf zu Hause gefreut, auf die Wärme, die Sicherheit, auf Hannah und Flora ... Und Hunger hatte er, so argen Hunger, dass er die letzten Meilen an nichts anderes mehr hatte denken können als an eine dicke Bohnensuppe mit Speck und –

Ich denke ans Essen, und Hannah liegt schwer verletzt oben im Bett!

Er spürte, wie ihm Tränen in die Augen stiegen. Das Gefühl war so ungewohnt, dass es ihn geradezu überwältigte. Und ängstigte. Abrupt stand er auf und ging zum Fenster. Einen langen Moment starrte er in die Dunkelheit, die ein Spiegelbild seines Inneren war. Finsternis, die einem rabenschwarzen Gewissen entsprang.

Er war schuld an Hannahs Unglück. Hätte er ihr diese unselige Reise doch nur ausgeredet!

Er wischte sich übers Gesicht und holte tief Luft. »Ich gehe jetzt zu ihr.«

Seraphines »Nein!« kam wie ein Peitschenhieb und ließ ihn zusammenzucken. »Sie schläft bestimmt schon, sie braucht ihren Schlaf, die ganze Sache war schrecklich anstrengend für sie und –« Atemlos warf sich Seraphine zwischen die Tür und Helmut. Ihr Gesicht war keine Handbreit von seinem entfernt, ihre Augen waren weit aufgerissen, dunkle Schatten lagen über den Wangen, die ihm noch schmaler vorkamen als früher.

Das wird auch für sie nicht leicht gewesen sein! Seraphine, so zart und schwach, und so tapfer …

Erneut überflutete Helmut eine Welle von schlechtem Gewissen. Alles nur seinetwegen …

Spontan zog er sie an seine Brust, und zitternd schmiegte sie sich an ihn.

»Was würde ich nur ohne dich tun?«, flüsterte er tränenerstickt in ihr Haar. Über ihren Kopf hinweg blickte er Valentin an, der ihm mit müden Augen zunickte. Es war nicht die Zeit für Eifersüchteleien. Trotzdem schob Helmut Seraphine im nächsten Moment auf Armlänge von sich.

»Ich danke dir von ganzem Herzen für alles, was du für Hannah getan hast. Ohne dich …« Er biss sich auf die Lippen. »Ich möchte mir gar nicht vorstellen, was dann passiert wäre.«

»Helmut, reiß dich zusammen! Hannah braucht dich jetzt. Dich und deine Hilfe.« Seraphine rüttelte an seinen Armen, ihr Blick war eindringlich, fast beschwörend. »Wenn ich dir einen guten Rat geben darf …«

»Ja! Ja, natürlich! Sag mir, wie kann ich helfen? Was soll ich tun?« *Alles* würde er tun, damit es seinem Weib wieder besser ging!

Seraphines Blick verdüsterte sich kurz, als durchlebe sie erneut die schrecklichen Momente, doch dann hatte sie sich wieder in der Gewalt.

»Hannah ist von Natur aus hart im Nehmen. Aber –«

Helmut nickte ihr ungeduldig zu. Weiter!

»Aber ich glaube, das Ganze hat ihr doch arg zugesetzt. Sie versucht, so wenig Aufhebens wie möglich zu machen, will ihre Schmerzen verbergen, dabei merkt jeder, wie schlecht es ihr geht. Von uns nimmt sie keine Hilfe an, sie ist halt ein kleiner Sturkopf!« Seraphine lachte leise auf.

Helmut brachte ebenfalls ein Lächeln zustande. »Ja, stur kann sie sein, meine Hannah!«

Seraphine wurde wieder ernst. »Dabei merkt sie gar nicht, dass sie uns dadurch nur noch mehr Arbeit verursacht. Erst gestern wollte sie unbedingt in den Keller, um für Wilhelmine Sauerkraut zu holen. Dann ist sie auf der Treppe gestürzt – die Sauerei, die sie dabei angerichtet hat, könnt ihr euch ja vorstellen. Eine halbe Stunde lang hab ich die Treppe putzen müssen!« Sie schüttelte erneut den Kopf. »Hannah hat sich sehr verändert, will von nichts und niemandem etwas wissen, sogar Flora ist ihr lästig! Sie …« Seraphine verstummte erneut.

»Ja? Rede weiter! Ich muss wissen, was los ist!«

»Ich glaube, sie denkt daran, zurück nach Nürnberg zu gehen.«

»Was? Aber –«

Bevor Helmut weitersprechen konnte, ergriff Seraphine erneut das Wort.

»Das geht sicher wieder vorbei, aber im Augenblick hat Hannah für Gönningen und unser Leben hier nicht viel übrig. Sie macht alles und jeden für ihre Behinderung verantwortlich. Dabei ist ganz allein sie schuld an der Sache!«

Nürnberg? Behinderung? Nichts übrig für Gönningen? Helmut runzelte die Stirn. Wovon sprach Seraphine da eigentlich?

»Ich weiß gar nicht, was ich sagen soll«, antwortete er beklommen. »Was soll ich nur tun?« Hilfesuchend schaute er von Seraphine zu Valentin, der jedoch genauso verunsichert aussah wie er selbst.

Seraphine seufzte. »Hannah muss jetzt viel ruhen, sonst wird sie für immer ein Krüppel sein, hat der Arzt gesagt, verstehst du?«

»Um Gottes willen …« Ja, ja, natürlich verstand er. Zwar nicht alles, aber … Hannah ein Krüppel. Für immer. Wegen ihm.

Seraphine lächelte engelsgleich. »Du musst sie dazu bringen, sich zu schonen! Wir alle helfen ihr gern, sie braucht nicht so zu tun, als wäre nichts gewesen.«

Helmut nickte düster. Er hatte verstanden. Es ging darum, Hannah vor sich selbst zu bewahren. Und wenn er sie ans Bett binden musste – er würde schon dafür sorgen, dass ihr Fuß genügend Ruhe bekam und sie wieder gesund wurde!

39

»Ich gehe jetzt kurz zu Emma und bring ihr zwei von den Schnitzbroten.« Den Mantel um die Schultern gelegt, stand Hannah in der Küchentür.

Ruckartig schwang Helmut seine Beine vom Stuhl und legte die Zeitung, die er gelesen hatte, auf den Küchentisch.

»Du bist schon ausgehfertig? Aber du hast doch noch gar nichts gegessen! Komm, setz dich und leiste mir ein wenig Gesellschaft.«

Eilfertig rückte er seiner Frau einen Stuhl zurecht.

Mit einem leisen Seufzer hängte Hannah ihren Mantel über die Stuhllehne und nahm Platz, ihr verletztes Bein weit von sich gestreckt.

Normalerweise saß immer die ganze Familie mit am Tisch.

Es kam selten vor, dass sie beide allein aßen. Sonst waren solche Momente, in denen sie sich bei einer einfachen Mahlzeit und einem Krug Most in Ruhe unterhalten konnten, für sie beide gleichermaßen wertvoll gewesen. Heute jedoch schien zumindest Hannah keinen großen Gefallen an der Zweisamkeit zu finden.

Wie feindselig sie ihn anstarrte! Was war nur mit ihr los, fragte sich Helmut nicht zum ersten Mal. Er hatte ihr doch nichts getan, weiß Gott nicht! Ganz im Gegenteil, er bemühte sich, Hannah zu helfen, wo es ging. Aber leicht machte sie es ihm dabei nicht.

Wenn sie wenigstens reden würde! Früher war ihm ihr ständiges Geplapper manchmal eine Last gewesen, inzwischen wünschte er es sich wehmütig zurück.

»Helmut?« Sie sprach ihn so unvermittelt an, dass er zusammenschrak.

»Ja?«

»Wo wir gerade einmal allein sind ...« Sie räusperte sich.

»Ja?«, sagte er erneut und schämte sich fast, weil seine Stimme so drängend klang.

Hannah zögerte, dann winkte sie kopfschüttelnd ab. »Ach nichts.«

»Ach nichts? Ich sehe dir doch an, dass du etwas auf dem Herzen hast. Also: Raus mit der Sprache!«

Sie schüttelte abermals den Kopf. »Ist nicht so wichtig. Ich ... ach vergiss einfach, dass ich etwas gesagt habe.« Die letzten Worte kamen so leise, dass Helmut Mühe hatte, sie zu verstehen.

Wie sie dasaß, mit ihren eingezogenen Schultern! Gebückt, als trüge sie die ganze Last der Welt auf dem Rücken. Dieses Häufchen Elend war doch nicht seine Hannah!

Helmut schluckte. Wie gern hätte er sie jetzt einfach in den Arm genommen. So wie früher, so, wie es zwischen Mann und

Frau üblich war. Aber im Moment erstarrte sie bei der kleinsten Berührung zur Salzsäule und entwand sich seiner Umarmung. Dabei war er so vorsichtig, achtete immer darauf, nicht an ihr verletztes Bein zu stoßen. Früher hatte Hannah doch auch nicht genug kriegen können von seinen Umarmungen und Küssen! Aber seit sie aus Herrenberg zurück war, war sie kalt wie ein Fisch. Und er musste leben wie ein Mönch. Das war doch alles nicht normal!

Seraphine hingegen fand Hannahs Verhalten völlig verständlich. »Du musst geduldig mit ihr sein, der Unfall hat Hannah mehr zugesetzt, als sie uns alle glauben lassen möchte«, mahnte sie ihn immer wieder.

Ach verdammt!, fluchte er in sich hinein. Doch dann zwang er sich zu einem Lächeln und sagte: »Soll ich dir eine Scheibe Brot abschneiden? Oder willst du ein Stück Hefezopf? Warte, ich schau mal in der Speisekammer nach, ob noch welcher da ist.«

»Ich habe keinen Hunger«, sagte sie, noch bevor er aufstehen konnte.

»Aber …«

»Was aber? Wenn ich nicht essen will, dann will ich eben nicht! Musst du mich ständig bevormunden, als wäre ich ein kleines Kind?«

Verwirrt schüttelte Helmut den Kopf. »So war das doch nicht gemeint. Ich wollte doch nur …« Er verstummte, als Hannah aufstand.

»Ich bin dann weg.«

Helmut seufzte. »Jetzt warte doch! Die Brote kann auch ich zu Emma bringen, ich muss eh noch was erledigen, und die ›Sonne‹ liegt fast auf meinem Weg.« Mit einem Lächeln streckte er seine Hand nach den Broten aus.

»Danke, aber ich gehe lieber selbst. Oder sollte ich besser sagen: Ich humpele lieber selbst?« Mit einem rauen Lachen wandte sich Hannah von ihm ab.

»Dann komm ich mit! Ich könnte dich stützen, die Straßen sind heute Morgen teuflisch glatt, das habe ich beim Schneeschippen gemerkt ... Hannah, warte! Hannah!«

Betroffen schaute er ihr nach.

Wie sollte das nur weitergehen?

In der Nacht hatte es geschneit, und so früh am Morgen war Gönningen noch jungfräulich weiß. Später am Tag würden sich unzählige Fußspuren geschäftiger Hausfrauen, die letzte Besorgungen für den Heiligen Abend zu machen hatten, in das Weiß graben. Pferdeäpfel, von Fuhrwerken herabfallende Kohle, Wischwasser, das durch die Vordertür eines Hauses hinausgeschüttet wurde – all dies würde den Schnee mit schmutzigen Schlieren überziehen.

Aber noch war alles weiß.

Weiße Weihnachten – alle freuten sich darüber, dass der Schnee erst gekommen war, nachdem sich alle Händler wohlbehalten wieder im Dorf befanden. Weiße Weihnachten – die Kinder würden von früh bis spät mit ihren Schlitten die Hügel hinabfahren, ihr Lachen und Gekreische würde im ganzen Dorf zu hören sein. Die Kirche war mit einer Zuckerschicht überzogen, und auf dem Nachhauseweg vom Gottesdienst würde das Kerzenlicht in den Fenstern besonders festlich aussehen.

Warum kann ich mich nicht daran erfreuen?, fragte sich Hannah und schob sogleich hinterher: *Weil mir schöne Weihnachtsfeste wohl einfach nicht mehr vergönnt sind.* Schon die letzten beiden Weihnachten waren für sie traurig gewesen, warum sollte es dieses Jahr anders sein? Der Gedanke, dass ihre weinerliche Stimmung mit dem heiligen Fest zusammenhängen könnte, beruhigte sie zumindest ein wenig.

Durch die Hausreihen fuhr ein eisiger Wind, die Äste der nackten Bäume knackten wie alte Knochen. Vielleicht war es gar zu kalt zum Schlittenfahren?

Heftig blinzelnd stapfte Hannah durch den Schnee, die beiden Brote fest unter den Arm geklemmt.

Jetzt heul nicht gleich los, nur weil es ein bisschen zieht, fauchte sie sich innerlich an. *Und schau nicht immer nur zurück, es ist Zeit, endlich wieder nach vorn zu blicken!* Abrupt blieb sie stehen und tat genau das, was sie sich gerade erst verboten hatte: Sie schaute zurück, auf die unregelmäßigen Tapser im Schnee, die ihre Füße hinterlassen hatten. Dort der Abdruck ihres linken Schuhs, ganz normal. Rechts daneben eine verwischte Spur, undeutlich, hingehuscht wie bei einem lahmen alten Hund, der seine Beine nicht mehr ordentlich heben kann.

Tränen stiegen Hannah in die Augen, und sie hatten nichts mit dem eisigen Wind zu tun. Aufgebracht hastete sie noch einmal zurück, humpelnd und schlitternd und nur darauf bedacht, die schreckliche Spur ihres Gebrechens auszuwischen.

Aus dem Augenwinkel heraus sah sie, wie zu ihrer Linken eine Tür aufging. Marianne erschien, die sie mit offenem Mund anstarrte, als sei sie eine Verrückte.

Vielleicht bin ich ja verrückt, ging es Hannah trotzig durch den Kopf.

Wie gern war sie früher mit Helmut durch Gönningen gelaufen! Oder hinauf auf den Rossberg. Obwohl ihr Mann einen Kopf größer war als sie und viel längere Beine hatte, war sie so schnell marschiert wie er. Sie wusste, dass sie keinen leichtfüßigen Gang hatte, so wie andere Frauen. Ihre Mutter hatte früher oft geschimpft, wenn Hannah durch die Wirtschaft gepoltert war, als gelte es, einen Wettlauf zu gewinnen. Helmut hingegen hatte ihr rascher Schritt gefallen. »Mit dir kommt man wenigstens ein ordentliches Stück voran!«, hatte er mehr als einmal gesagt und ihr liebevoll den Arm um die Schulter gelegt.

Nun, das war ja erst einmal vorbei, dachte sie bitter. Mit einem Krüppel würde Helmut sicher nicht gesehen werden wollen.

Als Emma die Tür öffnete und Hannah vor sich sah, wusste sie nicht, ob sie sich freuen sollte. Käthe lag mit einer Erkältung im Bett und würde den ganzen Tag keine große Hilfe sein. In der Küche stapelte sich das Geschirr vom Vorabend, und Emma wollte noch zu Almuth in den Laden laufen, bevor diese schloss.

»Also, mit dir habe ich heute am allerwenigsten gerechnet!«, rutschte es ihr heraus. Mit einem Seufzer ließ sie den Wischlappen in den Eimer fallen. Sogleich quoll ihr eine scharfe Wolke Salmiakgeruch entgegen. Emma runzelte die Nase.

»Ich will dich nicht beim Putzen stören, aber das hier ist für euch beide!« Hannah hielt ihr ein Paket entgegen. »Frohe Weihnachten!«

Statt danach zu greifen, zog Emma die junge Freundin ins Haus.

»Du störst mich nicht, das weißt du doch. Zeit für eine Tasse Tee habe ich immer. Aber … Helmut ist doch jetzt zurück, da dachte ich, du hättest Besseres zu tun, als uns einsame Weiber zu besuchen.«

»Einsame Weiber!« Hannah lachte. »Wenn ich ehrlich bin, habe ich es zu Hause nicht mehr ausgehalten. Ich kann Seraphines Geplapper einfach nicht mehr hören! Seit die Männer wieder da sind, kennt sie nur noch ein Spiel und das heißt: *Weißt du noch?*«

Emma runzelte die Stirn. Sie hatte eigentlich keine Lust darauf, sich Hannahs Klagen über die Schwägerin anzuhören – in ihren Augen war Hannah, was Sera anging, viel zu empfindlich. Aber sie wusste auch, dass Hannah nicht eher wieder gehen würde, bevor sie sich ausgejammert hatte.

»›Weißt du noch, Helmut?‹«, äffte Hannah Seraphine nach. »›Damals, als Vater zu Weihnachten das kleine Zicklein mitgebracht hat und ich es als Spielgefährten haben wollte und nicht im Kochtopf? Und weißt du noch, wie wir früher immer des Nachts auf Schlitten den Rossberg hinabgefahren sind, mit

Fackeln in der Hand? Und weißt du noch dieses und weißt du noch jenes?‹« Hannah sprach mit normaler Stimme weiter. »Seraphine kramt im Augenblick jede gemeinsame Erinnerung mit Helmut aus, die ihr nur einfällt. An das meiste kann er sich gar nicht mehr erinnern, aber dann gibt er sich große Mühe.« Hannah schüttelte angewidert den Kopf. »Und dann lachen sie gemeinsam. So, wie zwei Menschen lachen können, die einen großen Teil ihrer Vergangenheit gemeinsam verbracht haben. Unbeschwert, mühelos. Mit mir lacht Helmut jedenfalls nicht so!«

Vielleicht hatte er bei ihr zurzeit einfach nichts zu lachen, ging es Emma durch den Kopf. So, wie Hannah ihn die ganze Zeit grantig anfauchte. Emma warf einen unauffälligen Blick auf das dicke Bund Tannengrün, das darauf wartete, auf den Fensterbrettern und den Tischen der Wirtsstube verteilt zu werden. Mit einem Seufzer wandte sie sich wieder ihrem Gast zu.

»Ach Kindchen, was ist denn schon dabei, sich an vergangene Zeiten zu erinnern? Zu Weihnachten wird man nun mal ein bisschen rührselig.«

»Rührselig!«, spie Hannah aus. »Das tut Sera doch nur, um mir wieder einmal das Gefühl zu geben, dass ich ewig eine Außenseiterin bleiben werde.«

Emma stellte zwei Tassen mit Tee auf den Tisch. Hannah umklammerte ihre Tasse, atmete tief den beruhigenden Duft nach Kamille ein. Ihre bisher so verbissene Miene entspannte sich ein wenig. Emma, die wusste, dass die tröstliche Wirkung einer Tasse Tee nicht lange anhalten würde, sagte:

»Mich wundert es, dass du überhaupt Zeit hast, dich mit Seraphine zu beschäftigen, jetzt, wo dein Mann wieder zurück ist. Normalerweise hat ein junges Ehepaar, wie ihr es seid, in diesen Tagen doch genug mit sich selbst zu tun. Erzähl mir nicht, dass dies bei euch anders ist!« Sie machte ein verschmitztes Gesicht.

Gedankenverloren rührte Hannah in ihrer Teetasse, obwohl Emma keinen Zucker dazugestellt hatte.

Emma seufzte. »Was ist los? Ich sehe dir doch an, dass dich noch irgendwo der Schuh drückt.«

Im selben Moment, als ihr aufging, wie doppeldeutig ihre Worte waren, schluchzte ihr Gegenüber auch schon los.

»Helmut, er … er meint es so gut! Und ich bin so garstig zu ihm«, sagte sie schluchzend. »Ständig fragt er mich, wie es mir geht. Alles will er mir abnehmen. Wenn's nach ihm ginge, würde ich von früh bis spät untätig dasitzen und Tante Finchen Gesellschaft leisten. Er ist so besorgt!«

»Aber das ist doch gut!« Konsterniert schüttelte Emma den Kopf. »Nicht alle Männer wären so rücksichtsvoll wie er.«

»Ich will das aber nicht, verstehst du? Ich will seine Rücksicht nicht! Ständig fragt er nach meinem Fuß – ob er wehtut, ob ich schon gerade auftreten kann, ob ich nicht doch noch einmal den Arzt aufsuchen will – da könnte ich aus der Haut fahren! Und manchmal tu ich das auch. Ich habe langsam das Gefühl, dass ich nur noch aus diesem elenden Fuß bestehe. Mich, Hannah, nimmt Helmut gar nicht mehr wahr. Und wenn wir allein sind …« Sie wandte den Blick ab. »Im Schlafzimmer ist es auch nicht mehr wie zuvor. Auch da tut er, als sei ich gebrechlich.«

Emma runzelte die Stirn. »Kann es sein, dass du ein wenig ungerecht bist, meine Liebe? Für Helmut war es gewiss ein Schreck, von deinem Unfall zu erfahren. Es ist doch kein Wunder, wenn er sich um dich sorgt und Rücksicht übt.« Sie nickte in die Richtung, wo Käthe im hinteren Zimmer krank im Bett lag. »Meine Käthe muss mit ihrem Klumpfuß ganz allein zurechtkommen. Sie würde sich nichts sehnlicher wünschen als jemanden, der sich so liebevoll um sie kümmert.«

Hannahs Hand schlug mit einer solchen Heftigkeit auf der Tischplatte auf, dass Emma zusammenzuckte. Doch viel mehr noch ließen Hannahs nächste Worte sie erstarren.

»Ich will aber nicht wie ein Krüppel behandelt werden, verdammt nochmal! Ich bin ein ganz normaler Mensch!«

»Ach, und Käthe ist kein normaler Mensch, weil sie *ein Krüppel* ist?«, schrie Emma zurück. Dann presste sie die Lippen zusammen, bevor sie in ihrem Zorn Dinge sagte, die sie später bereuen würde.

Doch im Grunde gab es nichts mehr zu sagen.

Emma spürte eine tiefe Traurigkeit in sich aufsteigen. Sie stand so abrupt auf, dass ihr Stuhl auf dem feuchten Wirtshausboden ein quietschendes Geräusch machte. »Vielleicht ist es das Beste, wenn du jetzt gehst!«

Auf der Straße starrte Hannah auf die beiden Schnitzbrote, die Emma ihr wieder in die Hand gedrückt hatte.

Was hatte sie nur getan!

Sie wusste gar nicht genau, *was* es gewesen war, das Emma so sehr verletzt hatte. Ihr eigener Schmerz war zu groß, als dass sie den anderer Menschen hätte wahrnehmen können. Aber eines wusste sie: Sie hatte Emma verletzt – ihre einzige Freundin in Gönningen. Emma, die immer für sie da gewesen war.

Sie war nicht nur ein Krüppel und eine Last für alle anderen. Sie war auch noch ein boshafter Mensch geworden.

Und sie war nun ganz allein.

40

Das alte Jahr huschte zur Tür hinaus wie ein Gast, der seinen Besuch zu lange ausgedehnt hat und dies zu spät merkt – und niemand in der Familie Kerner war ihm deswegen böse.

Doch das neue Jahr machte den Gönningern gleich das Leben schwer, mit viel Schnee, unter dessen Last die Äste der

Bäume zu brechen begannen, manche Dächer in sich zusammensackten und Kamine nicht mehr richtig zogen.

Emma und Käthe reisten ins Hohenlohische, ohne dass sich Hannah von ihnen verabschiedete.

Als es Anfang Februar darum ging, die Obstbäume zu beschneiden, war es Seraphine, die den Baumschnitt zur Feuerstelle schleppte und dort verbrannte.

»Am Ende stolperst du noch über ein Holzbündel«, sagte sie zu Hannah.

Und Hannah blieb zu Hause.

Sie war nicht dabei, als im März die Felder umgegraben wurden. Es war Seraphine, die den Männern beim Hacken und Düngen zur Hand ging.

»Mit deinem Fuß kommst du doch eh nur im Schneckentempo voran, du wärst also sowieso keine große Hilfe«, sagte sie, als sich Hannah die Arbeitsschuhe anziehen wollte.

Und Hannah blieb zu Hause.

Als Mitte April die Tulpen zu blühen begannen, nahm Hannah dies nur mit einem beiläufigen Blick wahr. Von den Dutzenden von Tulpenzwiebeln, die sie im vergangenen Herbst so mühevoll gesteckt hatte, hatte sich nur ein Bruchteil zu schönen Pflanzen entwickelt. Manche trieben nur ein paar magere, lange Blätter, viele Stellen im Beet blieben gänzlich kahl.

»An den Zwiebeln hatten die Mäuse wohl einen Festtagsschmaus«, mutmaßte Wilhelmine.

»Der eisige Winter ist schuld daran«, sagte Gottlieb.

»Nein, ich«, sagte Hannah. »Wahrscheinlich habe ich sie zu tief gesteckt.«

Helmut dagegen schimpfte lang und breit auf Piet, den holländischen Tulpenzwiebellieferanten, der ihnen mindere Ware angedreht hatte. »Da werden noch einige Klagen von unseren Kunden auf uns zukommen! Das kommt davon, wenn man seine Bestellungen nur noch schriftlich abgibt und sich nicht mehr persönlich bei den Lieferanten blicken lässt«, sagte er ärgerlich, doch Hannah hörte nicht mehr hin. Wie hatte sie sich einbilden können, Geschick für gärtnerische Dinge zu haben, fragte sie sich stumm. Mit Helmut, der ihr zuliebe Piet die Schuld zugeschoben hatte, sprach sie einen ganzen Tag lang nicht.

Als Tante Finchen Ende April völlig unerwartet starb – sie wachte eines Morgens einfach nicht mehr auf –, blieb Hannah keine andere Wahl, als das Haus zu verlassen. Während des Gottesdienstes vergoss sie keine Träne, obwohl rings um sie herum heftig geschnieft und geschnupft wurde. Doch kaum auf dem Friedhof angekommen, brachen ihre Dämme. Niemand ahnte, dass es vor allem der Anblick der Aberhunderte von Tulpen war, mit denen sich der Gönninger Friedhof in jedem Frühjahr schmückte, der sie zum Weinen brachte. Die Pracht der Blumen, die ausgerechnet hier, zwischen all den Toten, die alljährliche Wiedergeburt der Natur lobpreisten, machte Hannah plötzlich ihr eigenes jämmerliches Dasein bewusst. Wie hatte sie sich in den vergangenen Jahren immer auf das Frühjahr gefreut! Darauf, endlich wieder Farben zu sehen und nicht mehr nur das Schwarz-Weiß des Winters. In diesem Jahr taten ihr die Farben in den Augen weh, und ihr Blick wanderte beinahe sehnsüchtig zu Finchens Grab.

Sie zog zwar wie im vergangenen Jahr Gemüsestecklinge auf den Fensterbrettern vor, doch als Helmut sie nach den Eisheiligen fragte, ob sie die kleinen Pflänzchen gemeinsam ins Freie setzen sollten, winkte sie lustlos ab. So war es Seraphine, die diese Aufgabe übernahm – »Hannahs Acker« gab es nicht mehr.

»Und du bist dir sicher, dass du nicht mit nach Reutlingen kommen willst?«, fragte Valentin nicht zum ersten Mal an diesem Morgen.

Statt zu antworten, schnaubte Seraphine lediglich. Mit gerunzelter Stirn bemühte sie sich, ihr Kopftuch hinten im Nacken zu knoten, was ihr sichtlich schwer fiel. Am Ende bedeckte das winzige Tuch lediglich einen kleinen Teil ihres Kopfes und sorgte zumindest dafür, dass die silbernen Strähnen ihr nicht in die Stirn fielen.

Valentin sah sie bewundernd an. Bei jeder anderen Frau wäre ein Kopftuch lediglich eine praktische Kopfbedeckung beim Arbeiten gewesen – bei Seraphine unterstrich das graublaue Tuch noch den Glanz ihrer Haare, die dunklen, von langen Wimpern umkränzten Augen und machte sie noch schöner.

»Es reicht doch, wenn du und Hannah euch einen faulen Lenz macht!«, antwortete Seraphine nun, da sie ihre Aufgabe bewältigt hatte.

»Einen faulen Lenz machen – was soll das denn heißen? Es war doch deine Idee, dass ich Hannah mit nach Reutlingen nehmen soll!« Gereizt schaute Valentin in Richtung Treppe. Wie lange würde sich die Schwägerin noch Zeit lassen? Dass die Frauen immer so ewig brauchten! Sicher würde Lutz gleich mit seinem Wagen um die Ecke biegen, und er war bestimmt nicht begeistert, wenn er auf seine Mitfahrer warten musste.

»Ein bisschen Abwechslung kann Hannah nur gut tun. Vielleicht wird sie dadurch ein wenig umgänglicher ...« Seraphine lächelte freundlich.

»Dir würde ein Bummel durch die Stadt aber auch nicht schaden«, entgegnete Valentin. »Du bist doch früher so gern nach Reutlingen gefahren! Der Besuch beim Stempelmacher wird schnell erledigt sein. Danach könnten wir Kaffee trinken oder die Geschäfte anschauen. Es tut weiß Gott nicht Not, dass du dich immer nur schindest!«

Natürlich war Valentin stolz darauf, dass sich seine Frau so ins Zeug legte und Hannah entlastete, wo es nur ging. Andererseits waren ihm Seraphines Arbeitseifer und ihre Besorgtheit in Bezug auf die Schwägerin geradezu unheimlich. Doch allzu lange wollte er sich bei diesem Gedanken nicht aufhalten, er führte stets dazu, dass sich eine dunkle Wolke über ihm zusammenbraute und er zu grübeln begann.

»Jetzt, wo Hannah ausfällt, müssen wir anderen zusammenhalten«, betonte Seraphine immer wieder. Alle stimmten ihr zu, da konnte er, Valentin, schlecht etwas dagegen sagen. Aber insgeheim war er der Ansicht, dass Hannah viel zu viel und schon viel zu lange geschont worden war. Dass ihr das ewige untätige Herumsitzen nicht gut tat, konnte doch ein Blinder sehen! Und was Seraphines Absichten in der ganzen Angelegenheit anging …

»Du könntest ruhig mitfahren«, wiederholte er mürrisch.

»Durch die Stadt bummeln und Kaffee trinken!« Seraphine schüttelte den Kopf. »Etwas anderes fällt dir nicht ein? Und dein Bruder soll ganz allein die Kartoffeln anhäufeln?« Sie hob kritisch die Brauen.

»Heute Nachmittag hätte ich ihm dabei helfen können, ich verstehe deinen Übereifer wirklich nicht!«

Dass Seraphine jede noch so unerquickliche Aufgabe willkommen hieß, wenn sie dabei nur Seite an Seite mit Helmut arbeiten konnte, war sogar schon der Mutter aufgefallen. »Die beiden geben ein feines Paar ab«, hatte sie am Fenster stehend vor sich hin gemurmelt, während Sera und Helmut im Garten das Laub vom Vorjahr zusammenrechten. »Da hätte was draus werden können«, fügte sie noch seufzend hinzu. Als sie Valentin, der sich neben sie gestellt hatte, gewahr wurde, lief sie puterrot an. »Eine fleißige Frau hast du dir da genommen!« Ihre betonte Munterkeit hatte die steile Falte auf seiner Stirn nicht glätten können. Der Anblick von Seraphine und Helmut, die sich lachend mit Laub bewarfen, ließ seine alte Eifersucht auf den Bruder mit Macht wieder aufwallen. Dabei sah man Helmut in diesen Tagen selten genug lachen! War es da nicht geradezu schäbig von ihm, dem Bruder diesen fröhlichen Moment nicht zu gönnen? Aber musste er die fröhlichen Momente ausgerechnet mit seiner, Valentins, Frau erleben?

Hastig verdrängte Valentin das Bild aus seinem Kopf und starrte verdrießlich auf Seraphine hinab, die sich gerade die schweren Arbeitsstiefel zuband. Wie penibel sie dabei vorging – als ob sie sich auf ein Rendezvous vorbereitete!

»Dann geh halt auf deinen dämlichen Acker!«, rief er plötzlich aufbrausend. »Aber eins sag ich dir: So kann das nicht weitergehen. Vor lauter Schufterei bist du abends immer müde. Zu müde, um … ach, du weißt schon! Seit meiner Rückkehr haben wir noch kein einziges Mal …« Erbost trat er gegen die Tür. Warum fiel es ihm so schwer, über solche Dinge zu reden? Sie war doch seine Frau! Er verlangte doch nicht mehr als sein gutes Recht! Warum war es überhaupt *notwendig*, über solche Dinge zu sprechen?, fragte er sich, während ihn Seraphines verächtlicher Blick traf.

»Ach, daher weht der Wind!« Sie lachte rau. »Während ich mich von früh bis spät schinde, denkst du nur daran! Und jetzt nimmst du mir auch noch übel, dass ich abends vor lauter Erschöpfung wie tot ins Bett falle. Da habe ich mir einen guten Ehemann angelacht!« Kopfschüttelnd und ohne ein weiteres Wort des Abschieds verließ sie das Haus.

Für Ende Mai war es schon erstaunlich heiß. Als Valentin und Hannah die Werkstatt des Stempelmachers verließen, kam es ihnen vor, als marschierten sie einem offenen Ofenrohr entgegen, in dem ein stattliches Feuer glühte. Der Himmel war strahlend blau, doch in Richtung Alb türmten sich weiße Wolkengebirge auf, die nichts Gutes verhießen.

Hannah öffnete den obersten Knopf ihrer Bluse und fächelte sich ein wenig Luft zu.

»Hoffentlich hat Helmut nichts dagegen, dass wir jetzt doch

die verschnörkelte Schrift gewählt haben«, sagte sie, während sie nach einem Schatten spendenden Baum Ausschau hielt. »Aber sie passt recht gut zu den Tütchen mit Blumensamen.«

Valentin warf einen Blick auf die nahe Kirchturmuhr. Es war noch nicht einmal elf Uhr. Lutz – den Nachbarn, der sie auf seinem Wagen mitgenommen hatte – würden sie erst um eins wieder treffen. Zeit genug, sein Vorhaben, das er sich für die Fahrt nach Reutlingen ausgedacht hatte, in die Tat umzusetzen.

»Also, ich hätte jetzt Lust auf ein kühles Bier! Gleich die Straße hinunter gibt es eine preiswerte Wirtschaft, in der man auch gut essen kann.«

Hannah starrte in die Richtung, in die er mit seinem Arm zeigte. Ihre Augen weiteten sich in Panik.

»Ich … eigentlich habe ich gar keinen Hunger. Und auch keinen Durst«, sagte sie, während sie im selben Moment ihre trockenen Lippen mit der Zunge anfeuchtete. »Deine Mutter wäre außerdem nicht sehr begeistert, wenn wir für Essen und Trinken Geld ausgeben. Können wir uns nicht einfach dort auf das Mäuerchen setzen und auf Lutz warten?«

Valentin, der mit genau dieser Reaktion gerechnet hatte, sagte: »Ich sitz doch nicht stundenlang in der brütenden Hitze herum! Nichts da, jetzt lade ich dich zu einem ordentlichen Essen ein. Und zu einem Bier!« Er reichte Hannah seinen Arm. »Na los, komm!«, sagte er betont fröhlich.

»Lass mich, ich kann allein laufen«, fauchte Hannah. Ohne ein weiteres Wort humpelte sie los.

Ein Grinsen unterdrückend, lief Valentin hinter ihr her. Na also, es ging doch!

»So, und jetzt sag mir mal, wie lange das noch so weitergehen soll!«, begann er, nachdem die Wirtin zwei große Humpen Bier vor sie hingestellt hatte. Er nahm einen tiefen Schluck und lehnte sich dann mit verschränkten Armen zurück, als erwarte er, eine längere Geschichte zu hören.

»Ich … was meinst du? Wovon redest du?« Stirnrunzelnd schaute Hannah ihn an.

»Nun, ich frage mich, wie lange du noch tatenlos zusehen willst, wie Seraphine dir all deine Aufgaben wegnimmt …«

»Wegnimmt? Sie … sie hilft mir, dagegen kann ich doch schlecht etwas sagen, oder?«, erwiderte Hannah in aggressivem Ton. Dass ihr das Thema nicht gefiel, sah Valentin daran, wie sie mit ihrem Stuhl ein Stück nach hinten rutschte, als wolle sie möglichst viel Distanz zwischen sich und ihn bringen. *Das wird dir nichts nutzen,* dachte er. Einer musste endlich Klartext mit Hannah reden, und wenn ihr eigener Mann es nicht tat, weil Seraphine ihm den Kopf voll quasselte mit ihren dummen Ansichten, dann oblag diese Aufgabe eben ihm.

»Ach, und es macht dir Spaß, von früh bis spät nutzlos daheim herumzusitzen und uns beim Arbeiten zuzuschauen?«, fuhr er sie an. Oje, jetzt hatte er den Bogen wohl überspannt! Schuldbewusst stellte er fest, dass ihre Augen wässrig wurden. Trotzdem tat er nichts, um seine Barschheit wettzumachen.

»Was soll ich denn tun?«, rief Hannah so laut, dass sich einige Köpfe zu ihr herumdrehten. »Ich bin ein Krüppel, falls du das noch nicht gemerkt hast! Ich humpele! Ohne mich wärst du doch doppelt so schnell die Straße entlanggelaufen! Glaub nicht, dass ich nicht gemerkt hab, wie du aus Rücksicht auf mich langsam gegangen bist. Ich bin doch für alle nur noch eine Last! Und da soll ich mich hinstellen und Seraphine ins Gesicht sagen, dass sie sich zum Teufel scheren soll?« Lautlos begann sie zu weinen.

Valentin schüttelte den Kopf. Er war versucht, sie in den Arm zu nehmen und tröstliche Worte zu flüstern, doch Mitleid war hier fehl am Platz. So fehl wie all das Mitleid, das Hannah in den vergangenen Monaten von der Familie entgegengebracht wurde. Das so genannte Mitleid …

»In guten wie in schlechten Zeiten – das hast du doch Helmut versprochen! Oder kannst du dich nicht mehr daran erinnern?«

Von einem Moment auf den anderen verschwand die Sonne, die gerade noch weiße Streifen durchs Fenster geworfen hatte. Schlagartig wurde es in der Wirtsstube dunkel.

Hannah blinzelte Valentin durch einen Tränenschleier an. »Was hat denn das damit zu tun? Helmut kann man weiß Gott keinen Vorwurf machen. Er ist für mich da, auch jetzt, in den *schlechten* Zeiten«, sagte sie sarkastisch.

Valentin lachte leise auf. »Und du?«

»Was – und ich?«, kam es feindselig zurück.

»Bist du auch für ihn da? Oder merkst du vor lauter Selbstmitleid gar nicht, wie sehr *er* leidet?«

»Er leidet, weil seine Frau ein Krüppel ist!«, schleuderte sie Valentin entgegen. »Wie nett von dir, mich darauf aufmerksam zu machen!« Ihre Gesichtsmuskeln hatten sich verhärtet. Sie starrte stur geradeaus.

Im selben Moment krachte es draußen. Der Donner ließ die Fensterscheiben in ihren Rahmen klirren.

Valentin seufzte. Hoffentlich war das Gewitter vorüber, bis sie die Wirtschaft wieder verließen.

»Du täuschst dich, meine Liebe. Helmut leidet, weil du dir nicht helfen lässt! Weil ihr keine richtige Ehe mehr führt! Weil du dich kaum noch um Flora kümmerst! Stattdessen suhlst du dich lieber in deinem Selbstmitleid. Du hast schon Recht: Helmut ist für dich da, aber du – du bist nicht für ihn da. Am Anfang, als wir aus Böhmen zurück waren, da hättest du seine Hilfe annehmen sollen. Und dann, nach einiger Zeit, hättest du zu ihm sagen sollen: ›Vielen Dank, jetzt brauche ich deine Hilfe nicht mehr, denn ich bin selbst wieder stark genug! Von nun an erledigen wir unser Tagwerk wieder gemeinsam!‹ Darum geht es doch zwischen Mann und Frau, oder?«

Die Wirtin stellte zwei Teller dampfend heißer Kutteln vor

ihnen ab. Sowohl Valentin als auch Hannah waren dankbar für diese Unterbrechung.

Valentin hatte sich endlich einmal alles, was ihm wegen Hannah durch den Kopf ging, von der Seele gesprochen. Deshalb begann er lustvoll zu essen. Doch Hannah stocherte in ihrem Essen nur herum.

»Du glaubst also, ich hinke nur zum Spaß«, sagte sie so leise, dass ihre Stimme im nächsten Donnerkrachen fast unterging.

»Nein, das glaube ich nicht«, erwiderte Valentin mit vollem Mund. »Aber ich finde, das alles ist viel weniger schlimm, als du annimmst. Ganz ehrlich, ich habe vorhin völlig vergessen, dass mit deinem Fuß etwas nicht stimmt! Du läufst doch längst wieder fast normal! Und wenn du dabei nicht mehr ganz so schnell bist wie früher, macht das doch nichts – du warst ja eh immer viel zu flink unterwegs!«

»Das sagst du! Und vielleicht ist es sogar wahr. Aber die anderen … Seraphine …«

Valentin zeigte mit der Gabelspitze direkt auf Hannah. »Jetzt kommen wir langsam auf den Punkt!«, sagte er und konnte den Triumph in seiner Stimme nicht verbergen. »Denk doch mal darüber nach! Vielleicht passt es meiner Seraphine ganz gut in den Kram, dich leidend und schwach zu sehen. Denn so hat sie ihren *geliebten* Helmut ganz für sich allein …« Trotz der Ironie in seinen Worten ließ sich der Schmerz, der ihn im selben Moment durchfuhr, nicht unterdrücken. Plötzlich war er so wütend auf Hannah, dass es ihn Mühe kostete, sie nicht an den Schultern zu packen und sie kräftig zu schütteln.

Warum sah sie nicht, was er sah? Sah nicht, wie Seraphines Hand bei Tisch unauffällig über Helmuts Hand streifte, während sie ihm den Brotkorb reichte. Wie sie ihn einen Moment zu lange am Ärmel festhielt, um ihn auf irgendeine Kleinigkeit aufmerksam zu machen. Der Hunger in ihren Augen, wenn er zur Tür hereinkam. Die leichte Röte, die ihr in seiner Gegenwart in die Wangen stieg. Er selbst war gewiss kein Meister, wenn es um die Verführungskünste zwischen Mann und Frau ging – er hatte seine Leidenschaft für Seraphine im Geheimen ausleben müssen. Dennoch war ihm klar, was er zu Hause vor Augen hatte: das ewig alte, ewig gleiche Spiel der Betörung. Man musste Helmut zugute halten, dass dieses Spiel bisher sehr einseitig gespielt wurde. Aber wie lange noch?

Valentins Augen hefteten sich auf Hannah, und er sagte mit angestrengter Stimme: »Die Hannah, die ich früher kannte, hätte sich so etwas nicht gefallen lassen ...«

Während Hannah auf ihren Teller Kutteln starrte, als läge die Weisheit zwischen den Innereien verborgen, hob und senkte sich ihr Brustkorb so heftig, als wäre sie durch die halbe Stadt gerannt. In ihrem Gesicht zuckte es. Valentin hatte fast das Gefühl, das Durcheinander in ihrem Kopf sehen zu können. *Wach auf, Mädle! Wach endlich auf!,* rief er ihr stumm zu. *Und hilf damit auch mir, meine Frau nicht ganz zu verlieren.*

Nach einer langen Zeit schaute Hannah auf. Ihr Blick war klar und bestimmt.

»Du hast völlig Recht: Ich bin Helmut in letzter Zeit keine gute Frau gewesen! Dieses Suhlen im Selbstmitleid ... Das passt so gar nicht zu mir!« Sie klang verwundert. »Wieso erkenne ich das erst jetzt?« Mit einem schiefen Lachen schüttelte sie den Kopf, als wolle sie sich von Spinnweben befreien. »Ist denn nicht nur mein Schritt, sondern auch mein Denken langsamer geworden?« Abrupt stand sie auf und stieß mit ihrer Hüfte so ungeschickt gegen die Tischkante, dass die Teller klirrten.

»Das hat jetzt ein Ende. Ich will nach Hause, zu Helmut. Ich glaube, wir haben viel miteinander zu besprechen.«

41

Seraphine zitterte, wie sie noch nie in ihrem Leben gezittert hatte. Doch schuld war nicht die Kälte oder der Regen, der ihre Kleider völlig durchnässt hatte. Ihr war nicht kalt, ganz im Gegenteil, sie fühlte sich heiß und fiebrig.

Was sie beben ließ, war die Aussicht auf das, was folgen würde. Was folgen *musste*, weil das Schicksal es so bestimmt hatte.

Siehst du, Evelyn, es geht doch, rief sie im Stillen ihrer Freundin zu. *Es geht doch! Ich bekomme mein Leben zurück, weil ich ihn zurückbekomme …*

Und ausgerechnet in dieser unseligen Hütte, wo es nach nassen Kartoffelsäcken und Erde roch, hier, wo sie ihre »Hochzeitsnacht« verbracht hatte, während Helmut …

Nein, nicht daran denken, das Leben war zu schön, das Leben meinte es zu gut, als dass sie noch länger mit ihrem Schicksal hadern musste.

Alles würde wieder zurechtgerückt werden.

Hier, in dieser elenden Hütte, natürlich! Wo sonst?

Als sie Helmuts fragenden Blick sah, wischte sie das Lächeln von ihrem regennassen Gesicht.

»Vielleicht hätten wir uns doch besser gleich auf den Weg nach Hause gemacht …«

Er starrte aus dem Fenster. Die düsteren Gewitterwolken, die über die Alb gekommen waren, hingen noch immer tief und schwer über dem Tal.

»Allmählich lässt der Regen nach, wenn wir uns beeilen …«

»Nach Hause zu gehen ist viel zu gefährlich, das hast du selbst gesagt«, widersprach Seraphine, obwohl sogar ein Kind hätte sehen können, dass das Gewitter schon weitergezogen war. »So wild, wie die Blitze gerade noch über den Himmel geschossen sind! Der eine … Ich hatte richtig Angst, dass wir g … getroffen werden.« Ihre Zähne klapperten so, dass sie kaum ein Wort herausbrachte.

Helmut wandte sich vom Fenster ab. »Du zitterst ja vor Kälte! Und wir haben nichts, womit wir uns wärmen können.« Sein Blick wanderte in Richtung Tür. »Ich lauf nach Hause und hole dir wenigstens eine Jacke oder –«

»Nein«, fuhr Seraphine dazwischen. »Ich b … brauche nichts. Da unten im Schrank liegt ein ganzer Stapel Decken!« Noch während sie sprach, machte sie sich an den kleinen Knöpfen ihres Oberteils zu schaffen. Immer wieder rutschten ihre Finger von den glitschigen Perlmuttknöpfen ab. Es hätte nicht viel gefehlt, und sie hätte sich die Kleider vom Leib gerissen!

»Sera!« Erschrocken ließ Helmut die Decke, die er aus dem muffigen Schrank gekramt hatte, sinken. »Du … Du kannst doch nicht so einfach …«

»Würdest du mir bitte den Rücken abtrocknen? Mir ist so kalt!« Sie lächelte ihn an.

»Ich weiß nicht …« Unschlüssig trat er von einem Bein aufs andere. »Wäre das nicht unziemlich? Ich meine …«

Fast hätte Seraphine laut herausgelacht, stattdessen presste sie ein Geräusch hervor, das entfernt an ein Niesen erinnerte. Ohne große Anstrengung zitterte sie weiter.

»Also gut!«, sagte Helmut und lachte verlegen. »Ich will ja nicht schuld daran sein, dass du nächste Woche mit einer Lungenentzündung daniederliegst.« Etwas unbeholfen begann er, mit der kratzigen Decke ihren Rücken abzurubbeln.

Als er an ihrer Schulter angelangt war, hielt Seraphine seine Hand fest. Gleichzeitig drückte sie ihren Rücken an seine Brust und wandte ihm den Kopf zu. Ihr Mund war trocken vor Begierde. Sie fuhr sich mit der Zunge über die Lippen.

»Weißt du, dass ich mir früher oft vorgestellt habe, wie du mich berührst?«, sagte sie mit halb geschlossenen Augen.

»Sera ...«

»Nein! Bleib hier, bei mir.« Bevor er sich ihrem Griff entziehen konnte, führte sie seine Hand nach vorn, an ihren Busen. O wie süß war es, seine von der harten Arbeit mit Schwielen überzogenen Hände zu spüren! Ihre Brustwarzen drängten sich ihm entgegen, hart, geschwollen –

»Wir gehören zusammen«, flüsterte sie, während sie sich noch enger an ihn schmiegte. »Das habe ich schon immer gewusst. Schon ganz früh, ich war noch keine dreizehn, habe ich von dir geträumt. Meinen Prinzen habe ich dich genannt. Nachts, wenn ich allein in meinem Bett lag, habe ich mir ausgemalt, wie deine Hände über meinen nackten Körper gleiten, jeden Finger habe ich auf meiner Haut gespürt. Wie jetzt, siehst du? So weiche Haut ... Und dann, wenn ich es nicht mehr aushielt, habe ich mir vorgestellt, wie deine Hand immer tiefer rutscht, wie du meine Beine öffnest ...« Hastig schleuderte sie die schweren Arbeitsschuhe, die sie zuvor aufgebunden hatte, von den Füßen. Alles in ihr drängte danach, ihren Leib fest an den seinen zu pressen, ihn zu spüren –

Seine Hand bewegte sich nun von selbst, liebkoste ihre Brust. Er stöhnte leise.

Sternenfee, danke!

Im nächsten Moment fiel sie fast hintenüber – so plötzlich war Helmut von ihr abgerückt.

»Sera!« Entgeistert starrte er sie an. »Wir ... Wir können doch nicht so einfach ... Was ist nur in dich gefahren?« Er schüttelte den Kopf, seine Augen auf ihre Brüste gerichtet.

Sie lächelte ihr engelsgleiches Lächeln. Wie hilflos er war angesichts dessen, was sie ihm bot! Wie überrascht. Sie war für ihn bestimmt, das musste er doch wissen.

Ihr Atem kam nun unregelmäßig, ein Widerhall ihres Herzschlags, es fiel ihr schwer, klare Gedanken zu formen, alles war so weich, so warm, so süß.

Ja, sie hatten lange aufeinander warten müssen.

Zu lange?, fragte sich Seraphine, als sie Helmuts zweifelnde Miene wahrnahm. Manchmal war es so im Leben: Wenn man zu lange allzu sehnsüchtig auf etwas wartete, war es am Ende schwer, die Freude zu empfinden, die man sich ausgemalt hatte. Bestimmt erging es ihm so!

Wenn er ihr doch nur ein wenig entgegenkommen würde! Es war doch so richtig, was sie hier taten.

Sie nahm seine Hand, führte sie an ihre Wange, küsste die Innenfläche.

»Du brauchst dich nicht dagegen zu wehren«, murmelte sie, als würde sie einem verängstigten Tier zureden. »Du und ich – wir beide …«

»Ich glaube, so nass bin ich in meinem ganzen Leben noch nicht geworden! Von wegen: Mairegen bringt Scheunensegen – den Tod kann man sich heute holen!«, sagte Hannah, als sie von Lutz' Wagen stieg. Endlich daheim!

»Hoffentlich haben Helmut und Seraphine es noch vor dem Gewitter nach Hause geschafft!« Sie zog ihre Stiefel aus und eilte ins Haus, ohne auf Valentin zu warten.

Lächelnd schaute er ihr nach, während er ihren triefenden Umhang, den sie einfach auf den Boden hatte fallen lassen, an einen Haken hängte.

»Sie sind nicht da!« Entgeistert kam Hannah aus der Küche zurück. »Deine Mutter sagt, sie seien trotz des Regens nicht nach Hause gekommen! Hoffentlich ist nichts passiert …«

Valentin schwieg stirnrunzelnd.

Hannah biss sich auf die Lippen. Dass sie Helmut nicht antreffen würde, damit hatte sie nicht gerechnet. Sie wollte doch mit ihm reden! Ihm sagen, wie Leid ihr alles tat. Ihre Weinerlichkeit, ihre Garstigkeit, ihre … Feigheit. Danken wollte sie ihm für alles, ihm sagen, wie sehr sie ihn liebte. Und dann wollte sie ihn an sich drücken und ihn nie wieder loslassen.

In guten wie in schlechten Zeiten ... wie poetisch Valentin dies ausgedrückt hatte. Poetisch und gleichzeitig so schlicht, dass es ihr die Schamröte ins Gesicht trieb, weil sie selbst dieses Bekenntnis aus den Augen verloren hatte.

Mit jedem Stück, das der Wagen in Richtung Gönningen gerumpelt war, hatte ihre innere Unruhe, aber auch ihre Freude zugenommen. Hannah hatte das Gefühl, als wäre sie aus einem bösen Alptraum erwacht, noch etwas zittrig und verwirrt, aber zutiefst erleichtert darüber, dass es nur ein böser Traum gewesen war und der Tag sich nun wieder hell und klar und ohne Düsternis zeigte. Nun lag es an ihr, alles wieder in Ordnung zu bringen, ihr Tagwerk wieder aufzunehmen.

Auch ohne Valentins klärende Worte hatte sie längst gespürt, dass Seraphine sie mit ihrer »Hilfsbereitschaft« an den Rand drängen wollte – das musste sie zugeben. Aber sie hatte vor dieser Erkenntnis die Augen verschlossen. Hatte so getan, als ob alles ganz normal wäre. Denn sonst hätte sie handeln müssen, und das traute sie sich nicht zu. Wie sehr sie durch ihr Verhalten auch Helmut gequält hatte, war ihr allerdings erst durch Valentins Worte klar geworden.

Nun hatte sie keine Zeit zu verlieren.

Schneller, schneller!, hätte sie Lutz' Pferden am liebsten zugerufen. Es hätte nicht viel gefehlt, und sie hätte dem Nachbarn die Peitsche aus der Hand genommen. Lutz selbst hatte die Pferde angetrieben, auch ihm war daran gelegen, so schnell wie möglich nach Hause zu kommen.

Doch nun war Helmut nicht da. Und Seraphine fehlte ebenfalls.

»Die Kartoffeln haben wir dieses Jahr auf den Schinderacker gesetzt«, sagte Valentin unsicher.

»Der Schinderacker – der liegt doch fast eine Meile außerhalb des Dorfes?« Eine Meile. Das war zwar ein ordentliches Stück Weg, aber doch nicht so weit, als dass man es mit zwei gesunden Beinen nicht rechtzeitig vor dem schweren Gewitter hätte bewältigen können.

Valentin nickte. »Und ganz in der Nähe ist unsere Hütte. Wahrscheinlich haben die beiden dort Schutz gesucht.« Seine düstere Miene machte dem Wolkenspiel vor dem Fenster Konkurrenz.

Hannahs und Valentins Blicke kreuzten sich, und jeder konnte in den Augen des anderen mehr lesen, als ihm lieb war.

Hannah biss sich auf die Lippen. *Bleib ruhig, alles wird gut!*, murmelte sie stumm in sich hinein.

»Ich laufe los und bring den beiden etwas Trockenes zum Anziehen. Suchst du mir etwas für Seraphine heraus? Los, beeil dich!«, setzte sie hinzu, als Valentin ihr nicht sofort die Treppe hinauf folgte.

Vor seinem Schlafzimmer blieb Valentin stehen. »Soll ich nicht mitgehen? Der Weg ist weit und …«

Hannah beschloss, die Sorge, die in seinen Worten mitschwang, zu ignorieren. Sie lachte gekünstelt. »Hast du mir vorhin nicht lang und breit erklärt, dass ich mich nicht weiterhin so anstellen soll?«

»Ja schon, aber …«

»Ich schaff das schon«, erwiderte sie mit mehr Bestimmtheit, als sie verspürte. Doch es war nicht der lange Weg, der ihr Angst machte, sondern das, was sie am Ende erwarten würde. Die Unruhe, die sie bisher mühsam hatte in Schach halten können, umschwirrte sie nun wie ein lästiger Schwarm Schnaken.

Was, wenn sie zu spät kam?

Hannah lief los.

Der Regen hatte inzwischen nachgelassen. An manchen Stellen dampfte Nebel über dem Boden, als würde unterirdisch auf

Dutzenden von Hexenkesseln gekocht. Die Blätter an den Bäumen glänzten vor Nässe, und die scharfen Kanten der Häuser wirkten weicher, fast ein wenig unwirklich. Die Luft war erfüllt von sämtlichen Aromen des Frühlings, die durch den Regen noch intensiver in die Nase stiegen. Schon sah man wieder die ersten Gönninger auf den Straßen: Annchen, die mit säuerlichem Gesicht vergessene Wäsche von der Leine holte, den Schmied, der versuchte, sein schmauchendes Feuer wieder in Gang zu bringen, ein paar Samenhändler auf dem Weg ins nächste Wirtshaus, wo sie sicher Geschäfte besprechen und ein Bier trinken wollten. Ein ganz gewöhnlicher, verregneter Maientag.

Hannah nahm all dies nur aus den Augenwinkeln heraus wahr. Sie rannte wie um ihr Leben. Und sie hatte das Gefühl, dass es genau darum ging.

Schon von weitem sah sie das tranige Licht einer Ölfunzel durch das schmutzige Fenster des Gartenhäuschens schimmern.

Valentin hatte also Recht gehabt.

Wenige Meter vom Gartenhaus entfernt blieb sie stehen, versuchte, zu Atem zu kommen. Ihr Bein schmerzte, aber die Erkenntnis, dass es sie bei ihrer Hatz nicht im Stich gelassen hatte, ließ Hannahs Herz einen Hüpfer machen. Die Haare hingen ihr wirr und nass ins Gesicht, Schweiß rann ihr die Achseln hinab, sammelte sich zwischen ihren Brüsten. Plötzlich war sie unsicher, was sie als Nächstes tun sollte. Einfach so hineinplatzen? Dazu reichte ihr Mut nicht.

Der matschige Boden verschluckte ihre Schritte, lautlos schlich sie um die Hütte, spähte zum Fenster hinein.

Und die Zeit gefror.

Sie blinzelte, als wolle sie sich versichern, dass sie nicht einer optischen Täuschung unterlag – geboren aus der Angst, das Schlimmste erwartend, geboren aus der Hoffnung, das Schlimmste träte nicht ein.

Aber die entblößten Brüste waren keine optische Täuschung, sondern so real wie Helmuts Hand, die unsicher über silberblondes Haar strich.

Hannahs Blick fiel auf den Wollpullover in ihrer Hand. Der Gedanke, Helmut etwas Trockenes zum Anziehen zu bringen, erschien ihr plötzlich lächerlich. So lächerlich, wie sie sich selbst vorkam. Eine lächerliche, dumme Person.

Ihr erster Impuls war, wegzulaufen und so zu tun, als ob sie nichts gesehen hätte. Sie war ein Krüppel, keine Schönheit, zu nichts nutze, das hatte sie in den letzten Monaten mehr als gründlich bewiesen. War es da ein Wunder, dass sich Helmut von Seraphines Reizen betören ließ?

Doch plötzlich hatte sie Valentins Stimme wieder im Ohr. *Die Hannah von früher hätte sich das nicht gefallen lassen.*

Zu lange hatte sie sich hinter ihrer Verletzung versteckt. Angst und Unsicherheit hatten alles überwuchert, so lange, bis von der »alten« Hannah nichts mehr zu sehen war. Bis sie nicht einmal mehr wusste, wer die alte Hannah gewesen war. Sie selbst hatte Seraphine freie Hand gegeben, *sie* hatte Helmut in Seraphines Arme getrieben – *das* war die Wahrheit!

Seraphine …

Hannahs Augen verengten sich zu zwei schmalen Schlitzen. Dieses Weibsbild! Dieses Biest! Sie würde ihr die Augen auskratzen und –

Die Klinke schon in der Hand, hielt Hannah inne.

Natürlich konnte sie in die Hütte stürmen und Seraphine an den blonden Loden herausschleifen. Oh, wie sehr es sie danach gelüstete!

Natürlich konnte sie auf Helmut losgehen, ihm den nächstbesten Gegenstand an den Kopf werfen, ihn einen Schuft schimpfen. Wie konnte er es wagen, Sera anzurühren! Die Hölle würde sie den beiden heiß machen!

Und dann?

Dann vermochte sie sich in ihrer rechtschaffenen Empörung zu suhlen wie eine Sau im Schlamm. Aber worüber war sie eigentlich derart empört?

Vor Hannahs innerem Auge türmte sich plötzlich ein riesiger, unsichtbarer Wall auf. Alles, was ihr Leben ausmachte, alles, was gewesen war, und alles, was noch sein würde – sie wusste nicht, was hinter diesem Wall auf sie wartete. Ob sich Helmut noch einmal auf sie einließ. Ob sie sich auf ihn einlassen konnte. Sie wusste nur, dass sie nicht für immer und ewig hinter dem vermeintlich schützenden Wall stehen bleiben konnte. Aber um ihn zu überwinden, brauchte sie Mut.

Mit einem letzten tiefen Atemzug packte sie den verrosteten Türknauf und riss die Tür auf.

42

»Hannah!«

Helmut und Seraphine erstarrten in ihren Bewegungen.

In der Hütte war es sehr warm, ein unverkennbarer Geruch nach Erregung hing in der Luft und ließ Hannah würgen.

Aus einer Quelle tief in ihrem Inneren schöpfte sie ein Lächeln. Sie schenkte es Helmut, der sie fassungslos anschaute. Erst dann wanderte ihr Blick weiter zu Seraphine. Ein Blick, den man einem Hund zuwerfen würde, der einen Haufen mitten ins Zimmer gemacht hatte.

»Geh nach Hause.« Worte, so leidenschaftslos, so trocken wie ihr ganzer Mund und dennoch so süß wie nichts, was Hannah bis dahin gekostet hatte.

Seraphines Gesicht zerfiel in tausend Einzelteile.

»Was willst du hier?« Ihre Stimme schrill, nicht mehr engelsgleich, nicht silbergelockt. Besitzergreifend rückte sie näher an Helmut heran, der ihr, an die Bretterwand der Hütte gelehnt, nicht ausweichen konnte.

»Geh nach Hause«, wiederholte Hannah, »dein Mann wartet auf dich.« Ohne viel Aufhebens schnappte sie Seraphines Bluse, ihre Schuhe, warf alles vor die Tür. Als sie die Schwägerin am Arm packen wollte, stieß diese einen Schrei aus.

»Lass mich in Ruhe, du Hexe! Du hast hier nichts verloren! Du verstehst nichts! Helmut gehört mir! Verschwinde wieder, bitte, ich … gerade jetzt –«

»Seraphine.« Helmuts Stimme unterbrach Seraphines hysterisches Geschrei.

Gierig fuhr sie zu ihm herum, das Gesicht voller Hoffnung.

»Geh!« Er nickte ihr wie einem Kind besänftigend zu.

»Aber … Helmut! Sag, dass das nicht wahr ist. Du und ich – « Seraphines Blick flog nervös von ihm zu Hannah und wieder zurück. Sie ließ sich zu Boden sinken. Ihre Haut war weiß wie Schmalz, jeder Tropfen Blut schien aus ihr gewichen zu sein.

Einen Moment lang befürchtete Hannah, die Schwägerin würde in Ohnmacht fallen.

Und dann?

Und wenn schon!

Ohne ein weiteres Wort zerrte sie Seraphine vom Boden hoch, schleifte sie durch die Hütte und setzte sie vor die Tür.

Von draußen kratzte Seraphine am Holz wie eine Katze, die Einlass forderte, ihr lautes Zetern zwängte sich durch jede Ritze. Drinnen sank Hannah erschöpft mit dem Rücken zur Tür auf den Boden. Sie hatte das Gefühl, als sauge Seraphines Raserei ihr das Mark aus den Knochen, und schloss die Ohren, um die wüsten Beschimpfungen nicht mehr hören zu müssen.

Die Zeit kroch dahin wie eine Schnecke. Irgendwann wurde es still. Draußen und drinnen.

Helmut ließ sich neben Hannah nieder.

»Hannah. Das … es … es war alles ganz anders, als du vielleicht denkst! Der Regen … wir waren patschnass. Deshalb –«

Seine krächzende Stimme verstummte, und sein Leib zitterte. Seine Hände suchten die ihren, Finger verhakten sich.

»Ich wollte nichts von Seraphine, das musst du mir glauben. Und ich bin so froh, dass du gekommen bist. Nur das ist jetzt wichtig. Du hast so lange nichts von mir wissen wollen! Ach Hannah, alles, was ich gesagt habe, was ich getan habe – es war dir gleich! Ich habe dich so vermisst. Und dann war da Seraphine … Ich … Wenn du nicht … Ich glaube, ich –«

»Psst, nicht sprechen.« Sie legte ihm einen Zeigefinger auf den Mund, küsste im nächsten Moment dieselbe Stelle, die trocken war und rau. Hannahs Lider flatterten, krampfhaft hielt sie die Augen geschlossen. Sie wollte Helmuts Gesicht nicht sehen, nicht sein schlechtes Gewissen, nicht seine Scham, seine Unsicherheit. Sie wollte auch nichts hören – Ausflüchte, Erklärungen, wo es keine gab, Beteuerungen, die den Platz für viel wichtigere Dinge wegnahmen.

Noch war ihre wiedergewonnene Sicherheit so dünn wie eine Eisdecke nach der ersten Frostnacht, zu groß war die Gefahr einzubrechen.

»Nicht reden«, wiederholte sie murmelnd. Ihr Körper schmiegte sich an seinen, bald lag ihr Kopf an seiner Brust, seine Arme umfingen sie, fest, weich und zärtlich. Es war so gut, ihn zu spüren!

Vorsichtig, als müssten sie sich des anderen erst wieder versichern, tasteten zarte Finger über Wangen, über den Hals, die Schultern. Spielerische Küsse landeten auf Lidern, Ohrläppchen, verfingen sich im Haar.

»Du hast mich ja doch noch lieb …« Helmuts heißer Atem ließ Hannah erbeben.

»Für immer und ewig«, wisperte sie.

Und ihre Körper fanden einander in einer Sprache, die keiner Worte bedurfte.

»Diese Hannah ist nichts als eine Plage ...« Die Augen gesenkt, einen Fuß vor den andern setzend, wankte Seraphine nach Hause. Sie war nicht wütend, weil Helmut sie weggeschickt hatte. Sie verspürte auch keine Angst oder Sorge. Alles in ihr war so leer wie ein weißes Blatt Papier.

»Nur eine Plage ...« Helmut würde sich von Hannah nicht blenden lassen. Er hatte erkannt, wer ihn wirklich liebte.

Alles würde in Ordnung kommen. Hannahs Einmischung war ein letzter Versuch, ein letztes Aufbäumen, bevor sie endgültig aufgab. Pathetisch, fast konnte sie einem Leid tun. Und Helmut, der gutmütige Mensch, hatte Mitleid mit ihr.

Warum hatte er kein Mitleid mit ihr, Seraphine? Wie viele Prüfungen würde er ihr noch auferlegen? Ihre Kraft war begrenzt, wusste er das nicht? Seraphine blinzelte durch einen Tränenschleier.

»Nur eine Plage ...« Gebetsmühlenartig sagte sie sich diese Worte vor, Schritt für Schritt eine Plage. Ihr Gesicht war angespannt vor Konzentration, all ihr Fühlen war auf diese drei Worte gerichtet, so dass sie niemanden sah oder hörte: nicht Almuth, die ihr durch die offene Tür zuwinkte, nicht Käthe, die kurz angebunden grüßte, nicht die dicke Marianne, die ihr mit offenem Mund nachstarrte. So sehr war sie in sich versunken, dass sie sogar an ihrem Haus vorbeilief.

»Seraphine, wo willst du hin?« Valentin näherte sich eilig von hinten.

Sie starrte ihn an.

Mit gerunzelter Stirn zupfte er an ihrem Ärmel. »Du hast ja noch immer dein nasses Zeug an, Hannah wollte euch doch etwas Trockenes zum Anziehen bringen!« Vorwurfsvoll schaute er in die Richtung, aus der Seraphine gekommen war. Seine innere Unruhe war für sie fast greifbar, sie hörte die tausend Fragen, die er nicht zu stellen wagte, sie spürte seine Angst, die er unter seinem Geplapper zu verstecken suchte. Angewidert wandte sie sich von ihm ab.

»Jetzt komm erst einmal ins Haus, es ist heißer Tee da, und dann –«

Jäh schlug Seraphine den Arm fort, der sich wie eine Schlange um ihre Schulter wand. »Lass mich in Ruhe!«

Nur … eine … Plage …

Nicht weinen. Nicht weinen. Wenn sie damit anfing, würde sie nie mehr aufhören können. Weinen kostete Kraft. Die sie nicht mehr hatte.

Nur … eine … Plage …

43

Mitten im Sommer schmolz die Schneedecke dahin, unter der Hannahs Leben so lange Zeit begraben gewesen war: Jeden Tag kam mehr von der alten Hannah zum Vorschein. Mal hörte man ein lautes Lachen, dann wieder einen derben Witz. Und bei alldem kehrte Hannahs Unbeschwertheit zurück. Niemandem im Haus blieb die Veränderung lange verborgen. Flora strahlte, weil ihre Mutter sich endlich wieder mehr Zeit für sie nahm. Wilhelmine und Gottlieb tuschelten über die Schwiegertochter, wenn sie glaubten, keiner höre sie. Und sie registrierten leicht befremdet, dass Helmut wie eine Klette an seiner Frau hing. Ob es zum Heuen auf die Wiese ging, zum Beerenpflücken in den Garten, ins Waschhaus oder Wirtshaus – nie sah man einen der beiden allein. Ein Mann, der so anhänglich war – hatte man so etwas schon gesehen?

Einer ihrer ersten Wege nach jenem denkwürdigen Tag führte Hannah zu Emma und Käthe. Einen Korb mit den größten Kartoffeln, die sie im Keller hatte finden können, im Arm, öffnete sie ohne anzuklopfen die Wirtshaustür.

»Kartoffeln?«, sagte Emma statt einer Begrüßung unwirsch und runzelte die Stirn. »Was soll ich damit?«

Hannah hatte mit solch einem Empfang gerechnet. »Die dümmsten Bauern haben die dicksten Kartoffeln, heißt es bei uns in Nürnberg«, erwiderte sie und hielt Emma ein besonders großes Exemplar unter die Nase. »Hieran siehst du, wie dumm ich gewesen bin.«

Das Lächeln, das über Emmas Gesicht huschte, war noch etwas bemüht. »Dann komm erst einmal herein«, sagte sie.

In der Wirtsstube brach Hannah in Tränen aus und schimpfte über ihre eigene Dummheit, mit der sie die Menschen verletzt hatte, die ihr am liebsten waren. Nachdem sie sich tausendmal entschuldigt hatte, fielen sich die Frauen in die Arme. Jede hatte die andere vermisst, und nun waren sie heilfroh, dass sie ihre Freundschaft endlich wieder aufleben lassen konnten.

Valentins Freude darüber, dass sein Plan so gut aufgegangen war, wurde davon getrübt, dass nur ein *Teil* seines Planes aufgegangen war. Denn was Seraphine anging …

Das Verhalten seiner Frau konnte er nur als wunderlich bezeichnen. Sie war launischer denn je, zog sich entweder ganz in sich zurück und saß da wie ein Häufchen Elend, oder sie war so aufgekratzt, dass sie das ganze Tischgespräch an sich riss. Sie ackerte entweder von früh bis spät auf den Feldern – oder tat den ganzen Tag lang keinen Handstreich. Dann wieder hockte sie stundenlang über einer Zeichnung, einem Gedicht oder einem Märchen und ließ andere ihre Pflichten erledigen. Ein Mittelmaß gab es bei Seraphine nicht.

Zu Hannah war sie entweder feindselig – aber nur, wenn Helmut nicht in der Nähe war –, oder sie tat von oben herab und nahm die Schwägerin gar nicht wahr. Hannah reagierte auf alles mit Gleichmut, sie schien zusammen mit ihrem alten Selbstbewusstsein auch einen schützenden Panzer gewonnen zu haben.

Helmut mied Seraphines Nähe, wo es nur ging, er wich ihrem Blick aus und antwortete kurz angebunden, wenn sie das Wort an ihn richtete. Als Valentin ihn einmal fragte, ob es für seine Barschheit einen Grund gäbe, verneinte er, was Valentin jedoch nicht glauben mochte. Er wusste noch immer nicht, was an dem gewittrigen Maientag in der Schutzhütte vorgefallen war, denn niemand ließ sich näher dazu aus.

»Nichts ist vorgefallen«, sagte Helmut.

»Gar nichts«, sagte Seraphine.

»Helmut und ich haben uns ausgesprochen«, sagte Hannah.

So bemühte sich Valentin weiter um Seraphine. Um seine Liebe. Um seinen Seelenfrieden.

»Mir geht da was durch den Kopf«, sagte Helmut wenige Wochen später zu Valentin, als sie sich im Büro aufhielten. »Es hat mit Hannah zu tun. Ich bin so glücklich, dass sie wieder die Alte ist, dass ich ihr gern eine Freude machen möchte.« Mit einem tiefen Seufzer lehnte er sich auf seinem Stuhl zurück.

Valentin zuckte desinteressiert die Schultern. Er konnte nicht behaupten, dass er dasselbe Bedürfnis gegenüber Seraphine empfand. Seine Frau ärgerte ihn, wo es ging! Erst letzte Nacht wieder, als sie –

Unwillig warf er seinen Bleistift auf die Tischplatte, wo Helmut ihn auffing, bevor er zu Boden kullern konnte.

»Und was hast du vor?«, fragte Valentin trotzdem angesichts Helmuts enthusiastischer Miene.

»Warum reisen wir vier nicht nach Holland und statten Piet

van den Veyen einen Besuch ab? Ich habe keine Lust, dieses Jahr wieder so schlechte Tulpenzwiebeln geliefert zu bekommen wie beim letzten Mal, lieber suche ich mir die Ware selbst aus! Und Hannah würde auf dieser Reise endlich sehen, dass der Handel auch seine schönen Seiten hat. Vielleicht hilft ihr das, auch noch die letzte schlechte Erinnerung an ihre eigene Reise auszulöschen. Du siehst, mit meiner Idee könnten wir zwei Fliegen mit einer Klappe schlagen, ist das nicht toll?«

Valentin glaubte, nicht richtig zu hören. »Seit Wochen sprichst du kaum ein Wort mit Seraphine. Gehst ihr aus dem Weg, als hätte sie die Pest an sich kleben! Glaub nicht, das wäre mir nicht aufgefallen. Merkst du nicht, wie sie darunter leidet, dass du so gar nichts mehr von ihr wissen willst? Ich weiß zwar nicht, was sie getan hat, um dich so zu verärgern, aber dass jetzt plötzlich wieder eitel Sonnenschein sein soll, finde ich sehr verwunderlich. Noch beim Morgenmahl hast du sie wieder einmal völlig links liegen lassen!«

Helmut winkte ab. »Das bildest du dir nur ein. Wenn ich mit Hannah rede, kann ich eben nicht gleichzeitig auch ein Gespräch mit deiner Frau führen.«

Valentin verzog den Mund. So leicht wollte er sich nicht abspeisen lassen.

Doch Helmut, der an seiner Idee längst Feuer gefangen hatte, fuhr schon fort: »Holland ist nicht aus der Welt, und sowohl Piet als auch seine Tochter – wie hieß sie nochmal? – sprechen leidlich gut Deutsch. Ha, ich sehe schon vor mir, wie Hannah den Mann mit ihren Fragen löchert! Weißt du noch, wie sie in ihrer ersten Zeit in Gönningen immer alles ganz genau hat wissen wollen? Am liebsten würde ich ihr ja schon heute von meinen Plänen erzählen, aber ich warte wohl besser damit, bis ich mit Vater gesprochen habe. Ach, was werden wir für eine schöne Zeit haben!«

Valentin sah in das strahlende Gesicht seines Bruders und

spürte, wie seine eigene Unzufriedenheit ihn zu überwältigen drohte. Warum konnte zwischen ihm und Seraphine nicht auch alles wieder in Ordnung sein?

»Du und deine kindischen Ideen!«, erwiderte er. »Wie willst du den Eltern denn die Kosten für diese ›Lustreise‹ schmackhaft machen? Vater wird sofort sagen, wir sollen Piet einen gepfefferten Beschwerdebrief schreiben und ihm drohen, unsere Zwiebeln anderswo zu kaufen. Um ihm ein wenig auf die Finger zu klopfen, müssen wir doch nicht zu viert in Haarlem antanzen!«

»Sag mal, was ist dir denn über die Leber gelaufen? Aber bitte, wenn du keine Lust auf diese Reise hast, dann ziehen Hannah und ich eben allein los! Das mit Vater krieg ich schon irgendwie hin. Er wird einsehen, dass ein persönlicher Besuch bei einem Lieferanten immer noch mehr bewirkt als ein simpler Brief.« Helmut tippte auf den Brief aus Amerika, in dem Valentins ehemaliger Freund seine Kaufabsichten für das Trockenobst bestätigt hatte. Dann wandte er sich wieder seiner Bestellung für Gurkensamen zu.

Eine Zeit lang schwiegen beide.

Am liebsten hätte Valentin alle Gedanken, die mit seiner Ehe zu tun hatten, in einen Sack gestopft und in die hinterste Ecke des Kellers gestellt, dorthin, wo niemand jemals hinkam!

Angestrengt versuchte er, die Angebote der Erfurter Samenzüchter, die vor ihm lagen, miteinander zu vergleichen. Doch statt der Zahlen sah er nur das Bild seiner schönen Frau. Wie sie sich morgens mürrisch vor dem Spiegel zurechtmachte, als sei jeder Tag eine Last für sie!

»Freust du dich denn nicht, dass es Hannah endlich wieder gut geht?«, hatte er erst gestern beim Schlafengehen von ihr wissen wollen, nachdem sie den ganzen Abend nichts anderes getan hatte, als allen am Tisch feindselige Blicke zuzuwerfen. Daraufhin hatte sie sich abrupt auf die andere Seite gedreht und ihr Kopfkissen so hart bearbeitet, als gelte es, einen Gegner in einem Ringkampf zu bezwingen.

»Das wird nicht von Dauer sein«, nuschelte sie schließlich unter der Decke hervor. »Hannah ist nicht die Richtige für Helmut, sie wird ihn nur unglücklich machen.«

Er hatte nicht gewusst, was er darauf antworten sollte. Hätte er fragen sollen: Und was ist mit dir? Weißt du nicht, dass du *mich* unglücklich machst? Doch bei solchen Worten wäre er sich kindisch vorgekommen.

Er seufzte so lange und tief, dass Helmut von seiner Bestellung aufschaute. Hastig tat Valentin so, als grüble er über seinem Zahlenvergleich.

Eine Reise nach Holland … so etwas Verrücktes! Als ob sie nicht schon genug in der Welt herumfuhren. Wie konnte Helmut nur auf solch eine Idee kommen? Die Frage war doch, ob Hannah überhaupt der Sinn nach einer erneuten Reise stand, wo sie im Herbst so schlechte Erfahrungen gemacht hatte.

Andererseits waren sie noch nie mit den Frauen unterwegs gewesen. Er und Seraphine am Meer … Ein Lächeln umspielte seine Lippen bei der Vorstellung, wie ihre Haare wie ein silberner Schal im Wind flattern würden.

Weg von zu Hause, von all den Pflichten und Aufgaben, die ihren Alltag so füllten, dass Gefühle darin manchmal keinen Platz mehr fanden. Neues sehen, es gemeinsam sehen, darüber staunen, lachen, die salzige Luft der holländischen Küste atmen, abends in einer fremden Kammer, in einem fremden Bett schlafen gehen, das keine unguten Erinnerungen beherbergte, und …

Vielleicht war Helmuts Idee gar nicht so schlecht? Er räusperte sich. »Wann würdest du denn abreisen wollen?«

Helmut grinste. »Ich habe an Ende Juli gedacht. Bis dahin haben die Weiber das Kraut im Keller, die Gurken sind eingelegt, die Marmelade ist eingekocht, die Frühkartoffeln sind auch schon drin, und bis zur Apfelernte wären wir wieder zurück. Du siehst, ich habe an alles gedacht!« In einer triumphierenden Geste hob er beide Arme.

Valentin nickte langsam. »Und die Reise selbst, ich meine, Hannah ist zwar schon wieder ganz ordentlich zu Fuß, aber die Strecke, von der wir reden, schafft sie gewiss nicht.«

»Ich lass sie doch nicht von hier bis zum Meer zu Fuß laufen, was denkst du von mir?«, erwiderte Helmut empört. »Nein, wir würden so viel wie möglich fahren. Wo es Züge gibt, nehmen wir die, ansonsten mieten wir uns eine Kutsche. Und wir lassen uns Zeit, Hannah soll sich nicht überanstrengen! Ich hoffe immer noch, dass ihr Humpeln sich irgendwann ganz verliert. Alles ist möglich, Bruder, wenn man nur will!«

Valentin spürte, wie ein kleiner Samen Hoffnung in ihm zu keimen begann. Alles war möglich, warum eigentlich nicht?

»Und wann sollen wir mit den Eltern sprechen?« Lächelnd hielt er seinem Bruder die Hand hin, als würden sie einen Handel besiegeln.

Helmut erwiderte seinen Händedruck fest.

»Sobald Vater aus dem Rathaus zurück ist. Zu zweit werden wir ihn so bearbeiten, dass er am Ende gar nicht anders kann, als uns eine gute Reise zu wünschen!«

44

Es war nicht das Töpfeklappern aus der Küche des Gasthofs, die unter den Schlafkammern lag, das Hannah nach einer Nacht im Tiefschlaf weckte. Es war auch kein Klappern von Milchkannen. Es war ein eigentümliches »Klack, klack, klack«, von dem Hannah wach wurde. Zuerst wollte sie unwirsch ihren Kopf unter die Decke stecken – die lange Reise und die späte Ankunft am Vorabend steckte ihr doch arg in den Knochen. Außerdem war ihr wie so oft in letzter Zeit speiübel. Doch im nächsten Moment lief ein Strahlen über ihr Gesicht.

Sie war in Holland!

Und »klack, klack, klack« machten die Holzschuhe, mit denen die Bauern und Anwohner von Haarlem auf dem Kopfsteinpflaster unterwegs waren. Da gab es das langsame Klacken einer faulen Milchmagd und das hastige Klacken von Hausfrauen, die ahnten, dass der Tag wieder einmal zu wenig Stunden haben würde, das harte Klacken von großen Männerfüßen in schweren Holzpantinen. Dass Menschen auf so verschiedene Weise liefen, das war Hannah noch nie aufgefallen. Der Gedanke, welch sonderliches Geräusch sie in solchen Schuhen verursachen würde, ließ ihre Miene kurz verdüstern.

Doch gleich darauf schwang sie voller Elan die Beine über die niedrige Bettkante. Sie konnte es kaum erwarten, mehr zu sehen von diesem fremden, aufregenden Land! Hand in Hand mit Helmut …

Nach einem hastigen Mahl, das aus Buttermilch und sehr schwarzem Brot bestand, machten sie sich auf den Weg zu Piet van den Veyen, dem Tulpenzüchter, bei dem die Brüder ihre Einkäufe tätigen wollten.

Als die Tür des Gasthofes hinter ihnen zuschlug, seufzte Hannah heimlich. Wie schön wäre es jetzt gewesen, allein mit Helmut, Hand in Hand, auf Entdeckungsreise zu gehen! Ohne Seraphine, die wie ein kleines Kind ständig versuchte, Helmuts Aufmerksamkeit zu erheischen. Ohne Valentins bemühte Fröhlichkeit.

Einerseits fand Hannah es bewundernswert, mit welchem Gleichmut der Schwager auf die Launen seiner Frau reagierte, ja, sogar fast immer noch ein freundliches Wort für sie übrig hatte. Doch andererseits hätte sie es gern gesehen, wenn er etwas strenger mit seinem Weib gewesen wäre. Vielleicht hätte ihr das die Launenhaftigkeit ausgetrieben!

Schon nach kurzer Zeit gelangten sie auf den Marktplatz. Der Anblick der vielen hübschen Läden zauberte schlagartig ein Lächeln auf Hannahs Gesicht. Besser zu viert in Holland als gar nicht!

Immer wieder musste Helmut seine Frau, die ihre Nase in die Auslage eines jeden Geschäftes steckte, am Arm packen und weiterziehen. Sie hätte einen Stadtbummel dem Ausflug aufs Land liebend gern vorgezogen – vom Land kamen sie schließlich selbst. Warum konnten sie nicht warten, bis all die Geschäfte geöffnet hatten, um auch einen Blick in das Innere zu werfen? Und wo sie einmal dabei war: Warum konnten sie nicht einen Tag in Amsterdam einplanen?

Sehnsüchtig dachte Hannah an die prächtigen Plätze, die hohen, eleganten Patrizierhäuser und die vielen Brücken, die sie auf ihrer Durchreise durch Amsterdam gesehen hatten. Den Brüdern hatte jedoch viel daran gelegen, dem emsigen Treiben der großen Stadt so schnell wie möglich wieder zu entfliehen.

Leider! Hannah seufzte. Gegen Amsterdam war Haarlem ein ruhiges Nest, aber immerhin war es ein Nest mit etlichen verführerischen Läden.

»Bestimmt gibt es irgendwo diese hübschen Holzschuhe zu kaufen. Davon will ich unbedingt ein Paar mit nach Hause nehmen. Ich trage sie aber erst, wenn ich wieder ganz normal laufen kann. Und für Flora möchte ich auch welche! Schau doch nur, sogar die Kleinsten laufen hier in diesen Schuhen herum.« Hannah zeigte auf eine Gruppe von Kindern, die laut klackernd über den Marktplatz rannten.

»Holzschuhe!«, knurrte Helmut. »Das ist doch nur was für arme Leute. Sei froh, dass wir uns Schuhwerk aus Leder leisten können!«

»Ich möchte aber … Ach Helmut, die Tulpenzwiebeln laufen uns doch nicht davon, oder?«

»Die Läden hier auch nicht«, gab Helmut brummend zurück und ließ sich nicht erweichen. Doch im nächsten Moment drückte er Hannah einen schmatzenden Kuss auf die Wange. »Aber wenn wir bei Piet fertig sind, dann lassen wir es uns gut gehen!« Er lachte. »Ich kaufe dir, was du willst. Wir werden Heringe essen oder diese feinen Küchlein, die sie hier in den Gasthäusern anbieten. Und Bier werden wir trinken, krügeweise! Vor lauter Hitze ist mir der Mund jetzt schon ganz trocken. Kein Laden und kein Wirtshaus wird vor uns sicher sein – das wird ein Fest! Ach, es ist so schön, dass du dabei bist!« Den letzten Satz flüsterte er in Hannahs Ohr.

»Und Holzschuhe kaufen wir auch!«, rief Valentin fröhlich. »Ich kann es kaum erwarten, die hübschen Füße meiner Frau darin zu sehen!« Lachend schnappte er Seraphines Hand und wollte sie im Takt seines Schrittes nach oben schwingen, doch sie entwand sich seiner Berührung.

»Ich bin doch kein Bauerntrampel«, empörte sie sich. »Und billigen Tand will ich auch nicht. Viel lieber würde ich mich mit meinem Zeichenblock irgendwo hinsetzen, wozu habe ich das Zeug denn sonst den ganzen Weg mit mir geschleppt?« Sie zeigte auf ihr Bündel, in dem sie einen Farbkasten und den Malblock verstaut hatte. »Diese schmucken Windmühlen überall …«

»Dann eben nicht«, erwiderte Valentin gleichmütig. »Du wirst schon noch ein schönes Motiv für eines deiner Bildchen finden.« Er seufzte zufrieden. »Verdammt, es tut richtig gut, ausnahmsweise einmal selbst als Kunde unterwegs zu sein! Man fühlt sich so … erhaben!« Er schlug seinem Bruder freundschaftlich auf die Schulter.

Hannah strahlte. Alles stimmte: das schöne Wetter, die hübsche Stadt, die gute Laune der Männer … Da fiel nicht einmal

Seraphines mürrische Miene ins Gewicht! Dass sie selbst jemals wieder so glücklich sein würde, hätte sie vor ein paar Monaten nicht zu hoffen gewagt.

Im nächsten Moment wäre sie fast auf Valentin geprallt, der mitten auf der Straße stehen geblieben war.

»Schaut euch mal dieses Haus hier an. Seht ihr den Stein ganz oben, dort, wo sich das Dach gabelt?«

Mit zusammengekniffenen Augen folgte Hannah seiner ausgestreckten Hand. »Da ist eine Zahl in den Stein eingehauen, eins sechs drei sieben, wahrscheinlich eine Jahreszahl, aber was hat sie zu bedeuten?«

»Dieser Stein erinnert an das Jahr, in dem hier in Haarlem alles zusammenbrach. An eine Zeit, in der wohlhabende Bürger zu Bettlern wurden und Bettler verhungerten. Unser letzter Besuch bei Piet liegt zwar schon ein paar Jahre zurück, aber an diese eine Geschichte, die er uns damals erzählt hat, erinnere ich mich noch ganz genau. Sie handelt von einer ›geldlosen Straße‹ und vom ›Tulpenfieber‹.«

»Tulpenfieber – was soll denn das sein?«, erwiderte Hannah stirnrunzelnd. »Und wieso ›geldlose Straße‹? Schaut euch doch nur die schönen Häuser an! Wenn ich mich nicht täusche, sind wir vorhin an einigen Fabriken vorbeigekommen. Auf einem Firmenschild stand so etwas wie ›Papierherstellung‹, und dann habe ich noch etwas von Druckereien gelesen. Und dieser Maischegeruch in der Luft … Hier muss irgendwo auch eine Brauerei sein! Also gibt es genügend Arbeit für die Leute. Und Arbeit bedeutet Brot. Nach Bettlern sieht mir Haarlem nicht gerade aus.« Sie war zwar nicht so welterfahren wie die Brüder, aber jeden Bären ließ sie sich nicht aufbinden!

Seraphine warf Hannah einen tadelnden Blick zu. »Lass doch Helmut erst einmal die Geschichte erzählen! Ich liebe Geschichten! Sie sind manchmal so schön und traurig wie Märchen.«

Helmut gähnte und rieb sich die Augen. »Das ist Valentins Geschichte, wenn du sie hören willst, muss er sie erzählen.«

Beleidigt wandte sich Seraphine ab.

Valentins Augen funkelten. »Verrückt war das schon, was sich vor mehr als zweihundert Jahren hier abgespielt hat! Mal sehen, ob ich noch alles zusammenkriege … Dieses Haus da trug den eigentümlichen Namen ›Tulpenhaus‹. Und das rührt daher, dass es für eine einzige Tulpe verkauft wurde. Ein Haus für eine einzige Tulpe! Könnt ihr euch das vorstellen?«

»Du scherzt! Wer sollte so blöd sein und sein Haus für eine Tulpe hergeben?«, fragte Hannah und hakte sich besitzergreifend bei Helmut unter. Wie Seraphine ihn wieder anhimmelte! Hatte sie immer noch nicht begriffen, dass dieser Mann sie nichts mehr anging?

»Ich scherze nicht, denn dies geschah zu einer Zeit, in der ganz Holland unter dem Tulpenfieber litt. Vor zweihundert Jahren waren Tulpen so wertvoll wie Gold! Und so selten wie Edelsteine. Piet hat erzählt, dass es besonders rare Sorten gab, wo für eine einzige Zwiebel über viertausend Gulden plus eine Kutsche mit zwei Schimmeln gezahlt wurden. Warte mal, ich erinnere mich an den Namen: ›Semper Augustus‹ hieß die Sorte. Und der Käufer durfte sich glücklich schätzen, überhaupt den Zuschlag bekommen zu haben, denn es gab davon höchstens zwei oder drei Zwiebeln auf der ganzen Welt!«

Die Frauen schüttelten ungläubig den Kopf.

»Traumhafte Zustände«, seufzte Helmut. »Wenn ich mir vorstelle, wir kommen mit unserem Samen irgendwohin und werden von den Leuten angefleht, ihn zu verkaufen! Man würde uns Pferde und Kutschen und ganze Häuser für eine Hand voll Samen anbieten …«

»Radieschensamen.« Hannah kicherte. »Oder Mairübchen. Ich meine, etwas Wertvolleres ist doch eine Tulpenzwiebel auch nicht, oder?«

Valentin zuckte mit den Schultern. »Eigentlich nicht, und dennoch waren die Reichen verrückt nach den Tulpen. Da witterte plötzlich jeder ein großes Geschäft. Ob Schneider oder Fischer, ob Weber oder Hufschmied – jeder, der ein kleines Fleckchen Erde sein Eigen nennen konnte, wurde Tulpenzüchter. Wer kein eigenes Land besaß, pachtete für teures Geld welches von den Klöstern. Manche verkauften all ihre Werkzeuge, um Zwiebeln kaufen zu können. Und eine Zeit lang sah es auch so aus, als ob die Rechnung der Leute aufging: Zwiebeln, die immer für ein paar Gulden zu haben gewesen waren, kosteten über Nacht mehrere Hundert oder Tausend Gulden. Die Wirtshäuser hier, aber auch die in Amsterdam, wie Piet erzählte, wurden zu improvisierten Handelsplätzen, wo die Zwiebeln gekauft und verkauft wurden, manchmal lange, bevor sie ausgegraben wurden!« Er gab Helmut einen Schubs in die Rippen. »Bei solchen Verhandlungen wäre ich gern einmal dabei gewesen. Da sind das Bier und der Wein sicher in Strömen geflossen!«

»Das ist ja sagenhaft!« Seraphines Augen glänzten plötzlich wie die eines Kindes. »Dann wurden die Leute sozusagen über Nacht reich! Wie im Märchen …«

Hannah streifte ihre Schwägerin mit einem verächtlichen Blick. »Was soll denn daran märchenhaft sein? Die Leute verschwendeten ihr Geld für etwas, das nicht nützlich war. Eine Tulpenzwiebel kann man schließlich nicht essen! Oder am Leib tragen. Sie hält im Winter nicht warm. Sie ist nicht einmal hübsch! Wenn die Leute verrückt nach schönen Ölgemälden gewesen wären, könnte ich das noch verstehen. In Holland gibt es doch viele begnadete Maler, das hast du gestern selbst erzählt«, sagte sie zu Valentin. »Aber Tulpenzwiebeln? Das ist doch …« Sie machte eine abfällige Handbewegung. Für so viel Dummheit fand sie einfach keine Worte.

»Bei dir muss immer alles praktisch sein!«, giftete Seraphine zurück. »Das ist wieder einmal bezeichnend für dich. Ich hingegen kann diese Tulpenliebhaber sehr gut verstehen. Wenn die Sehnsucht nach … nach etwas Bestimmtem so groß ist, dass sie jedes andere Gefühl, den Verstand und jede Vernunft überdeckt, oh, wie groß ist dann die Versuchung, *alles* dafür zu geben! Aber so etwas kann nur ein leidenschaftlicher Mensch verstehen.« Sie zog eine verächtliche Grimasse.

»Was ist? Wollt ihr gackern wie dumme Hühner, oder wollt ihr den Rest der Geschichte hören?« Valentin schaute von einer Frau zur anderen.

»Ja, erzähl weiter, damit Seraphine erfährt, wie schlechte Märchen enden können.« Hannah biss so fest die Zähne aufeinander, dass ihr der Kiefer wehtat. Es gab Momente, in denen sie Seraphine nach wie vor hasste. Da stand sie mit all ihrer Schönheit, faselte etwas von Leidenschaften und starrte dabei Helmut an! Nicht etwa Valentin. Und wenn Helmut ihr hundert Mal versicherte, Seraphine sei ihm gleichgültig, so half dies doch nicht, Hannahs Eifersucht dauerhaft zu löschen. Nur mühsam vermochte sie sich auf Valentins Worte zu konzentrieren.

»Es gelangte also eine Menge Geld in Familien, die zuvor nicht einmal gewusst hatten, wovon sie den nächsten Laib Brot kaufen sollten. Das waren die Leute nicht gewohnt! Statt etwas von dem Geld beiseite zu legen oder ins Geschäft zu investieren, wurden sie unvernünftig. Plötzlich wollte jeder große Sprünge machen, seinen Nachbarn mit noch schöneren Kleidern übertrumpfen, noch edleren Rössern – von allem eben noch mehr! Viele gaben mehr aus, als sie hatten, und scherten sich nicht darum. Die nächste Tulpenzwiebelernte würde sie schließlich noch reicher machen …«

»Das gibt's bei uns in Gönningen auch«, warf Helmut ein. »Statt wieder ins Geschäft zu investieren, verlieren manche ihr Geld lieber beim Glücksspiel oder sonstigen Dummheiten.«

Als er sah, wie Seraphine bei diesen Worten zusammenzuckte, stammelte er. »Ich meine …«

Hannah, die zwar kein Mitleid mit Seraphine hatte, sehr wohl aber mit ihrem Mann, half ihm aus der Patsche, indem sie schnell das Thema wechselte.

»Ich ahne Schlimmes: Wenn so viele Leute auf einmal Tulpen züchteten, dann waren sie irgendwann nicht mehr so rar wie einst. Und das bedeutete –«

»Dass die Preise fielen!«, fuhr Valentin dazwischen, der sich nicht um seine Pointe bringen lassen wollte. »Genau!« Er warf Hannah einen anerkennenden Blick zu.

»Plötzlich gab es Tulpenzwiebeln in rauen Mengen. Und die Käufer weigerten sich, den Preis, den sie zu einem früheren Zeitpunkt vereinbart hatten, zu zahlen. Da kam es bestimmt zu äußerst unschönen Szenen …«

»Die Tulpenzüchter blieben auf ihren Zwiebeln hocken, hatten plötzlich Körbe voller wertloser Ware. Schließlich brach alles zusammen, und viele Menschen, die ihr ganzes Leben den Tulpen verschrieben hatten, verarmten«, ergänzte Helmut. Er zeigte mit der rechten Hand in Richtung der Stadt, die sie inzwischen hinter sich gelassen hatten. »So gesehen gibt es hier nicht nur eine ›geldlose Straße‹, sondern sicher viele. Die eine ist breiter, die andere schmaler, aber alle erzählen sie von menschlicher Unvernunft und Dummheit.« Er schüttelte den Kopf. »Eines ist sicher: So gierig wie unsere Vorväter werden wir uns bei Piet heute gewiss nicht anstellen!«

45

Sie hatten das Große Waldtor und damit Haarlem kaum hinter sich gelassen, als eine heftige Diskussion über die weitere Wegstrecke entbrannte. Die beiden Frauen wollten unbedingt das Meer sehen, die Männer auf dem schnellsten Weg zum Tulpenhof gelangen. Bis zum Meer wären es gut und gern fünf Meilen, argumentierten die Brüder, und zu Fuß über den sandigen Boden würde man den halben Vormittag für diese Strecke benötigen – Zeit, die ihnen dann bei Piet van den Veyen fehlte. Schließlich wurde der Ausflug ans Wasser auf später verlegt.

Sie stapften durch eine dünenartige Landschaft, an Deichen entlang, bahnten sich ihren Weg durch hohe, bizarre Gräser und kamen an der einen oder anderen Gracht vorbei, die das Meer mit der Stadt verband.

Der Boden war sandig und warm, und Hannah bestand darauf, barfuß zu gehen. Am Ende krempelten auch die Männer ihre Hosenbeine hoch und trugen ihre Schuhe unterm Arm. Noch nie hatte Hannah einen so trockenen Boden gesehen – eigentlich war es reiner Sand! Dass ausgerechnet auf diesem kargen Flecken Land Tulpen besonders gut gedeihen sollten, konnte sie sich gar nicht vorstellen. Doch Helmut klärte sie auf, dass der Sandboden sogar die Voraussetzung für die Erfolge der Tulpenzüchter war.

Nach einer Stunde Fußmarsch vorbei an geduckten Bauernhöfen, Windmühlen und vielen akkurat gepflügten, kahlen Feldern erreichten sie schließlich die Blumenfarm des Tulpenzüchters Piet.

»Da ist er ja!«

Lachend winkte Helmut einem kleinen Mann zu, der wild gestikulierend zwischen drei Pferdefuhrwerken stand.

Der Tulpenzüchter schaute herüber, und auf seinem Gesicht

erschien ein breites Grinsen. »Die Schwaben!« Er winkte ihnen fröhlich zu. »Dass ich euch auch mal wieder begrüßen darf! Ich komme gleich zu euch.«

Helmut machte eine beruhigende Handbewegung. Geschäfte gingen vor, das kannte man ja.

Neben Piet stand eine Frau mit so roten Haaren, wie Hannah sie nie zuvor gesehen hatte. Sie hatte die Haare nicht zu einem Zopf gebunden, sondern trug sie offen. Die junge Frau schien sich angeregt mit den Fuhrleuten zu unterhalten.

»Was machen die Männer da?«, raunte Hannah Helmut zu. »Und wer ist die hübsche Frau?«

»Wenn ich mich richtig erinnere, ist das Piets Tochter«, sagte Helmut. »Wie es aussieht, wird gerade eine größere Menge Zwiebeln verladen. Piet verkauft ganze Schiffsladungen voll nach England, Schweden und sogar nach Amerika.«

Während er sprach, krempelte er seine sandigen Hosenbeine nach unten.

»Wir sehen aus wie Bettler!«, sagte er vorwurfsvoll zu Hannah. »Und nicht wie Kunden, die Geld in der Tasche haben.«

Hannah lachte. »Umso besser, dann könnt ihr den Preis ordentlich nach unten drücken. Falls dieser Piet überhaupt noch etwas hat, was er euch verkaufen kann …«

»Hier sind sie, meine Schätze!« Stolz wanderte Piets Blick über lange Tischreihen, auf denen Körbe voller glattschaliger Zwiebeln standen.

Schön waren sie ja nicht gerade, ging es Hannah durch den Kopf. Sie musste an die Geschichte jenes Hauses denken, das von seinem Besitzer für eine einzige Tulpenzwiebel fortgegeben worden war. Dass jemand überhaupt bereit war, für solche Zwiebeln Geld zu geben, geschweige denn hohe Summen! Was dort in den Körben lag, sah nicht sehr viel anders aus als ganz gewöhnliche Küchenzwiebeln.

Vergeblich sah sie sich nach einem Stuhl oder einer Bank um, auf die sie sich hätte setzen können. Nach der Hitze tat die Kühle des Lagerschuppens gut. Die Kaufgespräche schienen eine langweilige und langwierige Angelegenheit zu werden – dies sagte ihr ein Blick auf die Unmengen von Körben. Also sollte sie es sich währenddessen am besten so bequem wie möglich machen. Sehnsüchtig dachte sie an den Fischverkäufer, an dessen Stand sie auf ihrem Marsch hierher vorbeigekommen waren. Eine fette, geräucherte Makrele und ein Krug Bier ... dazu würde sie jetzt nicht Nein sagen.

»Hier vorn haben wir die ›Duc von Tholl‹ in Rot, Gelb und Rosa, als Nächstes kommen die ›Tournesol‹, und dahinten folgen dann die ›Keizerskroon‹. Es liegt an euch zu entscheiden, was ihr wollt.« Piet hob fragend die Schultern.

»Die ›Duc von Tholl‹ sind niedrig wachsend und früh blühend, habe ich das richtig in Erinnerung?« Valentin zeigte auf einen der ersten Körbe.

»Genau. Wobei ich anmerken möchte, dass jeder Farbschlag besonders kräftig ausgeprägt ist – in Schalen und Beete gepflanzt, kommen sie ganz wundervoll zur Geltung. Ein Ergebnis langjähriger Züchtung, wie ich anmerken möchte. Und genau das, was die feine Kundschaft auf der ganzen Welt so sehr schätzt, wie ich ebenfalls anmerken möchte.«

Hannah gähnte. Dieser Piet schien einiges anmerken zu wollen! Wenn sie Tulpen in ihrer vollen Pracht bewundern wollte, musste sie nur im späten April auf den Gönninger Friedhof gehen. Dort, wo die Samenhändler ihrer Toten mit den prächtigsten Tulpen gedachten, wurde dem Auge jedenfalls mehr geboten als hier.

»Von den ›Duc von Tholl‹ nehmen wir auf alle Fälle welche, aber sollten wir nicht auch noch höhere und später blühende Sorten kaufen?«, sagte Valentin zu Helmut, der an den Tisch getreten war und einige Zwiebeln in der Hand wog.

»Schaut euch meine Bollen nur genau an!«, forderte Piet sie auf. »Sie sind von einwandfreier Qualität! Wir hatten ein gutes Jahr – nicht zu viel und nicht zu wenig Regen, so dass die Zwiebeln wunderbar einziehen konnten. Und unser sandiger Boden ist mit keinem anderen zu vergleichen – perfekt für die Tulpenzucht, wie ich anmerken möchte.«

»Dafür waren die Zwiebeln, die du uns im letzten Jahr geschickt hast, von weniger erlesener Qualität!« Abrupt legte Helmut die Zwiebeln zurück. »Wir haben uns ehrlich gesagt schon gefragt, ob wir überhaupt noch einmal bei dir kaufen sollen ...«

Hannah verdrehte die Augen. Bedeutete das etwa, dass sie den weiten Weg hierher umsonst gegangen waren?

»Aber mein Herr, was sind denn das für Töne?«, rief Piet theatralisch aus. »Mit Piet wird man sich immer einig, das wisst ihr doch. Und wenn ihr tatsächlich mit den letztjährigen Zwiebeln weniger – ähm – Erfolg hattet, so werde ich alles tun, um euren Verlust auszugleichen. Schaut euch doch nur diese herrlichen ›Yellow princes‹ an! Und den ›Weißen Schwan‹! Oder die ›Couleur Cardinal‹ – das sind Prachtsorten, genau das Richtige für euch! Ich sehe euch doch an, dass ihr einen Blick für Schönheit besitzt.« Er starrte zu Seraphine hinüber, die unter seinem lüsternen Blick errötete. Im nächsten Moment machte er einen Schritt auf sie zu und nahm ihre Hand. »Die Tulpe ist die Königin der Blumen, so, wie der Diamant der feinste aller Edelsteine ist. So, wie die Sonne den Tag regiert, genauso überstrahlt die Tulpe den Rest der göttlichen Schöpfung. Eine Dame wie Sie weiß um diese Wahrheit, vielleicht sollten Sie Ihrem Gatten einen entsprechenden Rat geben ...« Dabei schaute er ihr tief in die Augen.

Du lieber Himmel, der schlug aber Nägel ein! Hannah blies ihre Backen auf.

Seraphine strahlte.

»O ja, Valentin, der Mann hat Recht: Kauft nur die schönsten aller Tulpen. Die ungewöhnlichsten Farben, die bizarrsten Zeichnungen, die …« Hilfesuchend schaute sie den Züchter an, der noch immer ihre Hand in seiner vom Wetter gegerbten Hand hielt. »Genau kann ich mir Ihre Tulpen gar nicht vorstellen«, gestand sie kleinlaut.

»Warten Sie, ich hole mein Tulpenbuch, dann können Sie sich ein genaueres Bild von der Schönheit meiner Schätze machen!« Flink wie ein Wiesel rannte Piet davon. »Ich komme gleich wieder!«, rief er über seine Schulter zurück.

»Was machst du denn da?«, fuhr Valentin Seraphine an, kaum dass sie allein waren. »Natürlich werden wir auch ein paar ungewöhnliche Tulpen kaufen, aber das muss man dem Mann doch nicht gleich auf die Nase binden. Mit deiner Begeisterung machst du unsere ganze Verhandlung zunichte! Wir wollen doch den Preis gehörig drücken!«

»Aber … ich …«

»Nun lass sie doch. Seraphine kann sich wenigstens fürs Geschäft begeistern. Im Gegensatz zu gewissen anderen Leuten, die nur vor sich hin dösen«, sagte Helmut missbilligend in Hannahs Richtung gewandt, woraufhin diese lediglich eine wegwerfende Handbewegung machte.

»Hier, hier ist er, mein ganz besonderer Schatz!« Ein großes Buch auf beiden Händen balancierend, kam der Züchter zurück.

Noch ein Schatz … Dieser Mann schien von Schätzen nur so umgeben zu sein, schoss es Hannah durch den Kopf. Sie hatte eine ironische Bemerkung auf den Lippen, schluckte sie jedoch hinunter. Es war sicher besser, wenn sie sich jetzt nicht auch noch einmischte, sonst würde dieses Geschäft gar kein Ende mehr finden.

Sehnsüchtig lugte sie durch die offene Scheunentür nach draußen. Die Sonne schien, und das Meer war nicht weit. Heute Nachmittag sollte sie es sehen, mit eigenen Augen – wenn sie das ihrer Mutter schrieb!

»Das ist ja einfach unglaublich! Helmut, Valentin – habt ihr das schon gesehen?« Mit glänzenden Augen hielt Seraphine das Tulpenbuch in die Höhe. »Das sind ja Hunderte von Blättern! Der Künstler muss sein Leben damit verbracht haben, Tulpen zu malen.« Fasziniert schaute sie zu Piet hinüber. »Diese Farben – was für eine Leuchtkraft! So etwas habe ich noch nie gesehen.«

Piet van den Veyen schmunzelte. »Das sind ganz normale Aquarellfarben. Aber Sie haben schon Recht, so ein Tulpenbuch ist wirklich ein Lebenswerk. Vor allem, da ständig Neuzüchtungen dazukommen.«

Hannah, die nur einen kurzen Blick über Seraphines Schulter in das Buch geworfen hatte, verdrehte die Augen. Wollte Seraphine jetzt tatsächlich Seite für Seite betrachten? Viele Tulpen glichen sich wie ein Ei dem anderen. Dass es sich dabei um verschiedene Sorten handeln sollte, konnte Hannah nicht erkennen.

Helmut räusperte sich. »So ein Tulpenbuch ist natürlich sehr hilfreich für einen Laien, aber da wir schon ziemlich genau wissen, was wir wollen, sollten wir doch langsam zum Geschäft kommen!« Mit einer auffordernden Geste ging er zurück an den Tisch mit den Körben.

Endlich!, rief Hannah ihm stumm zu.

»Helmut …« Seraphine runzelte die Stirn. Ihr Schwager reagierte jedoch nicht.

»Was ist denn, meine Liebe?«, fragte Valentin stattdessen.

»Je genauer ich das Buch ansehe, desto schlechter finde ich die Zeichnungen«, flüsterte Seraphine. »Schau, die Stängel und die Blätter – sie sehen alle gleich aus. Alle sind gleich hoch, überall wurde dasselbe Grün verwendet – wie langweilig! Der Maler hat jedes Mal nur eine andere Blüte daraufgesetzt.«

»Na und? Um die Blüten geht es doch, wer schaut sich schon die Stängel und das Laub an?« Valentin warf einen ungeduldigen Blick zu seinem Bruder hinüber, der schon mitten in der Verhandlung zu sein schien.

Was für eine Geduld er mit Seraphine hat, wunderte sich Hannah nicht zum ersten Mal. Dabei war sie immer so abweisend zu ihm.

»Diese Zeichnungen haben keine Seele!«, rief Seraphine nun eine Spur zu laut. Piet und Helmut wandten sich zu ihr um. »Darüber täuschen auch die wunderschönen Farben nicht hinweg. Das kann ich besser!« Im nächsten Moment zückte sie ihr Bündel und machte sich an dem Knoten zu schaffen. Der Farbkasten und ein Stapel frische Malblöcke – ein Geschenk von Valentin – kamen zum Vorschein.

»Du willst dich doch jetzt nicht hinsetzen und anfangen zu malen?« Die Arme in die Hüfte gestemmt, schaute Hannah auf ihre Schwägerin hinab.

»Doch, das will ich!«, kam es zurück. »Dieser Schönheit muss angemessener Tribut gezollt werden.«

»Aber du kannst doch nicht Hunderte von Tulpen malen – da sitzt du bis Weihnachten dran!« Valentin wollte ihr den Block sanft aus der Hand nehmen, doch Seraphine wehrte ihn ab.

»Das habe ich auch nicht vor, für wie dumm hältst du mich? Ich werde natürlich nur Skizzen von den Sorten machen, für die ihr euch entscheidet. Die Reinzeichnungen mache ich dann später zu Hause.«

»Und was wird aus unserem Ausflug? Wir wollen doch ans Meer!«, sagte Hannah eisig. »Du glaubst doch nicht allen Ernstes, dass ich hier noch länger dumm herumsitzen werde!«

»Wo du dumm herumsitzt, ist mir gleich!«, kam es schnippisch zurück. »Ich werde hier und heute mein eigenes Tulpenbuch beginnen, das ist für Helmut und Valentin eine große Hilfe beim Verkaufen.«

»Sera, was soll denn das«, sagte Valentin tadelnd. Er machte eine entschuldigende Grimasse in Hannahs Richtung, doch die war schon auf dem Weg zu Helmut, der gerade mit einem Handschlag das Geschäft mit Piet besiegelte.

Valentin seufzte.

»Wenn dir das Malen so wichtig ist, bleibe ich mit dir auf dem Hof. Wir können die beiden anderen ja später wiedertreffen.« Mit hängenden Schultern winkte er Helmut und Hannah nach, die sich bereits strahlend davonmachten.

46

»Weg da!« Mit der bloßen Hand schlug Hannah nach einer besonders vorwitzigen Möwe, die mit Dutzenden anderen um sie kreiste, in der Hoffnung, ein Stückchen Makrele zu ergattern.

»Lästige Viecher«, brummte Helmut, warf ihnen aber dennoch den Kopf seiner Makrele zu. Sofort stürzte sich eine Horde Vögel darauf und zankte sich wild hackend um den Leckerbissen. Helmut rülpste. Der fette Fisch und die gekochten Muscheln, die sie zuvor verzehrt hatten, lagen ihm schwer im Magen. So griff er nach der Flasche Schnaps, die sie ebenfalls für ihre Brotzeit gekauft hatten. Die Flüssigkeit rann heiß und scharf in seinen Magen.

Hannah, die inzwischen auch mit Essen fertig war, wischte ihre Hände an einem Rockzipfel ab. Dann schnürte sie ihre Schuhe auf, schob den Unterrock und den Rock nach oben und ließ sich mit entblößten Beinen rückwärts ins struppige Dünengras fallen. Sie gab ein lautes Stöhnen von sich.

»Was war das denn?«, fragte Helmut augenzwinkernd. »Willst du mich verführen, oder hat dir etwa auch der fette Fisch auf den Magen geschlagen?« Er begann an ihrem Mieder zu nesteln, doch Hannah schlug seine Hand mit einem spielerischen Klaps weg wie zuvor die Möwe.

»Weder noch«, sagte sie. »Ich bin einfach so glücklich!« Sie richtete sich wieder auf. »Weißt du, dass wir so etwas noch nie gemacht haben?« Ihre Augen waren dunkel vor Liebe.

Helmut beschloss, sich dumm zu stellen. »Gerülpst und gestöhnt?« Prompt kassierte er einen Stoß in die Rippen.

Natürlich wusste er, was Hannah meinte: Es war noch nie vorgekommen, dass sie einen ganzen Tag allein verbracht hatten. Allein und ohne Arbeit.

Er drückte ihr mit fettigen Lippen einen Kuss auf die Stirn. Auch er war glücklich. Hannahs Begeisterung war ansteckend. Durch sie begann er viele Einzelheiten des Reisens wieder neu wahrzunehmen: das ungewohnte Essen, den Geruch fremder Landschaften, die Art, in der die Menschen sich kleideten.

Spielerisch nahm er ihre rechte Hand und streichelte Finger für Finger. Wie sie mit ihren Händen im Sand gewühlt hatte! Inzwischen waren ihre Nägel weiß und blank poliert von den groben Sandkörnchen. Jede Krabbe, jede Muschel, jedes bizarr geformte Stück Treibholz war ihr einen Freudenschrei wert, am liebsten hätte sie alles gesammelt. Und dann die Holzpantinen, die es ihr so angetan hatten! Ohne Hannah hätte er an so etwas keinen Gedanken verschwendet. Aber als sie an dem kleinen Hof vorbeikamen und das Schild sahen, auf dem der Verkauf solcher Schuhe angepriesen wurde, war er es gewesen, der einen Besuch dort vorschlug. Und nun lagen fünf Paar dieser hölzernen Pantinen in einem prallen Sack neben ihnen! Ihm grauste, wenn er daran dachte, dass die schwere Last nach Gönningen geschleppt werden wollte. Andererseits waren die Schuhe auch ein Zeichen dafür, dass Hannah wieder ihren Weg ging. Der Gedanke war Helmut fast peinlich – es kam selten vor, dass er innehielt und sich solchen Gedankengängen überließ. Rasch nahm er noch einen Schluck Schnaps und reichte die Flasche dann weiter an Hannah.

Sie lehnte dankend ab und kicherte. »Wenn du so weitermachst, bist du völlig betrunken, bis Valentin und Seraphine wieder zu uns stoßen.«

»Falls das überhaupt geschieht«, brummte Helmut. »Wenn Sera anfängt zu malen, kann das Stunden dauern, das wissen wir doch. Manchmal weiß ich wirklich nicht, was in ihrem Kopf vorgeht.«

Hannahs Miene verdüsterte sich. »Ich weiß das sehr wohl – sie tut alles, um uns das Leben schwer zu machen. Aber heute schneidet sie sich damit nur ins eigene Fleisch! Der arme Valentin«, fügte sie hinzu, klang dabei aber nicht sehr mitfühlend. »Da sitzt er nun auf diesem Hof und langweilt sich, während sie ihren künstlerischen Neigungen nachgeht. Ach, vergessen wir die beiden einfach. Es gibt etwas, was ich dir sagen will ...« Sie brach ab, als Helmut auf ein paar Fischer zeigte, die in einiger Entfernung gerade ihren Fang an Land brachten. Er stand auf, um besser sehen zu können, ob sich der Fischzug für die Männer gelohnt hatte.

»Was für ein Leben! Tag für Tag den Elementen der Natur so unmittelbar ausgesetzt zu sein! Diese wettergegerbten Gesichter, die vom Salz rau gewordenen Hände, die gebückten Rücken ...«

»Woher kommt die Sehnsucht in deiner Stimme? Beneidest du die Leute etwa um ihr hartes Leben?«, fragte Hannah, die nun ebenfalls aufgestanden war. Mit der Hand die Augen vor der Sonne schützend, schaute sie zu, wie sich die Männer mühten, das kleine Boot ans Land zu ziehen.

»Irgendwie sind sie doch zu beneiden, oder? Jeden Tag diese Weite um sich zu haben, das macht den Kopf frei für verwegene Gedanken. Freiheit ... Ja, vielleicht geht es vor allem darum.«

Hannah zog ihn zurück ins Gras. »Freiheit – mit buckligem Rücken und salzverkrusteten Händen. Und mit nichts anderem auf dem Teller als Fisch. Jeden Tag Fisch! Und gefährlich ist ihre Arbeit bestimmt auch, lebensgefährlich sogar!«

Helmut kratzte sich am Ohr. So schön dieses Plätzchen war, so lästig waren die Millionen von Sandflöhen und kleinen Mücken, die es hier gab.

»Vielleicht hast du Recht. Vielleicht sieht so ein Fischerleben von außen betrachtet viel erstrebenswerter aus, als es ist. Dieser Blick übers Meer ist schon betörend, aber von unserem Rossberg aus hat man auch einen ganz schönen Blick auf die große Welt, nicht wahr? Und eigentlich geht es uns Samenhändlern doch gut. Wenn einer die wahre Freiheit genießt, dann sind das wir!«

»Jetzt spuckt aber jemand große Töne! Was diese Freiheit betrifft: Soll ich dich daran erinnern, wie grantig du aus Odessa zurückgekommen bist, wo ihr ganz schön von oben herab behandelt worden seid? Vielleicht hättet ihr den reichen Leuten dort zuerst von eurer Freiheit erzählen sollen ...«

Helmut stöhnte. »Die Reise nach Odessa war eine Erfahrung, die fürs ganze Leben reicht.« Obwohl er sich um einen leichten Ton bemühte, ärgerte es ihn, dass es Hannah immer wieder gelang, ihren Finger auf einen seiner wunden Punkte zu legen. Sie kannte ihn mittlerweile wirklich gut.

Hannah lächelte zufrieden, wurde aber gleich darauf wieder ernst. »In guten wie in schlechten Zeiten – als der Pfarrer uns diesen Spruch wiederholen ließ, waren es nicht mehr als ein paar Worte. Ein Ritual, das eben zu einer Hochzeit gehört wie der Blumenschmuck und der Festtagsschmaus. Aber inzwischen ...«

Helmut nahm ihre Hand und drückte sie. Er verstand so gut, was sie ihm sagen wollte! Ihr gemeinsames Schweigen hüllte sie ein wie eine warme, schützende Decke.

»Weißt du, als du damals in Gönningen ankamst, war ich nicht sehr begeistert davon«, gestand er unvermittelt.

Sie lachte leise auf. »Das habe ich gemerkt. Wie du dich geziert hast! Das war wirklich nicht gerade ehrenhaft. Andererseits war dein Verhalten in deiner besonderen Situation auch verständlich.«

Bevor Hannah wieder auf Seraphine zu sprechen kommen konnte, hob Helmut erneut an: »Was ich eigentlich sagen will: Alles hat sich zum Guten gewendet. Ich … ich kann mir keine andere Frau an meiner Seite vorstellen. Im letzten Winter und im Frühjahr, als du dich so zurückgezogen hast – wie hast du mir gefehlt! Da habe ich gemerkt, dass das Leben ohne dich keinen Spaß mehr macht.« Ein wenig verlegen ob dieses Gefühlsausbruchs stand er rasch auf, dann hielt er Hannah seine Hand hin. »Lass uns gehen, bevor uns die Mücken das letzte bisschen Blut aus den Adern saugen.«

Hannah schüttelte den Kopf. »Nein, ich möchte dir auch noch etwas sagen.«

Zögernd ließ er sich wieder neben ihr nieder.

»Damals, in der Hütte …«

Helmut stöhnte. »Hannah, nicht schon wieder diese Geschichte, ich –«

Sie unterbrach ihn, indem sie ihren Zeigefinger auf seinen Mund legte. Goldene Sprenkel tanzten in ihren Augen, ihre Wangen hatten eine leichte Röte angenommen.

»Damals, als wir nach so langer Zeit wieder miteinander geschlafen haben … Also, was ich dir sagen will … Vielleicht sollten wir noch ein paar Holzschuhe dazukaufen – ganz winzige! Ab Februar können wir die gut gebrauchen …«

47

Minuten tropften ins Stundenfass, die Zeit kroch wie eine Schnecke durch das von der Sonne verdorrte Gras.

Nachdem Valentin Seraphine eine Zeit lang beim Malen zugeschaut hatte, ohne dass sie dabei auch nur einmal den Kopf gehoben, geschweige denn etwas zu ihm gesagt hätte, stand er wortlos von dem Tisch auf, den Piet für sie in der Lagerhalle frei gemacht hatte.

Draußen musste er die Augen zusammenkneifen, so sehr blendete ihn das Sonnenlicht. Ihm knurrte der Magen vor Hunger, und langweilig war ihm auch. Helmut und Hannah waren bestimmt schon am Meer und ließen sich eine salzige Brise um die Nase wehen. Vorher hatten sie sich garantiert ihren Wanst voll geschlagen. Und er drehte hier Däumchen!

Valentin warf einen letzten Blick in die Halle, wo Seraphine weiterhin in ihre Malerei vertieft war. Sie schien nicht einmal gemerkt zu haben, dass er nicht mehr neben ihr saß. Wahrscheinlich würde sie nicht einmal bemerken, wenn er vor ihr nackt einen Handstand vollführte!

Undankbares Weib! Mürrisch trat er mit seinem Fuß in den Kies, mit dem der ganze Hof ausgelegt war.

Bisher verlief die Reise ganz und gar nicht nach seinem Sinn. Er war seiner Frau kein bisschen näher gekommen, ganz im Gegenteil. Angesichts des innigen Miteinanders von Helmut und Hannah, das er hier ständig miterlebte, schmerzte ihn die Kälte, die von Seraphine ausging, noch viel heftiger als zu Hause.

Ach Seraphine … Sein Seufzen schreckte eine Amsel auf, die den Fremden von einem Walnussbaum aus beobachtet hatte.

Und nun? Als Antwort ließ sein Magen abermals ein lautes Knurren vernehmen. Er konnte doch wohl schlecht zu Piet in die Küche gehen und nach etwas Essbarem fragen! Ihm war es schon peinlich genug, dass er seinen Besuch bei dem Tulpenzüchter über Gebühr ausdehnte.

Vielleicht sollte er zu Seraphine gehen, ihr Malzeug zusammenpacken, sie an die Hand nehmen und vom Hof zerren! Stattdessen schlenderte er durch den Hof, als wäre es das Normalste von der Welt. Er konnte sich natürlich auch dort hinten in den Schatten der Apfelbäume legen und den Herrgott einen guten Mann sein lassen – was für ein aufregender Zeitvertreib!

Er war schon auf dem Weg in Richtung der Bäume, als ihn ein Geräusch, das aus der Scheune kam, innehalten ließ. Es war ein Frauengesang, eine ihm unbekannte Weise, nicht besonders schön, dafür aber umso inniger gesungen.

Nach kurzem Zögern stapfte er neugierig auf die Scheune zu.

»Kann ich Ihnen helfen, mein Herr?« Ohne den Hauch eines Erschreckens schaute die Frau von ihrer Arbeit auf und lächelte Valentin an, der verlegen hinter der Scheunenwand stand und am liebsten in einem Loch in der Erde verschwunden wäre.

»Ich … Es tut mir Leid, wenn ich Sie störe. Aber Sie haben so eindringlich gesungen!«, hörte er sich stottern. Piets Tochter! Krampfhaft versuchte er, sich an ihren Namen zu erinnern.

Sie lachte auf. Kleine Fältchen zogen sich dabei quer über ihre Nase, die in einem Meer von Sommersprossen zu ertrinken schien.

»Eindringlich gesungen – wie schmeichelhaft! Mein Vater sagt immer, wenn ich singe, schrumpeln die Zwiebeln in ihren Körben zusammen. Aber ich mache mir nichts daraus! Wollen Sie zu ihm?«

Valentin trat von einem Bein aufs andere. »Ich …«

Sie seufzte übertrieben. »Sie wollen zu ihm, das habe ich mir doch gedacht! Sie gehören also auch zu denen, die lieber mit dem Drehorgelspieler als mit dem Affen sprechen!« Mit einer resignierenden Geste hob sie die Schultern. »Mein Vater ist gerade beim Verladen, ich glaube sogar, es handelt sich dabei um die Ware, die er für Sie direkt nach Böhmen schicken soll. Aber er dürfte bald wieder hier sein. Vielleicht kann ich Sie in der Zwischenzeit für meinen *Rummel* interessieren?« Sie zeigte auf die Körbe voller Tulpenzwiebeln, die vor ihr auf dem Boden standen.

Ratlos kratzte sich Valentin am Kopf. Wie sollte er ihr den Umstand erklären, dass sie ihre Geschäfte zwar längst abgeschlossen hatten, er aber noch immer auf dem Hof weilte?

»Das ist *Rummel*? Ich dachte, dabei handelt es sich um minderwertige Ware. Diese Zwiebeln scheinen mir jedoch von guter Qualität zu sein!«, plapperte er drauflos, nur, um irgendetwas zu sagen. Und um von seinem Blick abzulenken, der an ihr klebte wie eine Fliege am Honigfass. Er empfand sich selbst als unhöflich, konnte aber nichts dagegen tun. Inzwischen war ihm ihr Name wieder eingefallen: Margarita, fast wie die Blume.

Sie hatte eine Haut so weiß wie Schmalz, aber nicht so durchscheinend und blutleer wie bei Seraphine, dafür sorgten schon allein die vielen Sommersprossen. Ihre roten Haare glühten in der Sonne geradezu, ihre Augen waren von einem blassen Braun. Sie lachte und zeigte dabei eine Reihe unregelmäßiger, aber perlweißer Zähne. Auf ihrer Stirn glitzerte ein Schweißtropfen. Valentin musste dem Impuls widerstehen, ihn mit der Kuppe seines Zeigefingers wegzuwischen. Ihr Aussehen war nicht engelsgleich wie Seraphines, und auch mit Hannahs robuster Weiblichkeit hatte es nichts zu tun. Und dennoch war Margarita hier, in dieser von Wind und Salz und Meer geprägten Landschaft, schön! Wie eine Windsbraut, schoss es ihm durch den Kopf. Gleichzeitig fragte er sich, wie er auf diesen Begriff kam. Eine Windsbraut – seltsam …

Liebevoll ließ sie ein paar Zwiebeln durch ihre Hand gleiten. »Die Qualität ist tatsächlich sehr gut, es handelt sich dabei lediglich um unverlesene Ware. Wer *Rummel* kauft, weiß nie, was sich in einer Zwiebel verbirgt. Blüht sie rein weiß? Oder ist es gar eine Bizarde? Handelt es sich womöglich um einen besonderen Streich der Natur? Ich finde das aufregend. Und Sie?«

Während Valentin noch darüber grübelte, ob sie eine Antwort auf diese Frage erwartete, stand die Frau auf.

»Mein Name ist Margarita van den Veyen.« Ihr Händedruck war fest und warm.

»Valentin Kerner«, stellte er sich vor.

»Ich dachte eigentlich, Sie wären schon längst fort! Hat mein Vater Ihnen nicht extra eine Kutsche für eine Fahrt ans Meer besorgt?« Sie runzelte die Stirn.

»Ja schon, aber nur mein Bruder und meine Schwägerin sind damit losgefahren. Ich –«

Margarita winkte ab. »Ich bin unhöflich! Sie sind natürlich herzlich willkommen, vor allem, solange Sie mir meine langweilige Arbeit versüßen. Bei uns in Holland ist man gern gesellig, wissen Sie?« Sie lachte und zog ihn dabei neben sich auf den Boden. Im nächsten Moment hatte er einen Packen Jutesäcke in der Hand.

»In jeden Sack hundert Zwiebeln, dann oben zubinden und fertig! So bringe ich sie nächsten Samstag nach Leiden auf den Markt. Den Sack gibt es für fünf Gulden – das ist doch ein fairer Preis, oder? Vater hat mir erlaubt, den Erlös vom *Rummel* für mich zu behalten, also machen Sie Ihre Arbeit gut! Denn davon hängt ab, ob ich als reiche oder arme Frau vom Markt zurückkehre.« Mit jedem Wort traf Valentin ein heißer Atemzug.

»Sie sind doch längst eine reiche Frau!« Die Worte purzelten aus seinem Mund, bevor er etwas dagegen tun konnte. »Ihre Fröhlichkeit – die ist doch mit keinem Geld der Welt aufzuwiegen.« Er spürte, wie ihm augenblicklich die Röte ins Gesicht schoss.

Was fiel ihm ein, einem fremden Weib solche Dinge zu sagen? War es ihr eigentümlicher Duft – nach Kampfer oder bitteren Kräutern –, von dem ihm ganz schwindlig wurde? Oder war es die Erleichterung darüber, dass Margarita ihm seine Langeweile vertrieben hatte?

»Ein württembergischer Philosoph!« Sie klatschte in die Hände. Im nächsten Moment mussten sie beide lachen.

Einträchtig füllten sie anschließend Zwiebeln in die Säcke ab, während Margarita von diesem und jenem erzählte.

Sie war zufrieden damit, einen stillen Zuhörer zu haben. Wenn sie eine Frage stellte, beantwortete sie diese im selben Atemzug selbst. Wenn sie einen Scherz machte, war sie die Erste, die loslachte. Sie schien sich selbst zu genügen und strahlte dabei eine Zufriedenheit aus, die Valentin geradezu neidisch machte.

Obwohl inzwischen selbst die Brise, die vom Meer zu ihnen wehte, nichts mehr gegen die Sommerhitze ausrichten konnte, fühlte sich Valentin so wohl wie schon lange nicht mehr. Vergessen war sein Hunger, vergessen der Ausflug ans Meer. Vergessen war sogar Seraphine, zumindest fast.

Margarita war so erfrischend unkompliziert!

»Sie lachen mich aus!«, rief sie gerade entsetzt. »Halten Sie den Gedanken, dass eine Frau auf einem Walfängerboot anheuert, für so abwegig?«

»Ehrlich gesagt, ja!«, antwortete er und wischte den Gedanken an Seraphine fort. Sollte sie doch malen, bis sie schwarz wurde! »Aber gelacht habe ich, weil es mir gerade … so gut geht!«

Sie hob fragend die Augenbrauen. Wie sollte er ihr erklären, dass er seit der Abreise aus Gönningen nicht mehr richtig hatte durchatmen können? Dass er ständig das Gefühl hatte, auf der Hut sein zu müssen? Vor der eigenen Frau und deren Launen …

Seraphines Kälte ihm gegenüber umspannte seinen Brustkorb wie ein Eisenring, drückte ihm die Luft ab, raubte ihm Kraft, Mut, Zuversicht. Und dann ihre Empfindlichkeit! Inzwischen legte er jedes Wort ihr gegenüber auf die Goldwaage, weil er ständig befürchten musste, dass irgendeine harmlose Bemerkung sie in dumpfes Grübeln verfallen ließ. Hannah und Helmut hatten es leicht – sie konnten Seraphines Launen ignorieren und sich trotzdem einen schönen Tag machen. Ihm fiel das weitaus schwerer.

Als er seine Bemerkung nicht weiter ausführte, sagte sie: »Na gut, vergessen wir den Walfang. Vielleicht sollte ich mich den Jahrmarktleuten anschließen, die gerade in Haarlem ihre Zelte aufgeschlagen haben. Als was, glauben Sie, könnten die mich dort gebrauchen?«

Er runzelte in gespieltem Ernst die Stirn. »Vielleicht könnten Sie dort mit Tulpenzwiebeln jonglieren?«

»Wie langweilig!«, rief Margarita. »Nein, dann heuere ich lieber auf einem der Schiffe an, die mit den Tulpenzwiebeln meines Vaters in fremde Länder fahren. Nach Amerika vielleicht? Was halten Sie von Amerika? Wäre das abenteuerlich genug? Ob dort genügend Überraschungen auf mich warten würden? Die Schifffahrt auf hoher See ist nicht einfach, es kommt immer wieder vor, dass selbst erfahrene Seeleute auf eine Sandbank auflaufen. Bestimmt würde der Kapitän mich mit Handkuss nehmen, damit ich ihm beim Navigieren helfe! Und wenn nicht, kann ich immer noch die Kisten bewachen«, fügte sie so ernsthaft hinzu, als stünde eine derartige Reise kurz bevor. Abwesend ließ sie eine letzte Tulpenzwiebel in ihren Sack plumpsen, bevor sie ihn mit einer Schnur zuband.

Valentin lachte aus vollem Hals. »Amerika geht aber nur, wenn Sie mich mitnehmen! Denn Sie müssen wissen: Eine Reise nach Amerika ist eigentlich *mein* Traum ...«

»Ein württembergischer, philosophierender Träumer!« Margarita schüttelte den Kopf. »Unsere Reise nach Amerika scheint vielversprechend zu werden ...«

Vergnügt malten sie ihre Visionen immer weiter aus. Sie waren so in ihr Spiel vertieft, dass keiner von beiden den Schatten bemerkte, der plötzlich über sie fiel. Es war Valentin, der zuerst aufschaute.

»Seraphine!«
Seine Frau hatte er völlig vergessen.

48

Mit halb geschlossenen Augen schaute Seraphine dem Spiel des Jongleurs zu. Begonnen hatte er mit drei Bällen, inzwischen hielt er fünf Bälle in der Luft, angefeuert von den umstehenden Leuten, nahm er einen sechsten hinzu. Die glitzernde Bemalung, mit der die Bälle verziert waren, reflektierte im untergehenden Sonnenlicht. Von einem der gleißenden Strahlen wurde der Jongleur nun selbst geblendet, und vor den Augen seiner Zuschauer entglitten ihm die Bälle. Einer purzelte Seraphine direkt vor die Füße.

Gedankenverloren hob sie ihn auf und reichte ihn an den Mann zurück, der sich mit einer übertriebenen Verbeugung bedankte.

Seraphine rieb sich die Augen. Sie war müde. Müde vom Tag und müde vom Leben.

War sie nicht auch eine Jongleurin? Mit zu vielen Bällen in der Hand. Und entglitt ihr nicht auch ein Ball nach dem andern?

Nach den vielen Stunden, die sie mit ihrem Zeichenblock und Piets Tulpenbuch verbracht hatte, hätte sie gut und gern auf den Besuch des Jahrmarktes verzichten können. Die anderen drei jedoch hatten darauf bestanden. Hand in Hand waren Helmut und Hannah von ihrem Ausflug ans Meer zurückgekommen, hatten kichernd ihre Dutzende von Mückenstichen gezählt. Auch Valentin war bester Laune gewesen – er war es auch, der den Besuch des Jahrmarktes vorgeschlagen hatte.

Seraphine warf ihm einen gereizten Blick zu. Hatte nichts im Kopf als sein eigenes Vergnügen!

»Kommt, lasst uns weitergehen! Dahinten soll ein Mann mit Tanzbären sein!«, rief Hannah neben ihr. »Und schaut doch nur, die Gänse da drüben. Wahrscheinlich wird ein Wettrennen veranstaltet!« Sie lachte. »Na, wollen wir auf eine von ihnen setzen?«

»Warum probieren wir nicht zuerst unser Glück an der Wurfbude aus? Dort habe ich es wenigstens selbst in der Hand«, sagte Helmut, und Valentin nickte bestätigend. Ohne auf ihre Zustimmung zu warten, zog er Seraphine an der Hand hinter sich her. Im nächsten Moment bekam sie einen Stoß ins Kreuz, und Bier schwappte auf ihren Arm.

»Pass doch auf, du Trottel!«, schrie sie den Trunkenbold an, aber der lallte nur etwas Unverständliches zurück. Angewidert wandte sich Seraphine ab.

Es war ein warmer Abend, und der Jahrmarkt war gut besucht: Männer, die mit Bierhumpen in der Hand vor dem »Hau den Lukas« standen und einen der ihren anfeuerten. Eltern, deren Augen mit denen ihrer Kinder um die Wette strahlten. Junge Mädchen, die sich weniger für die Gaukler interessierten als vielmehr für die männlichen Jahrmarktbesucher. Kichernd schubsten sie immer wieder eine aus ihrem Kreis in Richtung eines besonders feschen Burschen.

Während Hannah die Männer anfeuerte, mit ihren Bällen besser auf die Pappfiguren zu zielen, wanderte Seraphines Blick zurück zu dem Jongleur. Inzwischen hatten sich seine Zuschauer anderen Attraktionen zugewandt, verlassen und mit einem bekümmerten Blick drehte er einen einzelnen Ball in seiner Hand.

Was, wenn es mir auch so ergeht!, ging es Seraphine durch den Sinn. Was, wenn ihr ganzes Taktieren, Jonglieren, all ihre Bemühungen fruchtlos blieben? Sie blinzelte heftig und fuhr sich mit der Zunge über die trockenen Lippen. In ihren Ohren dröhnte es, nur noch wie durch einen Nebelschleier nahm sie die Brüder wahr, die mit weit ausholenden Würfen und viel Gejohle versuchten, sich gegenseitig zu übertrumpfen.

Gleich fall ich um! Seraphines rechte Hand tastete nach etwas, woran sie sich festhalten konnte.

Was, wenn alles vergeblich wäre? »Du kannst dir das Schicksal nicht gefügig machen«, hatte Evelyn zu ihr gesagt. Was, wenn sie Recht behielte?

Es war das erste Mal, dass Seraphine es sich erlaubte, länger bei diesem Gedanken zu verweilen.

Es war allerdings nicht so, dass sie ihn jetzt zum ersten Mal wahrnahm. Schon lange krabbelte er wie ein lästiges Insekt durch ihren Kopf. Seit sie nach Holland aufgebrochen waren, brummte und summte es in ihrem Schädel wie in einem Bienenstock! Ach, wenn es ihr nur gelänge, den Gedanken einzufangen oder gar totzuschlagen! An manchen Tagen war das Summen stärker, und nur wenn sie sich kräftig anstrengte, gelang es ihr, es zu verbannen. Sie musste nicht hören, was sie nicht hören wollte. Sie musste nicht denken, was sie nicht denken wollte. Doch an anderen Tagen half selbst die größte Kraftanstrengung kaum.

Heute war solch ein Tag. Bis sie bei dem Tulpenzüchter angekommen waren, hatte sie sich zusammenreißen können. Doch dann hatte ihre Kraft nicht mehr ausgereicht, weiter so zu tun, als ob nichts wäre. Sie wusste, es war ein Fehler gewesen, Helmut und Hannah ziehen zu lassen, aber sie hatte einfach nicht mehr mit anschauen können, dass Hannah *ihren* Helmut wie eine Marionette an unzerreißbaren Fäden führte. Oh, das Tulpenbuch hatte es ihr sehr wohl angetan! Aber an guten Tagen hätte sie es um nichts in der Welt gegen das kostbare Zusammensein mit Helmut eingetauscht.

Heute war kein guter Tag. Seit dem Aufstehen hatten sich

410

düstere Gedanken wie Gewitterwolken in ihrem Kopf zusammengebraut. Und wie ein Tier, das ein Unwetter schon lange vor dem Ausbruch spürt, empfand sie eine Unrast, die müde machte und gleichzeitig aufgeregt und –

Etwas lauerte, setzte zum Sprung an, um im nächsten Moment seine Klauen in sie zu schlagen, in ihr Fleisch, ihr Leben. Sie konnte es bislang nicht sehen, nicht riechen, aber sie spürte es.

»Was denkst du nur für dumme Sachen?«, murmelte sie vor sich hin, in der Hoffnung, das gesprochene Wort möge die ungute Spannung in ihr lösen. Doch außer, dass sie sich einen fragenden Blick von Valentin einhandelte, tat sich nichts.

Die Männer hatten inzwischen den Spaß am Bällewerfen verloren. Mit einem verkrampften Lächeln nahm Seraphine die drei Seidenblumen entgegen, die Valentin für seine Treffer bekommen hatte.

»Ich habe Durst, und mir tun die Beine weh«, verkündete Hannah. »Warum setzen wir uns nicht an einen der Tische dort drüben und holen uns etwas zu trinken? Wir haben euch nämlich etwas zu verkünden …«

»Genau!« Helmut zwinkerte Hannah vieldeutig zu.

Jetzt! Jetzt kommt's! Unwillkürlich zog Seraphine den Kopf ein und schloss die Augen wie ein Kind, das glaubt, nicht gesehen zu werden, wenn es selbst nicht sehen kann.

»Etwas verkünden, aha, und das müsst ihr so hochoffiziell machen?«, fragte Valentin, und Seraphine hätte ihn für die Arglosigkeit in seinem Tonfall schlagen können. »Was gibt es denn?«

»Nichts da! Erst will ich etwas zu trinken«, gab Hannah lachend zurück, und im nächsten Moment rief sie: »Oh, schaut mal, eine Wahrsagerin!«

Unwillkürlich folgten Seraphines Augen Hannahs Handbewegung. Ein paar Schritte entfernt stand ein kleines Zelt, ärmlicher als die meisten anderen, von innen mit einer milchigen Funzel beleuchtet. Auf einem Hocker vor dem Zelt saß eine winzige alte Frau, über und über mit Runzeln bedeckt. Ihre Füße erreichten den Boden nicht, wippten unablässig in der Luft auf und ab. Ihr Blick war auf Seraphine gerichtet, und obwohl sie keine Miene verzog, schien sie nach ihr zu rufen.

Mit einem Schlag fiel die Lethargie, die sie seit Tagen gelähmt hatte, von ihr ab. Diese Frau hatte ihr etwas zu sagen! Etwas Gutes. Bestimmt war es etwas Gutes! Erregt zupfte Seraphine an Valentins Ärmel.

»Lass uns zu ihr gehen! Ich ...« Sie brach ab. Wie sollte sie ihre Sehnsucht erklären, dass bei dieser weisen Frau ein Körnchen Hoffnung für sie zu finden war?

Valentin verzog das Gesicht. »Ich weiß nicht ... Ich halte das für Unfug. Wenn Gott gewollt hätte, dass wir unsere Zukunft kennen, hätte er uns dieses Wissen mitgegeben. Aber zum Glück hat er darauf verzichtet! Andererseits« – lachend knuffte er Helmut in die Seite – »hätten wir dann auf das eine oder andere Abenteuer verzichtet, nicht wahr?«

Hannah stöhnte. »Jetzt fangt bloß nicht wieder damit an! Oder wollt ihr, dass ich meine gute Laune verliere? Und überhaupt, ich für meinen Teil brauche keine Wahrsagerin!« Mit einem verschmitzten Gesicht wandte sie sich Helmut zu.

»Sollen wir? Ich meine, ob wir es jetzt oder erst später ...« Auf Zehenspitzen tuschelte sie etwas in sein Ohr.

»Aber ich würde gern zu dieser Frau gehen.« Seraphine trat einen Schritt vor, sie konnte, sie wollte sich jetzt nicht von Hannah abhalten lassen.

Helmut lachte. »Warum nicht!« Er legte je einen Arm um seinen Bruder und Seraphine, deren Schulter sich sogleich anfühlte, als wären glühende Kohlen darauf gefallen. Vergeblich versuchte sie, sich aus seiner Umklammerung zu befreien.

»Lasst die Alte ruhig weiterhin in ihre Glaskugel starren, was die Zukunft bringen wird, kann ich euch auch sagen!« Hannah sah aus, als würde sie im nächsten Moment vor Aufregung platzen.

»Die Sache ist nämlich die ...« Mit vor Stolz geschwellter Brust holte Helmut tief Luft.

Ich will nicht, ich will nicht, Sternenfee, bitte ...

»Ich werde wieder Vater! Und diesmal wird es ein kleiner Samenhändler sein, der das Licht der Welt erblickt!«

»Nein«, kam es dumpf von Seraphine.

»Doch!«, erwiderte Helmut strahlend. »Es stimmt! Ich meine, ob es ein Junge wird, weiß natürlich noch niemand, aber ich habe so ein Gefühl, als ob –«

»Neiiiin!«

Je länger er nach ihr suchte, desto größer wurde die Wut in Valentins Bauch. Natürlich, dass Seraphine keinen Luftsprung machte, als sie von Hannahs neuerlicher Schwangerschaft erfuhr, war für ihn nicht überraschend gewesen. Sie war und blieb halt ein eifersüchtiges Weib, was die Schwägerin anging! Während er die letzte Wagenreihe der Jahrmarktbeschicker nach seiner Frau absuchte, fragte er sich, warum er bei diesem Gedanken plötzlich seltsam leidenschaftslos blieb.

Aber musste sie sich derart aufführen? *Das* war es, was ihn so wütend machte. Seraphines ewiges Getue, mit dem sie es immer wieder schaffte, ihm einen schönen Moment zu verderben. Und in diesem Fall nicht nur ihm, sondern vor allem den beiden anderen. Wie zwei begossene Pudel hatten sie Seraphine nachgeschaut, die davongerannt war, als wäre der Leibhaftige hinter ihr her! Ihr gellendes »Nein!« hatte sogar die umstehenden Leute aufschauen lassen – so ein Theater!

Er hätte sich einfach zu den beiden anderen setzen und mit ihnen auf die frohe Botschaft anstoßen sollen, ärgerte sich Valentin, während seine Augen das Gelände hinter dem Jahrmarkt absuchten. Aber nein, wie ein Trottel hatte er die Verfolgung aufgenommen. Dabei konnte Seraphine hier doch kaum etwas passieren. Wahrscheinlich saß sie irgendwo in einer Ecke und schmollte und wartete darauf, dass er kam und sie tröstete und ihr gut zusprach. Den Hintern sollte man ihr stattdessen versohlen! Vielleicht verstand sie dann endlich, dass sie mit ihrem kindischen Theater nichts erreichte. Nicht bei ihm und erst recht nicht bei Helmut! Mit Wut im Bauch und einem Kloß im Hals trottete Valentin in Richtung der Tische und Bänke, wo Helmut und Hannah warteten. Sie waren schon in Sichtweite, als er auch Seraphine sah. Zusammengekauert, mit dem Rücken an einen Baumstamm gelehnt, hockte sie da, die Hände vors Gesicht geschlagen.

Seine Frau … wie ein trotziges Kind, hatte er es nicht gewusst? Weit war sie ja nicht gekommen. Und er suchte den ganzen Jahrmarkt ab!

Breitbeinig und mit verschränkten Armen baute er sich vor ihr auf.

»Hier steckst du also! Was fällt dir ein, dich so unmöglich zu benehmen? Du stehst jetzt augenblicklich auf und dann entschuldigst du dich bei Hannah und Helmut! Und wehe, wenn du nicht –«

Mit gerunzelter Stirn brach er ab.

»Sera, was ist denn?«

Gerade noch stumm und reglos, quollen nun harte, laute Schluchzer zwischen ihren Fingern hervor, und ihr Leib wurde von Krämpfen geschüttelt. Sie sah zart aus und so verletzt.

Valentin ging in die Hocke und wollte ihr die Hände vom Gesicht ziehen, aber sie wehrte sich. Verflogen war seine Wut, verschollen sein Ärger. Seine Hand streichelte über ihr Haar.

»Jetzt wein doch nicht. Ich …« Er biss sich auf die Unterlippe. Er hatte doch nicht ahnen können, dass die Sache sie so mitnahm! Seufzend sagte er: »Ja, es ist ungerecht! Die beiden bekommen ihr zweites Kind, und wir haben noch nicht einmal eines. Aber das ist doch kein Grund, neidisch zu sein. Oder eifersüchtig! Das muss doch nicht so bleiben! Ich würde mir nichts sehnlicher wünschen, als auch Vater zu werden. Du und ich und ein Kind ... Dann hättest du etwas, was dir ganz allein gehört.« Er ließ seine Hand an ihrem Leib herabgleiten. »Wenn du willst, würde ich dir gern ein Kind machen ...«

Sofort ärgerte er sich über den Hauch von Lüsternheit, der in seinen Worten mitklang. Hastig sprach er weiter: »Aber es gehören immer noch zwei dazu, oder? Und so selten, wie du mich ... Wenn ich da an früher denke, als wir frisch verheiratet waren ...«

Abrupt riss Seraphine ihre Hände vom Gesicht. Ihre Augen waren riesengroß und schwarz.

»Ich will kein Kind von dir!«, spie sie ihm entgegen. »Das hätte ich längst haben können, wenn ich es gewollt hätte!«

Valentin lachte verwirrt auf. »Wie meinst du das?« In seinem Magen zog sich etwas zusammen.

Unwirsch wandte sie sich ab, doch er packte sie am Schopf und drehte ihr Gesicht wieder dem seinen zu.

»Seraphine – was bedeutete das gerade eben?«

Ihr Blick war verächtlich. »Du bist so ein Dummkopf! Du verstehst nichts. Gar nichts.«

»Seraphine!« Wild hüpfte sein Adamsapfel auf und ab, und ihren Namen bekam er kaum noch heraus. Er wollte sich nicht mit ihr streiten, o Gott, wie er es hasste! Keine bösen Worte mehr, nicht heute, nicht hier. Er wollte doch feiern, mit den anderen trinken, dem Abend einen schönen Ausklang geben. Ein Gefühl der Mutlosigkeit überfiel ihn, und sein Griff wurde schlaff.

Sofort entwand sich Seraphine seiner Umklammerung. Wie eine Katze, die an ihrem Schlafplatz gestört wurde, sprang sie ihn an, packte ihn am Kopf, ihre Finger gruben sich in sein

Haar, zogen ihn näher, bis sein Gesicht nur noch eine Handbreit von ihrem entfernt war.

»Dein Kind ist tot! Ich habe es umgebracht, damals, im letzten Sommer. Weil ich es nicht wollte!« Die Stimme war schrill,
mit jedem Wort schriller, bis zum Überkippen. »Du erinnerst
dich doch noch an das viele Blut? An die ach so schwache
Seraphine … Ha, so schwach war ich gar nicht! Das hätte nicht
jede geschafft, lass dir das sagen!«

Valentin sackte in sich zusammen.

Sie holte Luft. »Jetzt weißt du's! Bist du nun zufrieden, ja?
Kannst du mich jetzt endlich in Ruhe lassen? Du bist nicht
Helmut! Nicht Helmut, verstehst du? Nie, niemals. Und dein
›Seraphine‹ – ich kann's nicht mehr hören. Ich kann's nicht
mehr hören!«

Sie sprang auf, rannte davon, ein Geräusch von sich gebend
ähnlich dem eines angeschossenen Tiers.

Das Geräusch erreichte ihn nicht.

Erreichte nicht seinen Kopf, in dem sich alle Gedanken auf-
lösten.

Erreichte nicht seinen Bauch, in dem Schmerz und Fassungslosigkeit tobten wie böse Geister.

Erreichte nicht sein Herz, das herausgerissen worden war, in
die Luft gewirbelt, zerfetzt, in tausend Stücke …

Sein Herz.

Das, was ihn ausmachte. Sein Leben.

Er wollte es festhalten, aber es flog davon, weg von dem Ort,
wo alles nur noch kalt war und einsam und schwarz. Alle
Hände der Welt hätten nicht ausgereicht, das Loch zu stopfen,
das an seiner Stelle klaffte.

Und es breitete sich eine tiefe Traurigkeit in ihm aus, wie er
noch keine gekannt hatte.

»Womit darf ich Ihnen das Leben versüßen, mein Herr?
Möchten Sie gebrannte Mandeln, allerfeinsten Lakritz oder

cremige Karamellen?« Verführerisch schwenkte das junge Mädchen seinen Bauchwarenladen vor Valentin hin und her. Als sie seinen leeren Blick sah, wich sie einen Schritt zurück, ließ sich davon jedoch noch nicht endgültig einschüchtern.

»Ich habe auch Zuckerstangen«, machte sie einen zaghaften weiteren Versuch.

Er schaute sie an wie ein Wesen von einem anderen Stern.

49

Von diesem Tag an verstummte Valentin. Es war nicht so, dass er nichts mehr redete. Es war auch nicht so, dass er sich um nichts mehr kümmerte. Im Gegenteil, wie auf der Hinreise teilte er sich auch auf dem Heimweg mit Helmut die Aufgaben, die eine Reise mit sich brachte. Er verhandelte mit Fuhrleuten über den Preis einer Mitfahrgelegenheit, er hielt Ausschau nach einem Unterschlupf, wenn es regnete, er trug das Gepäck der Frauen, wenn es ihnen zu schwer wurde.

Aber er lachte nicht mehr. Seine Augen waren unbewohnt wie ein leer gefischter See. Wenn er jemanden anschaute, verlor sich sein Blick in der Ferne, wo es nichts und niemanden zu sehen gab.

Mit Seraphine sprach er kein Wort.

»Findest du nicht, dass Valentin irgendwie seltsam ist?«, wollte Hannah von Helmut wissen. Doch dieser konnte am Verhalten seines Bruders nichts Auffälliges feststellen.

»Er ist in Gedanken wahrscheinlich schon weit weg«, antwortete er schulterzuckend. »Immerhin heißt es für uns beide in ein paar Wochen schon wieder, von Gönningen Abschied zu nehmen!«

Dass die Herbstreise der Brüder der Grund für Valentins

Verschlossenheit sein sollte, mochte Hannah nicht glauben. Es war doch nicht das erste Mal, dass die Männer nach Böhmen aufbrachen!

»Wahrscheinlich haben er und Seraphine wieder einmal Streit«, lautete Helmuts Antwort auf ihren Einwand. Und er fügte hinzu: »Misch dich nicht ein. Wenn es Zwist gibt, müssen die beiden das miteinander ausmachen!«

Hannah beugte sich Helmuts Wunsch. Wahrscheinlich hätte Seraphine ihr auf eine neugierige Frage höchstens eine schnippische Antwort gegeben, sagte sie sich. Und eigentlich hatte Helmut ja Recht: Was zwischen den beiden passierte, ging sie wirklich nichts an. Hatte sie sich nicht auch immer darüber aufgeregt, dass Seraphine sich ständig in *ihre* Ehe einmischte?

Trotzdem wurde sie ihre Sorge um Valentin nicht los. Auch wenn Helmut zehn Mal etwas anderes behauptete, sie spürte, dass den Schwager weitaus Schlimmeres bedrückte als ein harmloser Ehestreit. Immer wieder musste sie an das vertraute Gespräch denken, das sie mit ihm in Reutlingen geführt hatte. Oder besser gesagt: er mit ihr. Wie einfühlsam er da gewesen war! Mit wie viel Weitsicht er die Dinge betrachtet hatte. Nur zu gern hätte sie jetzt *ihm* geholfen, doch ihre Versuche, ihn aus der Reserve zu locken, liefen ins Leere. Er tätschelte ihren Arm, als wolle er damit ihre Bemühungen würdigen, verzog den Mund zu etwas, was ein Lächeln darstellen sollte, doch es erreichte seine Augen nicht. Hannah überlief ein Schauder.

Ratlos beobachtete sie das eisige Schweigen des Paares.

Die Heimkehr der vier wurde in Gönningen gefeiert: Wilhelmine hatte eigens für diesen Anlass drei Bleche Streuselkuchen gebacken, Flora begrüßte ihre Eltern mit Freudengeheul und ausstaffiert mit einem neuen Kleidchen, Gottlieb begutachtete kritisch die Tulpenzwiebeln, welche die Brüder als Muster mitgebracht hatten, und bestätigte ihre Qualität. Emma und ihre Tochter, Annchen und ihr Mann und viele der Nachbarn schauten vorbei, um zu erfahren, wie denn die Reise mit den »Weiberleuten« verlaufen sei. Alle wollten wissen, was sie in Holland erlebt hatten. Hannahs Mund stand nicht mehr still, und zwischen ihren Erzählungen lachte sie und küsste Flora. Dass sowohl Seraphine als auch Valentin nur sehr einsilbig auf Fragen antworteten und von sich aus gar nichts zum Besten gaben, fiel im allgemeinen Trubel niemandem auf. Im Laufe des Tages fanden sich immer mehr Gäste im Kernerschen Haus ein, so dass es Wilhelmine am Ende zu viel wurde. Und so marschierte die ganze Versammlung zu Emma in die »Sonne«, wo weitergefeiert wurde.

Hannah hatte eigentlich vorgehabt, die Neuigkeit über ihre Schwangerschaft noch ein Weilchen für sich zu behalten, und hatte dies auch so mit Helmut vereinbart. Doch der viele Wein, den Emma mehr als großzügig ausschenkte, löste seine Zunge, und vergessen war die Absprache.

»Hebt eure Gläser und stoßt mit mir an!«, rief er in die Runde. Seine Wangen waren vor Eifer gerötet, sein Weinglas schwankte gefährlich, kleine blutrote Spritzer landeten auf dem Tisch.

Hannah wollte ihn noch zurückhalten, doch es war zu spät. »Ich werde wieder Vater!«, platzte er heraus, und ihr blieb nichts anderes übrig, als sich und die gute Nachricht feiern zu lassen. Was ihr nicht sonderlich schwer fiel.

Niemand bemerkte Seraphines versteinerte Miene. Niemand bemerkte Valentins überstürzte Flucht. Und wenn jemand etwas bemerkt hätte, wäre er gewiss weder dem einen noch dem andern nachgesprungen.

Drei Tage später war Hannah schon frühmorgens in der Packstube. Vor ihr auf dem Tisch standen ein gutes Dutzend Glasschalen. In diese hatte sie vor ihrer Abreise nach Holland je hundert Samen von Rettichen, Gurken, Bohnen und anderen Gemüsesorten gestreut. Da Wilhelmine die Samen während ihrer Abwesenheit feucht gehalten hatte, war es nun an der Zeit, zu überprüfen, wie viele Samen pro Sorte gekeimt waren – eine Arbeit, die Hannah hasste und deshalb so schnell wie möglich hinter sich bringen wollte, bevor ständig jemand in die Packstube platzte und sie beim Zählen störte. Bevor Flora ihre Aufmerksamkeit verlangte. Bevor Wilhelmine einfiel, dass der Hühnerstall ausgemistet werden sollte – eine Arbeit, die Hannah noch mehr hasste. Allein beim Gedanken an den durchdringenden Mistgeruch musste sie würgen. Vielleicht konnte sie Helmut überreden … Wenn sie ein bisschen flunkerte und behauptete, die Morgenübelkeit hätte wieder zugenommen … Kaum gab sie sich solchen Überlegungen hin, hatte sie sich schon verzählt und musste wieder von vorn beginnen.

Die Rettiche und Gurken hatte sie schon durch und war mit dem Ergebnis zufrieden – fast alle Samen waren aufgegangen. Mit solch einer Ware würden die Brüder ihrer Kundschaft guten Gewissens entgegentreten können!

Als sie Helmut aus dem Augenwinkel zur Tür hereinstürzen sah, war sie gerade dabei, die gekeimten Bohnensamen auszuzählen. Musste er halt warten, dachte sie stirnrunzelnd. Schließlich schaute sie von ihrer Arbeit auf. Er stand regungslos in der Tür.

»Was ist? Willst du hier Wurzeln schlagen?«, fragte sie mit leicht gereiztem Unterton. Erst da fiel ihr seine Leichenblässe auf.

»Ist etwas mit Flora?« Mit einem Satz war sie bei ihm, wollte an ihm vorbei durch die Tür stürzen, die Treppe hinauf –

»Valentin … Er ist fort.«

»Was heißt das, fort?« Ihr Herz klopfte schneller, und verständnislos starrte sie auf den Bogen Papier, den Helmut ihr mit zitternder Hand hinhielt.

Geliebte Eltern, lieber Bruder, liebe Schwägerin,

verzeiht mir meine Feigheit, euch meinen Entschluss nicht ins Gesicht sagen zu können. Wenn ihr diese Zeilen lest, werde ich auf dem Weg nach Amerika sein. Ob und wann ich zurückkommen werde, weiß ich noch nicht. Ich weiß nur, dass ich gehen muss. Helmut, bitte versuche nicht, mir nachzureisen. Niemand kann mich aufhalten oder gar umstimmen – mein Entschluss steht fest. Sobald ich drüben angekommen bin, werde ich euch schreiben. Macht euch keine Sorgen und versucht, mir meinen Eigennutz zu vergeben, auch wenn ich dessen nicht würdig bin.

Euer euch immer liebender Sohn, Bruder und Schwager

An Vater: Ich habe aus der Geldschatulle einen kleinen Betrag genommen, natürlich werde ich diesen so bald wie möglich an dich zurückschicken.

An Helmut und Vater: Habe außerdem meinen Zwerchsack ordentlich mit Samen gefüllt – von irgendetwas muss ich ja in der neuen Heimat leben.

»In der neuen Heimat«, flüsterte Hannah. Wie ein Blasebalg, aus dem die Luft entwichen ist, sackte sie auf dem nächstbesten Stuhl zusammen. Fassungslos starrte sie auf das Blatt Papier in ihrer Hand, starrte auf jedes Wort, bis die Tinte unter ihrem Blick zu verschwimmen begann. Tausend Gedanken rasten durch ihren Kopf, ein Gefühl der Unwirklichkeit überfiel sie.

Das konnte doch nicht wahr sein.

»Das ... das ist doch nur ein dummer Scherz, oder?« Blinzelnd schaute sie auf und sah Helmut. Helmut, der zum ersten Mal, seit sie ihn kannte, weinte. Hemmungslos weinte.

Und da wusste sie, dass es stimmte: Valentin war fort.

50

Helmut riss seinem Vater den Rasierpinsel aus der Hand, Hannah scheuchte Wilhelmine im Morgenrock aus der Küche, dann holte sie Seraphine aus dem Bett. Kurz darauf versammelten sich alle in der guten Stube. Steif hockten sie auf den hart gepolsterten Sitzmöbeln, nahmen sich abwechselnd Valentins Brief aus der Hand, starrten darauf, sahen sich an und begannen schließlich wie auf ein geheimes Kommando gleichzeitig zu sprechen. Auch die Eltern dachten zuerst an einen dummen Scherz, doch Helmut winkte müde ab.

»Der hat Ernst gemacht«, sagte er tonlos, woraufhin Wilhelmine lautlos zu weinen begann.

Seraphine schwieg. Ihr Blick wanderte ziellos im Raum umher, blieb hier an der vergoldeten Pendeluhr hängen, da an einer Bronzefigur, die einen Hirsch darstellte, wanderte weiter zum Buffet, hinter dessen Glasscheiben Porzellanfiguren aus der Ludwigsburger Manufaktur ausgestellt waren.

Ich hasse diesen Raum!, durchfuhr es sie. Er war kalt und trostlos, daran konnte auch sein ganzer Zierrat nichts ändern. Warum saßen sie nicht in der Küche, wo Kaffeeringe auf der Tischplatte von häufigem Beisammensein erzählten, wo es nach warmer Milch roch und nach geröstetem Brot?

»Natürlich habe ich nichts gewusst, ich bin genauso sprachlos wie ihr!«, schrie Helmut gerade seinen Vater an, der daraufhin barsch erwiderte:

»Du kannst mir doch nicht erzählen, dass er all seine Vorbereitungen allein getroffen hat. Der packt doch nicht von heute auf morgen einfach seinen Zwerchsack, das will doch sorgfältig geplant werden! Und sonst steckt ihr beide doch immer unter einer Decke!« Obwohl Gottlieb auch in normalen Zeiten ein lautes Organ besaß, ängstigte seine jetzige Lautstärke Seraphine sehr. Die feinen Äderchen, die seine Wangen überzogen, waren feuerrot, er sah aus, als wolle er Helmut im nächsten Moment anspringen, sein ganzer Leib bebte. Hilflos legte Wilhelmine eine Hand auf seinen Arm.

»Helmut hat nichts gewusst, ehrlich«, sagte Hannah. »Von so etwas war überhaupt keine Rede, im Gegenteil, die beiden haben doch schon darüber gesprochen, wann sie nach Böhmen abreisen …« Sie hob verwundert die Hände. »Ich verstehe das alles nicht.«

»Mein Sohn – wie kann er uns das antun«, schluchzte Wilhelmine. »Diese Geheimniskrämerei … Wenn er bei uns so unglücklich war, warum hat er dann nichts gesagt?«

»Unglücklich, pa!« Gottlieb presste die Lippen zusammen. »Als ob's den Buben bei uns nicht immer gut ging!«

Hannah drückte dem Schwiegervater die Schulter. »Natürlich ging es ihm gut hier. Uns allen geht es gut. Umso unverständlicher ist das doch!«

Seraphine hatte das Gefühl, als schaue sie durch ein Kaleidoskop: Wilhelmines Verzweiflung, der Hirsch, der nicht brüllte, Hannah, die um Fassung rang, die goldene Uhr, die nicht schlug, die Feindseligkeit der Männer – lauter Fragmente, gerade noch da, gleich wieder verschwommen, nichts, woran sich ihr Auge festhalten konnte. Oder ihre Gedanken. Was bedeutete das alles? Was bedeutete es für sie?

Valentin war weg. Das war der Ausgangspunkt. Mit keinem Wort hatte er sie in seinem Abschiedsschreiben erwähnt.

Krampfhaft versuchte sie, Ordnung in das Durcheinander ihrer Gedanken zu bringen, als Gottlieb sie anfuhr: »Und du?

Was ist mit dir? Wie kannst *du* dir das Verhalten deines Mannes erklären?«

»Genau! Du hast bisher noch keinen Ton gesagt«, pflichtete Helmut bei. Beide starrten sie feindselig an.

Seraphine zuckte mit den Schultern.

Hannah seufzte. »Nun komm schon, jetzt ist nicht der Zeitpunkt für Geheimnisse. Ich weiß doch, dass es irgendwelche Zwistigkeiten zwischen euch gab. Damals, in Haarlem, auf dem Jahrmarkt, wo ihr –«

»Jahrmarkt?«, kam es scharf von Gottlieb. »Wo habt ihr euch herumgetrieben? Hat das etwas mit der Sache zu tun? Ist Valentin dort womöglich in schlechte Gesellschaft geraten?«

Helmut schüttelte den Kopf. Er sah grau und erschöpft aus, seine Unterlippe zitterte, als würde er im nächsten Moment anfangen zu weinen. Unwirsch strich er sich mit der Hand ein paar zerzauste Strähnen aus der Stirn.

»Nach Amerika! Was will er denn dort? Gottlieb, sag!« Wilhelmine klammerte sich an ihren Mann, als habe sie Angst, ihn auch noch zu verlieren. In einer selten zärtlichen Geste tätschelte er ihre Hand.

»Wahrscheinlich will er zu Rudi Thumm, seinem alten Freund.«

»Zu Rudi? Aber …« Wilhelmine verstummte und schaute in die Runde. »Vielleicht will er ihm die Sämereien verkaufen und dann kommt er wieder.«

Rudi Thumm – Amerika – Gottlieb und Wilhelmine völlig aufgelöst – wilder und wilder drehte sich das Kaleidoskop, immer verschwommener wurden die Bruchstücke, irgendwo dazwischen tauchte immer wieder das gleiche Bild auf, glitzernde Bälle, die in der Luft herumwirbelten. Blinzelnd schaute sich Seraphine im Raum um. Keine Bälle, nirgendwo.

»Amerika«, sagte sie mehr zu sich selbst. »Davon hat er schon immer geträumt, glaube ich.« Hatte er je darüber gesprochen?

Valentin. Der immer da war, der ihr lästig war, aber immer da. Die Bälle – waren sie ihr aus der Hand gefallen? Nein, dem Jongleur. Sie hatte Valentin angeschrien, der Abend war schrecklich gewesen, sie hatte ihn zurückgelassen in Holland, so, wie sie stets alle schrecklichen Erinnerungen zurückließ. Der Abend war weit weg, tat nur noch ein bisschen weh. Wie Valentin weit weg ...

Helmut schnaubte. »Träume! Und dafür lässt er mich im Stich?«, sagte er bitter. »Wie kann er uns das antun?« Kopfschüttelnd schaute er seinen Vater an. »Kannst du mir mal sagen, wer mir jetzt bei der Apfelernte helfen soll? Und wer mit mir nach Böhmen reist?«

»Er kann noch nicht weit sein!«, sagte Hannah plötzlich. »Helmut, du musst ihm nachfahren! Ihn zurückholen!«

Helmut lachte rau. »Und wo soll ich nach ihm suchen? Wir haben doch überhaupt keinen Anhaltspunkt. Außerdem – hast du nicht gelesen, was er geschrieben hat? Er *will* nicht, dass ich ihm nachgehe! Er pfeift auf Böhmen, auf uns alle, wenn du's genau wissen willst!« Seine Stimme war immer lauter geworden.

»Und wir pfeifen auf ihn!«, sagte Gottlieb hart. Abrupt ließ er Wilhelmines Hand los, seine Augen waren weit aufgerissen. »Wer sich davonschleicht wie ein Dieb, wer seine Familie im Stich lässt, wer seinen Bruder auf der Reise nach Böhmen allein lässt, ist für mich gestorben!«

Wilhelmine heulte erneut auf.

Böhmen? Ein kleines Glöckchen klingelte in Seraphines Ohren, sie wurde hellhörig.

»Böhmen ...« Ein Murmeln nur.

»Böhmen.« Verheißungsvoll. Ihre Chance! Das, was alles in einem völlig neuen Licht erscheinen ließ. Hitze stieg in ihr auf, und gleichzeitig waren ihre Hände kalt. Unruhig knetete Seraphine sie im Schoß. »Böhmen«, sagte sie noch einmal.

Die anderen schauten sie an, als habe sie ihre Sinne nicht mehr beieinander. Seraphine holte Luft. Jetzt nur nichts falsch machen.

»Vielleicht ... nun, ein wenig haben wir wohl doch gestritten«, sagte sie vorsichtig.

Sofort verschlossen sich die Gesichter.

»Ich ... ich weiß es nicht so genau! Bei Valentin muss man jedes Wort auf die Goldwaage legen. Aber wenn ich Schuld habe an seinem Fortgehen, werde ich das wieder gutmachen. Alles mache ich wieder gut, alles!« Sie beschloss, Gottliebs Stirnrunzeln und Wilhelmines gekräuselte Lippen zu ignorieren.

Hannah öffnete den Mund, den ein spöttisches Lächeln umspielte, Seraphine konnte nicht zulassen, dass sie das Wort ergriff! Doch während sie sich rasch die nächsten Sätze zurechtlegte, fuhr Gottlieb dazwischen: »Ein Streit unter Eheleuten – deshalb rennt man doch nicht einfach davon!« Sein Blick bohrte sich in Seraphine. Unruhig rutschte sie auf ihrem Sitz nach vorn.

»Helmut, du musst mich nach Böhmen mitnehmen! Ich werde dir zur Seite stehen, immer, jederzeit! Hannah ist schwanger, für sie wäre solch eine Reise viel zu beschwerlich, gefährlich gar, aber ich –«

»Den Hintern hätte er dir versohlen sollen!«, rief Gottlieb, als habe sie nichts gesagt. »Viel zu gutmütig ist der Trottel mit dir gewesen. Das ganze Malzeug, die vielen teuren Blöcke, die er ständig angeschleppt hat, die schöne Reise nach Holland – und als Dank dafür lässt er sich von dir und deinem Gekeife aus dem Haus jagen! In welchen Zeiten leben wir eigentlich? Gestorben ist der für mich, gestorben!«

»Gottlieb«, sagte Wilhelmine beschwichtigend, den Blick auf das geschnitzte Holzkreuz an der Wand gerichtet.

Seraphine ignorierte beide, konzentrierte sich auf Helmut. »Ich kann gut arbeiten, das habt ihr doch alle gesehen, nicht wahr? In den letzten Jahren habe ich viel dazugelernt, ich bin längst nicht mehr die schwächliche Seraphine von einst ...« Ihr Redeschwall kostete viel Luft, aber sie musste, sie musste die anderen überzeugen!

Mach, liebe Sternenfee, dass er sieht, wie gut und richtig das alles ist!

Nach Atem ringend sprach sie weiter, lauter als nötig, als wolle sie mit ihrer Stimme jeden nur möglichen Zweifel an ihrer Idee übertönen.

»Ich kann auch gut verkaufen. Hannah! Sag ihnen das! All unsere Sämereien habe ich rund um Herrenberg verkauft, und kein Gewicht ist mir zu schwer, ich werde Valentins Zwerchsack tragen, alles werde ich –«

»Seraphine!«

Sie zuckte zusammen. Auf Helmuts Gesicht lag ein Ausdruck, den sie nicht deuten konnte.

»Ja?« Ein Wort nur, ein einziges Fragezeichen.

51

Eine Woche nach seiner Flucht aus Gönningen erreichte Valentin den Tulpenhof van den Veyen. Als Margarita ihn sah, schüttelte sie zuerst den Kopf, als wolle sie ein Fantasiebild vertreiben. Erst als er ihr zuwinkte, kam sie langsam und mit einem fragenden Gesichtsausdruck auf ihn zu.

»Ist mit unseren Zwiebeln etwas nicht in Ordnung?« Ihre Augen waren weit aufgerissen, erschrocken starrte sie ihn an.

Die Zwiebeln – was für ein absurder Gedanke! Unwillkürlich musste Valentin lachen. Es war kein Lachen, das tief aus seinem Inneren kam, aber es war ein Lachen, immerhin. Das erste, seit er in einem anderen Leben Holland verlassen hatte.

Er schüttelte den Kopf. »Mit den Zwiebeln ist alles in Ordnung, denke ich.« Fragend schaute er sich um. »Ist Ihr Vater da?«

Margaritas Schultern entspannten sich. Seufzend sagte sie: »Schon wieder will er mit dem Leierkastenmann sprechen und nicht mit dem Äffchen – das ist wohl das Los meines Lebens!«

Gleich darauf wurde sie wieder ernst.

»Er ist beim Pflügen. Wenn Sie möchten, kann ich Sie hinführen, es ist sowieso bald Zeit für sein Mittagsmahl.«

Obwohl man ihr die Neugier ansehen konnte, ließ sie es dabei bewenden. Valentin dankte es ihr mit einem Lächeln.

Während er sich am Brunnen im Hof frisch machte, packte Margarita einen Korb für ihren Vater. Dann machten sie sich schweigend auf den Weg.

Valentin war gut vorangekommen, hatte die Strecke von Gönningen bis zum Tulpenhof in der Hälfte der Zeit bewältigt, die er Wochen zuvor mit den drei anderen benötigt hatte. Was Mitfahrgelegenheiten anging, war er nicht wählerisch gewesen – selbst ein Ochsenkarren hatte ihm genügt. Große Stücke des Weges war er gelaufen, mit dröhnendem Kopf und wehem Herzen. Wenn es gar zu wehtat, war er einfach schneller gerannt, bis er außer Seitenstechen nichts anderes mehr spürte. Trotzdem hatten sie ihn begleitet, Schritt für Schritt, Tag für Tag, Nacht für Nacht, die vielen Fragen: Er war geflohen – war er deswegen ein Feigling? Er hatte seine Familie im Stich gelassen – war er deswegen ein Schuft? Seine Frau hatte sein Kind getötet – wer war nun der Teufel? Er wollte nicht denken, nicht über die Richtigkeit seiner Entscheidung nachgrübeln. Denn für das, was er fühlte, und für das, was er *nicht* mehr fühlte, hatte der Verstand keine Lösung parat. Er wusste nur eines: Zu Hause hätte er es keinen Tag länger ausgehalten.

Wenn es dunkel wurde, hatte sich Valentin irgendwo eine

leer stehende Scheune oder einen Heuschober gesucht. Er besaß nicht genug Geld, um in einem Wirtshaus zu übernachten. Den Betrag, den er sich vom Vater genommen hatte, würde er für wichtigere Dinge benötigen als für ein warmes Bett. Das Gleiche galt für sein Essen: Wo immer er an Streuobstwiesen vorbeikam, stopfte er sich den Mund und die Taschen voll mit Äpfeln, Birnen und Pflaumen. Auch noch nicht ganz reife Walnüsse vertrieben das Magenknurren. Nur einmal war er schwach geworden: Der Duft nach frisch gebackenen Hefeteilchen, der aus einer Bäckerei strömte, hatte ihn seine Sparsamkeit vergessen lassen.

So schnell wie möglich so viele Meilen wie möglich zwischen sich und Gönningen bringen! Alles andere war Nebensache. Weg, nur weg.

Nun hatte er sein erstes Ziel, den Tulpenhof, erreicht.

»Der Württemberger – was für eine Überraschung! Und was verschafft uns schon so bald wieder die Ehre?«, wollte Piet wissen, nachdem sie ihn gut zwei Meilen vom Hof entfernt auf einem weitläufigen Feld gefunden hatten. Neben ihm, eingespannt in einen Pflug, stand eines der größten Pferde, die Valentin je gesehen hatte. Obwohl ein ganzer Schwarm Mücken seinen riesigen Schädel umschwirrte, blieb es stoisch stehen, und nur ein leichtes Zucken am oberen Mähnenrand verriet, dass die Insekten es störten.

»Die reizende Gattin ist dieses Mal nicht dabei? Der Bruder, die Schwägerin?« Piet war genauso ratlos wie seine Tochter, was Valentins neuerliches Erscheinen betraf.

Valentin verzog das Gesicht. Natürlich hatte er mit solchen Fragen gerechnet, doch sosehr er auch gegrübelt hatte, eine passende Antwort war ihm nicht eingefallen. Die Wahrheit? Unmöglich.

»Ich bin allein hier, meine … Familie ist daheim.« War es

unhöflich, sofort mit der Tür ins Haus zu fallen? Andererseits war irgendein Geplänkel das Letzte, wonach ihm der Sinn stand. Er räusperte sich.

»Ich ... ich habe eigene Pläne. Will nach Amerika, ein alter Freund hat dort vor Jahren sein neues Zuhause gefunden, ihn will ich besuchen. Mal sehen, was die Amerikaner von unseren Sämereien halten ...«

Stirnrunzelnd wies Piet ihn an, neben ihm auf der Decke, die Margarita ausgebreitet hatte, Platz zu nehmen. Als wäre es das Selbstverständlichste von der Welt, dass er ihnen beim Essen Gesellschaft leistete, hielt sie ihm eine Scheibe Brot hin. Das Brot in der einen Hand, einen Krug Wein in der anderen, beeilte sich Valentin, seine Pläne genauer zu erklären.

»Ich suche eine günstige Gelegenheit, um über das Meer zu kommen. Und da dachte ich ... Also, bei unserem letzten Besuch erwähnten Sie doch ...«

»Ja?« Piet hielt Margarita seinen Krug hin, damit sie ihn erneut auffüllte.

Valentin schluckte. Wie war er nur auf solch eine dumme Idee gekommen! Da überfiel er einen wildfremden Menschen, nutzte seine und die Freundlichkeit seiner Tochter aus –

»Ich dachte mir, ich könnte eine Ihrer Tulpenlieferungen begleiten!«, platzte er heraus, bevor er es sich noch einmal anders überlegen konnte. »Als Aufpasser sozusagen! Damit nichts wegkommt. Mit mir legt sich so schnell keiner an, das müssen Sie mir glauben!« In einer prahlerischen Geste, für die er sich sofort schämte, ließ er seine Armmuskeln spielen.

Mit den Zähnen riss Piet ein Stück Speck von der Schwarte, seelenruhig kaute er darauf herum. Margarita sagte mit leiser Stimme etwas auf Holländisch zu ihrem Vater. Piet antwortete, lauter, heftiger, woraufhin sie ein Stück zurückwich.

Um etwas zu tun zu haben, biss Valentin von seiner Scheibe Brot ab. Die Krümel kratzten im Hals. *Sag doch was*, flehte er sein Gegenüber im Stillen an. *Sag, dass du einverstanden bist! Oder sag, dass diesen Herbst keine Ladung mehr den Weg über den Ozean antreten wird. Oder dass du schon jemanden als Bewacher hast. Oder dass du keinen brauchst.* Für all diese Fälle hatte sich Valentin gewappnet: Dann würde er nach Amsterdam weiterziehen und dort im Hafen auf einem Schiff anheuern. Als Matrose, als Küchenjunge, als Kohleschieber – egal!

»Ich werde auf alle Fälle über deinen Wunsch nachdenken«, sagte Piet nach einer langen Weile. Dann prostete er Valentin mit seinem Krug Wein zu.

»Selbstverständlich«, murmelte der mit gesenktem Blick und fühlte sich dabei wie ein Bettler.

Die ganze Situation kam ihm plötzlich aberwitzig vor: Da saßen er, Piet und Margarita bei einem Picknick auf dem sandigen Boden an der holländischen Küste, im Schatten eines riesigen Pferdes, dem Margarita einen Hafersack umgebunden hatte. Träumte er nur? Einen Traum, aus dem er gleich erwachen und zu Seraphine sagen würde: Wie habe ich heute Nacht schlecht geschlafen!

Doch das scharfkantige Seegras, das ihn durch die Hosenbeine hindurch piekte, war so real wie der Haufen Pferdeäpfel, den der Gaul gerade fallen ließ. Keine Seraphine, nicht schlaf- und nicht morgentrunken. Nie mehr würde er etwas zu ihr sagen. Weil es nichts mehr zu sagen gab.

Aus seinem Alptraum gab es kein Erwachen.

52

Ratlos starrte Hannah auf die Berge von Material, die sich vor ihr auf dem Tisch der Packstube türmten: Ähren von Weizen, Hafer und Dinkel, Stroh, Strohblumen, bunte Bänder – die

Flora eifrig zu Schleifen zu binden versuchte und die Hannah daraufhin wieder entwirren musste – und eine Spule mit Draht.

Sie seufzte. Worauf hatte sie sich da nur wieder eingelassen?

Zögernd ergriff sie mit der linken Hand ein Büschel Stroh und umwickelte es mit der rechten Hand mit Draht. Die eine Hand hält nur, die andere führt zu – als Wilhelmine ihr die Bindetechnik erklärte, hatte sich das alles ganz leicht angehört. Nun aber … Mit verkrampften Schultern und angehaltenem Atem arbeitete sich Hannah voran, bis die Form eines Kranzes andeutungsweise sichtbar wurde. Erst als sie die beiden entstandenen Enden zusammengebunden hatte, gestattete sie sich, tief Luft zu holen.

»Flora!« Ihre Tochter hatte sie vor lauter Eifer ganz vergessen. Die Zunge im Mundwinkel, die Stirn gerunzelt, mühte sich Flora, Waldgrün, getrocknete Beeren und Blätter zu einem Strauß zusammenzubündeln. Immer wieder fiel ihr dabei ein Zweig oder ein Beerenbüschel aus der Hand, aber beharrlich stopfte Flora alles wieder zurück. Freudestrahlend hielt sie Hannah schließlich ihren bunten Strauß entgegen.

»Das hast du aber schön gemacht«, murmelte Hannah.

Sofort grabschte Flora nach einem neuen Buchsbaumzweig, und staunend schaute Hannah ihr zu.

Es kam selten vor, dass sich ihre Tochter für längere Zeit mit ein und derselben Sache beschäftigte. Meistens rannte sie so schnell umher, wie ihre kurzen Beine sie tragen konnten, stellte hier Unfug an, wurde da von Wilhelmine vertrieben, suchte sich dort eine neue Beschäftigung, die ihr aber auch bald wieder langweilig wurde. So selbstvergessen und zufrieden wie inmitten von all dem Grünzeug hatte Hannah ihre Tochter selten gesehen …

»Wenn mir diese Arbeit nur auch so viel Spaß machen würde! Aber bei mir ist Hopfen und Malz verloren!« Lustlos schob sie die Strohblumen, die sie noch einarbeiten musste, von sich.

Eine Tasse Kaffee – das wäre jetzt schön! Und vielleicht ein Stück Apfelkuchen dazu. Dann fiel ihr ein, dass Gottlieb das letzte Stück vom Kuchen am Morgen gegessen hatte – nichts war's mit einer süßen Leckerei.

Im nächsten Moment hellte sich ihre Miene auf. Dass sich Flora mit dem Grünzeug so schön zu beschäftigen wusste, musste sie unbedingt Helmut erzählen. Wahrscheinlich würde er gleich behaupten, sie habe eben seine Liebe zur Natur geerbt. Es würde seine Stimmung sicher aufhellen, vielleicht würde er sogar lachen, Flora in die Höhe heben oder in der Luft herumwirbeln, wie er es früher immer getan hatte. Früher, als er sich noch nicht fühlte wie jemand, dem der linke Arm fehlte.

So hatte er es ausgedrückt, erst gestern Abend im Bett noch. »Seit Valentin weg ist, fühl ich mich, als hätte mir jemand meinen linken Arm abgeschnitten. Er ist doch mein Bruder, verstehst du?«

Sie hatte verstanden. Und sie hätte ihn gern getröstet, auch jetzt wieder. Aber Helmut war zusammen mit Gottlieb in Ulm, um eine Lieferung von Gemüsesamen in Empfang zu nehmen, die einer ihrer italienischen Lieferanten auf seinem Weg nach Norden dort für sie ablud.

Gedankenverloren zerrupfte Hannah eine der Strohblumen, orangefarbene Krümel rieselten über den Tisch. Die »Zurückgebliebenen« rückten näher zusammen. Und waren sich manchmal doch so fern.

Wäre Wilhelmine nicht immer noch so untröstlich über Valentins Weggang gewesen, hätte sie – Hannah – sich nie bereit erklärt, für den Erntedankgottesdienst einen Kranz zu binden. Sie, mit ihren zwei linken Händen! Doch sie hatte Wilhelmine eine Freude machen wollen.

Als die Tür aufging, machte sie ein erstauntes Gesicht. »Sag mal, kannst du Gedanken lesen? Gerade habe ich von einer Tasse Kaffee geträumt!« Kopfschüttelnd nahm sie ihrer Schwiegermutter den Becher ab. Dass Wilhelmine sie bediente, war auch noch nicht vorgekommen!

Wilhelmine strich Flora lächelnd über den Kopf, dann setzte sie sich. Schon rüstete sich Hannah für die Kritik, die sie gleich für ihre Arbeit ernten würde. Doch Wilhelmine rührte nur stumm in ihrem eigenen Becher. »Er fehlt so! Hättest du das gedacht?«

Hannah schüttelte abermals den Kopf. Valentin war stets der stillere der beiden Brüder gewesen. Während man Helmut immer schon von weitem hörte, konnte es vorkommen, dass man Valentin selbst dann vergaß, wenn er mit am Tisch saß. Die meiste Zeit war seine Aufmerksamkeit auf Seraphine gerichtet gewesen. Natürlich hatte auch er sich an den Gesprächen beteiligt, aber meist nicht mit derselben Vehemenz wie sein Bruder. Hannah hatte Valentin von Anfang an gemocht, und nach ihrem Gespräch in Reutlingen war ihre Zuneigung zu ihm noch gewachsen. Da war es umso schlimmer, dass sie nicht auf ihr Gefühl gehört hatte. Sie hatte doch gespürt, dass mit ihm irgendetwas nicht in Ordnung war! Hannah machte sich bittere Vorwürfe, weil sie nicht darauf gedrängt hatte, dass er sich ihr anvertraute.

Der Kaffee brannte heiß und bitter in ihrem Mund.

»Die letzten Wochen ging's eigentlich«, sagte sie zu Wilhelmine. »Als wir von früh bis spät auf dem Feld waren, hatte ich gar keine Zeit, Valentin zu vermissen. Gut, manchmal waren wir böse, dass er uns mit der Arbeit allein gelassen hat. Jetzt aber, wo's auf dem Acker nicht mehr so viel zu tun gibt ...«

»Da sucht man sich seine Arbeit, nicht wahr?« Lächelnd nickte Wilhelmine in Richtung des Strohkranzes. »Das Erntedankfest ist doch erst in zwei Wochen! Aber der Kranz wird schön!«

Hannah lachte. »Du brauchst dir keine Mühe zu geben, ich weiß selbst, dass er krumm und bucklig ist! Trotzdem danke!«

Sie drückte Wilhelmines Arm, der sich darauf sofort versteifte. Doch statt wie sonst die Hand wieder zurückzuziehen, ließ Hannah sie nun auf Wilhelmines Arm liegen. Und tatsächlich entspannte sich die alte Frau wieder und tätschelte sogar ihrerseits Hannah die Hand.

So war das in diesen Tagen.

Die Zurückgebliebenen rückten näher zusammen.

Um nicht von Rührseligkeit übermannt zu werden, sagte sie: »Wo steckt eigentlich Seraphine?«

Wilhelmines Lippen wurden schmal. »Sie wollte auf Teufel komm raus mit den Männern nach Ulm fahren. Und als sie ihr dies abschlugen, ist sie schmollend davongerannt. Ich hab sie seitdem nicht mehr gesehen …«

Einen Moment lang hingen beide Frauen ihren Gedanken nach. Keine konnte sich einen Reim auf Seraphines Verhalten machen. Zeitweise lief sie mit derart verhangenem Blick durch die Gegend, dass jeder erwartete, sie würde im nächsten Moment in Tränen ausbrechen. Was niemand gewundert hätte – natürlich glaubten alle, dass sie ihren Mann vermisste. Dann wieder redete sie mit solch übertriebenem Eifer auf Helmut ein, machte Vorschläge für die Böhmenreise, nähte einen Pelzkragen an ihren Wintermantel, kramte ihre schweren Schuhe hervor und wienerte sie, als wäre es längst abgemachte Sache, dass Helmut sie mitnehmen würde.

Als hätte es Valentin nie gegeben.

»Wilhelmine, du musst mit Helmut reden!«, platzte Hannah heraus. »Wenn ich mir vorstelle, die beiden –« Sie brach ab. Unmöglich konnte sie Helmuts Mutter erzählen, welche Ängste sie in ihrem Inneren umtrieben. Und wie begründet diese Ängste waren. Nein, sie wollte nicht mehr an die Szene im Gartenhaus denken!

»Mir gefällt die Sache auch nicht«, antwortete Wilhelmine düster. »Er ist schließlich dein Ehemann, da wäre es unschicklich, wenn er mit Seraphine auf die Reise ginge. Und die Leute im Dorf reden sowieso schon genug …«

Hannah nickte erleichtert. »Dann sprich mit Helmut, auf dich hört er bestimmt!« Es hätte nicht viel gefehlt, und Hannah hätte Wilhelmines Arm gerüttelt. »Ich verstehe gar nicht, wie er auch nur einen Augenblick lang über diese Möglichkeit nachdenken kann!«

»Weil er dich liebt. Und weil er sich um dich und euer Kind sorgt. Böhmen liegt nicht um die Ecke, weißt du …«

»Aber so weit bin ich doch noch gar nicht. Schau, mein Bauch – er ist noch nicht viel dicker als sonst! Ich könnt halt nicht so schwer tragen, aber ansonsten würde ich die Reise gewiss noch gut überstehen. Oder …« Sie runzelte die Stirn. »Ist es wegen meines Beins? Will er mich deshalb nicht dabei haben?«

»Dein Bein?«, fragte Wilhelmine verständnislos. »Ach, du meinst, weil du manchmal noch ein bisschen humpelst?« Sie schüttelte den Kopf. »Das fällt doch längst nicht mehr auf. Nein, nein, daran stört sich Helmut gewiss nicht. Ach Hannah!« Sie seufzte. »Dieses Jahr unterzieht uns der liebe Gott besonders schweren Prüfungen! Ausgerechnet jetzt musste sich Gottliebs Ferse entzünden! Jeden Abend schmiert er sich die Füße mit Ringelblumensalbe ein, aber ob das bis in zwei Wochen wieder zusammenwächst …«

Hannah nickte säuerlich. Auf Gottlieb konnte man in diesem Fall nicht rechnen, seine Ferse sah grauselig aus: Ein tiefer Riss zog sich durch die dicke Hornhaut, fast fingerlang, jeder Schritt musste die Hölle sein! Warum hat er seine Füße den Sommer über nicht besser gepflegt?, war Hannah versucht zu fragen. Die Füße sind doch des Samenhändlers Kapital, das waren seine eigenen Worte! Aber Wilhelmines müdes Gesicht, in das die Sorgen der letzten Wochen noch mehr Falten eingegraben hatten, ließ sie ihren Ärger herunterschlucken.

»Wir werden schon eine Lösung finden!«, sagte sie betont fröhlich.

Wie gern hätte sie ihren Worten geglaubt.

»Du ...?« Erstaunt sah Else Schwarz von ihrem Berg Flickwäsche auf.

Seraphine verharrte in der Tür. Die Klinke noch in der Hand, starrte sie auf ihre Mutter. Flickwäsche – wie immer. Auch sonst hatte sich in der Hütte nichts geändert. Obwohl der Septembertag golden und warm war, wirkte es hier drinnen düster und klamm. Vaters zerschlissener Ohrensessel, seine Pfeife an ihrem alten Platz an der Wand, der Geruch von Kraut und Rüben. Aß ihre Mutter je etwas anderes?

Wäre ich doch bloß nicht gekommen, ging es Seraphine durch den Kopf. Was erhoffte sie sich davon?

Schon war die Mutter bei ihr, legte ihre mageren Arme um sie und drückte sie. »Mein armes Kind! Erst Russland und nun auch noch Amerika – wer hätte gedacht, dass Valentin derart ruhelos ist! Dem Helmut hätte ich das eher zugetraut, aber dem Valentin ...«

»Helmut würde mich nie so lange allein lassen«, fuhr Seraphine ihre Mutter an, woraufhin diese mit einem skeptischen Grunzen antwortete.

»Setz dich, Kind, setz dich!« Else Schwarz zeigte auf einen Stuhl, auf dem ein dicker Stapel Wäsche lag. Mit Widerwillen ergriff Seraphine die muffig riechenden, nicht ganz sauberen Kleidungsstücke und legte sie beiseite.

Else hatte schon wieder eine stattliche Anzahl Stecknadeln zwischen den Lippen. Mit zusammengekniffenen Augen begann sie, den aufgerissenen Saum eines Frauenrockes hochzustecken. Ihre Hand zitterte, und sie steckte den Saum nicht gerade einheitlich um. Seraphine musste gegen das Bedürfnis ankämpfen, der Mutter den Rock aus der Hand zu nehmen und es besser zu machen. Wie alt sie geworden war! Wie müde ihre Augen, wie unsicher ihre Bewegungen waren. Wehmut überkam Seraphine und dazu ein schlechtes Gewissen, die Mutter nicht öfter besucht zu haben. Doch schon im nächsten Moment fragte sie sich, ob es nicht bessere Möglichkeiten gegeben hätte, ihre innere Unruhe zu bekämpfen, als ausgerechnet durch einen Besuch bei der Mutter.

Erst nachdem auch die letzte Nadel ihren Platz gefunden hatte, schaute Else wieder auf.

»Wann wird er denn zurückkommen? Dass Gottlieb seinen Söhnen so viele Freiheiten erlaubt ... Und dann die Kosten! Ich möchte gar nicht daran denken, was solch eine Reise an Geld verschlingt. Da muss er ordentlich viele Sämereien verkaufen. Elsbeth sagt, sie könne sich nicht vorstellen, dass sich die Fahrt nach Amerika lohnt.«

Das Gerede im Dorf hatte also bereits begonnen.

Valentin sei zu einer »ganz normalen« Amerikareise aufgebrochen, alles sei von langer Hand geplant gewesen – diese Version zu verbreiten, hatte Wilhelmine vorgeschlagen. Seraphine war es nur recht gewesen, auf mitleidsvolle Blicke und ewiges Getuschel hinter ihrem Rücken hatte sie keine Lust. Womöglich hätte man ihr sogar Vorwürfe gemacht? So wie Gottlieb. Ständig behauptete er, sie hätte ihren Ehemann aus dem Haus getrieben. Nein, da war es besser, vorerst bei einer Lüge zu bleiben.

»Kind! Ich hab dich was gefragt!« Else rüttelte an ihrem Arm.

Seraphine zuckte zusammen, als hätte sie in Feuer gelangt.

»Immer noch die alte Tagträumerin!« Die Mutter seufzte.

»Er ... fehlt mir«, hörte sich Seraphine mit belegter Stimme sagen.

Er fehlt mir? Erschrocken riss sie die Augen auf.

War sie nun von allen guten Geistern verlassen? Da kam sie

hierher, nach so langer Zeit, völlig grundlos, und alles, was ihr einfiel, war zu sagen: Er fehlt mir!

Else nickte. »Das glaub ich dir gern. Ist ja auch ein feiner Mann, dein Valentin. Wenn ich nur daran denke, wie er für dich da war, damals, in der Stunde deiner größten Not. *Unserer* größten Not! Ohne ihn wären wir ins Armenhaus gekommen!«

Ich will das nicht hören, schrie es in Seraphine. Sie wollte gar nichts von Valentin hören. Sie war froh, dass er fort war! Er fehlte ihr überhaupt nicht, ein Blödsinn war das. Sollte er doch in Amerika glücklich werden! Er war ihr eh nur eine Last.

Warum tat es dann so gut, seinen Namen zu hören? Seraphine schüttelte sich, als habe sie etwas Bitteres geschluckt, und stand dann abrupt auf.

»Ich muss jetzt gehen. Wollte dir nur sagen, dass ich für eine Weile weg sein werde. Helmut und ich –« Sie hielt kurz inne, um sich am Klang dieser Worte zu erfreuen. Waren sie der Grund, dass sie ihre Mutter aufgesucht hatte? »Ich werde ihn nach Böhmen begleiten. Einer muss ja Valentins Platz einnehmen, jetzt, wo er weg ist.«

Mit den unausgesprochenen Fragen ihrer Mutter im Kopf machte sie sich auf den Nachhauseweg. Sie ließ sich Zeit, es gab keinen Grund, sich zu beeilen.

Die Luft war erfüllt vom Geruch der ersten Kartoffelfeuer, die rings um Gönningen auf den Feldern abgebrannt wurden. Das Gekreische von lauten Kinderstimmen drang von dort ins Dorf, erzählte von Unbeschwertheit und wilden Spielen. Lächelnd hielt Seraphine inne, die Nase im Wind, Witterung aufnehmend, die Sinne geschärft.

Wie es wohl in Böhmen riechen würde?

Als sie unter ein paar tief hängenden Ästen hindurchlief, legten sich feuchte Spinnweben auf ihr Gesicht. Sie wischte sich über die Augen. Dann blieb sie erneut stehen, stirnrunzelnd, als verschleierten die Spinnweben immer noch ihren Blick.

Einer muss ja jetzt Valentins Platz einnehmen – hatte sie das wirklich zu ihrer Mutter gesagt? Was für ein Unsinn! Es war nicht Valentins Platz, den sie einnehmen wollte, es war Hannahs!

Und endlich würde alles zurechtgerückt werden, was so lange aus dem Lot gewesen war.

Seltsam – warum konnte sie sich nur wenig an diesem Gedanken erfreuen? Warum machte ihr Herz keinen Hüpfer?

Sie war müde. Der Besuch bei der Mutter hatte sie erschöpft, das war der Grund.

Sie war müde. Wie die Mutter. Müde vom Leben.

53

»Verflixt!« Mit triefend nassen Haaren und brennenden Augen suchte Margarita den Boden der Waschküche nach dem Seifenstück ab, das ihr aus der Hand gerutscht war. Ausgerechnet hinter die Wanne war es gekullert!

»Kind! Was machst du für Verrenkungen?« Grinsend stand Piet im Türrahmen.

»Und was machst du noch hier?«, konterte Margarita. »Ich dachte, du und Valentin, ihr wärt längst auf dem Weg nach Amsterdam.« Angewidert starrte sie auf das Stück Seife, das nun in eine Schicht aus Staub und Schmutz eingehüllt war. »Ich glaube, ich muss ein ernstes Wort mit Antje reden, hier ist seit Ewigkeiten nicht mehr geputzt worden!«

»Valentin hat sich entschieden, doch nicht mitzukommen, er ist im Stall und striegelt den Schwarzen.« Piet seufzte. »Und Antje ist der Grund, dass ich noch hier bin. Sie … ihr geht es heute nicht so gut, sie wollte, dass ich den Arzt für sie rufe. Aber dann meinte sie, Ruhe würde ihre Kopfschmerzen auch vertreiben.«

»Kopfschmerzen! Die Magd hat Kopfschmerzen – wieder einmal.«

Um die Waschküche mit ihren triefend nassen Haaren nicht noch weiter unter Wasser zu setzen, band sich Margarita ein Tuch um den Kopf. Wütend funkelte sie ihren Vater an. Sie hasste es, wenn sie bei ihrer Toilette gestört wurde. Und sie hasste, was sie von ihm zu hören bekam.

»Korrigiere mich, wenn ich etwas Falsches sage: Letzte Woche hatte sie Rückenschmerzen, die Woche davor war es ein Krampf in der linken Hand. Kann es sein, dass unsere Antje ein wenig anfällig geworden ist – für Krankheiten jeder Art?« Mit Genugtuung beobachtete sie, wie der Vater ihrem Blick auswich. »Und kann es sein«, fuhr sie fort, »dass all diese Zipperlein, von denen sie sich jedes Mal ausgiebig erholen muss, erst seit dem Tag aufgetreten sind, an dem du sie in dein Bett geholt hast?«

»Blödsinn«, nuschelte Piet.

»Das ist kein Blödsinn, sondern die Wahrheit. Das Mädchen glaubt seitdem, sich alles erlauben zu können! Und ich muss es ausbaden. An wem bleibt denn heute wieder die ganze Arbeit hängen? Wenn das so weitergeht, werfe ich sie eigenhändig raus!« Margarita tauchte eine Hand in das Wasser. »Nur noch lauwarm, na wunderbar!« Jetzt würde sie Mühe haben, die schon aufgeschäumte Seife, die langsam in ihrem Haar einzutrocknen begann, wieder herauszuwaschen.

»Was sind denn das für Töne! Wie redest du eigentlich mit mir? Man könnte meinen, du wärst meine Ehefrau, so, wie du dich ereiferst!«

Wie immer, wenn ihr Vater versuchte, streng zu sein, musste Margarita lachen.

»Ach Papa, mit dir würde es eine Ehefrau gar nicht aushalten – du und deine Weibergeschichten!«

»Nun, was ich an Liebesgeschichten zu viel habe, hast du zu wenig! Schau dich doch an: Statt ausgehfertig zur Stelle zu sein, wenn ich zu Max Weber nach Amsterdam fahre, vertrödelst du deine Zeit mit Haarewaschen!«

»Max Weber!« Margarita verdrehte die Augen. »Der hat doch nichts als seine Tulpenzwiebeln im Sinn. Er mag als Züchter der Beste seines Fachs sein, aber sonst ...« Wie konnte ihr Vater nur auf die Idee kommen, der blässliche, magere Max wäre ein geeigneter Freier für sie?

»Du bist undankbar, wie immer! Hat er nicht seine neueste Züchtung sogar ›Margarita‹ genannt?«

»Die du hoffentlich nicht kaufen wirst!« Drohend hob Margarita ihren Zeigefinger. »Selten habe ich so eine blasse, ausdruckslose Tulpe gesehen, allein dieses langweilige Rosé ... *So* sieht er mich? Bin ich ihm nicht eine feurige Geflammte wert? Oder eine exotische Papageientulpe?«

Piet van den Veyen seufzte. »Ach Kind, dir ist auch keiner recht. Ich glaube, bis ich dich unter die Haube bekomme, werden noch Jahre vergehen.«

Hätte ein Fremder das Geplänkel mitbekommen, wäre er vor Schreck wahrscheinlich geflüchtet. Ein solches Gespräch zwischen Vater und Tochter – hatte man so etwas schon gehört? Ohne die geringste Spur von Anstand. Ohne jedweden Takt oder irgendein Feingefühl.

Margarita lachte nur. »Es werden aber keine Jahre vergehen, bis meine Geduld mit Antje zu Ende ist. Wenn sie sich nicht zusammenreißt, suche ich uns eine neue Magd. Und die muss so hässlich sein, dass du sie nicht einen Moment länger als nötig anschauen wirst!«

Lachend sah sie ihrem Vater nach, der eilig in Richtung Wagen und Amsterdam flüchtete.

Mit gewaschenen Haaren setzte sie sich anschließend auf die kleine Bank vor dem Haus. Vorsichtig breitete sie ihre roten Locken über der Lehne aus, damit sie nicht das Rückenteil ihrer Bluse durchnässten. Im September hatte die Sonne noch genug Kraft, um die Haare zu trocknen, doch mit Grauen dachte Margarita an die Wintermonate, wenn dieselbe Prozedur im Haus Stunden um Stunden dauern würde.

Genießerisch hielt sie ihr Gesicht der Sonne entgegen. Die Wärme fühlte sich golden und gut an. So gut, dass Margarita selbst ihre Sommersprossen vergaß, die nach diesem Sonnenbad noch stärker zum Vorschein kommen würden.

Margarita hatte nur selten Zeit für Mußestunden. Die Arbeit auf den Tulpenfeldern und im Lager, dazu die vielen Besuche von Kunden auf dem Hof – zwei Hände und ein flinkes Paar Füße waren stets zu wenig, um das Tagwerk zu schaffen. Aber Margarita kannte es nicht anders. Sie war noch keine drei Jahre alt gewesen, als ihre Mutter starb, und seitdem lebte sie mit ihrem Vater, den Knechten und wechselnden Mägden allein auf dem Hof. Von klein auf hatte er sie an alle Arbeiten herangeführt, längst gab es nichts mehr, was Margarita über Tulpen und ihren Anbau nicht gewusst hätte.

Ihr Vater – ein Schmunzeln lief über Margaritas Gesicht. Wie ein gescholtener Schuljunge hatte er dagestanden, als die Rede auf sein Verhältnis mit der Magd gekommen war! *Was ich an Liebesgeschichten zu viel habe, hast du zu wenig* – ha! Als ob er es nicht erwarten konnte, sie zum Traualtar zu führen. Dabei war es doch so, dass er absichtlich die unpassendsten Kandidaten für sie anschleppte, weil er tief in seinem Inneren die Vorstellung, Margarita könne ihn und den Hof eines Tages verlassen, nicht zu ertragen vermochte.

War er deshalb so ruppig zu Valentin? »Bin froh, wenn in zwei Wochen das Schiff geht«, hatte er erst gestern Abend wieder zu ihr gesagt. »Der Bursche ist fleißig und seine Arbeit eine große Hilfe, das ist unbestritten. Aber …« Das Aber hatte er nicht weiter ausgeführt, seine Tochter dabei jedoch mit einem durchdringenden Blick fixiert. Weil er instinktiv spürte, dass dies ein Mann war, der ihr gefallen könnte? Wenn er nicht … Wenn es nicht tausend Wenns gäbe.

Genug gefaulenzt! Blinzelnd öffnete Margarita die Augen. Die Arbeit rief. Andererseits – nachdem Valentin gestern im Lager bereits den Großputz veranstaltet hatte, konnte sie sich heute eigentlich ohne schlechtes Gewissen ein wenig Ruhe gönnen. Sie holte ihr kleines Necessaire aus der Rocktasche und begann, ihre Nägel zu schneiden.

Margarita wusste, dass sich ihr Vater von seinen Kameraden ihretwegen viel Spott anhören musste. Dass sie eine alte Jungfer sei, war bestimmt noch die harmloseste Umschreibung einer unverheirateten Frau im Alter von 28 Jahren. Dazu die Sommersprossen, die roten Haare …

Dabei war es nicht so, dass sich niemand für sie interessierte, ganz im Gegenteil, es hatte schon den einen oder anderen Freier gegeben. Immerhin war sie das, was man landläufig eine gute Partie nannte. Aber Margarita war wählerisch, in diesem Punkt hatte Piet van den Veyen Recht!

In der letzten Zeit hatte Jan, der gut aussehende Sohn eines Nachbarn, ihr den Hof gemacht. Nachdem er sie drei Mal zu einem Spaziergang abgeholt hatte, war er eines Tages unangemeldet an der Tür erschienen. Als sie nicht sofort alles stehen und liegen ließ, um an seinem Arm durch die Dünen zu laufen, war er richtig ärgerlich geworden. Was nutzte ihr seine stattliche Erscheinung, wenn er derart besitzergreifend war? Sie war doch kein Hund, der sprang, wenn das Herrchen pfiff! Darüber hatte sie auch Jan aufgeklärt, und seitdem hatte er sich nicht mehr blicken lassen.

»Ein Mann muss freundlich zu mir sein, herumkommandieren lasse ich mich von niemandem, höchstens von dir«,

hatte sie zu ihrem Vater gesagt. »Langweilig darf er auch kei-
nesfalls sein. Und Humor muss er haben! Dass ich mit ihm lachen kann, ist, glaube ich, das Wichtigste.«

»Bei deinen Ansprüchen wird jedem Burschen das Lachen
bald vergehen«, war seine trockene Antwort gewesen.

Ach Papa … vielleicht wirst du mich wirklich nicht mehr los.
Als habe sich eine Wolke vor ihr Gesicht geschoben, verdüsterte sich ihre Miene.

Nun war einer dahergekommen, der ihr gefallen könnte –
endlich einer, nach so vielen Jahren! Und dann war er verheiratet, zu Tode betrübt und auf der Flucht nach Amerika. Was
hatte sie nur für ein Glück! Bekümmert schaute sie auf ihre
kurzen, abgerundeten Nägel.

Im Haus herrschte weiterhin Grabesstille. Kein Töpfeklappern, kein Stühlerücken, kein Teppichklopfen. Ha, wenn sich
Antje einbildete, sie, Margarita, würde ihr die Arbeit abnehmen, hatte sie sich getäuscht.

Stattdessen stand Margarita kurz entschlossen auf und marschierte in Richtung Pferdestall. *Tu's nicht, lass es bleiben, lass
ihn in Ruhe und dir deinen Seelenfrieden*, beschwor eine Stimme
im Ohr sie bei jedem Schritt. Doch sie öffnete das große Tor
mit einem Quietschen. *Aber sag später nicht, ich hätte dich nicht
gewarnt!*

Margarita lächelte.

Im Stall war es dunkel und kühl. Der Schwarze war im Gang
angebunden und machte einen langen Hals, während Valentin
ihn mit weit ausholenden Handbewegungen bürstete.

»Sie scheinen Ihr Handwerk zu verstehen!« Lächelnd nickte
Margarita in Richtung des Pferdes, dessen Unterlippe ent-
spannt nach unten hing.

»Früher habe ich mir immer ein Pferd gewünscht«, erwiderte
Valentin, ohne vom Striegeln aufzuschauen. »Jahrelang hab ich

auf Vater eingeredet, doch leider vergeblich. Dabei wäre für uns Samenhändler solch ein Vieh doch wirklich von Nutzen gewesen! Aber Vater sagte immer nur, uns würden auch Schusters Rappen genügen.«

»Schusters Rappen?«

Nun schaute Valentin auf. Er hob seinen rechten Fuß und ließ ihn in der Luft kreisen. »Schusters Rappen, verstehen Sie?«

Kichernd nickte Margarita. Ein Mann, mit dem ich lachen kann. Selbst wenn er so traurig ist wie dieser hier …

»Tja, wenn *Helmut* diesen Wunsch geäußert hätte! Der hätte bestimmt sein Pferd bekommen. Helmut hat ja immer bekommen, was er wollte. Ohne dass er sich dafür anstrengen musste.« Die Bürste sank nach unten. Den Stoß, mit dem ihn das Pferd scheinbar auffordern wollte weiterzumachen, schien Valentin gar nicht wahrzunehmen. Sein Blick verlor sich irgendwo zwischen den Heugabeln und der Sattelkammer.

Margarita schwieg und wartete.

Wenn er das Bedürfnis hatte, sich ihr mitzuteilen, gut. Wenn nicht, würde sie ihn nicht drängen. Sie wusste nicht, wen sie damit schützen wollte: sich selbst vor Dingen, von denen sie nichts wissen wollte? Oder ihn?

In den letzten Tagen hatte ihr Gast mehr als einmal angehoben, sich seine Sorgen von der Seele zu reden, doch jedes Mal hatte er sich anders besonnen.

Sie war auch jetzt auf eine beiläufige, bittere Bemerkung gefasst, mit der er das Thema beenden würde.

Doch sie war nicht darauf gefasst, dass der Mann vor ihren Augen in Tränen ausbrach.

Später würde Valentin sagen, dass er nicht wusste, was in ihn gefahren war. Offenbar war plötzlich alles zu viel: der warme Pferdeleib, der würzige Geruch des frischen Strohs, das in Ballen unter dem Dach der Scheune gelagert wurde, Margarita mit ihren feuchten Haaren und ihrer geduldigen Schweigsamkeit. Zu viel Nähe, zu viel Wärme, zu viel Gefahr für die dicke Eisschicht, unter der er sein Leben fristete. Wütend wischte er sich seine Tränen ab.

Zu spät.

Sein Auf-und-ab-Laufen nutzte nichts, sein hysterisches Lachen, mit dem er das Weinen übertönen wollte … So wie ein Schneefeld unter der Frühlingssonne dahinschmolz, schmolz seine mühsam aufrechterhaltene Fassung dahin.

Er sackte in sich zusammen. Und so, wie niemand die Wassermassen eines schmelzenden Schneefeldes aufhalten konnte, so vermochte auch er nicht, den Fluss von Worten aufzuhalten, die aus ihm heraussprudelten.

»Ich hab sie so geliebt! Mein Leben hätte ich für sie gegeben, ohne mit der Wimper zu zucken. Aber bei ihr gab es immer nur Helmut, Helmut, Helmut. Scheinheilig hab ich sie geschimpft. Und immer gehofft und gefleht und gebetet, sie möge zur Besinnung kommen. Aber dann …«

Das Pferd, das die Hoffnung auf weitere Streicheleinheiten längst aufgegeben hatte, machte sich an seiner Heuraufe zu schaffen. Die mahlenden Kaugeräusche waren das Einzige, was außer Valentins Schluchzern und seinem atemlosen Bericht zu hören war.

Seraphine … So nah, so schmerzend nah bei ihm. Hatte er sie je besessen? Oder war er nichts als ein Trottel, der sich seine Liebe nur einbildete? War er wie sie? Verblendet in seinem Wunschdenken? Aber da waren die Nächte gewesen. Zumindest in der Anfangszeit. So heiß, so voller Leidenschaft. Noch immer konnte er ihren süßen Duft in der Nase spüren, ihre hitzige Zügellosigkeit, mit der sie ihm alles geschenkt hatte. Wären da nicht die Nächte gewesen … Ein Narr? Er?

Die Sturzflut riss seine Worte mit, seinen Verstand. Es war schwer, alles in der richtigen Reihenfolge zu denken. Gab es überhaupt eine richtige Reihenfolge? Oder war das Leben immer ein Durcheinander an Gefühlen, die zu entwirren es eines stärkeren Mannes bedurft hätte? Er war nicht stark, o nein. Müde war er, so müde. Wenn das Pferd nicht dort gestanden hätte, wäre er umgesunken. Wenn die Arme um ihn herum nicht gewesen wären. Ohne diese Arme … Er wäre gefallen, tief, immer tiefer. Und alles wäre vorbei gewesen. Welche Gnade! Was für eine Versuchung!

Aber die Arme hielten ihn, tröstend, schutzgebend, eine Hand strich über den Kopf.

Er riss die Augen auf.

»Schsch«, machte Margarita und wiegte ihn hin und her. Etwas Helles glitzerte in ihren Augen, ihr Mund, so unendlich traurig, so weich. Valentin blinzelte, wollte klar sehen, klar denken, doch seine Augen brannten salzig. Blind schüttelte er den Kopf.

»Schsch …« Ihre Hand auf seinem Mund, so kühl. Federleichte Küsse auf seiner Stirn, sein Kopf an ihrer Brust, wie ein Wiegenkind.

Allmählich, ganz allmählich ließ die Sturzflut nach.

Und mit der restlichen Kraft, die ihm geblieben war, klammerte er sich an diesen Damm, den Margarita ihm bot.

Klammerte er sich fest wie ein Ertrinkender, wollte nicht mehr loslassen.

54

Helmut hätte nicht sagen können, wie viel er in der letzten Nacht geschlafen hatte. Ob er überhaupt geschlafen hatte! Als er sich an diesem Morgen die Treppen hinunterschleppte, knackte es in seinen Knien, und sein Kreuz schmerzte, als hätte er den Zwerchsack zwölf Stunden auf dem Rücken gehabt. Schlimmer hatte er sich nach seinen wüstesten durchzechten Nächten nicht gefühlt!

Ein Blick auf die Küchenuhr sagte ihm, dass es nicht einmal fünf Uhr war. Draußen war es noch dunkel, kein Vogel rief, kein Hahn krähte, in keinem der umliegenden Häuser war Licht. Fluchend dachte er an sein warmes Bett, das ihm in dieser Nacht der schlimmste Feind gewesen war. Während Hannah zufrieden schnarchend dagelegen hatte, wälzte er sich hin und her, bearbeitete sein Kissen und seine Decke. Er hatte an die dunkle Decke gestarrt, bis er rote Sternchen sah. Jetzt gleich würde er einschlafen, hatte er gedacht. Immer wieder. Aber der Schlaf wollte nicht kommen. Und mit ihm blieb auch sein Seelenfrieden aus. Am Ende war Helmut wütend geworden. Auf Valentin, dem es vollkommen gleichgültig war, dass sich sein Bruder schlaflos im Bett herumwälzte. Auf Hannah, die den Schlaf der Seligen schlief. Auf Seraphine, die ihn mit ihren Plänen für die Böhmenreise verfolgte, als wäre alles längst abgemachte Sache. Auf sich selbst. Auf Gott und die Welt.

In der Küche war es dunkel und kalt. Mit Erleichterung entdeckte Helmut jedoch noch ein wenig Glut im Ofen – genug, um daran ein Feuer zu entfachen, Wasser aufzusetzen und auf die wohltuende Wirkung einer starken Tasse Kaffee zu hoffen. Zerschlagen setzte er sich an den Tisch. Die Frauen würden frühestens in einer Stunde aufstehen, bis dahin wurde es wohl nichts mit einem warmen Morgenmahl.

Als der Wasserkessel zu pfeifen begann, hob er ihn vom Feuer. Einen Augenblick lang wusste er nicht einmal, was er damit hatte anfangen wollen. Kaffee kochen, erinnerte er sich schließlich.

Helmut kannte Schlaflosigkeit normalerweise nicht. Wenn seine Mutter darüber klagte, hatte er sich stets nur kopfschüttelnd gewundert. Nach einem harten Tag Arbeit kam der

Schlaf von allein, war seine Meinung. Nun, es war nicht etwa so, dass es ihm zurzeit an Arbeit gemangelt hätte! Seit Valentin weg war, musste er nicht nur für zwei schuften, sondern für drei oder vier …

Mutter lief mit ihrem Gebetbuch in der Hand durch die Räume, ließ Kartoffeln anbrennen, verwechselte Zucker mit Salz und war für kaum etwas zu gebrauchen.

Seraphine … Allein der Gedanke an die Schwägerin reichte aus, um den Zorn wieder anschwellen zu lassen.

Vater humpelte auf seiner entzündeten Ferse ins Rathaus und war zu Hause mehr als wortkarg. Er wirkte gealtert und hatte manchmal einen derart geistesabwesenden Ausdruck im Gesicht, dass Helmut ihn am liebsten gerüttelt hätte. Der schlitzohrige alte Samenhändler hilflos – das war für Helmut eine ganz neue Erfahrung.

Einzig bei dem Gedanken an Hannah hellte sich Helmuts Gesicht ein wenig auf. Hannah tat, was sie konnte, um ihn zu unterstützen.

Zuerst hatte er gedacht, es sei Valentins Verrat, der ihm den Schlaf raubte. Es schmerzte, dass der Bruder so einfach auf und davon war, ohne sich ihm mitzuteilen, ohne ein einziges Wort. Es schmerzte nicht nur ihn, sondern auch die anderen. Und dennoch schliefen sie, während er …

Nein, es war die Last, jetzt der einzige Sohn zu sein. Das war es, was ihm den Schlaf raubte. Die Erkenntnis ließ ihn verblüfft Luft holen. Mit zittriger Hand übergoss er den gemahlenen Kaffee mit heißem Wasser. Der Röstgeruch, der ihm in die Nase stieg, ließ ihn etwas ruhiger werden.

Sicher, er war schon immer der älteste Sohn gewesen. Sein Wort hatte beim Vater schon immer mehr gegolten als Valentins. Auf seinen Schultern hatte schon immer mehr Verantwortung gelegen. Er hatte diese Rolle mit Stolz angenommen, hatte sich oftmals geschmeichelt gefühlt, wenn es ihm gelang, den Vater von einer Idee zu überzeugen, auch wenn Valentin damit zuvor gescheitert war. Der älteste Sohn – das war doch etwas!

Aber immer hatte er Valentin an seiner Seite gewusst. Den Bruder, der ihn unterstützte, auch wenn er womöglich anderer Meinung war. Zu zweit schafften sie alles. Und nun – war er allein. Diese Last drückte Helmut mehr, als er für möglich gehalten hätte.

Wenn er nur an Böhmen dachte! Sicher, was das Verkaufen anging, war Valentin ihm nicht die größte Hilfe gewesen, aber in allen anderen Dingen gab es keinen besseren Reisebegleiter. Valentin hatte die Augen nicht nur vorn, sondern auch hinten, er sah, hörte, roch mehr als die meisten anderen Männer, die er kannte. Auf seinen Instinkt hatte man sich immer verlassen können, sei es, wenn es darum ging, ein Quartier für die Nacht zu finden, oder den besten Weg über einen Hochwasser führenden Fluss, oder –

Nun, in diesem Jahr würde er sich auf sich allein verlassen müssen.

Und wem hatte er das zu verdanken?

Er musste sich nicht lange mit der Suche nach einer Antwort aufhalten.

Das Weib bedeutete nichts als Ärger, von Anfang an hatte er das gewusst! Zumindest geahnt, verbesserte er sich. Da tat sie immer so scheinheilig hilflos, spielte so versonnen mit ihrem silberblonden Haar, und niemand merkte, dass sie dabei nicht nur eine Locke um ihren Finger wickelte, sondern alle Menschen mit dazu.

Und wie sie einen anstarrte mit diesen kieselgroßen, durchscheinenden Augen! Früher, da hatte er sich blenden lassen von ihrer Schönheit, ihrer unnahbaren Eleganz, durch die sie sich von den anderen Mädchen im Dorf abhob. Geschmeichelt hatte er sich gefühlt, wenn sie ihn so anschmachtete. Aber tief drinnen war sie ihm noch nie ganz geheuer gewesen. Und nun wollte sie mit ihm nach Böhmen reisen, ha, er konnte sich schon denken, was sie damit wieder im Schilde führte. Nicht, dass er sich nicht gegen sie zur Wehr setzen konnte! Das hatte er schließlich schon einmal bewiesen – damals, im letzten Mai, im Gartenhaus, als sie es auch darauf angelegt hatte, ihn zu verführen.

Unmutig schlug er die Beine übereinander. Längst fühlte er sich nicht mehr geschmeichelt bei dem Gedanken, dass sie ihn noch immer begehrte. Ihr Begehren war eine Last, mehr nicht. Es war krank!

Abermals stieg Wut in ihm auf. Wut, die seine Müdigkeit vertrieb und ihm Kraft verlieh. Da saß er hier in der Küche und machte sich Gedanken darüber, wie er Seraphines Verführungskünste abwehren konnte. Als ob er nicht genug andere Sorgen hatte!

»Es reicht!« Seine Stimme war heiser, sein Mund trocken, trotz des starken Kaffees, den er in sich hineingeschüttet hatte.

Er rannte die Treppe hinauf, nahm jeweils zwei Stufen auf einmal, hatte keine Zeit mehr zu verlieren.

Viel zu lange hatte er sich mit ihren Ausflüchten abfertigen lassen. *Ich weiß auch nicht, was in Valentin gefahren ist* – das sollte er ihr glauben?

Sie hatte seinen Bruder aus dem Haus getrieben. Nun war sie ihm zumindest eine Antwort auf die Frage nach dem Grund schuldig.

Auf halber Höhe hielt er inne. Atmete durch. Wartete darauf, dass seine Wut verrauchte. Mit Drohungen und Grobheit würde er bei Seraphine nicht weiterkommen, das hatten die letzten Wochen gezeigt. Mehr als einmal hatte sein Vater ihr Vorwürfe wegen Valentin gemacht, und sie hatte sich sturer gestellt als ein Esel. Sie wisse von nichts, könne sich das auch nicht erklären … Ausflüchte, nichts als Ausflüchte.

Wenn er etwas erreichen wollte, musste er sie mit ihren eigenen Mitteln schlagen!

Ein grimmiges Lächeln auf den Lippen, erklomm Helmut die letzten Stufen. Vielleicht würde er sich später hassen für das, was er vorhatte. Aber mehr noch würde er sich hassen, wenn er es nicht tat.

Der Weg war lang und schnurgerade, kein Baum weit und breit, kein Haus oder Kirchturm zu sehen, nichts, woran sich das Auge hätte festhalten können. Sie lief barfuß, ihre Füße versanken in dem dicken Moospolster, das den Weg wie ein Pelz überwucherte. Der Himmel war von einem seltsamen Lila, als ob kurz zuvor ein Gewitter getobt hätte, doch der Boden unter ihren nackten Füßen war trocken, kitzelte die zarte Haut zwischen ihren Zehen …

»Seraphine, wach auf!«

Helmut? Woher kam er? Kein Mensch weit und breit, kein Haus und kein Kirchturm zu sehen …

»Sera!«

»Helmut?« Sie setzte sich so abrupt auf, dass ihr schwindlig wurde. Kein Traum, sondern Wirklichkeit. Schlagartig war sie wach. »Ist etwas passiert? Hast du Nachricht von Valentin bekommen?«

Er schüttelte den Kopf. »Nichts dergleichen. Ich … ich wollte dich sehen. Allein. Nur wir zwei, wie früher.« Als wäre es das Selbstverständlichste von der Welt, setzte er sich zu ihr ans Bett. Seine Nähe ließ sie frösteln. Warum war er hier? Was … Der Schwindel kam zurück.

»Helmut …« Sie sank auf ihr Kissen zurück, nicht ohne zuvor ihre Haare wie ein silbernes Tuch darauf ausgebreitet zu haben. Zögerlich nahm sie seine Hand. Sie konnte sich nicht erinnern, wann sie ihn das letzte Mal berührt hatte. Die Hand war kalt und schlaff. Ihre Sonne, so kalt.

»Ich habe geträumt«, sagte sie schläfrig. Seltsam, wo blieb

der hitzige Eifer, den sie sonst immer in seiner Nähe verspürt hatte? War sie so ruhig und gelassen, weil sie wusste, dass sie nun Zeit hatte? Dass niemand ihn ihr je wieder wegnehmen würde? Er würde ihr für alle Zeiten gehören, jetzt, da Valentin weg war. Für immer und –

»Ich habe auch geträumt, und davon wollte ich dir erzählen«, unterbrach Helmut ihre Gedankengänge. »Du und ich, wir saßen in einer silbernen Kutsche. Sogar die beiden Rösser, die vorgespannt waren, sahen ganz silbern aus.« Er schüttelte verwundert den Kopf. »Wir hielten uns an der Hand, alles war irgendwie so ... innig!«

»Diesen Traum kenne ich! Vor langer Zeit habe ich ihn selbst einmal geträumt. Helmut!« Sie packte ihn an den Schultern, sein Gesicht war nur noch eine Handbreit von ihrem entfernt, und während sie sprach, achtete sie darauf, dass ihr schlechter Morgenatem ihn nicht erreichte.

Konnte es sein, dass er endlich aufgewacht war? Dass er endlich *sah*? Nach so langer Zeit ... Oder was hatte sein Verhalten sonst zu bedeuten?

Misstrauisch starrte sie ihn an.

»Vielleicht will dir dieser Traum den Aufbruch in eine neue Zeit zeigen?« Sie sprach leise, fast zögerlich, wollte ihn durch ihre Sicherheit nicht verprellen, es war gut, es war wichtig, dass er selbst verstand.

»Der Aufbruch in eine neue Zeit«, wiederholte er langsam. Stirnrunzeln, ein Zucken um seinen Mund, alles sprach von höchstem innerem Aufruhr. Ach Helmut ... Sie lächelte. Der kurze Anflug von Misstrauen, den sie verspürt hatte, verflog. Er begann tatsächlich zu verstehen.

»Dann hast du die ganzen Jahre Recht gehabt, und wir gehören tatsächlich zusammen!« Er schluckte. »Dann war Valentin ... Er war ... nie der richtige Mann für dich!« Die Augen weit aufgerissen, als erschrecke ihn diese Erkenntnis, ergriff er ihre Hände, drückte sie, drückte sie so fest an seine Brust, dass sie vor Schmerz fast aufschrie. »Was musst du nur für Qualen erlitten haben … Meine Seraphine!«

»Ja«, hauchte sie atemlos.

»Aber …« Er schien mit sich zu kämpfen. »Wenn es für uns beide wirklich eine Zukunft geben soll, muss ich erfahren, was du für uns getan hast. Denn ich habe ja schließlich auf unrühmliche Weise versagt.«

»Das tut doch jetzt nichts mehr zur Sache«, beeilte sie sich zu sagen, obwohl alles in ihr schrie: Unrühmlich? Wie ein Dummkopf hast du dich verhalten! Auf meinen Gefühlen bist du herumgetrampelt wie ein Stück Vieh. Was habe ich nicht alles getan für dich, für uns, für uns beide –

»Sera, sag, wie hast du es geschafft, Valentin loszuwerden?« Seine Augen krallten sich an ihr fest, eindringlich, fast fiebrig schaute er sie an.

»Es war nicht leicht, so viel kann ich dir sagen«, kam es eisiger, als sie wollte. Woher stammte dieser seltsame Zorn, der sich wie eine Schlange um ihr Herz wand? Keine Vorwürfe, nicht jetzt, wo sein Traum ihn endlich hatte aufwachen lassen! »Ich musste mit ansehen, wie Hannah und du das glückliche Ehepaar spieltet. Und musste mich Valentins erwehren, der sehr fordernd war …« Sie wollte eigentlich lächeln, um ihren Worten Leichtigkeit zu verleihen. Um ihm zu zeigen: Schau her, ich habe es gern getan, es ist mir leicht gefallen. Stattdessen spürte sie, wie sich eine tiefe Falte in ihre Stirn grub.

»Ich weiß doch selbst, dass er dich nie in Ruhe gelassen hat«, antwortete Helmut grimmig. »Warum nur habe ich dies so lange zugelassen?«

»Du warst anderweitig beschäftigt. Hannah –«

»Hannah!« Er winkte ab. »Die ist doch jetzt unwichtig. Sag, liebe Seraphine: Wie bist du Valentin schließlich losgeworden?«

Nun lächelte sie.

Hannah war unwichtig. Genau wie Valentin. Nun gab es nur noch sie beide ...

»Es war nicht leicht«, wiederholte sie.

Leicht? Eine schlechtere Beschreibung für ihre letzten Jahre hätte man wohl nicht finden können! Sie holte tief Luft.

»Andererseits wusste ich, dass alles, was ich unternehme, jede Anstrengung, jede Qual für dich ist!« Sie zögerte noch einen Moment lang, dann stand ihr Entschluss fest. Sollte er ruhig wissen, was sie für ihn getan hatte!

Nachdem sie angefangen hatte zu erzählen, konnte sie nicht mehr aufhören. Mit jedem Satz wurde es ihr leichter ums Herz. Sie frohlockte. Er war da für sie, schaute sie an, mit großen, verwunderten Augen. Sprachlos ob ihrer Liebe. Hatte er wirklich so wenig mitbekommen? Dann mussten ihre Offenbarungen sein Herz jetzt doch zum Überlaufen bringen! Begierig erzählte sie weiter, erzählte alles. Den Grund dafür, dass sie Valentin überhaupt geheiratet hatte. Ihre Gedanken, als sie Hannah in der Fuchsfalle sah, hilflos. Das Kind, das nicht leben durfte.

»Und jetzt reisen wir gemeinsam nach Böhmen. Der Aufbruch in eine neue Zeit. Unsere Zeit. Ach Helmut ...« Ein glückseliges Seufzen. Matt schloss sie für einen Moment die Augen, genoss die Stille in sich, die sie so lange herbeigesehnt hatte, suchte blind nach seiner Hand. Als sie diese nicht fand, schlug sie die Lider auf, blinzelte. Einmal, noch einmal.

Und ihr stockte der Atem.

Helmut stand vor ihrem Bett, keuchend wie ein alter Mann. Tränen liefen über sein Gesicht, er machte keine Anstalten, sie wegzuwischen oder zu verbergen. Der Ausdruck, den sie in seinen Augen sah, sprach von Abscheu und Ekel.

»Und wenn du der letzte Mensch in ganz Gönningen wärst –

niemals würde ich dich mit nach Böhmen nehmen! Nichts, gar nichts mehr will ich mit dir zu tun haben!«

Angewidert spuckte er vor ihr aus.

»Du – du bist der Teufel in Person!«

55

Obwohl Valentin nichts mehr herbeisehnte als den Tag, an dem sein Schiff von Amsterdam aus in Richtung Amerika ablegen würde, grauste ihm gleichzeitig vor diesem Moment.

Mehr als zwei Wochen war er nun schon auf dem Tulpenhof. Wochen, in denen er sich an den Rhythmus des Haushaltes gewöhnt hatte.

An die Arbeit auf den Feldern.

An Piet, der schuften konnte wie ein Vieh, besessen von dem Gedanken, im nächsten Jahr eine noch höhere Ernte von noch höherer Qualität einzufahren. Der ihn stets mit einem Hauch von Argwohn betrachtete, dessen Ursprung Valentin nicht ergründen musste, über den er aber auch nicht allzu lange nachdachte.

An die salzige Luft, die nach Tang roch und nach den Heringen, welche die Fischer an jeder Ecke verkauften und die oft auch auf dem Speisezettel der Familie standen.

An Margarita und ihren Duft nach Kampfer.

Mit einem Seufzer wälzte er sich zur Seite, stützte sich auf seinen Ellenbogen. Ein Lächeln kroch über sein Gesicht.

Selbst im Schlaf sah sie aus, als hätte sie die Welt fest im Griff! Die Stirn war in schmale Falten gelegt, die Augen so streng geschlossen, dass feine Runzeln ihre Lider überzogen, und ein trotziger Zug umspielte ihre Mundwinkel.

Margarita, die sich von nichts und niemandem etwas sagen

ließ. Nicht von Piet, der ihr auf Holländisch Warnungen zuzischte, die ganz bestimmt ihn, Valentin, betrafen. Wahrscheinlich nicht einmal von ihrer eigenen inneren Stimme, die warnte und warnte …

Margarita, die so freigebig war mit ihrer Lebenslust. Die ihr Lachen und ihre Leichtigkeit verschenkte, großzügig, als wäre es Heilwasser aus einer der Quellen in den Kurbädern, die er und Helmut einst auf ihren Böhmenreisen besucht hatten.

Wie ein Ertrinkender hatte er sich an dieser Quelle genährt. Hatte mit vollen Händen daraus geschöpft, gierig getrunken, wollte mehr, immer mehr –

Elender Dieb!, schalt er sich. Dass sie nichts dafür forderte, rechtfertigte sein Verhalten beileibe nicht. Bald würde er gehen und sie zurücklassen. Aus welcher Quelle sollte sie dann Kraft für sich selbst schöpfen?

Sein Hals kratzte. Angestrengt versuchte er, sich auf Margaritas Gesicht zu konzentrieren und dabei ein Husten zu unterdrücken. Vergeblich.

Sie schlug die Augen auf. »Du hustest immer noch?«

Valentin winkte ab. »Eine leichte Erkältung, mehr nicht!« Er drückte ihr einen Kuss auf die Stirn.

Vor ein paar Tagen war er mit Piet zusammen in Amsterdam gewesen. Piet hatte ihm den Frachter gezeigt, mit dem er und die Ladung Tulpenzwiebeln nach New Orleans reisen sollten. Mit offenem Mund hatte Valentin den riesengroßen Dampfer angestarrt, ungläubig, dass sich solch ein Riese überhaupt fortbewegen konnte. In all seinem Staunen merkte er nicht, wie sich direkt neben ihm ein Streit unter Matrosen anbahnte. Ehe er sich versah, landete er mitten unter ihnen und am Ende in der Kloake des Hafenbeckens. Triefnass und stinkend hatte er mit Piet den Rückweg angetreten – kein Wunder, dass es nun im Hals kratzte und er sich ein wenig fiebrig fühlte. Fehlte nur noch ein Durchfall – bei dem vielen Wasser, das er bei seinen

verzweifelten Versuchen, sich an der rutschigen Kaimauer festzuhalten, geschluckt hatte, wäre eine solche Krankheit kein
Wunder.

Unauffällig fasste er sich an die Stirn. Heiß.

Margarita schaute ihn aus ihren blassen braunen Augen an.
Augen wie Treibholz, mit einem matten Glanz, poliert vom Sand
und den Wellen und dem Salz des Meeres. Holz von weit her,
angespült nach einer langen Reise, für immer angekommen.

»Geh nicht«, sagte sie unvermittelt.

Er schwieg. Sie blieb ebenfalls stumm, während sie ihre Hand
auf seine Brust legte. Die Vertraulichkeit und Wärme dieser
Geste rührte ihn so, dass es ihm die Kehle zuschnürte.

Oh, die Versuchung war groß! Margarita war eine Frau, mit
der ein Mann glücklich werden konnte. Es gab Momente, in
denen er sich einbildete, dass dies auch für ihn zutraf. Doch
der Frieden solcher Momente wurde zerstört durch Augen wie
Kieselsteine, geheimnisvoll gesprenkelt und so kühl … Durch
silbriges Haar, das leicht wie Federn durch seine Finger glitt.
Durch ein höhnisches Lachen.

*Dein Kind ist tot! Ich habe es umgebracht, damals, im letzten
Sommer. Weil ich es nicht wollte!*

Es gab kein Entrinnen vor diesem höhnischen Lachen.
Manchmal überfiel es ihn hinterrücks, manchmal kam es im
Schlaf angeschlichen, wenn alles schwarz war vor Einsamkeit.
Dann schrie er. Und Margarita war da. Hielt seine Hand, strich
ihm den Schweiß aus der Stirn, murmelte leise holländische
Worte, bis ihm die Augen wieder zufielen.

Margarita war bereit, seinen Schmerz zu tragen, das wusste
er. Sie würde geduldig sein, ihm zuhören, so oft und so lange
ihm nach Reden zumute war. Wenn sie wenigstens wie er über
Seraphine hergezogen wäre! Aber nein, kein einziges böses
Wort rutschte über ihre Lippen, obwohl er ihr sehr wohl ansehen konnte, dass sie sich ihr Urteil über Seraphine längst

gebildet hatte. Über so viel Großmut konnte Valentin nur staunen.

Es gab auch Zeiten, in denen ihm nicht nach Reden zumute war. Stunden, in denen er dumpf vor sich hin grübelte und sich zurückzog wie eine Schnecke in ihr Haus. Auch das trug Margarita mit der ihr eigenen Unerschütterlichkeit. »Die Zeit heilt alle Wunden.« Daran glaubte sie.

Die Zeit? War es wirklich nur Zeit, deren es dafür bedurfte? Oder würden ihn die kieselgrauen Augen für immer und ewig verfolgen?

Was, wenn sie ihm bis nach Amerika folgten? Bis nach Holland hatten sie es immerhin schon geschafft.

Aus der Küche, die zwei Türen neben Margaritas Kammer lag, waren Morgengeräusche zu hören. Das Klappern der blauweißen Porzellanteller, aus denen die Brotsuppe gelöffelt wurde. Das Quietschen der hinteren Tür, vor der der Milchmann wie jeden Morgen seine Kanne abstellte. Das Poltern, wenn die Magd den Schürhaken in seine eiserne Ablage zurückstellte, nachdem sie den Herd angeheizt hatte.

Nun würde es nicht mehr lange dauern, bis schwere Männerschritte an Margaritas Tür vorbeigingen: die Knechte auf dem Weg zu ihrer ersten warmen Mahlzeit, Piet, der von einem frühen Rundgang über die Felder zurückkam. Lauter Morgengeräusche, die Valentin an einen anderen Haushalt, eine andere Küche erinnerten.

Mit einem bedauernden Blick auf Margarita rappelte sich Valentin auf. Es tat nicht Not, dass Piet ihn dabei erwischte, wie er aus Margaritas Zimmer kam. Als er sich beugte, um unter dem Bett nach seinen Socken zu fischen, begann er erneut zu husten.

Ein Windstoß zerrte am Fenster, riss es auf, und Margaritas Spinnrad, das in der Ecke des Zimmers stand, begann sich zu drehen. Sofort wurde es empfindlich kalt im Zimmer. Auf Socken tappte Valentin zum Fenster. Den Riegel in der Hand, starrte er hinaus. Vom Meer her wehte ein klarer Wind, die Konturen der Bäume waren scharf gestochen. Irgendwo, viele tausend Meilen entfernt, lag Amerika. War dort jetzt auch Herbst? Gab es in Amerika ebenfalls Krähen, deren Schreie die Morgenstille zerrissen? Der Gedanke, wie wenig er von diesem Land wusste, war beruhigend. Alles neu, alles fremd, vielleicht würde das auch für ihn gelten.

Er hatte einmal geliebt. Hatte sein Herz bedingungslos verschenkt. Seraphine, die Unerreichbare – ein Traum wurde wahr, selbst dann noch, als ihre Ehe immer mehr einem Alptraum glich.

Vom Fenster aus sah Margarita plötzlich klein und verletzlich aus. Er hasste sich dafür.

»Du bist eine wunderbare Frau.« Wie hohl seine Worte klangen! Und doch entsprachen sie der Wahrheit. Herrgott, warum war das alles so schwer? Warum konnte er nicht einfach bleiben und mit ihr glücklich werden? Warum konnte nicht sie durch seine Träume geistern? Mit ihrem feuerroten Haar, ihren lustigen Sommersprossen, dem breiten Mund.

»Du und ich –« Sie zuckte zusammen, als sei sie noch einmal kurz eingeschlafen. Abrupt stand sie auf, taumelte ihm entgegen. »Es könnte uns gelingen!«

Sie presste sich an seine Brust, er spürte ihren Herzschlag, so stark und mutig, seine Arme umschlangen sie, gegenseitig hielten sie sich fest.

»Ich weiß, dass du noch nicht bereit bist, spüre es jeden Tag. Wenn du in meinen Armen liegst, wenn wir uns lieben, ist da immer noch sie. Aber irgendwann wird die Erinnerung schwächer werden! Natürlich kann man das Schreckliche, was sie dir angetan hat, nicht ungeschehen machen. Aber die Zeit heilt Wunden. Und ich werde dafür sorgen, dass eine saubere, gut verheilte Narbe zurückbleibt. Damit kann man leben.«

Valentin lächelte traurig. »Und was ist, wenn die Narbe nur oberflächlich verheilt? Wenn es darunter gärt und schwelt und immer wieder der Eiter ausbricht? Ich kann nichts garantieren! Ich weiß nur, dass ich dich nicht unglücklich machen will. Alles, was geschehen ist, liegt wie eine Staubschicht auf meinen Gefühlen! Ich weiß nicht mehr, wie sich Liebe anfühlt, vielleicht will ich es auch gar nicht mehr wissen. Liebe tut weh, das ist meine jämmerliche Wahrheit!«

»Es gibt immer mehr als eine Wahrheit«, sagte sie trotzig, und ein Blick in ihre Augen ließ ihn fast schwach werden. Wie gern hätte er ihr geglaubt!

Stattdessen sagte er: »Vielleicht muss ich gehen, um das zu erkennen. Vielleicht muss ich gehen, um zurückkommen zu können!«

»Fragt sich nur, zu wem«, antwortete Margarita dumpf. »Ich glaube, tief in deinem Innersten liebst du sie noch immer.«

»Wie kannst du so etwas sagen!«, stieß er laut hervor und musste sofort wieder husten.

Eine missbilligende Grimasse ziehend, klopfte sie ihm auf den Rücken, dann warf sie sich ihren Kittel über. »Wenn ich dir jetzt nicht bald eine heiße Milch mit Honig mache, wird es mit deiner Reise nichts werden!«, sagte sie leichthin.

Bevor sie aus der Tür huschen konnte, hielt er sie noch einmal am Ärmel fest. »Danke.«

Ihre Augen waren groß und ernst. »Ich werde auf dich warten. Ich werde da sein, wenn du zurückkommst. Falls du zurückkommst …«

56

Zwei Tage nachdem Helmut morgens in Seraphines Zimmer gewesen war, brachen er und Hannah nach Böhmen auf. Es war erst die dritte Septemberwoche, die Arbeit auf dem Feld war längst noch nicht abgeschlossen, auch in Küche und Keller gab es noch etliche Vorbereitungen für den Winter zu treffen. Doch Helmut ließ sich nicht beirren. Der Rest der Familie musste nun eben mit allem allein fertig werden.

»Jetzt verstehe ich, warum Valentin so Hals über Kopf davongelaufen ist«, hatte er zu Hannah gesagt. »Ich halte es auch keine Minute länger unter einem Dach mit dieser Hexe aus!« Kurz darauf hatte er noch einen weiteren Grund für die zeitige Abreise genannt. »Je früher wir losziehen, desto früher sind wir auch wieder zu Hause.« Dabei warf er einen bedeutungsvollen Blick auf Hannahs Bauch.

Sie konnte sich seinen Argumenten nicht entziehen. Aber der so plötzliche Abschied von Flora, die Reisevorbereitungen, die nun in aller Eile getroffen werden mussten, machten ihr zu schaffen. Und nicht nur das.

Ungläubig hatte sie an jenem Morgen Helmuts Bericht gelauscht. Hatte nicht glauben wollen, was er erzählte. Hatte immer wieder nachgehakt. Konnte es nicht sein, dass er etwas falsch verstanden hatte? Dass Seraphine sich missverständlich ausgedrückt hatte? Im Eifer des Gefechts, verwirrt von der List, mit der er sie geködert hatte? Er winkte nur ab.

Auch dass Helmut die Schwägerin auf diese Art und Weise zum Sprechen gebracht hatte, wollte Hannah anfangs nicht glauben. Musste er, um endlich die Wahrheit zu erfahren, es wirklich Seraphine gleichtun? Dies bewies Hannah nur aufs Neue, wie sehr er am Fortgang seines Bruders litt.

Als ihr endlich das Ausmaß von Seraphines Wirken bewusst geworden war, hatte es kein Halten mehr gegeben. »Die knöpf ich mir vor!«, rief sie und war schon aufgesprungen, als Helmut sie von hinten packte.

»Gar nichts tust du! Glaubst du, ich hätte ihr vorhin nicht liebend gern selbst den Hals umgedreht?«

Prügel, Geschrei und Gezeter würden nur die Eltern auf den Plan rufen, fuhr er fort, und das wolle er nicht, denn er habe beschlossen, vor ihnen Stillschweigen zu bewahren.

»Soll deine Mutter doch wissen, was für eine Natter sie an ihrer Brust nährt!«, schrie Hannah und dachte an all die Male, wo Wilhelmine ihr zu verstehen gegeben hatte, dass sie halt doch nur eine »Reing'schmeckte« war. Wohingegen Seraphine …

Die Wut hatte sie erschöpft. Und dann waren die Tränen gekommen. Sie hatte geweint wegen des Kindes, das nicht leben durfte, weil es den »falschen« Vater hatte. Wegen Valentin, der mit solcher Inbrunst geliebt hatte und den Seraphine mit derselben Inbrunst herzlos von sich stieß.

Sie weinte um sich und um Helmut, um ihre Blindheit, die sie beide hatte zu Opfern werden lassen.

Letztlich weinte Hannah auch um Seraphine. Wie qualvoll musste das Leben sein, das die andere führte! Eigentlich war es gar kein Leben, sondern ein Ringen mit etwas, von dem sie besessen war. War Seraphine etwa krank? Gar wahnsinnig?

Hannah fiel der Ratten-Martl ein, ein alter Mann aus dem Nürnberger Viertel, in dem sie aufgewachsen war. Er hatte sich eingebildet, der Rattenfänger von Hameln zu sein. Wann immer er durch die engen Gassen lief, wandte er sich zu seiner imaginären Schar Ratten um, pfiff nach einer, die den Anschluss verpasst hatte, nahm eine andere, die nicht mehr laufen konnte, auf den Arm. Gruselig war das gewesen. Die Leute hatten sich stets an den Kopf getippt, wenn Ratten-Martl vorbeikam.

Der Vergleich hinkte, das musste Hannah zugeben. Ratten-Martl hatte mit seiner Einbildung keinem Menschen etwas zuleide getan, während Seraphine …

Und trotzdem – obwohl die Schwägerin gerade ihr so viel Leid angetan hatte, verspürte Hannah keinen Hass. Oh, sie hatte sehr wohl eine unbändige Wut auf sie! Zuzuschauen, wie sie dasaß und vor Wilhelmine und Gottlieb das Unschuldslamm spielte, war fast mehr, als Hannah ertragen konnte. Aber Helmut rückte von seinem Entschluss, die Eltern nicht auch noch mit dieser Tragödie zu belasten, nicht ab.

Und so blieb Hannah am Ende nur übrig, Wilhelmine beiseite zu nehmen und sie auf ihre Bibel schwören zu lassen, dass sie nie, niemals, Flora allein in Seraphines Obhut lassen würde. Wilhelmine hatte sie angeschaut, als wäre sie nicht ganz bei Trost, hatte aber schließlich kopfschüttelnd Hannahs Drängen nachgegeben. Erst danach war Hannah für den großen Aufbruch bereit gewesen.

Um Hannah die Reise zu erleichtern, beauftragte Helmut den Nachbarn Matthias, sie mit seinem Wagen bis nach Augsburg zu fahren. Von dort aus nahmen sie die Eisenbahn bis Nürnberg, wo sie natürlich im »Goldenen Anker« bei Hannahs Eltern übernachteten. Drei Tage gewährte Helmut ihr in der Heimat, dann bestiegen sie einen weiteren Zug, der sie nach Hof brachte. Von dort aus wurde die Reise beschwerlicher: Eisenbahnlinien gab es nicht, Mitfahrgelegenheiten waren rar, immer wieder mussten sie auch längere Wegstücke zu Fuß bewältigen. Aber Hannah schlug sich tapfer. An Helmuts Seite hätte sie bis ans Ende der Welt laufen können!

»Da hab ich zu meiner Hilde gesagt, der Samenmann braucht mir nicht mehr zu kommen! Ist ein alter Haderlump, hab ich gesagt.«

Hannah zuckte zusammen, als die Faust auf den Tisch knallte. Hastig nahm sie ihren Becher Wasser in die Hand, bevor er durch einen weiteren Wutausbruch von Bohumil Dolezil womöglich zu Boden fallen würde.

Der Bauer beugte sich über den Tisch, und einen Moment lang befürchtete Hannah, er würde Helmut am Kragen packen. Stattdessen begann er, an seiner rechten Hand aufzuzählen:

»Die Mairübchen waren nichts, haben die Erdflöhe gefressen, der Möhrensamen ist nicht aufgegangen, und der Lauch ist erfroren! Nu, sag mir, Samenmann: Warum soll ich noch einmal bei dir kaufen? Ein Haderlump ist das, hab ich zu meiner Hilde gesagt, kommt mir nicht mehr ins Haus!«

Helmut lehnte sich auf der Bank vor Dolezils Haus zurück, anscheinend völlig unbeeindruckt von dessen Geschrei. Mit einer beschwichtigenden Geste hob er die Arme.

»Ist gut, ist gut, ich habe verstanden. Unsere Sämereien sind allesamt nichts wert, und kaufen tust du auch nicht mehr von mir.«

Warum Helmut ebenfalls die Faust auf den Tisch donnern ließ, war Hannah unerklärlich, aber Bohumil Dolezil nickte zufrieden.

Hannah zupfte ein paar Nadeln aus dem Haar, um ihren Hut für den Abmarsch festzustecken, dann rappelte sie sich schwerfällig von der Bank auf. Kaum berührten ihre Füße den Boden, begannen die Sohlen zu brennen, als wäre sie durch einen Haufen Ameisen gelaufen.

Na wunderbar! Da hatten sie sich also ganz umsonst von Budweis aus auf den weiten Weg zu dem Gehöft gemacht! Wenn sie das gewusst hätte, wäre sie in der Stadt geblieben, hätte den ganzen Tag –

»Herrgott, habe ich einen Durst!«, sagte Helmut. »Reicht deine Gastfreundschaft noch aus, um mit einem Haderlumpen wie mir ein Schnäpschen zu trinken, bevor er sich davonmacht? Oder muss ich von unserem alten Brauch dieses Jahr Abschied nehmen?«

Bohumil Dolezil zuckte mit den Schultern.

»Hannah! Die Tasche!«

Helmut leerte die Wasserbecher auf den Boden neben dem Tisch aus, dann begann er, großzügig den mitgebrachten Kirschschnaps einzuschenken.

Alter Brauch? Hannah warf ihm einen missbilligenden Blick zu. Musste das sein? Der Mann würde nichts kaufen, das hatte er doch mehr als deutlich gesagt! In so einem Fall konnte man doch getrost auf alte Bräuche verzichten. Dass Helmut es sich überhaupt gefallen ließ, dass Dolezil seine Ware schlecht redete …

Mindestens ein Dutzend Kunden hatten sie inzwischen besucht. Meist hielt sich Hannah wie jetzt im Hintergrund, bewunderte Helmuts Schlagfertigkeit, sein Verkaufstalent, sein Wissen rund um alles, was mit Acker- und Gartenbau zu tun hatte. Die Namen der Kunden, die für sie bisher nur Schriftzüge im Bestellbuch gewesen waren, bekamen Gesichter. Die Gesichter besaßen große Ländereien oder kleine Gärten, hatten Kinder, kranke Eltern, Streit mit dem Nachbarn oder Sorgen mit der Kuh im Stall. Als hätte er alle Zeit der Welt, hörte Helmut jedem zu, fast immer gab er einen Rat, der von den Leuten mal kritisch, mal freudestrahlend aufgenommen wurde. Manchmal kam er auf Ideen, die Hannah nie im Leben eingefallen wären! Mehr als einmal musste sie sich auf die Zunge beißen, um ihre Bewunderung nicht laut kundzutun – es tat ja nicht Not, dass der gnädige Herr noch eingebildeter wurde, als er eh schon war! Doch Helmut verstand sich tatsächlich mit allen, passte sogar seine Art zu reden seinem jeweiligen Kunden an. Anfangs hatte Hannah jedes Mal in sich hineingekichert, wenn er mit dem Schritt über die Türschwelle sein breites Schwäbisch verlor.

»Man muss sich auf die Leute einstellen!«, hatte er ihr erklärt. Was zu funktionieren schien, denn bisher war er mit den Verkäufen mehr als zufrieden und sagte sogar, Hannah würde ihm Glück bringen!

Ärgerlich starrte sie nun auf den Bauern, dessen rotes Gesicht durch das Kirschwasser noch röter geworden war. Auf solch einen groben Klotz waren sie bisher noch nicht gestoßen.

Unter dem Tisch gab sie Helmut einen Tritt ans Schienbein, den dieser jedoch ignorierte. Warum sitzt er da und trinkt sich ausgerechnet mit Dolezil einen Rausch an!, ärgerte sie sich, als Helmut plötzlich sein Bestellbuch zückte.

»Letztes Jahr hattest du vier Pfund vom Prager Kohlrabisamen, soll es diesmal genauso viel werden?«

Der Bauer, der seinen Becher schon halb zum Mund geführt hatte, brummte etwas, was Helmut als Zustimmung zu betrachten schien, denn er begann, mit seiner kleinen Handschrift Zahlen ins Buch einzutragen.

»Dann hatten wir drei Kilo vom Erfurter Weißkohl, dazu Rettiche, das war die Sorte ...« Ohne sich weiter um sein Gegenüber zu kümmern, kritzelte Helmut in sein Bestellbuch. Schließlich klappte er es energisch zu und hob sein Glas.

»Hannah, schenk nach!«, sagte er.

Empört schaute sie ihn an, tat aber, wie ihr geheißen wurde.

»Na, dann Prost, alter Haderlump!«

Dolezils Gesicht sah inzwischen schon viel freundlicher aus, er schlug seinen Becher gegen den von Helmut. Dann rollte er geräuschvoll die klare Flüssigkeit in seinem Mund hin und her, schluckte und beugte sich erneut über den Tisch. Hannah würgte, als sie eine Welle heißen, schnapsschwangeren Atem abbekam.

»Hilde, sag ich immer, das Zeugs vom Samenmann ist immer noch das Beste!«

Danach ging alles rasch: Bohumil Dolezil setzte seine Unterschrift unter die Bestellung, lief ins Haus, um das Geld zu holen – wie im Jahr zuvor würden sie die Ware wieder Anfang des Jahres versenden –, und unter vielem Händeschütteln und Schulterklopfen versicherte er Helmut erneut, wie zufrieden er mit den Sämereien war.

Nur mit Mühe unterdrückte Hannah ein Lachen. Helmut kannte seine Kunden, das musste man ihm lassen!

Sie standen schon zum Abmarsch bereit, als eine Frau mit wehendem Rock um die Ecke kam.

»Der Samenmann – du lieber Himmel! Hätt ich ihn fast verpasst!«

Hannah wäre gern endlich aufgebrochen, aber ehe sie sich versah, war Hilde Dolezil dabei, ihnen eine Geschichte zu erzählen, in der es um einen Streit mit einer Frau von einem der benachbarten Gehöfte ging. Jahrelang habe sie – ausschließlich sie!, betonte Hilde – den Blumenschmuck für die Kirche im Dorf besorgt. Der Messner wäre immer so dankbar gewesen! Alle hätten ihre Blumen stets bewundert. Und nun, seit diesem Sommer, würde die Frau vom Nachbargehöft ihre Sonnenblumen, Ranunkeln und Lorbeergirlanden auf den Altar der Kirche tragen. Schon mehrmals war es deshalb zwischen Hilde und der Frau zum Streit gekommen, natürlich war der Messner über diese Situation sehr unglücklich, sogar der Herr Pfarrer war einmal Zeuge eines Wortwechsels zwischen den Frauen geworden. Der Herr Pfarrer, man stelle sich vor!

»Die dumme Ziege lässt mir einfach keine Ruhe! Was soll ich nur tun?«, fragte Hilde verzweifelt und hielt dabei Helmuts Hände so fest, als erwarte sie, dass er eigenhändig die vorwitzige Nachbarin zur Vernunft brachte.

Helmut warf Hannah einen verschmitzten Blick zu. »Das sollten Sie eigentlich die Samenhändlerin fragen – die kann bei solchen Problemen stets mit einem guten Rat aushelfen.«

Wütend fuhr Hannah herum, doch schon im nächsten

Moment spürte sie, wie sich Hildes flehender Blick auf sie richtete.

»Wenn zwei sich streiten, freut sich für gewöhnlich ein Dritter«, sagte sie so bedeutungsvoll wie möglich, obwohl es das Erstbeste war, was ihr einfiel.

Hildes Mund klappte auf, und einen Moment lang starrte sie Hannah aus großen Augen an. Dann sagte sie: »Sie haben Recht! Himmel, warum bin ich nicht selbst darauf gekommen? Erst letzten Sonntag hat der Messner gemurmelt, die Streitereien würden ihm langsam zu viel.« Mit einem grimmigen Blick über ihre Schulter fügte sie hinzu: »Und ich kann mir schon denken, wer sich dann die Hände reiben würde …«

Hannahs Augen folgten dem Blick der Frau dorthin, wo sie einen weiteren Nachbarshof vermutete.

»Treffen Sie doch eine Abmachung mit Ihrer Nachbarin: An einem Sonntag sorgt sie für die Blumen, am nächsten Sonntag sind Sie an der Reihe. So würden Sie sich nicht nur die große Ehre, sondern auch die Arbeit teilen!«

»So, das ist aber wirklich der letzte Eimer! Wenn ich jetzt noch einmal nach unten gehe, dann nur, um ein Bier zu trinken!« Schwer atmend kippte Helmut warmes Wasser in den Badezuber, den er und Hannah zuvor auf ihr Zimmer geschleppt hatten. Eigentlich war es eher ein Waschzuber, aber Hannah hätte sich auch in eine Pferdetränke gesetzt, wenn ihr jemand ein heißes Bad darin angeboten hätte. Genießerisch lehnte sie sich zurück und ließ ihre Arme auf der Oberfläche des Wassers schweben.

»Du hast gerade eine Frau sehr glücklich gemacht«, seufzte sie.

»Na, dann ist es ja recht«, brummte Helmut, bevor er in Richtung Wirtshaus verschwand.

Mit einem Lächeln schaute Hannah ihm nach. Hoffentlich

traf er auf eine gesellige Runde, sie hatte nämlich nicht vor, so schnell wieder aus den Fluten ihres Bades aufzutauchen!

Endlich einmal allein sein! Zeit nur für sich zu haben, ohne an den nächsten Kundenbesuch denken zu müssen. Ohne Stift in der Hand, um Bestellungen aufzunehmen. Ohne den Blick auf den Kalender, ob sie noch im Zeitplan lagen.

Wer hätte das gedacht? Da genoss sie hier, in ihrem winzigen Fremdenzimmer in Budweis, ein Bad! Was für ein Luxus … Zuerst hatte sie sich gar nicht getraut, Helmut ihren Wunsch vorzutragen. Doch dann hatte die Sehnsucht nach Wasser, Wärme und Sauberkeit überwogen. Er zog zwar ein Gesicht, das besagen sollte: Müssen solche Umstände wirklich sein? Doch dann hatte er den Wirt überredet, Wasser für Hannah aufzusetzen.

Eine Welle der Liebe überflutete Hannah. Helmut hatte sich daran gewöhnt, dass sie ein wenig anders war als die meisten Gönninger Frauen. O ja, sie konnte sehr wohl hart arbeiten – das hatte sie mit den Gönninger Weibern gemein, aber als Ausgleich brauchte sie hin und wieder etwas Besonderes. Ein Bad während der Woche, und nicht nur samstags. Eine süße Leckerei, und nicht immer nur Butterbrot. Einen Silberring am Finger, und nicht nur Arbeitsschweiß. Kleine Dinge, gewiss, aber sie schöpfte ihre Freude daraus. Helmut verstand das.

Mit beiden Händen schüttete sich Hannah Wasser ins Gesicht, dann tauchte sie mit dem ganzen Kopf unter. Zählte bis drei und tauchte prustend wieder auf.

Andererseits hatte auch sie sich an Helmuts Eigenarten gewöhnt, vor allem an seine Rastlosigkeit, die ihn immer wieder den Aufbruch zur nächsten Reise herbeisehnen ließ. Wie hatte sie sich anfangs deswegen gequält! Hatte sich eingebildet, dass er sie und Flora nicht genug liebte. Dass er nicht gern mit ihr zusammen war. Erst jetzt, nachdem sie mit eigenen Augen gesehen hatte, wie beliebt er bei seinen Kunden war, wie einfühlsam er sich auf jeden Einzelnen einstellte, war ihr klar geworden, dass das Reisen Helmut eine ganz besondere Art von Bestätigung gab.

Er war aber auch ein Teufelskerl! Wie er vorhin mit dem Dolezil …

Urplötzlich musste Hannah an Valentin denken. Er wäre gewiss nicht so begriffsstutzig gewesen wie sie, hätte gleich gewusst, dass Dolezils Gejammer nur das Vorspiel für ein kleines Schnapsgelage unter alten Bekannten war.

Um ihre Brüste, die aus dem Wasser ragten, zu wärmen, legte Hannah ihre Hände darauf. Wie zwei große Bälle, schoss es ihr durch den Kopf. Dabei hatte sie gerade einmal die Hälfte der Schwangerschaft hinter sich.

Valentin … Wie es ihm wohl erging? Ob er schon auf einem Schiff nach Amerika war? Amerika – Hannah schüttelte den Kopf. Eine Reise dorthin überstieg ihre Vorstellungskraft.

Sie wünschte Valentin zwar von ganzem Herzen, dass er sein Glück in der Ferne fand, doch rührten sich immer wieder leise Zweifel in ihr. Wie ein winziges Steinchen, das zwischen Socke und Schuhbett geraten war. Zuerst merkt man es kaum, doch je länger man es mit sich herumträgt, desto tiefer gräbt es sich in die Haut ein. Und kratzt und stört.

Was stört mich an der Geschichte eigentlich so? Ich bin doch nicht so engstirnig zu glauben, dass er nur bei uns im Dorf glücklich werden kann?

Aber Valentin ohne Sera – das konnte sie sich nicht vorstellen. Er hatte sie doch so geliebt! Wenn sie allein an die innigen Briefe dachte, die Valentin seiner Frau geschrieben hatte …

Andererseits, Seraphine waren diese Briefe keinen Pfifferling wert gewesen, so viel stand fest. Und –

Mit einem Quietschen ging die Tür auf.

»Mädle, du sitzt ja immer noch im Wasser! Pass auf, dass du keine Schwimmhäute bekommst. Unten packt gerade einer seine Ziehharmonika aus, also beeil dich, wenn du noch was mitkriegen willst.«

»Musik! Der Himmel öffnet sich für seine Kinder!«, rief Hannah theatralisch. »Erst ein Bad und dann auch noch Musik – wenn das so weitergeht, wirst du mich auch zukünftig mit auf die Reise nehmen müssen!« Lachend spritzte sie Wasser in Helmuts Richtung. »Wer hätte gedacht, dass das alles so viel Spaß macht!«

»Spaß? Also, ich bin rechtschaffen erledigt. Aber wenn dir die Strapazen der Reise nichts ausmachen, umso besser! Bist halt eine rechte Samenhändlerin geworden!« Ohne sich um die offene Zimmertür zu kümmern, drückte Helmut seiner Frau einen nassen Kuss auf den Mund.

»Weißt du, dass du mich heute zum ersten Mal so genannt hast?«, murmelte Hannah in sein Ohr.

»Na und? Das bist du doch, oder? Und jetzt beeil dich!« Ein letzter Kuss, dann polterte er mit lauten Schritten wieder nach unten ins Wirtshaus.

Versonnen lächelnd stieg Hannah aus der Wanne.

Wie selbstverständlich er das gesagt hatte! Für Helmut schien es keinen Zweifel daran zu geben, dass sie tatsächlich inzwischen eine Samenhändlerin war. *Und ich? Sehe ich das auch so?*, fragte sie sich, während sie sich mit einem grau-verwaschenen Tuch abtrocknete.

Früher war sie die Tochter vom Ankerwirt gewesen, ein wildes Ding, dessen Ruf im Nürnberger Viertel nicht der beste gewesen war. Heute war sie Helmuts Frau. Eine achtbare, brave Ehefrau. Sie war zudem Floras Mutter und die Schwiegertochter von Wilhelmine und Gottlieb. Für die Gönninger war sie noch immer die »Reing'schmeckte«, die Fremde, auch wenn sie sich längst richtig heimisch fühlte. Daneben aber … war sie auch eine Samenhändlerin!

Ha, wenn sie an ihren ersten Abend in Gönningen zurückdachte! Wie sie in der »Sonne« gesessen hatte, voller Bangen und mit einem unehelich gezeugten Kind unter dem Herzen. Wie sie zum Tisch der Ulmer Gärtner hinübergestarrt hatte. Auf die kleinen Schalen und Gläser, in denen sich undefinierbare Dinge befanden. Kopfschüttelnd hatte sie das Treiben beobachtet und dann Käthe gefragt: »Worum geht es da eigentlich?«

Heute wusste sie, dass man Zwiebeln in Reihen setzte, in nicht zu dichte Reihen, und dass Selleriesamen besser keimte, wenn man ihn zuvor einen Tag lang in Wasser einweichte. Kein trockener Lehrstoff mehr, sondern Wissen, das sie in sich trug, selbstverständlich, ganz natürlich. Es gab noch viel zu lernen, dessen war sie sich wohl bewusst. Aber sie saugte alles, was sie von Helmut erfuhr, wie ein Schwamm auf. Und wurde so jeden Tag ein wenig schlauer.

Ja, die Zeiten als dummes Nürnberger Stadtmädel waren in der Tat vorüber!

In der Wirtsstube war es laut und voll. Helmut musste zur Seite rutschen, um ihr überhaupt noch einen Platz auf seiner Bank zu verschaffen. Mit einem verschmitzten Grinsen quetschte sich Hannah neben ihn.

»Du hast Recht, ich bin eine Samenhändlerin!« Der Stolz in ihrer Stimme war nicht zu überhören. »Und weißt du was? Ich könnte mir nichts Schöneres auf der Welt vorstellen!«

Den verdutzten Blick ihres Mannes ignorierend, langte sie in den Brotkorb, der in der Mitte des Tisches stand, und biss herzhaft von einer Scheibe ab.

57

»Eins steht fest: Eine einfache Lungenentzündung ist das nicht«, murmelte der Arzt.

»Aber was ist es dann?« Händeringend stand Margarita vor ihm. »Lieber Gott im Himmel, was kann ich nur für ihn tun?«

Der Arzt warf einen Blick in Richtung des Zimmers, in dem der Kranke lag. Im Laufe der Woche, in der er dem Tulpenhof täglich einen Besuch abgestattet hatte, war aus dem Patienten ein Schatten seiner selbst geworden. Zuerst der Husten, dann das hohe Fieber, dazu noch die Bauchkrämpfe und der Durchfall – es sah nicht gut aus. Gar nicht gut.

Ein Blick auf Margaritas angstvolles Gesicht mit den geröteten Augen ließ ihn jedoch seine schlimmsten Befürchtungen verschweigen. Seit die Krankheit ausgebrochen war, pflegte sie den Kranken Tag und Nacht. Wie es schien, hatte sie dabei keine Hilfe, was den Arzt nicht wunderte – niemand hatte ein Interesse daran, sich bei dem Fremden anzustecken.

»Ich möchte eine Lungenentzündung nicht völlig ausschließen«, sagte er vorsichtig. »Auch zeigt er nicht unbedingt die typischen Krankheitsmerkmale eines Ruhr- oder Typhuskranken, aber ausschließen kann man auch diese Komplikationen nicht … Bei seinem Sturz ins Hafenbecken muss er eine beträchtliche Menge Wasser geschluckt haben. Menschliche und tierische Fäkalien, Abfälle, Tierkadaver … dies alles ergibt nicht gerade einen Gesundheitstrunk.«

»Aber das ist doch schon fast zehn Tage her! Irgendwann muss das Gift doch wieder aus seinem Körper gewichen sein. Können Sie nicht wenigstens noch einen Aderlass machen?«, flehte Margarita.

Der Arzt zuckte mit den Schultern. »Ich habe nicht das Gefühl, dass wir damit einen Erfolg erzielen, ganz im Gegenteil. Der Mann wirkt nach jedem Aderlass noch geschwächter – sehr ungewöhnlich! Ich hege deshalb den Verdacht, dass der Herr schon vor seiner Erkrankung angeschlagen war. Erwähnten Sie nicht, er habe eine lange Reise hinter sich?«

Margarita bestätigte dies kopfnickend.

»Nun, er kann sich auch unterwegs eine Krankheit zugezogen haben, die hier noch nicht bekannt ist.«

»Na wunderbar!«, brummte Piet, der dem Arzt bisher schweigend zugehört hatte. »Können Sie wenigstens sagen, ob diese Krankheit ansteckend ist? Ich habe schließlich die Verantwortung für den Rest des Haushaltes zu tragen!«

Diese Bemerkung trug ihm einen giftigen Blick von Margarita ein, den er jedoch geflissentlich ignorierte.

Abermals zuckte der Arzt die Schultern. »Ausschließen lässt sich gar nichts. Selbstverständlich kann ich veranlassen, dass der Kranke in ein Spital gebracht wird, aber –«

»Das kommt gar nicht in Frage!«, fuhr Margarita scharf dazwischen. »Valentin bleibt hier, wo ich für ihn sorgen kann.«

Der Arzt schaute auf sie hinab und sah in den Augen, gerötet von zu wenig Schlaf, ein Feuer brennen, das er dem Kranken gewünscht hätte. Dieses blasse, sommersprossige Wesen hatte einen eisernen Willen! Wenn der Mann überhaupt eine Chance besaß, dann durch sie und ihre Pflege. Genau dies sagte er zu ihr, was Margarita ein schwaches, aber zufriedenes Lächeln entlockte.

»Machen Sie weiter wie bisher: kalte Wickel gegen das Fieber, kräftig gesalzene Speisen, sehr fein zerkleinert, ein wenig Rotwein zur allgemeinen Stärkung.«

Er hielt kurz inne und fasste dann einen Entschluss.

»Trotzdem ist es meine Pflicht, Sie auf das Schlimmste vorzubereiten. Wenn das Fieber in den nächsten Tagen nicht zurückgeht … Ewig hält der Körper diesen Belastungen nicht stand. Wir können nur hoffen.«

Margarita würgte, als habe sie sich an einer Gräte verschluckt.

Der Arzt sah sie mitleidig an. »Ist der Kranke ein Verwandter von Ihnen?«, fragte er, obwohl er längst wusste, dass dies nicht der Fall war. In der ganzen Gegend wurde über den Fremden geredet, der nun schon seit Wochen auf dem Hof weilte. Auch dass er krank war, schwer krank, war Piets Nachbarn nicht entgangen, immer wieder wurde er als der Arzt des Kranken angesprochen. Die Leute machten sich Sorgen, konnte man es ihnen verdenken?

»Seine ... Familie lebt in Württemberg«, sagte Margarita so leise, dass er Mühe hatte, die Worte zu verstehen.

»Dann rate ich Ihnen, eine Eildepesche auf den Weg dorthin zu bringen.«

»Aber ...« Aufgeregt schaute Margarita von dem Arzt zu ihrem Vater. »So eine Nachricht ist doch tagelang unterwegs! Bis sie ankommt, ist Valentin längst wieder gesund. Und dann haben wir die Leute unnötig geängstigt. Außerdem ... hat er keinen Kontakt mehr zu seinen Angehörigen«, fügte sie beinahe trotzig hinzu.

Der Arzt wechselte einen Blick mit dem Tulpenzüchter, dem anzusehen war, dass er den Kranken lieber heute als morgen aus dem Haus geschafft hätte.

»Tu, was Doktor Bleyhuis sagt, mein Kind.«

Der Arzt räusperte sich. »Im Angesicht des Todes werden Familienstreitigkeiten unwichtig – das ist meine Erfahrung. Und für viele Angehörige ist es ein Trost, den Leichnam mit nach Hause nehmen und in den heimischen Gefilden beerdigen zu können.«

Den Rücken an den knorrigen Stamm eines Apfelbaumes gelehnt, atmete Seraphine tief durch. Die Luft war an diesem Morgen klar wie Kirschwasser, und das blasse Grün der Blätter wirkte glasig.

Ihr Blick streifte über die Wiesen, die näher an Gönningen

lagen. Bisher flogen nur die Vögel zwischen den Bäumen hin und her, aber schon bald würden sich dort viele Menschen einfinden, die miteinander scherzten, lachten und sangen, um die Apfelernte so angenehm wie möglich zu gestalten. Die Wiese, die Seraphines Mutter gehörte, lag etwas abseits, hierher würde sich niemand verirren.

Seraphine hatte der Apfelernte noch nie viel abgewinnen können. Selbst die Aussicht auf den frischen Apfelkuchen, den die Hausfrauen gemeinsam im Backhaus des Dorfes für die fleißigen Erntehelfer buken, änderte daran nichts. Das vorsichtige Abdrehen der Früchte von den Zweigen, das ebenso vorsichtige Aufschichten in den bereitgestellten Körben hatte sie immer langweilig gefunden. Und vom Körbeschleppen bekam sie Rückenschmerzen.

Doch an diesem Septembermorgen hatte sie es kaum erwarten können, auf die Apfelwiesen zu gehen. Denn es gab nichts Einsameres als die Schlafkammer einer verlassenen Frau. Die Kammer, in der Helmut sie beschimpft hatte. Das Bett, vor dem er ausgespuckt hatte. Diesem Raum zu entfliehen – dafür war ihr jeder Anlass recht. Bevor Wilhelmine ihr häusliche Pflichten auferlegen konnte, hatte sie sich auf den Weg zu der Wiese ihrer Mutter gemacht, um ihr bei der Ernte zu helfen. Als sie ankam, stellte sie jedoch fest, dass die Mutter noch nicht da war. Eine seltsame Enttäuschung hatte Seraphine überfallen, und um sich davon abzulenken, hatte sie einfach mit der Ernte begonnen.

Seufzend stieg sie wieder auf die Leiter. Mit jedem Apfel, den sie pflückte, wurde der Leinensack, der an einem Seil um ihre Hüfte hing, schwerer. Bald würde sie hinabsteigen und ihn leeren müssen. Drei Körbe voller Äpfel standen schon auf dem Boden, doch noch immer trug der Baum schwer an seinen Früchten. Der Duft der Goldparmänen kitzelte in ihrer Nase. Als Kind war ihr dieser Apfel immer der liebste gewesen. Nicht des Geschmackes wegen, der leicht nussig war und ihr eigentlich nicht süß genug, sondern des Namens wegen: In Frankreich hieße derselbe Apfel »Reine des Reinettes«, hatte der Vater ihr einstmals erklärt. Die Königin der Prinzessinnen – wie zauberhaft! Von da an hatte Seraphine, wann immer sie bei den Baumwiesen vorbeikam, Ausschau gehalten nach Königinnen und Prinzessinnen. Vergeblich.

Prinzessinnen gab es nicht.

Die Sternenfee gab es auch nicht.

Neben den Goldparmänen reiften auf der Baumwiese ihrer Eltern auch noch runde Luikenäpfel, der strohgelbe große Geflammte Kardinal und der Rote Boskop.

Gedankenverloren starrte Seraphine auf den Luikenapfel in ihrer Hand. Dort, wo die Sonne ihn beschienen hatte, war er leuchtend rot, auf der Schattenseite dagegen eintönig braun. Ohne Sonne …

»Und die Erde ließ aufgehen Gras und Kraut, das sich besamte, ein jegliches nach seiner Art, und Bäume, die da Frucht trugen und ihren eigenen Samen bei sich selbst hatten, ein jeglicher nach seiner Art. Und Gott sah, dass es gut war.«

So stand es in der Bibel. Und so stand es auf dem Gobelin, der in Gottliebs Büro hinter dem Schreibtisch hing, von Wilhelmines geduldiger Hand in Kreuzstich gestickt.

Nichts war gut. Gar nichts.

Mit wackligen Knien stieg Seraphine von der Leiter und sank neben den Körben nieder.

Seit Helmut sie verlassen hatte, fühlte sie sich wie ein Vogeljunges, das lange vor seiner Zeit aus dem Nest geworfen wurde. Keine Schutzschicht mehr, alles verlor sich im Nichts. Seraphine presste ihre Hände gegen die Rippen, bis es wehtat.

Warum konnte sie nicht sein wie einer dieser Bäume? Fest verwurzelt an seinem Platz, dem ewigen Rhythmus der Jahreszeiten ergeben, ein jeglicher nach seiner Art.

Nur: Für ihre Art gab es keinen Platz, nirgendwo. Niemand wollte sie haben.

Wäre sie ein Baum gewesen, hätte sie nur faule, wurmstichige Äpfel getragen. Früchte, von außen makellos, doch kaum biss man hinein oder halbierte sie mit dem Messer – Fäulnis, nichts als Fäulnis.

Ein solcher Baum gehörte gefällt, damit er mit seiner Krankheit nicht die anderen Bäume ansteckte.

»Du bist der Teufel in Person«, hatte Helmut sie beschimpft.

Dann hatte er sie verlassen.

Mühsam schaffte sie es, sich aufzurappeln. So, wie sie es immer wieder geschafft hatte. Mechanisch griffen ihre Hände in das dichte Blattwerk der unteren Äste.

Ein Apfel nach dem anderen in den Korb.

Wozu? Sie würde keinen dieser Äpfel mehr essen.

Nie mehr würde sich jemand zu ihr an den Tisch setzen, das Obstmesser nehmen und kameradschaftlich einen Apfel mit ihr teilen. Nie mehr würde der süße Saft einer Frucht an ihren Fingern hinabrinnen. Nie mehr würde sie sich die klebrige Süße von den Händen waschen.

Nie mehr.

Sie war der Teufel in Person.

Deshalb wollte niemand bei ihr sein.

Ein Apfel nach dem anderen in den Korb.

Sogar Valentin war vor ihr geflüchtet. Valentin, dessen Aufdringlichkeit sie so duldsam ertragen hatte. Der immer so viel von ihr verlangt hatte. Immer wollte, wollte, wollte!

Nun wollte niemand mehr etwas von ihr.

Valentin fehlte ihr. Das war auch etwas, was sie nicht verstand. Wie so vieles in diesen Tagen.

Wie sollte es weitergehen? Seraphine wusste es nicht.

Irgendwann würden die Leute im Dorf merken, dass Valentin für immer weg war und nicht nur auf einer ausgedehnten

Reise. Sie würde die verlassene Ehefrau sein, über die man hinter ihrem Rücken spottete.

Irgendwann würden Helmut und Hannah zurückkommen – und dann? Die Vorstellung, weiter mit Helmut unter einem Dach zu wohnen, ständig seine Verachtung zu spüren, war mehr, als sie ertragen konnte.

Alles war umsonst gewesen. Alles.

Sie war einem schrecklichen Irrtum erlegen.

Ihr ganzes Leben war ein schrecklicher Irrtum.

Ach Sternenfee, warum hast du mich nur verwechselt? Was wäre gewesen, wenn ich an einem anderen Platz gelandet wäre? Wo es keinen Helmut gab und wo ich vielleicht mit einem Mann wie Valentin hätte glücklich werden können?

Mechanisch schlug sie mit der Hand nach einer der vielen Wespen, die aggressiv zwischen den Ästen umherflogen.

Der Sommer war lang gewesen. Nun spürten die Wespen das Ende. Hatten sie Angst vor dem Tod? Bäumten sie sich deshalb ein letztes Mal auf?

Es gab keinen Grund, Angst zu haben.

Irgendwann würde der wahre Grund für Valentins Flucht herauskommen. Bestimmt konnte Hannah es nach ihrer Rückkehr kaum erwarten, Wilhelmine darüber aufzuklären. Was dann geschehen würde, musste sich Seraphine nicht weiter ausmalen.

Alles war zu Ende. Nichts war ihr geblieben. Nichts, woran sie sich noch hätte festhalten können.

Ein Apfel nach dem anderen in den Korb.

Wie weich die Apfelhaut war. Und warm, wie von einem kleinen Tier.

»Du bist nicht ganz bei Trost«, hatte Helmut sie beschimpft. Oder war es Hannah gewesen?

Warum kam niemand? Wo blieb die Mutter? Sie wollte nicht länger allein sein, bei den vielen kleinen Tieren, die sich so warm und weich anfühlten in der Hand.

Keine Äpfel mehr in den Korb.

Keine Äpfel mehr in –

Ihr Blick fiel auf eine Wespe, die sich gerade noch mit ihrem Rüssel in einen angefaulten Apfel gebohrt hatte. Nun rollte sie sich zusammen, blieb leblos im Gras liegen.

Das Ende.

Seraphine brach zusammen. Sie wusste nicht, wann sie das letzte Mal geweint hatte. Warum hätte sie weinen sollen, solange es Zuversicht gab?

Sie hatte nicht geweint, als Helmut eine andere heiratete. Sie hatte nicht geweint, als der Büttel mit der Nachricht kam, dass der Vater vermisst war. Nicht, als sein Leichnam schließlich gefunden wurde. Nicht, als sie das Kind in ihrem Bauch tötete.

Als Helmut mit Hannah nach Böhmen abreiste, hatte sie weinen wollen, aber ihre Tränen waren eingetrocknet. Sie hatte nicht einmal mehr gewusst, wie sich Tränen anfühlten.

Und nun weinte sie. Es war nicht so schlimm, wie sie gedacht hatte. Es war beinahe benebelnd, fast tröstlich. Wie sich der Körper in seinem Beben erschöpfte, immer mehr Tränen flossen, ein ganzer Strom durch ihre Finger rann …

Nun würde es leichter werden.

Wie von unsichtbaren Fäden gezogen, stand Seraphine auf. Fixierte die Leiter mit zusammengekniffenen Augen.

Rückte sie erst ein wenig nach links, dann wieder mittig an den Stamm des Goldparmänenbaums.

Ausgerechnet der Baum der Königin und Prinzessinnen.

Mit ruhiger Hand löste sie von ihrer Hüfte das Seil, an dem der Pflücksack baumelte. Das Seil war lang genug.

Verwundert stellte sie fest, dass sie Angst hatte. Wovor?

Steifgliedrig kletterte sie erneut auf die Leiter. Legte das Seil zu einer Schlinge. Knotete es an einem hohen Ast fest.

Wollte die Schlinge um ihren Kopf legen. Das Seil war nicht so lang, wie sie dachte.

Sie musste eine weitere Stufe der Leiter erklimmen.

Die Schlinge war eng, das Seil ziepte an ihren Haaren, doch schließlich lag es um ihren Hals.

Nun musste sie nur noch springen.

Sterben für die Liebe ...

58

Im Nachhinein hätte Seraphine nicht mehr sagen können, ob sie gesprungen wäre. Ob ihr Mut gereicht hätte.

Gottliebs gellender Schrei hatte sie erschreckt, ihr rechter Fuß hatte den Halt auf der Sprosse verloren, einen Moment lang hatte sich die Schlinge um ihren Hals schon zugezogen.

Mit wehender Jacke war er angerannt gekommen, hatte die Leiter von unten gestützt, hatte geschrien, sie angeschrien.

Noch wäre nichts zu spät! Valentin würde noch leben. Woher sie überhaupt wisse, dass Val ... Wo der Bote doch gesagt hatte, er sei mit der Depesche direkt zu ihm, Gottlieb, gekommen.

Seine Augen waren gerötet, als habe er getrunken. Oder geweint.

Sein Rufen, immer verzweifelter. Wirre Worte, die keinen Sinn ergaben. Wovon redete er? Was wollte er hier? Wo war die Mutter? Seraphine hatte die Ohren verschlossen, o ja, das konnte sie noch. Nicht hören, was sie nicht hören wollte.

Dann war er die Leiter hinaufgeklettert. Sie hatte den Schweiß riechen können, den sein Körper verströmte. Seinen Schweiß und den Duft der Goldparmänen.

Widerstandslos hatte sie zugelassen, dass er die Schlinge von ihrem Hals nahm. Ihre Ohren wurden dabei schmerzhaft zusammengedrückt, die Nähe von Gottliebs massigem Körper war ihr unangenehm.

Irgendwie hatte er es geschafft, sie von der Leiter zu holen. Wie leblose Puppenkörper hatten sie dagesessen. Zwischen den rotbackigen Äpfeln und den Wespen hatte er ihr von Valentin erzählt, der im Sterben lag. Wie die Wespen. Nur in einem fremden Land.

Dann weinten sie gemeinsam.

Gottlieb setzte alle Hebel in Bewegung, um schon für den nächsten Tag einen Wagen zu beschaffen. Er wollte auf dem schnellsten Weg nach Haarlem. Warum Valentin gegangen war, wie er es wagen konnte, die Familie im Stich zu lassen, warum es ihn auf den Tulpenhof verschlagen hatte, wo er in seinem Abschiedsbrief doch Amerika genannt hatte – alles war für den alten Samenhändler unwichtig geworden. Dass er mit seiner entzündeten Ferse kaum laufen konnte – unwichtig. Nun, da Valentins Leben am seidenen Faden hing, galt es, ihm beizustehen. Seinem Sohn.

Und Seraphine?

Sie betete. Beten war ihr so wenig vertraut wie Weinen. Das Zwiegespräch mit der Sternenfee war ihr leicht gefallen, ihr hatte sie alle Sorgen anvertrauen können und all ihre Bitten. Beim Beten wusste sie nicht, welchen Ton sie anschlagen sollte – zu fremd waren Gott und sie sich geworden.

Bitte mach, dass es nicht zu spät ist, betete sie, als sich die Kutsche von Gönningen aus in Bewegung setzte.

Zu spät wofür?, fragte sie sich im selben Moment. Und betete doch immer wieder: *Bitte mach, dass es nicht zu spät ist.* Steif klangen ihr die Worte im Ohr, und ungehörig. Welches Recht hatte sie, ausgerechnet *sie*, etwas von Gott zu erbitten?

Dass Gottlieb sie gefunden hatte, im letzten Moment, war ein Zeichen, dessen war sie sich sicher. Dennoch argwöhnte sie. Zu oft hatte sie Zeichen gesehen, wo es gar keine gab. Hatte Dinge, Vorfälle, Bemerkungen falsch gedeutet.

Während sie aus dem Fenster schaute, zog nicht nur die Landschaft, sondern auch ihr ganzes Leben an ihr vorbei. Wie Bäume einer Allee reihte sich Missverständnis an Missverständnis: Ihre Liebe. Ihr Schicksal. Ihre Bestimmung. Wie blind war sie gewesen!

Diese Erkenntnis erschreckte sie so sehr, dass sie ihren Kopf an Gottliebs Brust vergrub und weinte. Weinen war ihr schon nicht mehr so fremd. Unbeholfen streichelte er ihr übers Haar.

Sie war auf dem Weg zu Valentin. Ausgerechnet in dem Moment, als sie ihrem Leben ein Ende machen wollte, war die Eildepesche gekommen. Nicht danach.

Das *musste* doch etwas bedeuten.

Lieber Gott, bitte mach, dass es nicht zu spät ist.

Es war nicht so, dass Seraphine in den langen Stunden, die sie auf Fuhrwerken, in Eisenbahnen und auf der Straße verbrachten, ihre Liebe zu Valentin entdeckte. O nein. Sie hatte einmal geliebt. Mit einer solchen Intensität, dass es sie fast das Leben gekostet hätte.

Auch Valentin war ihr fremd. Wie der Gott, zu dem sie betete. Aber sie wollte ihn noch einmal sehen. Wollte ihn um Verzeihung bitten für etwas, was im Grunde nicht zu verzeihen war. Oder doch?

Lieber Gott, bitte mach, dass es nicht zu spät ist.

Irgendwann, nach vielen Meilen, klangen die Worte schon weniger fremd in ihren Ohren. Je näher sie Valentin kam, desto ruhiger wurde sie.

Vielleicht hatte Gott noch eine Aufgabe für sie. Vielleicht konnte sie noch etwas gutmachen. Vielleicht betete sie deshalb weiter.

Valentin lebte.

Seraphine sah die rothaarige Frau, die ihn pflegte. Sah den Glanz in ihren Augen, wenn sie von dem Kranken sprach. Sah, wie sie sich besitzergreifend vor der Tür seines Zimmers platzierte, als wolle sie niemanden zu ihm lassen.

Seraphine schreckte zurück, ließ Gottlieb den Vortritt zu seinem Sohn, täuschte Müdigkeit vor, verkroch sich in einer fremden Kammer, in der die Einsamkeit so spürbar war wie zu Hause in ihrem eigenen Schlafzimmer.

Und sie verspottete sich ob der Hoffnung, der sie sich hingegeben hatte. Was für eine Aufgabe? Etwas wieder gutmachen?

Gott hatte dafür längst eine andere ausgesucht.

Es war ein Fehler gewesen, Valentins Familie zu benachrichtigen, davon war Margarita inzwischen überzeugt. Aber es war zu spät, um diesen Fehler rückgängig zu machen. Am liebsten hätte sie Seraphine und Valentins Vater im hohen Bogen vor die Tür gesetzt. Stattdessen setzte sie ihnen einen Teller Eintopf vor. Nachdem Piet das Tischgebet gesprochen hatte, war außer Schmatzen und dem Schlagen der Löffel nichts mehr zu hören.

Die Gäste aus Gönningen waren am frühen Vormittag angekommen, staubig, erschöpft, außer Atem, als wären sie den weiten Weg gerannt. Seitdem hatten sie die Zeit abwechselnd an Valentins Bett verbracht, wobei der Vater den weitaus größeren Teil der Krankenwache übernahm.

Iss, du musst bei Kräften bleiben, sagte Margarita zu sich selbst und lauschte wie immer mit einem Ohr in Richtung Krankenzimmer. Alles still. Ein gutes Zeichen? Mechanisch kaute sie auf den Bohnen und Kartoffeln herum, ohne etwas zu schmecken. Jeder Bissen kratzte in ihrem Hals, wurde mit Mühe hinuntergeschluckt. Kaum hob sie ihren Blick über den Teller und sah die andere, musste sie würgen, damit ihr nicht wieder alles hochkam.

Im Gegensatz zu ihr langten die Gäste beherzter zu. Schon hielt Gottlieb Kerner seinen Teller hoch, um einen Nachschlag zu bekommen. Über die Suppenkelle hinweg brachte Margarita ein Lächeln zustande.

Er war ein guter Mann. Daran bestand kein Zweifel. Er war es auch nicht, der seinem Sohn schadete.

Kaum angekommen, hatte er sich ans Krankenbett gesetzt – alle im Haus weigerten sich, es ein Totenbett zu nennen, obwohl der Arzt sie bei jedem Besuch darauf aufmerksam machte, dass noch nichts überstanden war. Stundenlang hatte er seinem Sohn feuchte Tücher auf die Stirn gelegt, ihm tropfenweise Wasser zwischen die aufgeplatzten Lippen geträufelt.

Sie hatte nach einem Zimmer gefragt, in dem sie etwas ruhen konnte, zu erschöpfend wäre die Reise gewesen. Und da ja Gottlieb nun bei Valentin war ...

Margaritas Herz hatte bis in den Hals hinauf geschlagen, während sie dem mageren, blutleeren Ding ein Zimmer zuwies. Das ist *sie*, war es ihr heiß durch den Kopf geschossen. Immer wieder: Das ist *sie*! Keine fünf Sätze hatte sie zustande gebracht, war geflüchtet, so schnell sie konnte. Vor der Widersacherin. Vor der Frau, vor der auch Valentin geflüchtet war. Die Schuld daran hatte, dass sein Herz verblutete, dass sein Verstand fieberte.

Es hatte eine halbe Ewigkeit gedauert, bis sich Margarita wieder beruhigen konnte. Dann war sie zu Valentin gegangen, hatte sich neben seinen Vater gesetzt.

Gottlieb Kerner sprach nicht viel mit dem Kranken, im Gegensatz zu Margarita selbst, die ihm stundenlang irgendwelche Dinge erzählte, weil sie glaubte, er würde ihre Stimme hören, irgendwo in seinen fiebrigen Welten. Aber schon die Präsenz des Vaters schien eine gute Wirkung auf Valentin zu haben. Sobald Gottlieb da war, schlief der Kranke ruhiger, flatterten seine Lider weniger, schwitzte er weniger.

Für den Arzt war es ein Wunder, dass Valentin überhaupt noch lebte. »Er klammert sich am Leben fest, als warte er auf etwas«, hatte er am Abend zuvor kopfschüttelnd gesagt und dann festgestellt, dass wenigstens der Durchfall nun endgültig überwunden war. Als ob Margarita das noch nicht selbst gemerkt hätte.

Margarita spürte, dass es mit Gottlieb Kerner selbst gesundheitlich auch nicht zum Allerbesten stand, doch sie wusste nicht, was den alten Mann plagte. War es die lange Reise? Ein Altersleiden? Da er nicht klagte, fragte sie nicht. Doch sie sah die Grimassen, die er schnitt, wenn er sich unbeobachtet glaubte. Deshalb hatte sie ihm eine Tasse Tee gebracht, dazu ein Butterbrot, und beides hatte er so hastig hinuntergeschlungen, dass Margarita ein schlechtes Gewissen bekam, weil sie den Gästen nicht gleich bei ihrer Ankunft etwas zum Essen vorgesetzt hatte. Fürs Abendbrot hatte sie dann bei Antje eine besonders kräftige Suppe in Auftrag gegeben.

Mit zitternder Hand hielt Margarita nun Gottlieb Kerner den Brotkorb hin. Er nahm eine weitere Scheibe, schmierte dick Schmalz darauf, streute Salz darüber. Sie nickte zufrieden.

Ein guter Mann. Der gekommen war, um seinem Sohn beizustehen.

Valentin hatte ihn erkannt, das war ein gutes Zeichen. Sein Fieber war noch immer hoch, die meiste Zeit schlief er unruhig, geplagt von Gott weiß welchen Dämonen. Aber manchmal, urplötzlich, schlug er die Augen auf und sah sich um. »Margarita ... du ...«

Für diese Momente lebte Margarita. Wenn er sie nur oft genug an seinem Bett erkannte, wenn er nur oft genug spürte, wie sie ihm Kraft zu geben versuchte, dann würde alles gut werden.

Auch heute, kurz nach Mittag, hatte es einen solchen Moment gegeben. Valentin hatte die flatternden Lider gehoben und Gottlieb Kerner gesehen. »Vater?« Nur ein Flüstern, ungläubig, fast nicht zu hören. Und dann nochmals, tief Luft ausstoßend: »Vater.« Er hatte gelächelt, Margarita hatte es genau gesehen. Er hatte gelächelt. Jetzt wird er wieder gesund – davon war sie fest überzeugt gewesen. Der Vater würde seinen Sohn wieder ins Leben ziehen, es war alles nur noch eine Frage der Zeit. Nun war Margarita froh, die Nachricht nach Gönningen geschickt zu haben.

Dann aber hatte *sie* sich an Valentins Bett gesetzt. Hatte seine Hand genommen, die Hand, die Margarita selbst so viele Tage gehalten hatte, an der sie inzwischen jede Narbe, jede Rille, jedes Stückchen Hornhaut kannte. Unbeholfen hatte die Geste auf Margarita gewirkt, irgendwie aufgesetzt. *Lass ihn los!*, hätte sie am liebsten geschrien, stattdessen biss sie sich so fest auf die Unterlippe, dass sie Blut schmeckte.

Kurz darauf war es losgegangen.

»Seraphine …«

Immer wieder: »Seraphine!«

Von weit her kamen seine Rufe, wirr war sein Blick durch die Kammer gerast, nicht sehend, dafür suchend. Kein wacher Moment wie zuvor bei seinem Vater. Eher panisch, gehetzt, voller Angst.

Erkannt hatte er sie nicht. Trotzdem musste er ihre Anwesenheit gespürt haben. Konnte er *sie* riechen? Vermittelte *sie* ihm geheime Botschaften?, fragte sich Margarita verzweifelt.

»Er klammert sich fest. So, als warte er auf etwas …« Die Worte des Arztes fielen Margarita ein, schnitten ihr ins Herz, so schmerzhaft wie Valentins Rufe. Hatte er auf *sie* gewartet? Den Gedanken wollte sich Margarita nicht erlauben.

Keine halbe Stunde später war das Fieber in solche Höhen gestiegen, dass Margarita glaubte, es ginge zu Ende. Valentins Körper zuckte wie von Peitschenhieben gepeinigt, Spucke lief ihm aus dem Mund, die Augen waren glasig, entrückt. Margarita hatte *sie* davongescheucht, hatte Valentin von oben bis unten gewaschen, ihn mit dem weichsten Tuch abgetrocknet, das sie finden konnte, ihm frische Sachen angezogen.

Sie hatte von der Tür aus zugeschaut, wie sich der Kranke hin- und herwarf, als wehre er sich gegen jede von Margaritas Zuwendungen. Wirr hatte er vor sich hin gebrabbelt, Margarita war sich sicher, dass er nun endgültig seinen Verstand verlor. Dazwischen immer wieder sein Schrei nach *ihr*. »Seraphine!«

Sie war bei jedem Ruf zusammengezuckt. Genau wie Margarita.

Warum ruft er nach ihr, wenn es ihn so graust? Warum ruft er nicht nach mir?

Das Klirren von Porzellan ließ Margarita aufschrecken.

»Ihr müsst mich entschuldigen, ich habe noch dringende Geschäfte mit meinem Nachbarn zu erledigen!« Piet schob seinen Stuhl zurück und verabschiedete sich mit einem Kopfnicken. Im Türrahmen winkte er seine Tochter zu sich.

»Jetzt kann ja die Ehefrau an Valentins Bett wachen. Schau, dass du eine Nacht Schlaf bekommst, du siehst aus wie der Tod persönlich!« Seine Augen waren dunkel von Vorwurf und Sorge.

Mit einem Ächzen erhob sich auch Gottlieb. »Ihr Vater hat Recht, Sie müssen sich erholen. Ich werde bei meinem Sohn sitzen.«

»Aber ich –«, hob Margarita an.

Kopfschüttelnd legte Gottlieb ihr eine Hand auf den Arm.

»Keine Widerrede. Sie haben mehr für Valentin getan als jeder andere« – sein Blick fiel auf Seraphine, die in sich zusammengesunken am Tisch saß –, »Gott segne Sie dafür.«

Margarita blieb nichts anderes übrig, als zuzustimmen. Um sich abzulenken, begann sie, das Geschirr zu spülen. Eigentlich wäre das Antjes Aufgabe gewesen, aber die Vorstellung, sich zu Valentins Frau an den Tisch zu setzen und ein Glas Wein zu trinken, als ob nichts wäre, war ihr unmöglich. Warum geht sie nicht in ihre Kammer, um zu »ruhen«? Sitzt da wie zur Salzsäule erstarrt! Oh, wie groß war die Versuchung, zu ihr zu gehen und sie zu ohrfeigen, zu schütteln, ihr tausend böse Worte an den Kopf zu werfen! Diese Frau war eine Hexe! Sie war schuld an Valentins Zustand!

Grimmig tauchte Margarita ihre Hände ins heiße Wasser, bis sie brannten. Wehe, sie wagt es, heute noch einmal nach Valentin zu schauen, dann –

»Wir haben versucht, Helmut zu erreichen«, kam es leise vom Tisch. »Er ist doch sein Bruder. Wenn ... wenn Valentin stirbt, wird Helmut mir das nie verzeihen.«

Margarita ließ den Teller, den sie gerade einseifte, so abrupt los, dass er hart auf den Boden der Spüle plumpste. Helmut?

»Was redest du da!«, herrschte sie die andere an. »Noch ist Valentin nicht tot, und wenn er stirbt, dann ist das etwas, was *du dir* nie verzeihen solltest!«

Beruhige dich, das Weib ist es nicht wert, dass du deine Kräfte verschleuderst! Du bist stärker, also reiß dich zusammen!

»Ich habe das nicht gewollt«, sagte Seraphine mit gesenkter Stimme. »Ich habe das alles so nicht gewollt. Helmut ... er hat mich verlassen. Valentin auch. Mein Vater ... alle verlassen mich. Ich –«

»Ich, ich, ich! Das ist wohl deine ewig alte, ewig gleiche Leier!«

Margaritas Zorn war so mächtig, dass ihre Beine nachgaben. Sie musste sich mit beiden Händen an der Spüle festhalten.

»Weißt du eigentlich, wie sehr dieser Mann dich geliebt hat?« Ihre Stimmbänder schienen fast zu zerreißen, sie konnte nichts dagegen tun. »Mehr als sein eigenes Leben! Du warst sein Leben! Seine große Liebe! Und jetzt liegt er da, ausgesaugt von dir und deiner Bosheit, fiebrig, von Dämonen geschüttelt ...«

Tränen liefen ihr übers Gesicht, fielen in ihren Schoß.

»Er leidet so sehr an seiner großen Liebe! Wenn er stirbt, trägst du die Schuld. Du allein und niemand anders! Du hast sein Herz gebrochen, und keine Medizin dieser Welt, kein Aderlass kann gegen dieses Leiden etwas ausrichten.«

Seraphine duckte sich, als habe sie einen Schlag ins Gesicht bekommen.

Die Tür ging auf, und Gottlieb steckte seinen Kopf hindurch. »Warum schreit ihr denn so? Ist etwas passiert?« Verwirrt schaute er von einer Frau zur anderen.

Margarita machte eine abwehrende Handbewegung. »Es ist alles in Ordnung«, keuchte sie heiser. »Nur die Nerven …«

Er stutzte noch für einen Moment, nicht sicher, ob ein Eingreifen seinerseits nötig war, dann ging er zurück ins Zimmer des Kranken.

Wenn Valentin stirbt, dann am gebrochenen Herzen.

Plötzlich war alles zu viel für Margarita. Zu wenig Schlaf, zu viel Sorge, das ewige Standhalten Piet gegenüber, der Valentin lieber heute als morgen ins Spital gebracht hätte, dazu die giftigen Blicke von Antje und den Knechten, ihr stiller Vorwurf, sie würde durch den Kranken den ganzen Haushalt gefährden –

Margarita sackte zu Boden, schlug die Hände vors Gesicht.

Lieber Gott, ich habe alles getan, was in meiner Macht steht. Nun kann ich ihm nicht weiterhelfen, weil nicht ich sein Herz gebrochen habe. Lieber Gott, mach, dass er gesund wird. Und wenn du dazu ihre Hilfe brauchst, dann soll es so sein. Dann muss ich damit leben. Für Valentin.

Allmählich fraß sich diese Erkenntnis in ihren Kopf, beraubte sie ihrer letzten Kraft.

Ich kann ihm nicht helfen. Weil er nicht mich liebt.

Weil er immer noch sie …

Sie musste Valentin freigeben.

Nein! Niemals! Nicht für diese Frau.

Eine Ewigkeit verging, die Geräusche wurden lauter, ihr Schluchzen, ihr Atmen, ihr Herzschlag – unerträglich laut. Irgendwann mischten sich in ihre Geräusche andere. Stuhlbeine, die über den Boden scharrten, Glas, das klirrte, raschelnder Stoff, das Ticken der Wanduhr.

Jemand zerrte an dem Spüllappen, den sie noch immer umklammert hielt, gleich darauf fühlte sie etwas Kaltes, Glattes in ihrer Hand.

»Hier, trink das.«

Ihre Stimme.

Der plötzliche Geruch nach Schnaps ließ Margarita würgen. *Ich nehme nichts von ihr. Nichts, gar nichts, keinen Krumen Brot und auch keinen Schnaps.*

Mechanisch hob Margarita das Glas, setzte es an ihre Lippen. Die Flüssigkeit rann scharf und heiß durch ihre Kehle. Einen Moment lang gab es nichts als dieses Brennen.

Als sie aufschaute, sah sie Seraphine dicht neben sich. Ihr erster Impuls war, aufzustehen, so viel Distanz wie möglich zwischen sich und *sie* zu bringen. Als spüre die andere ihre Abneigung, wich sie ein Stück zurück, gab Margarita den Fluchtweg frei. Ihre Blicke kreuzten sich. Margarita blieb sitzen.

»Du liebst ihn.«

Wie vom Blitz getroffen, zuckte Margarita zusammen. Schwieg.

»Das ist gut«, sagte Seraphine dumpf. »Valentin hat eine Frau verdient, die ihn liebt. Ich ... ich kann es nicht. Ach, wenn ich es nur gekonnt hätte! Aber in meinem Herzen war nur Platz für Helmut, die Liebe zu ihm hat mich aufgefressen, hat mich alle Kraft gekostet. Ich war besessen, damit musste ich leben. Damit musste auch Valentin leben.« Sie verstummte. »Es tut mir so Leid«, sagte sie dann. »Was würde ich dafür geben, wenn ich irgendetwas tun könnte! Die Zeit zurückdrehen, klüger sein, die Dinge erkennen, wie sie sind ... Aber nun ist es zu spät.«

»Es ist nie zu spät«, erwiderte Margarita, ein Hauch von Trotz in ihrer Stimme. *Sei still*, beschwor eine innere Stimme sie. *Sag nichts, was du später bereuen wirst.*

»Ich hätte nicht geglaubt, dass ich ihn so vermissen würde. Valentin, meine ich, nicht Helmut!«, fügte Seraphine rasch hinzu, als befürchte sie einen neuerlichen Wutausbruch von Margarita. »Unser Schlafzimmer zu Hause … Es ist so leer! Als ob ich schon längst eine Witwe wäre. Manchmal denke ich, gleich kommt er zur Tür herein und sagt etwas, was mich ärgert. Aber er kommt nicht. Und jetzt –« Ihre Augen richteten sich auf die Tür. Am anderen Ende des Ganges pflegte Gottlieb seinen Sohn. »Jetzt stirbt er vielleicht, und ich kann ihm nicht einmal mehr sagen, wie Leid mir alles tut.«

Margarita schloss die Augen. *Bitte, lieber Gott, gib mir die Kraft, zu tun, was ich tun muss. Für Valentin, nicht für mich.*

»Valentins Leben hängt am seidenen Faden. Dass er überhaupt noch lebt, ist für den Arzt ein Wunder.« Sie sprach plötzlich ruhig, als wären es Worte, die sie auswendig gelernt hatte. »Vielleicht ist es tatsächlich ein Wunder. Ich nenne es … Liebe.« Der Kloß in ihrem Hals wurde härter, das Sprechen fiel ihr nun schwer. Was, wenn ihr Gefühl trog? Wenn Seraphine doch nicht Valentins Lebenselixier war, sondern sein Todesstoß? Sein Fieber war gestiegen, nachdem *sie* an sein Bett getreten war.

Vielleicht wäre es ihr leichter gefallen, wenn sie bei der anderen Liebe gespürt hätte. Reue konnte sie erkennen, Selbstvorwürfe vielleicht auch, aber Liebe?

Ihr Herz setzte einen Schlag lang aus. Vielleicht würde Reue ausreichen. Wenn Valentin und *sie* in Frieden auseinander gingen, wenn er ihre Entschuldigung annehmen konnte, dann wäre er vielleicht irgendwann frei für ein neues Leben, eine neue Liebe. Für sie.

Und wenn nicht …

Bitte, lieber Gott, hilf mir. Ich muss es tun, für Valentin.

Ihre Lippen bebten, als sie weitersprach.

»Der Arzt hat auch gesagt, er glaube, dass Valentin auf etwas wartet. Dass er sich deshalb am Leben festklammert.«

Seraphine nickte kaum merkbar. Aber in ihren Augen sah

Margarita etwas, was zuvor nicht da gewesen war. Ein Funke Hoffnung?

Sie gab sich einen letzten Ruck. Nahm Seraphines Hand, drückte sie.

»Geh zu ihm. Er ist dein Mann.«

59

Es wurde die längste Nacht in Seraphines Leben.

Valentin schlief, wenn man das wilde Aufbäumen und gleich darauf das tiefe Absinken Schlaf nennen konnte. Sein Gesicht leichenblass im einen, hitzig rot im nächsten Moment. Manchmal kam sein Atem so rasch, dass sie befürchtete, er würde einen Krampf bekommen. Dann wieder lag er so totenstill, dass sie ihr Ohr an seine Brust legte, um festzustellen, ob sein Herz überhaupt noch schlug.

Leiden war ihre zweite Natur, etwas, was sie wie ein gut sitzendes Mieder überstreifte – dieser Überzeugung war sie bisher gewesen. Sie war gut im Leiden, besser als die meisten anderen Menschen, die sie kannte. Doch sie hatte sich getäuscht. Alles Leiden war nichts im Vergleich zu dem, was sie an Valentins Bett durchlebte.

Da waren sie nun endlich vereint und beide dem Tod näher als dem Leben.

Sie hatte Angst. Davor, dass die Nacht nie enden würde. Angst vor dem, was am Ende der Nacht stehen würde. Seraphine konnte sich kein Morgen vorstellen.

Gottlieb hatte sich schon vor Stunden zu Bett gelegt, und kurze Zeit später war Piet nach Hause gekommen. Nachdem er in der Küche ein paar Worte mit Margarita gewechselt hatte, war er die Treppe hinaufgepoltert. Danach wurde es still im Haus.

Keinen Moment ließ Seraphine Valentin aus den Augen, beobachtete jede seiner Regungen, versuchte seinen Zustand zu deuten. Ihre Ohren schmerzten vom Hören, ihre Augen brannten vom Sehen. Sie hatte Kopfschmerzen, ein ganzes Gewitter mit Blitz und Donner tobte in ihrem Kopf. Jeder klare Gedanke kostete sie unendliche Mühe. Irgendwann begriff sie, dass in ihrem Kopf derselbe Sturm tobte, in dessen Krallen auch Valentin gefangen war. Sie spürte, was er spürte. Nahm seine Leiden auf ihre Schultern. *Nimm dich nicht so wichtig,* schimpfte sie sich gleich.

Zuweilen rief er ihren Namen, flüsterte ihn manchmal nur, schien sie aber nicht wahrzunehmen. Ich bin da!, wollte sie ihm zurufen – Margarita hatte gesagt, es wäre wichtig, dass er ihre Stimme hörte, auch im Fieberwahn –, aber sie kam sich lächerlich dabei vor. Ich bin da. Das sollte reichen? Margarita flossen die Worte leicht von den Lippen, das hatte sie am Nachmittag selbst miterleben können. Sie erzählte Valentin Belanglosigkeiten, stellte Fragen, auf die sie keine Antworten erwartete, sie lachte sogar in seiner Gegenwart. Auf den ersten Blick war nicht zu erkennen, wie viel Mühe diese an den Tag gelegte Sorglosigkeit Margarita kostete, doch Seraphine sah die Qual in den Augen der anderen. Margarita liebte diesen Mann. Dennoch hatte sie Seraphine zu ihm geschickt.

Dennoch? Nein, gerade deshalb.

»Er ist dein Mann«, hatte sie gesagt.

Seraphine konnte das nicht verstehen. Wenn sie ihn wirklich und wahrhaftig liebte, warum kämpfte sie nicht? So, wie sie um Helmut gekämpft hatte. Vergeblich. Wusste Margarita, dass auch ihr Kampf vergeblich sein würde? Wenn ja, woher wusste sie es? Und warum war ihr, Seraphine, dieses Wissen verwehrt geblieben? Helmut war mit Hannah glücklich – warum hatte sie diese Wahrheit nicht sehen wollen? Warum hatte sie nicht so großherzig sein können wie Margarita? Helmut war glücklich – dieses Glück hätte sie ihm doch irgendwann gönnen müssen!

So viele Fragen. Und keine Antworten. Nirgendwo in dieser schmucklosen Kammer, in der sich das Auge an keinem schönen Webteppich, an keinem Aquarellgemälde festhalten konnte. Und doch war hier so viel Liebe zu spüren. Fast greifbar war sie! Mehr Liebe, als Seraphine je gespürt hatte. Margaritas Liebe.

Seraphine flüchtete. Lief in die Küche, wo Margarita immer noch schlaflos saß, und bat diese, sie für eine Weile an Valentins Bett abzulösen. Sie musste ihre Bitte nicht zwei Mal vortragen, kaum war sie ausgesprochen, stürzte die andere schon an ihr vorbei und ins Krankenzimmer. So viel Liebe …

Ein Tuch gegen die Kälte um die Schulter geschlungen, trat Seraphine vors Haus. Die kalte Luft auf ihrer Stirn tat gut, sie zwang sich, tief einzuatmen, und bald wurde das Pochen in ihrem Kopf schwächer. Aus keinem der vielen Fenster fiel Licht, Straßenlaternen gab es auch nicht, die Dunkelheit umschloss sie wie ein riesiger Schlund. Seraphine blinzelte, machte dann ein paar zaghafte Schritte über den Hof. Kies knirschte unter ihren Füßen, manchmal trat sie auf etwas Weiches – herabgefallenes Laub vielleicht. Als sich ihre Augen an die Nacht gewöhnt hatten, schaute sie erneut nach oben. Ein paar trübe Sterne zierten den schwarzen Himmel, der Mond sah aus wie eine unscharf gewordene Sichel. Sie fröstelte.

Die Sonne und der Mond – was für ein Unsinn!

Ein anderer Gedanke kam, das Denken fiel ihr hier draußen leichter: Dort hinten, in der Tulpenhalle, hatte sie gesessen und gemalt. Valentin hatte auf sie gewartet, so, wie er immer auf sie gewartet hatte.

Er liebt dich mehr als sein Leben, hatte Margarita gesagt.

Und sie? Sie hatte diese Liebe mit Füßen getreten.

Wie viel wusste Margarita von Valentin und ihr? Was hatte er ihr offenbart?

Er leidet so sehr an seiner großen Liebe! Wenn er stirbt, trägst du die Schuld! Du allein und niemand anders!, hatte Margarita ihr an den Kopf geworfen.

Also wusste sie alles.

Warum hasste diese Frau sie dann nicht?

Ich, ich, ich! Das ist wohl deine ewig alte, ewig gleiche Leier! Nun, hier draußen, in der Dunkelheit der Nacht, hatte sie Margaritas Worte laut und unverfälscht im Ohr. Seraphine hielt in ihrem Rundgang durch den Hof inne, legte den Kopf schräg, als lausche sie auf eine Fortsetzung dessen, was die andere ihr gesagt hatte. Als nichts kam, hörte sie tief in sich hinein.

Was wäre gewesen, wenn sie einmal weniger an sich selbst und dafür einmal mehr an Valentin gedacht hätte?

Sie schüttelte sich. Diese Art von Fragen war neu für sie, sie wusste nicht, was sie davon halten sollte.

Als sie wieder ins Haus trat, war es drei Uhr morgens.

Wortlos stand Margarita von dem Stuhl neben Valentins Bett auf, genauso wortlos nahm Seraphine Platz. Sie spürte die Blicke der anderen im Rücken, drehte sich zu ihr um.

»Wir können auch zu zweit wachen«, sagte sie.

Margarita schüttelte stumm den Kopf und ging.

Seraphine schaute ihr nach. Wie selbstverständlich sie ihr Platz gemacht hatte.

Ist mein Platz wirklich hier, an diesem Bett? Margarita schien daran keinen Zweifel zu haben.

Nein, diese Frau konnte sie wirklich nicht verstehen.

Ihr Platz … Wenn sie nur auch diese Sicherheit in sich verspüren würde!

Erschöpft sank Seraphine in sich zusammen.

Nicht mehr gegen den Strom schwimmen. Weitergetragen zu werden, so, wie es das Schicksal ihr bestimmte. Nicht mehr kämpfen müssen.

Plötzlich spürte Seraphine eine ungewohnte Ruhe in sich.

War es das, was Evelyn ihr hatte sagen wollen, damals, in einem anderen Leben?

Eine Zeit lang war es ganz still im Zimmer. Valentins Atemzüge kamen nun regelmäßig, seine Gesichtszüge waren glatter als zuvor, keine Krämpfe schienen ihn zu schütteln. Nur manchmal ging ein Zucken durch seinen Leib.

Lange schaute Seraphine ihn an.

Valentin …

Er war ihr Mann.

Leiden an der großen Liebe. Sterben für die große Liebe.

Auf einmal wurde es Seraphine heiß.

Er fühlte, was sie fühlte! Konnte das sein?

Und nun saß sie hier, an Valentins Bett, um ihn zu retten. Damit sie gemeinsam neue Gefühle entdecken konnten?

Ach, Valentin …

Müde, so müde. Ihr Kopf sank auf seine Brust, ihre Lider flatterten, senkten sich.

»Seraphine?« Ein sanfter Griff an ihrem Arm.

Sie zuckte zusammen, wusste einen Moment lang nicht, wo sie war, erschrak, als sie feststellte, wie schwer sie auf Valentins Brust lag. Zittrig rappelte sie sich auf.

»Seraphine …« Er hatte die Augen geöffnet, sein Blick war wach, wenn auch noch etwas benommen. »Du bist gekommen.« Ein Lächeln, so matt.

Sie nahm seine Hand. »Ja, ich bin gekommen.« Ihre Stimme war belegt.

Er schloss die Augen. Ein tiefer Seufzer erklang.

»Seraphine …«

DANKSAGUNG

Wieder einmal gilt es, vielen Menschen ein herzliches Danke-schön auszusprechen für ihre tatkräftige Mithilfe an meinem Roman.

Mein erster Dank gilt meiner Leserin Simone Schäffer, die mir im November 2002 in einem lieben Brief die Idee zu diesem Buch geschenkt hat. Der von ihr beigelegte Zeitungsartikel über den Gönninger Samenhandel hat mich so neugierig ge-macht, dass ich mich kopfüber in die Recherchen gestürzt habe.

In Gönningen selbst fand ich von der Geburtsstunde des Ro-mans an viel Unterstützung. Ein großes Dankeschön geht an Dr. Klaus Kemmler, der sich die Mühe machte, mein Manus-kript auf Fehler hin zu untersuchen, die die Gönninger Themen betrafen, der mir vertrauensvoll seine Bibliothek zur Verfügung stellte und immer Zeit für meine vielen Fragen fand.

Unterstützung von Anfang an fand ich auch bei Prof. Dr. Paul Ackermann, dem Bezirksbürgermeister von Gönningen, dessen Tür für mich und meine Anliegen immer offen stand. Dank gebührt der Gönninger Firma Stoll-Samen, wo ich ein bisschen »Packstuben-Atmosphäre« schnuppern durfte und wo Ulrike Epp eine »Samenhändlerin der Neuzeit« ist.

Sollten sich trotz aller Hilfe Fehler in mein Buch einge-schlichen haben, so gehen diese allein auf mein Konto.

Bedanken möchte ich mich auch bei meiner Familie, die im-mer dann einen Rettungsring auswirft, wenn ich inmitten mei-ner Projekte zu ertrinken drohe. Ein besonderer Dank geht an Bettina, die für mich geschrieben hat, als ich wegen einer Verletzung nicht selbst schreiben, sondern nur diktieren konnte. Ein Dank geht an Bertram für seine »Wiener G'schichten«, ein weiterer Dank an Katja für ihre philosophischen Anmerkungen zum Thema Reisen. Bedanken möchte ich mich auch bei Peter Theimer und Piet Nieyenhus.

Last but not least bedanke ich mich bei all den liebenswürdigen Damen und Herren des Ullstein Verlags, die an der Entstehung des Buches mitgewirkt haben!

Anmerkungen

Im historischen Roman verweben sich oft Fiktion und Historie; auch in diesem Fall habe ich mir einige Freiheiten genommen, wenn sie meiner Geschichte dienlich waren:

Das Bestellsystem, das sich Hannah um 1850 ausdenkt, ist in Gönningen tatsächlich erst einige Jahre später, gegen Ende des 19. Jahrhunderts flächendeckend eingeführt worden. Die einfallsreiche Hannah ist es auch, die für verschiedene Gemüsesorten neue Namen erfindet – die Salatsorte »Gönninger Trotzköpfle« gab es zwar tatsächlich, doch im wahren Leben wurden solche Fantasienamen ebenfalls erst Jahre später verwendet.

Die Familie Kerner verschickt ihr Trockenobst nach Amerika, statt es – wie sonst in Gönningen üblich – im so genannten Jakobihandel im Umland zu verkaufen – für eine solche Transaktion habe ich nirgendwo Belege gefunden.

Vieles hat sich in Gönningen seit der Blütezeit des Samenhandels geändert. Doch wer aufmerksam hinschaut, kann auch heute noch auf den Spuren der Samenhändler wandeln.

Wer Lust hat, Gönningen einmal selbst einen Besuch abzustatten, um auf den Rossberg zu wandern, Mitte April die einzigartige Tulpenblüte auf dem Friedhof zu bestaunen oder um sich bei einem der Lagerverkäufe der Samenhändler einzudecken, sollte auf alle Fälle auch einen Besuch des Samenhandelsmuseums einplanen: Dieses ist im Rathaus Gönningen untergebracht und werktags zu den üblichen Öffnungszeiten zu besuchen. Von Mai bis August ist es außerdem sonntags zwischen 13 und 16 Uhr geöffnet.

Petra Durst-Benning
Die Glasbläserin
Roman

ISBN 978-3-548-25761-7
www.ullstein-buchverlage.de

Lauscha, ein kleines Glasbläserdorf im Thüringer Wald im Jahre 1890: Der Glasbläser Joost Steinmann stirbt und die drei Töchter Johanna, Marie und Ruth stehen völlig mittellos da. Als aber der amerikanische Geschäftsmann Woolworth auf seiner Einkaufstour zufällig auf die schönen gläsernen Christbaumkugeln aus Lauscha aufmerksam wird, gibt er eine Großbestellung für Amerika in Auftrag. Die couragierte Marie wittert ihre Chance: Sie bricht mit allen Regeln und wagt es, als Frau kunstvolle Christbaumkugeln zu kreieren. Es sind die Schönsten, die je in Lauscha produziert wurden, und auch Mr Woolworth scheint von ihnen angetan ...

»Eine großartige Familiensaga.« *Coburger Tageblatt*

Der neue Bestseller der Autorin der *Zuckerbäckerin*!

UB218

ullstein

Cora Harrison

Kein schöner Ort zum Sterben

Historischer Kriminalroman

ISBN 978-3-548-26617-6
www.ullstein-buchverlage.de

Irland im 16. Jahrhundert: Mit Milde und Klugheit sorgt
Richterin Macha für Gerechtigkeit. Allwöchentlich verhandelt sie kleinere und größere Fälle – von Diebstahl
über Eheverträge bis hin zum Totschlag. In jüngster Zeit
herrscht allerdings wegen einer Vergewaltigung Unfriede
in der Gemeinde. Dann wird auch noch der Assistent der
Richterin ermordet aufgefunden. Schon bald stellt sich
heraus, dass Coleman alles andere als beliebt war – ein
Umstand, der die Suche nach dem Täter nicht gerade
erleichtert …

Helga Glaesener
Wespensommer

Historischer Kriminalroman
www.list-taschenbuch.de
ISBN 978-3-548-60767-2

Florenz 1780: Weil die junge Florentinerin Cecilia
Barghini den von der Familie ausgewählten Mann nicht
heiraten will, wird sie nach Montecatini verbannt. Sie
soll bei dem streitbaren Richter Enzo Rossi als Gou-
vernante arbeiten. Doch in dem scheinbar so verschla-
fenen Ort lauern Gefahren: ein Mord geschieht, ein
Kind verschwindet. Cecilia und Enzo müssen trotz aller
Gegensätze zusammenarbeiten, wenn sie den Mörder
rechtzeitig fassen wollen.

»Ein humorvolles Sittengemälde und eine spannende
Detektivgeschichte« *Brigitte*

»Helga Glaesener ist eine von Deutschlands heimlichen
Bestseller-Autorinnen.« *Bild der Frau*

List Taschenbuch

L304

Sargon Youkhana
Im Labyrinth der Lilien

Originalausgabe
Historischer Kriminalroman. www.list-taschenbuch.de
ISBN 978-3-548-60800-6

Paris im Jahre 1670. Antoine de Montagnac ist beim
Sonnenkönig in Ungnade gefallen. Nur unter einer
Bedingung darf er nach Versailles zurückkehren:
Er soll diskret den rätselhaften Tod von Henriette
Stuart, der Schwägerin des Königs, aufklären. Macht-
kämpfe, Sittenverfall und Korruption bestimmen das
Leben am Hof von Louis XIV. und gemeinsam mit dem
Bauernmädchen Marie gerät Antoine in einen Sog aus
Intrigen, Mord und schwarzen Messen.

List Taschenbuch

L321